MISAL ANUAL 2022
PAN DE LA PALABRA

CICLO C

CELEBRACIONES DOMINICALES
Y DÍAS FESTIVOS

SAN PABLO

MISAL ANUAL 2022
PAN DE LA PALABRA
Celebraciones dominicales y días festivos

Obra de la Sociedad de San Pablo al servicio del pueblo de Dios.
Texto oficial aprobado por la Conferencia del Episcopado Mexicano.

IMPRIMATUR

+ *fr. Card. Robles.*

+ José Francisco Card. Robles Ortega
Arzobispo de Guadalajara

Textos oficiales propiedad de la:
**© CONFERENCIA DEL EPISCOPADO
MEXICANO, A. R.**

Director responsable:
P. Victoriano Cira Pérez, ssp

Comentarios:
P. José Salud Paredes, ssp

Ilustración de portada:
José Antonio Rentería Muñoz.

Ilustraciones de interior:
César Ángelo Zetina Rojas

Editor y Propietario:
EDITORIAL ALBA, S.A. DE C.V.
Calle Alba 1914 Col. San Pedrito
45625 Tlaquepaque, Jal.
Tel. 33 36 00 15 27

e-mail: *editorialalba@sanpablo.com.mx*

ISSN: 1659-9716

ORDINARIO DE LA MISA

RITOS INICIALES

Terminado el canto de entrada, el sacerdote y los fieles, de pie, se santiguan con la señal de la cruz, mientras el sacerdote, vuelto hacia el pueblo, dice:

En el nombre del Padre, y del Hijo, y del Espíritu Santo.

El pueblo responde:

Amén.

SALUDO

Después el sacerdote, extendiendo las manos, saluda al pueblo, diciendo:

1. La gracia de nuestro Señor Jesucristo, el amor del Padre y la comunión del Espíritu Santo estén con todos ustedes.

O bien:

2. La gracia y la paz de parte de Dios, nuestro Padre, y de Jesucristo, el Señor, estén con todos ustedes.

O bien:

3. El Señor esté con ustedes.

R. Y con tu espíritu.

ACTO PENITENCIAL

A continuación se hace el acto penitencial, al que el sacerdote invita a los fieles, diciendo:

1. Hermanos: para celebrar dignamente estos sagrados misterios, reconozcamos nuestros pecados.

O bien:

2. Al comenzar esta celebración eucarística, pidamos a Dios que nos conceda la conversión de nuestros corazones; así obtendremos la reconciliación y se acrecentará nuestra comunión con Dios y con nuestros hermanos.

Se hace una breve pausa en silencio. Después, todos dicen en común la fórmula de confesión general:

Yo confieso ante Dios todopoderoso y ante ustedes, hermanos, que he pecado mucho de pensamiento, palabra, obra y omisión. Por mi culpa, por mi culpa, por mi gran culpa. Por eso ruego a santa María, siempre Virgen, a los ángeles, a los santos y a ustedes, hermanos, que intercedan por mí ante Dios, nuestro Señor.

Sigue la absolución del sacerdote:

Dios todopoderoso tenga misericordia de nosotros, perdone nuestros pecados y nos lleve a la vida eterna.
Amén.

El sacerdote puede emplear otra fórmula para el acto penitencial:

Señor, ten misericordia de nosotros.
   R. **Porque hemos pecado contra ti.**

Muéstranos, Señor, tu misericordia.
   R. **Y danos tu salvación.**

Dios todopoderoso...

O bien:

Tú que has sido enviado para sanar a los contritos de corazón: Señor, ten piedad.
   R. **Señor, ten piedad.**

Tú que has venido a llamar a los pecadores: Cristo, ten piedad.
   R. **Cristo, ten piedad.**

Tú que estás sentado a la derecha del Padre para interceder por nosotros: Señor, ten piedad.
   R. **Señor, ten piedad.**

Dios todopoderoso...

Siguen las invocaciones Señor, ten piedad, si no se han dicho ya en algunas de las fórmulas del acto penitencial, se dice:

Señor, ten piedad. / R. **Señor, ten piedad.**
Cristo, ten piedad. / R. **Cristo, ten piedad.**
Señor, ten piedad. / R. **Señor, ten piedad.**

A continuación, cuando esté prescrito, se canta o se dice el himno:

GLORIA

Gloria a Dios en el cielo, y en la tierra paz a los hombres que ama el Señor. Por tu inmensa gloria te alabamos, te bendecimos, te adoramos, te glorificamos, te damos gracias, Señor Dios, Rey celestial, Dios Padre todopoderoso. Señor, Hijo único, Jesucristo; Señor Dios, Cordero de Dios, Hijo del Padre; tú que quitas el pecado del mundo, ten piedad de nosotros; tú que quitas el pecado del mundo, atiende nuestra súplica; tú que estás sentado a la derecha del Padre, ten piedad de nosotros; porque sólo tú eres Santo, sólo tú Señor, sólo tú Altísimo, Jesucristo, con el Espíritu Santo en la gloria de Dios Padre. Amén.

ORACIÓN COLECTA

LITURGIA DE LA PALABRA

PRIMERA LECTURA
Los domingos se toma del Antiguo Testamento, excepto en el Tiempo pascual que se toma de los Hechos de los Apóstoles.

SALMO
El salmo se canta o recita por un (una) salmista desde el ambón. La asamblea participa con el canto de la "Respuesta" (R.).

SEGUNDA LECTURA *(en los domingos y solemnidades)*
Está tomada de una carta escrita por un apóstol (casi siempre por san Pablo) dirigida a alguna de las comunidades primitivas.

ACLAMACIÓN ANTES DEL EVANGELIO
Aclamamos a Cristo que nos va a hablar ahora en el Evangelio. Durante la Cuaresma el Aleluya se reemplaza con una aclamación distinta. El versículo lo canta un cantor (o una cantante) o el coro.

EVANGELIO

Es la cumbre de la Liturgia de la Palabra. Escuchamos al Señor que está vivo entre nosotros y nos habla hoy.

HOMILÍA

PROFESIÓN DF FE

Se dice sobre todo en el Tiempo de Cuaresma y en el Tiempo Pascual el llamado:

CREDO NICENO-CONSTANTINOPOLITANO

Creo en un solo Dios,
Padre todopoderoso,
Creador del cielo y de la tierra,
de todo lo visible y lo invisible.

Creo en un solo Señor, Jesucristo,
Hijo único de Dios,
nacido del Padre antes de todos los siglos:
Dios de Dios, Luz de Luz,
Dios verdadero de Dios verdadero,
engendrado, no creado,
de la misma naturaleza del Padre,
por quien todo fue hecho;
que por nosotros, los hombres,
y por nuestra salvación bajó del cielo,

En las palabras que siguen, hasta **se hizo hombre,** *todos se inclinan.*

y por obra del Espíritu Santo
se encarnó de María, la Virgen, y se hizo hombre;
y por nuestra causa fue crucificado
en tiempos de Poncio Pilato;
padeció y fue sepultado,
y resucitó al tercer día, según las Escrituras,
y subió al cielo,
y está sentado a la derecha del Padre;
y de nuevo vendrá con gloria
para juzgar a vivos y muertos,
y su reino no tendrá fin.

Creo en el Espíritu Santo,
Señor y dador de vida,
que procede del Padre y del Hijo,
que con el Padre y el Hijo
recibe una misma adoración y gloria,
y que habló por los profetas.

Creo en la Iglesia,
que es una, santa, católica y apostólica.
Confieso que hay un solo bautismo
para el perdón de los pecados.
Espero la resurrección de los muertos
y la vida del mundo futuro.
Amén.

CREDO DE LOS APÓSTOLES

Creo en Dios, Padre todopoderoso,
Creador del cielo y de la tierra.
Creo en Jesucristo, su único Hijo, nuestro Señor,

En las palabras que siguen, hasta **"María Virgen"**, todos se inclinan.

que fue concebido por obra y gracia del Espíritu Santo,
nació de santa María Virgen,
padeció bajo el poder de Poncio Pilato,
fue crucificado, muerto y sepultado,
descendió a los infiernos,
al tercer día resucitó de entre los muertos,
subió a los cielos
y está sentado a la derecha de Dios, Padre todopoderoso.
Desde allí ha de venir a juzgar a vivos y muertos.

Creo en el Espíritu Santo,
la santa Iglesia católica, la comunión de los santos,
el perdón de los pecados, la resurrección de la carne
y la vida eterna. Amén.

PLEGARIA UNIVERSAL

LITURGIA EUCARÍSTICA

PREPARACIÓN DE LOS DONES

Se lleva el pan y el vino al altar: También se recogen los dones para la Iglesia y para los pobres.

PRESENTACIÓN DEL PAN

Bendito seas, Señor, Dios del universo, por este pan, fruto de la tierra y del trabajo del hombre, que recibimos de tu generosidad y ahora te presentamos; él será para nosotros pan de vida.

R. Bendito seas por siempre, Señor.

Por el misterio de esta agua y este vino, haz que compartamos la divinidad de quien se ha dignado participar de nuestra humanidad.

PRESENTACIÓN DEL VINO

Bendito seas, Señor, Dios del universo, por este vino, fruto de la vid y del trabajo del hombre, que recibimos de tu generosidad y ahora te presentamos; él será para nosotros bebida de salvación.

R. Bendito seas por siempre, Señor.

Acepta, Señor, nuestro corazón contrito y nuestro espíritu humilde; que éste sea hoy nuestro sacrificio y que sea agradable en tu presencia, Señor, Dios nuestro.

Lava del todo mi delito, Señor, y limpia mi pecado.

Oren, hermanos, para que este sacrificio, mío y de ustedes, sea agradable a Dios, Padre todopoderoso.

R. El Señor reciba de tus manos este sacrificio, para alabanza y gloria de su nombre, para nuestro bien y el de toda su santa Iglesia.

ORACIÓN SOBRE LAS OFRENDAS

PLEGARIA EUCARÍSTICA

El Señor esté con ustedes.

R. Y con tu espíritu.

Levantemos el corazón.

R. Lo tenemos levantado hacia el Señor.

Demos gracias al Señor, nuestro Dios.

R. Es justo y necesario.

ACLAMACIÓN

Santo, Santo, Santo es el Señor, Dios del universo. Llenos están el cielo y la tierra de tu gloria. Hosanna en el cielo. Bendito el que viene en nombre del Señor. Hosanna en el cielo.

PLEGARIA EUCARÍSTICA II

En verdad es justo y necesario, es nuestro deber y salvación darte gracias, Padre santo, siempre y en todo lugar, por Jesucristo, tu Hijo amado. Por él, que es tu Palabra, hiciste todas las cosas; tú nos lo enviaste para que, hecho hombre por obra del Espíritu Santo y nacido de María, la Virgen, fuera nuestro Salvador y Redentor. Él, en cumplimiento de tu voluntad, para destruir la muerte y manifestar la resurrección, extendió sus brazos en la cruz, y así adquirió para ti un pueblo santo. Por eso, con los ángeles y los santos, proclamamos tu gloria, diciendo: **Santo, Santo, Santo...**

Santo eres en verdad, Señor, fuente de toda santidad; por eso te pedimos que santifiques estos dones con la efusión de tu Espíritu, de manera que se conviertan para nosotros en el Cuerpo y † la Sangre de Jesucristo, nuestro Señor.

El cual, cuando iba a ser entregado a su Pasión, voluntariamente aceptada, tomó pan, dándote gracias, lo partió y lo dio a sus discípulos, diciendo:

**Tomen y coman todos de él,
porque esto es mi Cuerpo,
que será entregado por ustedes.**

Del mismo modo, acabada la cena, tomó el cáliz, y, dándote gracias de nuevo, lo pasó a sus discípulos, diciendo:

**Tomen y beban todos de él,
porque éste es el cáliz de mi Sangre,
Sangre de la alianza nueva y eterna,
que será derramada
por ustedes y por muchos
para el perdón de los pecados.**

Hagan esto en conmemoración mía.

Luego se dice una de las siguientes fórmulas:

I. CP. Éste es el Misterio de la fe.

O bien:

Éste es el Sacramento de nuestra fe.

Y el pueblo prosigue, aclamando:

**Anunciamos tu muerte,
proclamamos tu resurrección.
¡Ven, Señor Jesús!**

II. Éste es el Misterio de la fe. Cristo nos redimió.

Y el pueblo prosigue, aclamando:

**Cada vez que comemos de este pan
y bebemos de este cáliz,
anunciamos tu muerte, Señor,
hasta que vuelvas.**

III. Éste es el Misterio de la fe. Cristo se entregó por nosotros.

Y el pueblo prosigue, aclamando:

**Salvador del mundo, sálvanos,
tú que nos has liberado por tu cruz y resurrección.**

Así, pues, Padre, al celebrar ahora el memorial de la muerte y resurrección de tu Hijo, te ofrecemos el pan de vida y el cáliz de salvación, y te damos gracias porque nos haces dignos de servirte en tu presencia.

Te pedimos humildemente que el Espíritu Santo congregue en la unidad a cuantos participamos del Cuerpo y la Sangre de Cristo.

Acuérdate, Señor, de tu Iglesia extendida por toda la tierra;

En los domingos:
Acuérdate, Señor, de tu Iglesia extendida por toda la tierra y reunida aquí en el domingo, día en que Cristo ha vencido a la muerte y nos ha hecho partícipes de su vida inmortal;

y con el Papa N., con nuestro Obispo N., y todos los pastores que cuidan de tu pueblo, llévala a su perfección por la caridad.

En las misas de difuntos se puede añadir:
† Recuerda a tu hijo (hija) N., a quien llamaste (hoy) de este mundo a tu presencia; concédele que, así como ha compartido ya la muerte de Jesucristo, comparta también con él la gloria de la resurrección.

† Acuérdate también de nuestros hermanos que se durmieron en la esperanza de la resurrección, y de todos los que han muerto en tu misericordia; admítelos a contemplar la luz de tu rostro.

Ten misericordia de todos nosotros, y así, con María, la Virgen Madre de Dios, san José, su esposo, los apóstoles y cuantos vivieron en tu amistad a través de los tiempos, merezcamos, por tu Hijo Jesucristo, compartir la vida eterna y cantar tus alabanzas.

Por Cristo, con él y en él, a ti, Dios Padre omnipotente, en la unidad del Espíritu Santo, todo honor y toda gloria por los siglos de los siglos.

Amén.

RITO DE LA COMUNIÓN

PADRE NUESTRO

Fieles a la recomendación del Salvador y siguiendo su divina enseñanza, nos atrevemos a decir:

Padre nuestro, que estás en el cielo, santificado sea tu nombre; venga a nosotros tu reino; hágase tu voluntad en la tierra como en el cielo. Danos hoy nuestro pan de cada día; perdona nuestras ofensas, como también nosotros perdonamos a los que nos ofenden; no nos dejes caer en la tentación, y líbranos del mal.

Líbranos de todos los males, Señor, y concédenos la paz en nuestros días, para que, ayudados por tu misericordia, vivamos siempre libres de pecado y protegidos de toda perturbación, mientras esperamos la gloriosa venida de nuestro Salvador Jesucristo.

R. **Tuyo es el reino, tuyo el poder y la gloria, por siempre, Señor.**

RITO DE LA PAZ

Señor Jesucristo, que dijiste a tus apóstoles: "La paz les dejo, mi paz les doy", no tengas en cuenta nuestros pecados, sino la fe de tu Iglesia y, conforme a tu palabra, concédele la paz y la unidad. Tú que vives y reinas por los siglos de los siglos.

R. **Amén.**

La paz del Señor esté siempre con ustedes. / R. **Y con tu espíritu.**

Si es oportuno, el diácono o el sacerdote invita a los fieles a darse la paz.

Dense fraternalmente la paz.

FRACCIÓN DEL PAN

El gesto de la fracción del pan significa que formamos un solo cuerpo los que nos alimentamos del Pan de vida, que es Cristo.

**Cordero de Dios, que quitas el pecado del mundo,
    ten piedad de nosotros.**
**Cordero de Dios, que quitas el pecado del mundo,
    ten piedad de nosotros.**
**Cordero de Dios, que quitas el pecado del mundo,
    danos la paz.**

COMUNIÓN

El sacerdote completa su preparación personal diciendo en voz baja, una de estas oraciones.

Señor Jesucristo, Hijo de Dios vivo, que por voluntad del Padre, cooperando el Espíritu Santo, diste con tu muerte la vida al mundo, líbrame, por la recepción de tu Cuerpo y de tu Sangre, de todas mis culpas y de todo mal. Concédeme cumplir siempre tus mandamientos y jamás permitas que me separe de ti.

O bien:

Señor Jesucristo, la comunión de tu Cuerpo y de tu Sangre no sea para mí un motivo de juicio y condenación, sino que, por tu piedad, me aproveche para defensa de alma y cuerpo y como remedio saludable.

Muestra a los fieles el pan eucarístico.

Éste es el Cordero de Dios, que quita el pecado del mundo. Dichosos los invitados a la cena del Señor.

R. Señor, no soy digno de que entres en mi casa, pero una palabra tuya bastará para sanarme.

CANTO DE COMUNIÓN

Si no hay canto se dice la Antífona de la comunión. Terminada la comunión, se puede orar en silencio por algún espacio de tiempo. También se puede cantar algún salmo de alabanza.

Rito de Conclusión

El Señor esté con ustedes.

R. Y con tu espíritu.

La bendición de Dios todopoderoso, Padre, Hijo †, y Espíritu Santo, descienda sobre ustedes.

R. Amén.

El diácono o el sacerdote dice:

Pueden ir en paz.

R. Demos gracias a Dios.

EL EVANGELIO DE SAN LUCAS

"Escritor de la misericordia de Dios" es el sobrenombre que Lucas se ha ganado desde la antigüedad, gracias sobre todo a las parábolas: el buen Samaritano, el Padre misericordioso con su hijo que se había alejado de su casa; también por otros episodios como el milagro hecho a la viuda de Naím o la conversión de Zaqueo. Todo esto ha contribuido a darle este apelativo. De las páginas de este escrito emerge el particular modo con el cual presenta a Jesús, siempre junto a los pecadores, a los pobres, a los marginados, a los que sufren y a las categorías más indefensas (viudas, niños, mujeres). El retrato de Jesús que Lucas delinea es el de "Salvador de todos", como deja entender la primera pincelada de la genealogía que lo presenta como "hijo de Adán" (3, 38).

Una obra en dos volúmenes. Este Evangelio es el primer volumen de una obra en dos tomos. En nuestra Biblia este escrito se encuentra separado del libro de los Hechos de los

Apóstoles. Prácticamente todos los estudiosos contemporáneos son unánimes en admitir que el Evangelio y los Hechos han sido concebidos y compuestos como un solo proyecto. En estos últimos años muchos exegetas han profundizado en la calidad literaria (tanto histórica como narrativa) y teológica de este Evangelio; de esta manera ayudan a tener una idea más completa de este escrito. De ninguna manera se le quita mérito a su reconocida espiritualidad, sino que se le agrega un indiscutible peso histórico: la misericordia de Dios se revela a través de su acción salvífica, que se realiza en la historia. Es esto lo que Lucas cuenta a través de una hermosa narración. Consta de 24 capítulos. Sigue el esquema narrativo de Mateo y de Marcos, pero ofrece a sus lectores algunas páginas que son propias. Fue escrito entre los años 70 y 80 d.C.

El autor. Hasta el día de hoy se reconoce como su autor a san Lucas. Un cristiano de la segunda generación que escribe en griego elegante y claro, atento y sensible a la tradición y a los problemas y dificultades de su Iglesia. En el epistolario paulino es mencionado, entre los colaboradores de Pablo, un tal *Loukas*, Lucas. Es originario de Antioquía de Siria, médico de profesión (discípulo de los Apóstoles y compañero de Pablo en sus viajes misioneros). Escribió su Evangelio en Grecia después de Mateo y de Marcos. Esta atribución tradicional del Evangelio a san Lucas se explica por el hecho de que en los primeros siglos se tiende a colocar los escritos canónicos bajo la autoridad de los Apóstoles o de los discípulos de ellos. Mencionamos algunos temas importantes que aparecen en el escrito.

Él se afirmó en su voluntad de ir a Jerusalén. Lucas concentra lo que considera más importante de la predicación de Jesús en el marco literario de un largo "viaje" realizado por Jesús de Galilea a Jerusalén (Lc 9, 51-19, 28). Este "viaje" parece inspirado en el éxodo/viaje realizado por el pueblo elegido, de la esclavitud de Egipto a la plena libertad en la tierra prometida. En esta sesión encontramos algunas parábolas, entre las más hermosas contadas por Jesús, como son la del "Buen samaritano", la del "hijo pródigo". Jesús "debe" subir a Jerusalén, es ahí donde "debe" morir, porque en él se cumple el designio de salvación pensado por Dios para el hombre.

Centralidad de Jerusalén. La ciudad de Jerusalén, meta de este "viaje/éxodo", es vista por Lucas no tanto como lugar geográfico, sino como "lugar" de la salvación y de la intervención decisiva de Dios con la muerte y resurrección de Jesús. Jerusalén y su Templo son el centro de los evangelios de la infancia (capítulos 1-2). De Jerusalén parte la evangelización. Justamente se ha dicho que el Jesús de Lucas es retratado al inicio con sus pies polvorientos en su camino hacia Jerusalén, inclinándose hacia los que sufren y a los últimos de la tierra, para ofrecerles la salvación que se cumplirá en la Ciudad Santa.

El Evangelio de Lucas es también llamado el "**Evangelio del Espíritu Santo**". En los momentos más decisivos de la misión de Jesús –anunciación, bautismo, tentaciones, inicio del ministerio– nada sucede sin la presencia del Espíritu (que es Lucas quien ama llamar "Santo") y sin su participación.

Es el "**Evangelio mariano**". De la figura de María emergen las actitudes ideales en relación con la Palabra de Dios y en el acoger su designio de salvación. Lucas ama escribir estas actitudes usando palabras sencillas y profundas teológicamente: "He aquí la esclava del Señor" (1, 38), "enseguida" (19, 5), "rápidamente" (1, 38), "con gozo" (19, 6), "hoy" (19, 9; 23, 43). María es modelo de esta disponibilidad y acogida de la voluntad de Dios.

SANTA MARÍA, MADRE DE DIOS (S)
BELÉN, LA FLOR DE LA ESPERANZA

"Los pastores se volvieron a sus campos, alabando y glorificando a Dios por todo cuanto habían visto y oído".

¿Qué vieron los pastores? A María, a José y al Niño recostado en el pesebre. Ese niño es el centro de la atención, pero no está solo sino con sus padres felices y orgullosos por el bebé que acaba de nacer y que, de acuerdo al anuncio de los ángeles a los pastores, será el que salvará a su pueblo de sus pecados. Jesús es el Redentor anunciado por Dios, por eso es capaz de despertar esperanza y alegría no sólo en aquellos pastores sino en toda la humanidad.

Hoy que celebramos la maternidad de María la vemos también en esta escena que nos presenta san Lucas; ella ostenta al hijo de sus entrañas y está acompañada de José, su esposo. Una familia llena de armonía y paz, como debe ser toda familia.

¿Y qué han oído los pastores? Dice el Evangelio que los pastores se ponen a contar lo que se les había dicho sobre aquel Niño y todos los que los oyen hablar con tanto entusiasmo, quedan maravillados. Esos comentarios son los que, a su vez, confirman en los pastores su buena percepción sobre la grandeza del "pequeñín" enviado directamente por Dios en cumplimiento de sus promesas a su pueblo en primer lugar, pero con alcance a toda la humanidad.

María, al comprometerse en la concepción y nacimiento de Jesús y participar en el plan de Dios, junto con José y el Niño, nos está invitando a fijar los ojos en Belén, donde ha comenzado a florecer una nueva esperanza.

1. Antífona de entrada. Te aclamamos, santa Madre de Dios, porque has dado a luz al Rey, que gobierna el cielo y la tierra por los siglos de los siglos.

Se dice Gloria

2. Oración colecta. Señor Dios, que por la fecunda virginidad de María diste al género humano el don de la salvación eterna, concédenos sentir la intercesión de aquella por quien recibimos al autor de la vida, Jesucristo, tu Hijo, Señor nuestro. Él, que vive y reina contigo...

3. 1ª Lectura (Núm 6, 22-27)
Del libro de los Números
En aquel tiempo, el Señor habló a Moisés y le dijo: "Di a Aarón y a sus hijos: 'De esta manera bendecirán a los israelitas: El Señor te bendiga y te proteja, haga resplandecer su rostro sobre ti y te conceda su favor. Que el Señor te mire con benevolencia y te conceda la paz'.
Así invocarán mi nombre sobre los israelitas y yo los bendeciré".
Palabra de Dios.
A. *Te alabamos, Señor.*

4. Salmo responsorial (Sal 66)
R. **Ten piedad de nosotros, Señor, y bendícenos.**
L. Ten piedad de nosotros y bendícenos; vuelve, Señor, tus ojos a nosotros. Que conozca la tierra tu bondad y los pueblos tu obra salvadora. / **R.**
L. Las naciones con júbilo te canten, porque juzgas al mundo con justicia; con equidad tú juzgas a los pueblos y riges en la tierra a las naciones. / **R.**

L. Que te alaben, Señor, todos los pueblos, que los pueblos te aclamen todos juntos. Que nos bendiga Dios y que le rinda honor el mundo entero. / R.

5. 2ª Lectura (Gál 4, 4-7)
De la carta del apóstol san Pablo a los gálatas
Hermanos: Al llegar la plenitud de los tiempos, envió Dios a su Hijo, nacido de una mujer, nacido bajo la ley, para rescatar a los que estábamos bajo la ley, a fin de hacernos hijos suyos.

Puesto que ya son ustedes hijos, Dios envió a sus corazones el Espíritu de su Hijo, que clama "¡Abbá!", es decir, ¡Padre! Así que ya no eres siervo, sino hijo; y siendo hijo, eres también heredero por voluntad de Dios.

Palabra de Dios.
A. *Te alabamos, Señor.*

6. Aclamación antes del Evangelio (Heb 1, 1-2)
R. **Aleluya, aleluya.** En distintas ocasiones y de muchas maneras habló Dios en el pasado a nuestros padres, por boca de los profetas. Ahora, en estos tiempos, que son los últimos, nos ha hablado por medio de su Hijo.
R. **Aleluya, aleluya.**

 7. Evangelio (Lc 2, 16-21)
Del santo Evangelio según san Lucas
A. *Gloria a ti, Señor.*
En aquel tiempo, los pastores fueron a toda prisa hacia Belén y encontraron a María, a José y al niño, recostado en el pesebre. Después de verlo, contaron lo que se les había dicho de aquel niño, y cuantos los oían quedaban maravillados. María, por su parte, guardaba todas estas cosas y las meditaba en su corazón.

Los pastores se volvieron a sus campos, alabando y glorificando a Dios por todo cuanto habían visto y oído, según lo que se les había anunciado.

Cumplidos los ocho días, circuncidaron al niño y le pusieron el nombre de Jesús, aquel mismo que había dicho el ángel, antes de que el niño fuera concebido.
Palabra del Señor.
A. *Gloria a ti, Señor Jesús.*

Se dice Credo

8. Oración sobre las ofrendas. Señor Dios, que das origen y plenitud a todo bien, concédenos que, al celebrar, llenos de gozo, la solemnidad de la Santa Madre de Dios, así como nos gloriamos de las primicias de su gracia, podamos gozar también de su plenitud. Por Jesucristo, nuestro Señor.

9. Antífona de la comunión. Jesucristo es el mismo ayer, hoy y por todos los siglos (Heb 13, 8).

10. Oración después de la comunión. Señor, que estos sacramentos celestiales que hemos recibido con alegría, sean fuente de vida eterna para nosotros, que nos gloriamos de proclamar a la siempre Virgen María como Madre de tu Hijo y Madre de la Iglesia. Por Jesucristo, nuestro Señor.

LA PALABRA EN TU VIDA

María es la primera en adherirse al Plan de Dios; nos precede con humildad y buena voluntad. Sigamos su ejemplo y a la vez que aceptamos también nosotros el maravilloso plan de salvación, enseñemos a otros, principalmente a nuestra familia, a seguir el Plan de Salvación que Dios nos propone.

LA EPIFANÍA DEL SEÑOR (S)

QUE TE ADOREN, SEÑOR, TODOS LOS PUEBLOS

Levántate y resplandece, Jerusalén... La solemne celebración de la Manifestación del Señor nos lleva a la gruta de Belén para adorar al Niño Jesús, no sólo en compañía de María y de José, sino también con los Magos venidos del Oriente, primeros representantes de los pueblos paganos que han reconocido en ese pequeño Niño al Rey Mesías. Esta fiesta litúrgica de la Epifanía o Manifestación del Señor resplandece de luces y de colores. La curiosidad que estos misteriosos personajes, cuya procedencia exacta aún hoy es una incógnita, despertaron en Jerusalén, tanto en la corte de Herodes como en la misma población, curiosidad que nos contagia también a nosotros que queremos ponernos en camino a la búsqueda del recién nacido: «rey de los judíos».

Caminarán los pueblos a tu luz y los reyes, al resplandor de tu aurora. En esta reflexión comienzo con este pasaje de Isaías –**primera lectura**–, en donde uno de sus discípulos de este gran profeta preanuncia a la comunidad israelita que regresaba del exilio de Babilonia el esplendor de la futura Jerusalén: «Tus hijos llegan de lejos, a tus hijas las traen en brazos». Es una profecía que motivaba a las personas que regresaban a la propia patria. Jerusalén estaba toda destruida, y ellos con sus propias manos contribuirían a reedificarla.

Mira: las tinieblas cubren la tierra... Es interesante el contraste que, en un determinado momento, Isaías hace ver entre la Jerusalén llena de luz y las naciones cubiertas por espesas tinieblas. Es por ello que estas naciones se pondrán en camino en la búsqueda ansiosa de la «luz» que ya comienzan a ver desde sus lejanas naciones. El «resplandor» de Jerusalén sirve a estas naciones como llamada y como orientación, «Caminarán los pueblos a tu luz y los reyes, al resplandor de tu aurora».

La salvación es universal. Naciendo en el seno del pueblo judío Jesús se manifiesta ante todo a los hebreos: los humildes pastores de Belén reciben la primicia de la venida de Dios entre los hombres. Se cumple el gran misterio de la gracia de Dios: los paganos son llamados en Cristo Jesús a participar a la misma herencia, a formar el mismo cuerpo y a ser partícipes de la misma promesa por medio del Evangelio.

Los Magos dóciles a la guía de la estrella. El camino de los Magos, de la oscuridad de su proveniencia a la luz de Belén, guiados por la estrella, es el camino emblemático que inicia todo hombre en su historia: de las tinieblas del pecado y del no-conocimiento de Dios hacia el encuentro del hombre con Cristo, luz de la humanidad y salvación para los pueblos de todos los tiempos. La «alegría» es el primer fruto de este encuentro del hombre con Jesús Salvador, semejante a la «inmensa alegría» que los Magos sintieron al ver «la estrella» en su camino hacia Belén.

La espera de un restaurador de una perdida "época de oro" de la humanidad, de un Salvador de la Humanidad no se restringía –en la antigüedad– sólo al mundo judío. El relato popular de Mateo sobre la venida de los Magos a Jerusalén pone en evidencia un pensamiento muy generalizado con dimensiones salvíficas: Jesús es Mesías y Salvador de toda la humanidad. Pero mientras los judíos que, a pesar de contar con las Sagradas Escrituras, no reconocen el nacimiento de su Rey-Mesías, es más terminarán por expulsarlo de su pueblo, los paganos –representados por los Magos– acogen a Jesús y van hacia Él reconociéndolo como Salvador.

1. Antífona de entrada. Miren que ya viene el Señor todopoderoso; en su mano están el reino, la potestad y el imperio (Cfr. Mal 3, 1; 1 Crón 29, 12).

Se dice Gloria

2. Oración colecta. Señor Dios, que en este día manifestaste a tu Unigénito a las naciones, guiándolas por la estrella, concede a los que ya te conocemos por la fe, que lleguemos a contemplar la hermosura de tu excelsa gloria. Por nuestro Señor Jesucristo...

3. 1ª Lectura   (Is 60, 1-6)
Del libro del profeta Isaías
Levántate y resplandece, Jerusalén, porque ha llegado tu luz y la gloria del Señor alborea sobre ti. Mira: las tinieblas cubren la tierra y espesa niebla envuelve a los pueblos; pero sobre ti resplandece el Señor y en ti se manifiesta su gloria. Caminarán los pueblos a tu luz y los reyes, al resplandor de tu aurora.

Levanta los ojos y mira alrededor: todos se reúnen y vienen a ti; tus hijos llegan de lejos, a tus hijas las traen en brazos. Entonces verás esto radiante de alegría; tu corazón se alegrará, y se ensanchará, cuando se vuelquen sobre ti los tesoros del mar y te traigan las riquezas de los pueblos. Te inundará una multitud de camellos y dromedarios, procedentes de Madián y de Efá. Vendrán todos los de Sabá trayendo incienso y oro y proclamando las alabanzas del Señor.
Palabra de Dios.
A. *Te alabamos, Señor.*

4. Salmo responsorial   (Sal 71)
R. **Que te adoren, Señor, todos los pueblos.**

L. Comunica, Señor, al rey tu juicio, y tu justicia al que es hijo de reyes; así tu siervo saldrá en defensa de tus pobres y regirá a tu pueblo justamente. / R.

L. Florecerá en sus días la justicia y reinará la paz, era tras era. De mar a mar se extenderá su reino y de un extremo al otro de la tierra. / R.

L. Los reyes de occidente y de las islas le ofrecerán sus dones. Ante él se postrarán todos los reyes y todas las naciones. / R.

[R. Que te adoren, Señor, todos los pueblos.]

L. Al débil librará del poderoso y ayudará al que se encuentra sin amparo; se apiadará del desvalido y pobre y salvará la vida al desdichado. / R.

5. 2ª Lectura   (Ef 3, 2-3. 5-6)
De la carta del apóstol san Pablo a los efesios
Hermanos: Han oído hablar de la distribución de la gracia de Dios, que se me ha confiado en favor de ustedes. Por revelación se me dio a conocer este designio secreto, que no había sido manifestado a los hombres en otros tiempos, pero que ha sido revelado ahora por el Espíritu a sus santos apóstoles y profetas: es decir, que por el Evangelio, también los paganos son coherederos de la misma herencia, miembros del mismo cuerpo y partícipes de la misma promesa en Jesucristo.
Palabra de Dios.
A. Te alabamos, Señor.

6. Aclamación antes del Evangelio   (Mt 2, 2)
R. **Aleluya, aleluya.** Hemos visto su estrella en el oriente y hemos venido a adorar al Señor.
R. **Aleluya, aleluya.**

7. Evangelio   (Mt 2, 1-12)
Del santo Evangelio según san Mateo
A. Gloria a ti, Señor.
Jesús nació en Belén de Judá, en tiempos del rey Herodes. Unos magos de oriente llegaron entonces a Jerusalén y preguntaron: "¿Dónde está el rey de los judíos que acaba de nacer? Porque vimos surgir su estrella y hemos venido a adorarlo".

Al enterarse de esto, el rey Herodes se sobresaltó y toda Jerusalén con él. Convocó entonces a los sumos sacerdotes y a los escribas del pueblo y les preguntó dónde tenía que nacer el Mesías. Ellos le contestaron: "En Belén de Judá, porque así lo ha escrito el profeta: *Y tú, Belén, tierra de Judá, no eres en manera alguna la menor entre las ciudades ilustres de Judá, pues de ti saldrá un jefe, que será el pastor de mi pueblo, Israel".*

Entonces Herodes llamó en secreto a los magos, para que le precisaran el tiempo en que se les había aparecido la estrella y los mandó a Belén, diciéndoles: "Vayan a averiguar cuidadosamente qué hay de ese niño, y cuando lo encuentren, avísenme para que yo también vaya a adorarlo".

Después de oír al rey, los magos se pusieron en camino, y de pronto la estrella que habían visto surgir, comenzó a guiarlos, hasta que se detuvo encima de donde estaba el niño. Al ver de nuevo la estrella, se llenaron de inmensa alegría. Entraron en la casa y vieron al niño con María, su madre, y postrándose, lo adoraron. Después, abriendo sus cofres, le ofrecieron regalos: oro, incienso y mirra. Advertidos durante el sueño de que no volvieran a Herodes, regresaron a su tierra por otro camino.

Palabra del Señor.

A. ***Gloria a ti, Señor Jesús.***

Se dice Credo

8. Oración sobre las ofrendas. Mira con bondad, Señor, los dones de tu Iglesia, que no consisten ya en oro, incienso y mirra, sino en lo que por esos dones se representa, se inmola y se recibe como alimento, Jesucristo, Señor nuestro. Él, que vive y reina por los siglos de los siglos.

9. Antífona de la comunión. Hemos visto su estrella en el Oriente y venimos con regalos a adorar al Señor (Cfr. Mt 2, 2).

10. Oración después de la comunión. Te pedimos, Señor, que tu luz celestial siempre y en todas partes vaya guiándonos, para que contemplemos con ojos puros y recibamos con amor sincero el misterio del que quisiste hacernos partícipes. Por Jesucristo, nuestro Señor.

EN COMUNIÓN
CON LA TRADICIÓN VIVA DE LA IGLESIA

«El día en que Cristo, Salvador del mundo, se manifestó por primera vez a los paganos, hemos de celebrarlo, amadísimos, con todos los honores y sentir en lo más profundo de nuestro corazón el gozo que sintieron los tres Magos cuando, motivados y guiados por la nueva estrella, pudieron adorar, contemplándolo con sus propios ojos, al Rey del cielo y de la tierra, en quien habían previamente creído en virtud de solas promesas. Y aunque el texto evangélico se refiera concretamente a los días en que tres hombres "no adoctrinados por la predicación profética

ni instruidos por el testimonio de la Ley" vinieron de una remotísima región del Oriente para conocer a Dios; sin embargo, vemos que esto mismo, aunque de modo más claro y con mayor abundancia, se realiza hoy en todos los llamados a la luz de la fe. Así se cumple la profecía de Isaías: El Señor desnuda su santo brazo a la vista de todas las naciones, y verán los confines de la tierra la victoria de nuestro Dios. Y de nuevo: Los que no tenían noticia lo verán, los que no habían oído hablar comprenderán. Por eso, cuando vemos que hombres infatuados por la sabiduría mundana y alejados de la fe de Jesucristo son arrancados del abismo de sus errores y conducidos al conocimiento de la luz verdadera, es indudable que está allí actuando el esplendor de la gracia divina, y lo que de luz nueva aparece en esos entenebrecidos corazones es una participación de la misma estrella, de suerte que a las almas tocadas por su fulgor las impresiona primero con el milagro, para conducirlas luego, precediéndolas, a adorar al Señor» (**San León Magno** [c. 390 – 461]. Sermón 160).

EL BAUTISMO DEL SEÑOR (F)

TE ALABAMOS, SEÑOR

Tú eres mi Hijo, el predilecto; en ti me complazco. Estas palabras venidas «de una voz del cielo», y con las cuales termina el texto evangélico que hoy meditamos, nos dan la clave para celebrar y entender el Bautismo del Señor. Son palabras de revelación que vienen de Dios mismo, de la Trinidad de Dios, e iluminan todo lo que ha sucedido en la tierra con motivo del Bautismo de Jesús. Estas palabras que designan a Jesús como el Hijo predilecto del Padre, iluminan nuestra historia personal y la fe de todos los que nos llamamos seguidores de Jesús.

Pensaban que quizá Juan el Bautista era el Mesías. Sabemos que Juan realiza su misión: preparar al pueblo para la inminente venida del Mesías. Su actividad es doble: predicar y bautizar. Con su predicación exhorta al pueblo a la conversión, a la renovación de la vida, para poder acoger el Reino de Dios que ya está a la vista; con tal anuncio el Bautista prepara la predicación sucesiva de Jesús, el verdadero Mesías. El bautismo en las aguas del Jordán era la señal externa de esta invitación a la conversión.

Él no es el Mesías. Juan es consciente de la precariedad de su misión, de la limitación de su tarea, es consciente de que ya ha venido otro, al cual debe cederle el puesto. Sabe que no es el Mesías. La expresión «Yo los bautizo con agua» indica que el bautismo de Juan es simplemente un símbolo, un preanuncio del verdadero bautismo que Jesús instituirá para todos los seguidores de su Evangelio. El bautismo de Juan, de hecho, es el del siervo, el bautismo de Cristo es el bautismo del Señor. El bautismo de Juan es en el agua, el bautismo de Cristo es en el agua y en el Espíritu Santo.

Ya viene otro más poderoso que yo. Así define el Bautista a Jesús. Con la frase «más poderoso que yo», no se trata de fortaleza física, sino de la fuerza que le viene de su dignidad mesiánica y de la plenitud del Espíritu. A la luz del Evangelio de san Juan comprendemos mejor el sentido, el significado de esta fuerza interior por la cual Cristo será motivado. «Uno que viene después de mí al cual no soy digno de desatarle las correas de sus sandalias» (Jn 1, 27), afirma el Profeta. En esa misma ocasión indicó la misión salvífica de Cristo mostrándolo como: «el Cordero de Dios que quita el pecado del mundo».

Sucedió que entre la gente que se bautizaba, también Jesús fue bautizado. El Bautismo de Jesús define su consagración mesiánica. Lucas no se detiene en detalles. Sólo dice: Jesús se formó junto con todos aquellos pecadores para recibir el bautismo. Este detalle tiene un valor inmenso: Jesús se hace solidario con todos esos pecadores. Ponerse en la misma fila con ellos nos hace ver el significado de la encarnación y de la redención. Dios se ha sumergido en nuestra historia, se ha revestido de nuestra humanidad, se ha hecho uno de nosotros; ha nacido niño, ha balbuceado como todos los niños.

Mientras éste oraba, se abrió el cielo... Son palabras de no fácil lectura. Con la frase «el cielo se abrió» Lucas no quiere decir que el firmamento se vio abierto y todos observaron. El «abrirse los cielos» es una expresión simbólica para significar la venida de Dios en medio de los hombres. Es hacerse cercano a la humanidad. Signo de tal acercamiento es el descenso del Espíritu que se posa sobre Jesús para consagrarlo Mesías, Sacerdote y Rey; permanecerá siempre con Él.

1. Antífona de entrada. Inmediatamente después de que Jesús recibió el bautismo, se abrieron los cielos y el Espíritu Santo se posó sobre él en forma de paloma, y resonó la voz del Padre que decía: "Éste es mi Hijo amado, en quien he puesto todo mi amor" (Cfr. Mt 3, 16-17).

Se dice Gloria

2. Oración colecta. Dios todopoderoso y eterno, que proclamaste solemnemente a Jesucristo como tu Hijo muy amado, cuando, al ser bautizado en el Jordán, descendió el Espíritu Santo sobre él, concede a tus hijos de adopción, renacidos del agua y del Espíritu Santo, que se conserven siempre dignos de tu complacencia. Por nuestro Señor Jesucristo…

3. 1ª Lectura   (Is 40, 1-5. 9-11)
Del libro del profeta Isaías
"Consuelen, consuelen a mi pueblo, dice nuestro Dios. Hablen al corazón de Jerusalén y díganle a gritos que ya terminó el tiempo de su servidumbre y que ya ha satisfecho por sus iniquidades, porque ya ha recibido de manos del Señor castigo doble por todos sus pecados".

Una voz clama: "Preparen el camino del Señor en el desierto, construyan en el páramo una calzada para nuestro Dios. Que todo valle se eleve, que todo monte y colina se rebajen; que lo torcido se enderece y lo escabroso se allane. Entonces se revelará la gloria del Señor y todos los hombres la verán". Así ha hablado la boca del Señor.

Sube a lo alto del monte, mensajero de buenas nuevas para Sión; alza con fuerza la voz, tú que anuncias noticias alegres a Jerusalén. Alza la voz y no temas; anuncia a los ciudadanos de Judá: "Aquí está su Dios. Aquí llega el Señor, lleno de poder, el que con su brazo lo domina todo. El premio de su victoria lo acompaña y sus trofeos lo anteceden. Como pastor apacentará a su rebaño; llevará en sus brazos a los corderitos recién nacidos y atenderá solícito a sus madres". *Palabra de Dios.*
A. *Te alabamos, Señor.*

4. Salmo responsorial   (Sal 103)
R. Bendice al Señor, alma mía.
L. Bendice al Señor, alma mía; Señor y Dios mío, inmensa es tu grandeza. Te vistes de belleza y majestad, la luz te envuelve como un manto. / R.

L. Por encima de las aguas construyes tu morada. Las nubes son tu carro; los vientos, tus alas y mensajeros; y tus servidoras, las ardientes llamas. / R.

L. ¡Qué numerosas son tus obras, Señor, y todas las hiciste con maestría! La tierra está llena de tus creaturas, y tu mar, enorme a lo largo y a lo ancho, está lleno de animales pequeños y grandes. / R.

L. Todos los vivientes aguardan que les des de comer a su tiempo; les das el alimento y lo recogen, abres tu mano y se sacian de bienes. / R.

L. Si retiras tu aliento, toda creatura muere y vuelve al polvo. Pero envías tu espíritu, que da vida, y renuevas el aspecto de la tierra. / R.

5. 2ª Lectura   (Tit 2, 11-14; 3, 4-7)
De la carta del apóstol san Pablo a Tito
Querido hermano: La gracia de Dios se ha manifestado para salvar a todos los hombres y nos ha enseñado a renunciar a la vida sin religión y a los deseos mundanos, para que vivamos, ya desde ahora, de una manera sobria, justa y fiel a Dios, en espera de la gloriosa venida del gran Dios y salvador, Cristo Jesús, nuestra esperanza. Él se entregó por nosotros para redimirnos de todo pecado y purificarnos, a fin de convertirnos en pueblo suyo, fervorosamente entregado a practicar el bien.

Al manifestarse la bondad de Dios, nuestro salvador, y su amor a los hombres, él nos salvó, no porque nosotros hubiéramos hecho algo digno de merecerlo, sino por su misericordia. Lo hizo mediante el bautismo, que nos regenera y nos renueva, por la acción del Espíritu Santo, a quien Dios derramó abundantemente sobre nosotros, por Cristo, nuestro salvador. Así, justificados por su gracia, nos convertiremos en herederos, cuando se realice la esperanza de la vida eterna. *Palabra de Dios.*

A. *Te alabamos, Señor.*

O bien:

Is 42, 1-4. 6-7; Sal 28; Hech 10, 34-38. (Leccionario I, pág. 259)

6. Aclamación antes del Evangelio   (Cfr. Lc 3, 16)

R. **Aleluya, aleluya.** Ya viene otro más poderoso que yo, dijo Juan el Bautista; él los bautizará con el Espíritu Santo y con fuego.

R. **Aleluya, aleluya.**

7. Evangelio   (Lc 3, 15-16. 21-22)
Del santo Evangelio según san Lucas
A. *Gloria a ti, Señor.*

En aquel tiempo, como el pueblo estaba en expectación y todos pensaban que quizá Juan el Bautista era el Mesías, Juan los sacó de dudas, diciéndoles: "Es cierto que yo bautizo con agua, pero ya viene otro más poderoso que yo, a quien no merezco desatarle las correas de sus sandalias. Él los bautizará con el Espíritu Santo y con fuego".

Sucedió que entre la gente que se bautizaba, también Jesús fue bautizado. Mientras éste oraba, se abrió el cielo y el Espíritu Santo bajó sobre él en forma sensible, como de una paloma, y del cielo llegó una voz que decía: "Tú eres mi Hijo, el predilecto; en ti me complazco". *Palabra del Señor.*

A. *Gloria a ti, Señor Jesús.*

Se dice Credo

8. Oración sobre las ofrendas. Acepta, Señor, los dones que te presentamos en la manifestación de tu Hijo muy amado, para que la oblación de tus hijos se convierta en el mismo sacrificio de aquel que quiso en su misericordia lavar los pecados del mundo. Él, que vive y reina por los siglos de los siglos.

PREFACIO: El Bautismo del Señor

En verdad es justo y necesario, es nuestro deber y salvación darte gracias siempre y en todo lugar, Señor, Padre santo, Dios todopoderoso y eterno.

Porque mostraste en el Jordán con signos admirables el misterio del nuevo bautismo, para que por aquella voz, venida del cielo, creyéramos que tu Palabra ya estaba habitando entre nosotros y, por el Espíritu Santo, que descendió en forma de paloma, se supiera que Cristo, tu Siervo, era ungido con óleo de alegría y enviado a anunciar el Evangelio a los pobres. Por eso, a una con los coros de los ángeles, te alabamos continuamente en la tierra, aclamando sin cesar:

Santo, Santo, Santo...

9. Antífona de la comunión. Éste es aquel de quien Juan decía: "Yo lo he visto y doy testimonio de que él es el Hijo de Dios" (Cfr. Jn 1, 32. 34).

10. Oración después de la comunión. Saciados con estos sagrados dones, imploramos, Señor, tu clemencia, para que, escuchando fielmente a tu Unigénito, nos llamemos y seamos de verdad hijos tuyos. Por Jesucristo, nuestro Señor.

EN COMUNIÓN CON LA TRADICIÓN VIVA DE LA IGLESIA

«Cristo apareció en el mundo, y, al embellecerlo y acabar con su desorden, lo transformó en radiante y dichoso. Hizo propio el pecado del mundo y acabó con el enemigo del mundo. Santificó las fuentes de las aguas e iluminó las almas de los hombres. Acumuló milagros sobre milagros cada vez mayores. Y así, hoy,

tierra y mar se han repartido entre sí la gracia del Salvador, y el universo entero se halla bañado en alegría; hoy es precisamente el día que añade prodigios mayores y mayores a los de la precedente solemnidad. Pues en la solemnidad anterior, que era la del nacimiento del Salvador, se alegraba la tierra, porque sostenía al Señor en el pesebre; en la presente festividad, en cambio, que es la de las Teofanías, el mar es el que salta y se estremece de júbilo; y lo hace porque en medio del Jordán encontró la bendición santificadora. En la solemnidad anterior se nos mostraba un niño débil, que atestiguaba nuestra propia imperfección; en cambio, en la festividad de hoy se nos presenta ya como un hombre perfecto, mostrando que procede, como perfecto que es, de quien también lo es. En aquel caso, el Rey vestía la púrpura de su cuerpo; en éste, la fuente rodea y recubre al río. Atended, pues, a estos nuevos y estupendos prodigios. El Sol de justicia que se purifica en el Jordán, el fuego sumergido en el agua, Dios santificado por ministerio de un hombre» (**San Proclo de Constantinopla** [¿ ?-446]. Sermón 7 en la santa Epifanía).

2º DOMINGO ORDINARIO

CANTEMOS LA GRANDEZA DEL SEÑOR

Esto que hizo Jesús… fue el primero de sus signos. El episodio de las bodas en Caná constituye como una introducción a la comprensión del misterio de Cristo. Los Discípulos, también invitados a estas nupcias, ahí comprendieron la divinidad de Jesús. Para Juan el «signo» de las bodas encierra grandes características, especialmente por tres motivos: es el «inicio» de los milagros (signos) de Jesús, es como el modelo de todos los que realizará durante su ministerio público; aquí se manifiesta la «gloria» del Señor.

Hubo una boda en Caná de Galilea. La acción se desarrolla en una pequeña aldea situada a pocos kilómetros de Nazaret. En dicho pueblo se está celebrando el matrimonio de dos esposos, probablemente gente pobre, ya que a la mitad de la comida comienza a faltar el elemento más importante para hacer la fiesta: el vino. La celebración de estas fiestas duraba varios días, dependiendo de los recursos económicos de los esposos. María, Jesús y los Apóstoles se encuentran entre los invitados a la fiesta.

Jesús, al participar a esta celebración de bodas humanas, celebra públicamente sus bodas con la humanidad, es decir inaugura la alianza nueva en su Persona de Hijo de Dios, hecho hombre, unido indisolublemente a la historia humana. Pero este mismo acontecimiento es el inicio de la Iglesia, reunida aquí en la fe de María y de los Apóstoles.

A la cual asistió la Madre de Jesús. En el pensamiento del Evangelista las bodas que se están celebrando son figura de la Alianza antigua, pero al mismo tiempo ahí tienen inicio las nuevas y definitivas nupcias, es decir comienza la Nueva Alianza. María es invitada. Con probabilidad era pariente de los nuevos esposos. También Jesús es invitado. Pero no va solo, va a la fiesta como cabeza del grupo de sus discípulos. Jesús, de huésped, se convierte en protagonista; una celebración donde ni siquiera se mencionan los nombres de los esposos. Los protagonistas que emergen del relato evangélico son, por una parte, María y, por la otra, Jesús. Ellos toman el lugar de los esposos. María representa la Antigua Alianza y, gracias a su participación confiada, prepara el inicio de la Nueva Alianza. María, toma la iniciativa al hacer saber a Jesús que «No tienen vino».

Mujer, ¿qué podemos hacer tú y yo? Todavía no llega mi hora. La respuesta de Jesús parece desconcertante. Es una expresión semítica, que equivale a decir: "es una cuestión que no tiene que ver nada ni contigo ni conmigo". Jesús dice claramente «No ha llegado mi hora». Lo que Jesús nos hará entender es que la Alianza antigua ha terminado. Por eso, ya en la expresión de María «no tienen vino», el Evangelista ha querido subrayar que la Alianza antigua ha agotado su potencialidad. Además, Jesús llama a María: «mujer». Ésta no es una palabra de desprecio para su propia Madre.

Porque el Señor se ha complacido en ti y se ha desposado con su tierra. Estos versículos de Isaías –primera lectura– nos describen las nuevas relaciones de Dios con la Jerusalén reconstruida, al regreso del exilio de Babilonia, después del edicto de Ciro (538-537 a.C.) bajo la imagen nupcial.

San Pablo a los cristianos de la **comunidad de Corinto** les habla de los «carismas», es decir de aquellos dones, pequeños o grandes, que Dios mediante su Espíritu dona a todos los bautizados **–segunda lectura–**. Les recuerda que tales carismas son para el bien común. Es exactamente lo que hace María que en Caná usa su «carisma» de ser Madre de Jesús para hacerle ver a su Hijo el problema de los jóvenes esposos.

1. Antífona de entrada. Que se postre ante ti, Señor, la tierra entera; que todos canten himnos en tu honor y alabanzas a tu nombre (Sal 65, 4).

Se dice gloria

2. Oración colecta. Dios todopoderoso y eterno, que gobiernas los cielos y la tierra, escucha con amor las súplicas de tu pueblo y haz que los días de nuestra vida transcurran en tu paz. Por nuestro Señor Jesucristo...

3. 1ª Lectura (Is 62, 1-5)
Del libro del profeta Isaías
Por amor a Sión no me callaré y por amor a Jerusalén no me daré reposo, hasta que surja en ella esplendoroso el justo y brille su salvación como una antorcha.

Entonces las naciones verán tu justicia, y tu gloria todos los reyes. Te llamarán con un nombre nuevo, pronunciado por la boca del Señor. Serás corona de gloria en la mano del Señor y diadema real en la palma de su mano.

Ya no te llamarán "Abandonada", ni a tu tierra, "Desolada"; a ti te llamarán "Mi complacencia" y a tu tierra, "Desposada", porque el Señor se ha complacido en ti y se ha desposado con tu tierra.

Como un joven se desposa con una doncella, se desposará contigo tu hacedor; como el esposo se alegra con la esposa, así se alegrará tu Dios contigo.
Palabra de Dios.
A. **Te alabamos, Señor.**

4. Salmo responsorial (Sal 95)
R. Cantemos la grandeza del Señor.
L. Cantemos al Señor un nuevo canto, que le cante al Señor toda la tierra; cantemos al Señor y bendigámoslo. / **R.**

L. Proclamemos su amor día tras día, su grandeza anunciemos a los pueblos; de nación en nación, sus maravillas. / **R.**

L. Alaben al Señor, pueblos del orbe, reconozcan su gloria y su poder y tribútenle honores a su nombre. / R.

L. Caigamos en su templo de rodillas. Tiemblen ante el Señor los atrevidos. "Reina el Señor", digamos a los pueblos, gobierna a las naciones con justicia. / R.

5. 2ª Lectura   (1 Cor 12, 4-11)
De la primera carta del apóstol san Pablo a los corintios
Hermanos: Hay diferentes dones, pero el Espíritu es el mismo. Hay diferentes servicios, pero el Señor es el mismo. Hay diferentes actividades, pero Dios, que hace todo en todos, es el mismo.

En cada uno se manifiesta el Espíritu para el bien común. Uno recibe el don de la sabiduría; otro, el don de la ciencia. A uno se le concede el don de la fe; a otro, la gracia de hacer curaciones, y a otro más, poderes milagrosos. Uno recibe el don de profecía, y otro, el de discernir los espíritus. A uno se le concede el don de lenguas, y a otro, el de interpretarlas. Pero es uno solo y el mismo Espíritu el que hace todo eso, distribuyendo a cada uno sus dones, según su voluntad.
Palabra de Dios.
A. **Te alabamos, Señor.**

6. Aclamación antes del Evangelio (Cfr. 2 Tes 2, 14)
R. **Aleluya, aleluya.** Dios nos ha llamado, por medio del Evangelio, a participar de la gloria de nuestro Señor Jesucristo.

R. **Aleluya, aleluya.**

7. Evangelio   (Jn 2, 1-11)
Del santo Evangelio según san Juan
A. *Gloria a ti, Señor.*
En aquel tiempo, hubo una boda en Caná de Galilea, a la cual asistió la madre de Jesús. Éste y sus discípulos también fueron invitados. Como llegara a faltar el vino, María le dijo

a Jesús: "Ya no tienen vino". Jesús le contestó: "Mujer, ¿qué podemos hacer tú y yo? Todavía no llega mi hora". Pero ella dijo a los que servían: "Hagan lo que él les diga".

Había allí seis tinajas de piedra, de unos cien litros cada una, que servían para las purificaciones de los judíos. Jesús dijo a los que servían: "Llenen de agua esas tinajas". Y las llenaron hasta el borde. Entonces les dijo: "Saquen ahora un poco y llévenselo al encargado de la fiesta". Así lo hicieron, y en cuanto el encargado de la fiesta probó el agua convertida en vino, sin saber su procedencia, porque sólo los sirvientes la sabían, llamó al esposo y le dijo: "Todo el mundo sirve primero el vino mejor, y cuando los invitados ya han bebido bastante, se sirve el corriente. Tú, en cambio, has guardado el vino mejor hasta ahora".

Esto que hizo Jesús en Caná de Galilea fue el primero de sus signos. Así manifestó su gloria y sus discípulos creyeron en él.

Palabra del Señor.
A. ***Gloria a ti, Señor Jesús.***

Se dice Credo

8. Oración sobre las ofrendas. Concédenos, Señor, participar dignamente en estos misterios, porque cada vez que se celebra el memorial de este sacrificio, se realiza la obra de nuestra redención. Por Jesucristo, nuestro Señor.

9. Antífona de la comunión. Para mí, Señor, has preparado la mesa y has llenado mi copa hasta los bordes (Cfr. Sal 22, 5).

10. Oración después de la comunión. Infúndenos, Señor, el espíritu de tu caridad, para que, saciados con el pan del cielo, vivamos siempre unidos en tu amor. Por Jesucristo, nuestro Señor.

EN COMUNIÓN
CON LA TRADICIÓN VIVA DE LA IGLESIA

«*Cristo santifica, con su presencia, la fuente misma de la generación humana. Oportunamente comienza Cristo a realizar milagros, aun cuando la ocasión de iniciar su obra de taumaturgo parezca ofrecida por circunstancias casuales. Pues como se celebraban unas bodas —castas y honestas bodas, es verdad—, en las que está presente la madre del Salvador, vino también*  *él con sus discípulos aceptando una invitación, no tanto para participar en el banquete, cuanto por hacer el milagro, y de esta forma santificar la fuente misma de la generación humana, en lo que concierne sobre todo a la carne. Era efectivamente muy conveniente que quien venía a renovar la misma naturaleza humana y reconducirla en su totalidad a un nivel más elevado, no se limitara a impartir su bendición a los que ya habían nacido, sino que preparase la gracia también para los que habían de nacer, santificando su nacimiento. Con su presencia santificó las nupcias, él que es el gozo y la alegría de todos, para alejar del alumbramiento la inveterada tristeza. El que es de Cristo es una criatura nueva. Y Pablo insiste: lo antiguo ha cesado, lo nuevo ha comenzado. Vino, pues, con sus discípulos a las bodas. Convenía, en efecto, que acompañasen al taumaturgo los que tan aficionados a lo maravilloso eran, para que recogieran como alimento de su fe la experiencia del portento*» (**San Cirilo de Alejandría** [370-444]. Comentario sobre el evangelio de san Juan).

3er DOMINGO ORDINARIO

TÚ TIENES, SEÑOR, PALABRAS DE VIDA ETERNA

Yo también, ilustre Teófilo, después de haberme informado minuciosamente... Es el prólogo del Evangelio de san Lucas. Este evangelista fue compañero de viaje de Pablo y conoció a Pedro cuando este Apóstol se encontraba prisionero en Roma. San Lucas no es hebreo. Era de origen griego y de cultura helenista. Por lo tanto, es uno de los primeros cristianos provenientes de los gentiles o paganos. Por otros textos del Nuevo Testamento sabemos que probablemente era médico de profesión.

Jesús no escribió nada. Él anunció y predicó la Buena Noticia del Reino de Dios, tal como lo hace hoy en Nazaret, con su discurso en la sinagoga. Además, Jesús no ordenó a los Apóstoles poner por escrito lo que había hecho y dicho. Cristo, en la misión que les había confiado a los Apóstoles y a la Iglesia naciente, les ha asignado la tarea de hablar, de predicar y de anunciar su Evangelio.

De la Buena Nueva predicada a la Buena Nueva escrita. Siguiendo el mandato del Señor, los Apóstoles fueron predicando el Evangelio –comenzando por Jerusalén– más allá de los confines de Palestina, hacia Siria y el Asia Menor, hacia el mundo griego y a las poblaciones que estaban a lo largo de los caminos del imperio romano. San Pablo, convertido del judaísmo, se volvió el más grande predicador del Evangelio a los paganos. Con esta predicación hecha a viva voz (a esta predicación se le llama: Kerigma) se forma –ya desde los primeros años inmediatamente sucesivos a la resurrección de Jesús– la tradición oral. Pero, a cierto punto los primeros cristianos sintieron la necesidad de poner por escrito algunos momentos particulares de aquello que se venía predicando, con fórmulas que lentamente se iban reafirmando. Así nacieron los llamados «primeros resúmenes» de la predicación que hacían los Apóstoles.

Ilustre Teófilo. San Lucas, después de haber indicado su método de trabajo para decir y escribir sólo la verdad de los acontecimientos, especifica el destinatario de su obra: un hombre llamado Teófilo. Este cristiano, según una antigua tradición, sería un ciudadano de Antioquía, de cultura helenista, tal vez una persona notable en la comunidad de Lucas.

En Nazaret Jesús se autoproclama Mesías. Según san Lucas, Jesús inicia su predicación en Galilea; después atraviesa Samaria y Judea, predicando su Buena Nueva de salvación, hasta llegar a Jerusalén: ahí terminará su «viaje» y se mostrará verdadero Mesías, muriendo sobre la cruz y resucitando al tercer día. El ministerio público de Jesús se abre con este primer momento en la sinagoga de Nazaret donde celebra solemnemente la liturgia de la Palabra de Dios: lee un pasaje del Antiguo Testamento, mientras el pueblo escucha atentamente. Acto seguido Jesús da una explicación de aquello que ha leído: «Hoy mismo se ha cumplido este pasaje de la Escritura que acaban de oír». Movido por la fuerza del Espíritu Santo, se autoproclama Mesías.

Podemos concluir este comentario con esta frase de la **primera lectura**: «Éste es un día consagrado al Señor... No estén ustedes tristes ni lloren». Es la promulgación de la Ley hecha por el sacerdote Esdras, en el año 444 a.C., para los hebreos retornados del exilio y que ya habían comenzado a reconstruir Jerusalén. Hubiera sido inútil reconstruirla sin que ellos retomaran al mismo tiempo conciencia de los compromisos de la Alianza.

1. Antífona de entrada. Canten al Señor un cántico nuevo, hombres de toda la tierra, canten al Señor. Hay brillo y esplendor en su presencia, y en su templo, belleza y majestad (Cfr. Sal 95, 1. 6).

Se dice gloria

2. Oración colecta. Dios todopoderoso y eterno, dirige nuestros pasos de manera que podamos agradarte en todo y así merezcamos, en nombre de tu Hijo amado, abundar en toda clase de obras buenas. Por nuestro Señor Jesucristo...

3. 1ª Lectura   (Neh 8, 2-4. 5-6. 8-10)
Del libro de Nehemías
En aquellos días, Esdras, el sacerdote, trajo el libro de la ley ante la asamblea, formada por los hombres, las mujeres y todos los que tenían uso de razón.

Era el día primero del mes séptimo, y Esdras leyó desde el amanecer hasta el mediodía, en la plaza que está frente a la puerta del Agua, en presencia de los hombres, las mujeres y todos los que tenían uso de razón. Todo el pueblo estaba atento a la lectura del libro de la ley.

Esdras estaba de pie sobre un estrado de madera, levantado para esta ocasión. Esdras abrió el libro a la vista del pueblo, pues estaba en un sitio más alto que todos, y cuando lo abrió, el pueblo entero se puso de pie. Esdras bendijo entonces al Señor, el gran Dios, y todo el pueblo, levantando las manos, respondió: "¡Amén!", e inclinándose, se postraron rostro en tierra. Los levitas leían el libro de la ley de Dios con claridad y explicaban el sentido, de suerte que el pueblo comprendía la lectura.

Entonces Nehemías, el gobernador, Esdras, el sacerdote y escriba, y los levitas que instruían a la gente, dijeron a todo el pueblo: "Éste es un día consagrado al Señor, nuestro Dios. No estén ustedes tristes ni lloren (porque todos lloraban al escuchar las palabras de la ley). Vayan a comer espléndidamente, tomen bebidas dulces y manden algo a los que nada

tienen, pues hoy es un día consagrado al Señor, nuestro Dios. No estén tristes, porque celebrar al Señor es nuestra fuerza".
Palabra de Dios.
*A. **Te alabamos, Señor.***

4. Salmo responsorial   (Sal 18)
R. Tú tienes, Señor, palabras de vida eterna.
L. La ley del Señor es perfecta del todo y reconforta el alma; inmutables son las palabras del Señor y hacen sabio al sencillo. / **R.**
L. En los mandamientos del Señor hay rectitud y alegría para el corazón; son luz los preceptos del Señor para alumbrar el camino. / **R.**
L. La voluntad de Dios es santa y para siempre estable; los mandamientos del Señor son verdaderos y enteramente justos. / **R.**
L. Que te sean gratas las palabras de mi boca y los anhelos de mi corazón. Haz, Señor, que siempre te busque, pues eres mi refugio y salvación. / **R.**

5. 2ª Lectura   (1 Cor 12, 12-30)
De la primera carta del apóstol san Pablo a los corintios
Hermanos: Así como el cuerpo es uno y tiene muchos miembros y todos ellos, a pesar de ser muchos, forman un solo cuerpo, así también es Cristo. Porque todos nosotros, seamos judíos o no judíos, esclavos o libres, hemos sido bautizados en un mismo Espíritu, para formar un solo cuerpo, y a todos se nos ha dado a beber del mismo Espíritu.
El cuerpo no se compone de un solo miembro, sino de muchos. Si el pie dijera: "No soy mano, entonces no formo parte del cuerpo", ¿dejaría por eso de ser parte del cuerpo? Y si el oído dijera: "Puesto que no soy ojo, no soy del cuerpo", ¿dejaría por eso de ser parte del cuerpo? Si todo el cuerpo fuera ojo, ¿con qué oiríamos? Y si todo el cuerpo fuera oído, ¿con qué oleríamos? Ahora bien, Dios ha puesto los miembros del cuerpo cada uno en su lugar, según lo quiso. Si todos fueran un solo miembro, ¿dónde estaría el cuerpo?

Cierto que los miembros son muchos, pero el cuerpo es uno solo. El ojo no puede decirle a la mano: "No te necesito"; ni la cabeza, a los pies: "Ustedes no me hacen falta". Por el contrario, los miembros que parecen más débiles son los más necesarios. Y a los más íntimos los tratamos con mayor decoro, porque los demás no lo necesitan. Así formó Dios el cuerpo, dando más honor a los miembros que carecían de él, para que no haya división en el cuerpo y para que cada miembro se preocupe de los demás. Cuando un miembro sufre, todos sufren con él; y cuando recibe honores, todos se alegran con él.

Pues bien, ustedes son el cuerpo de Cristo y cada uno es un miembro de él. En la Iglesia, Dios ha puesto en primer lugar a los apóstoles; en segundo lugar, a los profetas; en tercer lugar, a los maestros; luego, a los que hacen milagros, a los que tienen el don de curar a los enfermos, a los que ayudan, a los que administran, a los que tienen el don de lenguas y el de interpretarlas. ¿Acaso son todos apóstoles? ¿Son todos profetas? ¿Son todos maestros? ¿Hacen todos milagros? ¿Tienen todos el don de curar? ¿Tienen todos el don de lenguas y todos las interpretan?

Palabra de Dios.

A. *Te alabamos, Señor.*

6. Aclamación antes del Evangelio   (Lc 4, 18)

R. **Aleluya, aleluya.** El Señor me ha enviado para llevar a los pobres la buena nueva y anunciar la liberación a los cautivos.

R. **Aleluya, aleluya.**

7. Evangelio   (Lc 1, 1-4; 4, 14-21)

Del santo Evangelio según san Lucas

A. *Gloria a ti, Señor.*

Muchos han tratado de escribir la historia de las cosas que pasaron entre nosotros, tal y como nos las transmitieron los que las vieron desde el principio y que ayudaron en la predicación. Yo también, ilustre Teófilo, después de haberme informado minuciosamente de todo, desde sus principios, pensé escribírtelo por orden, para que veas la verdad de lo que se te ha enseñado.

(Después de que Jesús fue tentado por el demonio en el desierto), impulsado por el Espíritu, volvió a Galilea. Iba enseñando en las sinagogas; todos lo alababan y su fama se extendió por toda la región. Fue también a Nazaret, donde se había criado. Entró en la sinagoga, como era su costumbre hacerlo los sábados, y se levantó para hacer la lectura. Se le dio el volumen del profeta Isaías, lo desenrolló y encontró el pasaje en que estaba escrito:

El Espíritu del Señor está sobre mí, porque me ha ungido para llevar a los pobres la buena nueva, para anunciar la liberación a los cautivos y la curación a los ciegos, para dar libertad a los oprimidos y proclamar el año de gracia del Señor.

Enrolló el volumen, lo devolvió al encargado y se sentó. Los ojos de todos los asistentes a la sinagoga estaban fijos en él. Entonces comenzó a hablar, diciendo: "Hoy mismo se ha cumplido este pasaje de la Escritura que acaban de oír".

Palabra del Señor.

A. ***Gloria a ti, Señor Jesús.***

Se dice Credo

8. Oración sobre las ofrendas. Recibe, Señor, benignamente, nuestros dones, y santifícalos, a fin de que nos sirvan para nuestra salvación. Por Jesucristo, nuestro Señor.

9. Antífona de la comunión. Acudan al Señor; quedarán radiantes y sus rostros no se avergonzarán (Cfr. Sal 33, 6).

10. Oración después de la comunión. Concédenos, Dios todopoderoso, que al experimentar el efecto vivificante de tu gracia, nos sintamos siempre dichosos por este don tuyo. Por Jesucristo, nuestro Señor.

EN COMUNIÓN
CON LA TRADICIÓN VIVA DE LA IGLESIA

«*Cuando lees: Enseñaba en las sinagogas y todos lo alababan, atento de no juzgarlos dichosos únicamente a ellos, creyéndote privado de doctrina. Porque si es verdad lo que está escrito, el Señor no hablaba sólo entonces en las sinagogas de los judíos, sino que hoy, en esta reunión, habla el Señor. Y no sólo en ésta, sino también en cualquier otra asamblea y en toda la tierra enseña Jesús, buscando los instrumentos adecuados para transmitir su enseñanza. ¡Orad para que también a mí me encuentre dispuesto y apto para ensalzarlo! Después: fue a Nazaret, donde se había criado, entró en la sinagoga, como era su costumbre los sábados, y se puso en pie para hacer la lectura. Le entregaron el libro del profeta Isaías y, desenrollándolo, encontró el pasaje donde estaba escrito: "El Espíritu del Señor está sobre mí, porque él me ha ungido". No fue mera casualidad, sino providencia de Dios, el que, desenrollando el libro, diera con el capítulo de Isaías que hablaba proféticamente de él. Pues si, como está escrito, ni un solo gorrión cae en el lazo sin que lo disponga vuestro Padre y si los cabellos de la cabeza de los apóstoles están todos contados, posiblemente tampoco el hecho de que diera precisamente con el libro del profeta Isaías y concretamente no con otro pasaje, sino con éste, que subraya el misterio de Cristo: El Espíritu del Señor está sobre mí, porque él me ha ungido: no olvidemos que es el mismo Cristo quien proclama este texto, hay que pensar que no sucedió porque sí o fue producto del juego de la casualidad, sino que ocurrió de acuerdo con la economía y la providencia divina*» (**Orígenes** [¿185?-254]. Homilía 32 sobre el evangelio de san Lucas).

30 DE ENERO – **(VERDE)**

4º DOMINGO ORDINARIO

SEÑOR, TÚ ERES MI ESPERANZA

Hoy mismo se ha cumplido este pasaje de la Escritura... Es el primer episodio de la actividad misionera de Jesús. San Lucas lo coloca en el norte de Palestina, en una región periférica: Nazaret. Esta frase es la conclusión del discurso mesiánico de Jesús en la sinagoga de ese poblado. Nazaret era una población pequeña, casi desconocida. Ahí Jesús había pasado su infancia, su adolescencia y ahí se había preparado para su ministerio público. Ahí pasó 30 años de su existencia trabajando como cualquier hijo de familia. Por eso todos lo conocían. Jesús predica su primera «homilía» utilizando el adverbio «Hoy». La reacción del auditorio, al final, será decididamente hostil. Su incredulidad consistía en rechazar que Dios hablara y actuara tan normalmente en la vida de todos los días.

El texto de Isaías. Jesús proclama un pasaje del libro de Isaías. El relato trata de mostrar indirectamente que Jesús es el profeta del cual habla dicho texto: es la persona sobre quien reposa el Espíritu del Señor y ha sido enviado a anunciar la buena noticia. Los lectores del Evangelio de Lucas ya sabían que Jesús había recibido el Espíritu Santo en el bautismo, mientras que sus oyentes lo ignoraban.

Jesús comenta el texto profético declarando el cumplimiento de ese pasaje. No lo aplica explícitamente a su propia persona, sólo invita a sus oyentes a estar atentos a los signos que se pueden percibir y que anuncian esa novedad ya presente. En la proclamación del cumplimiento del texto Jesús ofrece una importante clave de lectura: el Mesías no será un guerrero o un ser celeste, sino el que librará de la esclavitud trayendo una noticia de alegría y de gracia.

Primera reacción del auditorio. La reacción de sus coetáneos podemos decir que es doble: por una parte «Todos ellos le daban su aprobación...», es decir están de acuerdo en todo lo que está afirmando; pero, por otra, agregan una pregunta que parece fuera de lugar: «¿No es éste el hijo de José?». Ellos no niegan que Jesús sea el Mesías, no están escandalizados de su historia común y corriente, sino que enlazan dos dimensiones diferentes: por una parte, el reconocimiento de la mesianidad y, por otra, la pertenencia de éste a su comunidad.

Referencia a Elías y Eliseo. Sin citar textos de la Escritura Jesús se refiere a dos episodios del Antiguo Testamento, teniendo como protagonistas a estos dos profetas, los cuales habían realizado milagros en favor de personas extranjeras. En línea con la tradición profética, Jesús no teme desilusionar las pretensiones de sus coterráneos. Además de los ejemplos proféticos Jesús cita otro proverbio: «Nadie es profeta en su tierra».

Desde antes de formarte en el seno materno, te conozco. Es la vocación del profeta Jeremías (siglo VIII a.C.), hijo de una familia sacerdotal de Jerusalén –**primera lectura**–. El profetismo es un fenómeno frecuente en la Sagrada Escritura. Se debe decir, ante todo, que el profetismo es un evento originario y propio del mundo hebreo, de la revelación bíblica. Es más, el profetismo, como hoy lo conocemos por la Biblia, es un fenómeno originario del pueblo elegido.

Voy a mostrarles el camino mejor de todos. Este pasaje es una de las páginas más bellas del Nuevo Testamento y, por qué no, ¡de la literatura universal! Es el himno a la caridad, que san Pablo dirige a la comunidad cristiana de Corinto –**segunda lectura**–. Entre los varios carismas o dones que el Apóstol enumera, en cuanto propios del cristiano y de la Iglesia, está también el don de la profecía, junto a los otros dones.

1. Antífona de entrada. Sálvanos, Señor y Dios nuestro; reúnenos de entre las naciones, para que podamos agradecer tu poder santo y nuestra gloria sea alabarte (Sal 105, 47).

Se dice gloria

2. Oración colecta. Concédenos, Señor Dios nuestro, adorarte con toda el alma y amar a todos los hombres con afecto espiritual. Por nuestro Señor Jesucristo...

3. 1ª Lectura   (Jer 1, 4-5. 17-19)
Del libro del profeta Jeremías

En tiempo de Josías, el Señor me dirigió estas palabras: "Desde antes de formarte en el seno materno, te conozco; desde antes de que nacieras, te consagré y te constituí como profeta para las naciones. Cíñete y prepárate; ponte en pie y diles lo que yo te mando. No temas, no titubees delante de ellos, para que yo no te quebrante.

Mira: hoy te hago ciudad fortificada, columna de hierro y muralla de bronce, frente a toda esta tierra, así se trate de los reyes de Judá, como de sus jefes, de sus sacerdotes o de la gente del campo. Te harán la guerra, pero no podrán contigo, porque yo estoy a tu lado para salvarte".

Palabra de Dios.
A. *Te alabamos, Señor.*

4. Salmo responsorial   (Sal 70)

R. **Señor, tú eres mi esperanza.**

L. Señor, tú eres mi esperanza, que no quede yo jamás defraudado. Tú, que eres justo, ayúdame y defiéndeme; escucha mi oración y ponme a salvo. / R.

L. Sé para mí un refugio, ciudad fortificada en que me salves. Y pues eres mi auxilio y mi defensa, líbrame, Señor, de los malvados. / R.

L. Señor, tú eres mi esperanza; desde mi juventud en ti confío. Desde que estaba en el seno de mi madre, yo me apoyaba en ti y tú me sostenías. / R.

L. Yo proclamaré siempre tu justicia y a todas horas, tu misericordia. Me enseñaste a alabarte desde niño y seguir alabándote es mi orgullo. / R.

5. 2ª Lectura   (1 Cor 12, 31-13, 13)

De la primera carta del apóstol san Pablo a los corintios

Hermanos: Aspiren a los dones de Dios más excelentes. Voy a mostrarles el camino mejor de todos. Aunque yo hablara las lenguas de los hombres y de los ángeles, si no tengo amor, no soy más que una campana que resuena o unos platillos que aturden. Aunque yo tuviera el don de profecía y penetrara todos los misterios, aunque yo poseyera en grado sublime el don de ciencia y mi fe fuera tan grande como para cambiar de sitio las montañas, si no tengo amor, nada soy. Aunque yo repartiera en limosna todos mis bienes y aunque me dejara quemar vivo, si no tengo amor, de nada me sirve.

El amor es comprensivo, el amor es servicial y no tiene envidia; el amor no es presumido ni se envanece; no es grosero ni egoísta; no se irrita ni guarda rencor; no se alegra con la injusticia, sino que goza con la verdad. El amor disculpa sin límites, confía sin límites, espera sin límites, soporta sin límites.

El amor dura por siempre; en cambio, el don de profecía se acabará; el don de lenguas desaparecerá y el don de ciencia dejará de existir, porque nuestros dones de ciencia y de profecía son imperfectos. Pero cuando llegue la consumación, todo lo imperfecto desaparecerá.

Cuando yo era niño, hablaba como niño, sentía como niño y pensaba como niño; pero cuando llegué a ser hombre, hice a un lado las cosas de niño. Ahora vemos como en un espejo y oscuramente, pero después será cara a cara. Ahora sólo conozco de una manera imperfecta, pero entonces conoceré a Dios como él me conoce a mí. Ahora tenemos estas tres virtudes: la fe, la esperanza y el amor; pero el amor es la mayor de las tres.

Palabra de Dios.
A. *Te alabamos, Señor.*

6. Aclamación antes del Evangelio   (Lc 4, 18)

R. **Aleluya, aleluya.** El Señor me ha enviado para llevar a los pobres la buena nueva y anunciar la liberación a los cautivos.

R. **Aleluya, aleluya.**

7. Evangelio   (Lc 4, 21-30)
Del santo Evangelio según san Lucas
A. *Gloria a ti, Señor.*

En aquel tiempo, después de que Jesús leyó en la sinagoga un pasaje del libro de Isaías, dijo: "Hoy mismo se ha cumplido este pasaje de la Escritura que acaban de oír". Todos le daban su aprobación y admiraban la sabiduría de las palabras que salían de sus labios, y se preguntaban: "¿No es éste el hijo de José?".

Jesús les dijo: "Seguramente me dirán aquel refrán: 'Médico, cúrate a ti mismo' y haz aquí, en tu propia tierra, todos esos prodigios que hemos oído que has hecho en Cafarnaúm". Y añadió: "Yo les aseguro que nadie es profeta en su tierra. Había ciertamente en Israel muchas viudas en los tiempos de Elías, cuando faltó la lluvia durante tres años y medio, y hubo un hambre terrible en todo el país; sin embargo, a ninguna de ellas fue enviado Elías, sino a una viuda que vivía en Sarepta, ciudad de Sidón. Había muchos leprosos en Israel, en tiempos del profeta Eliseo; sin embargo, ninguno de ellos fue curado sino Naamán, que era de Siria".

Al oír esto, todos los que estaban en la sinagoga se llenaron de ira, y levantándose, lo sacaron de la ciudad y lo llevaron hasta un precipicio de la montaña sobre la que estaba construida la ciudad, para despeñarlo. Pero él, pasando por en medio de ellos, se alejó de allí.

Palabra del Señor.
A. ***Gloria a ti, Señor Jesús.***

Se dice Credo

8. Oración sobre las ofrendas. Recibe, Señor, complacido, estos dones que ponemos sobre tu altar en señal de nuestra sumisión a ti y conviértelos en el sacramento de nuestra redención. Por Jesucristo, nuestro Señor.

9. Antífona de la comunión. Vuelve, Señor, tus ojos a tu siervo y sálvame por tu misericordia. A ti, Señor, me acojo, que no quede yo nunca defraudado (Cfr. Sal 30, 17-18).

10. Oración después de la comunión. Te rogamos, Señor, que, alimentados con el don de nuestra redención, este auxilio de salvación eterna afiance siempre nuestra fe en la verdad. Por Jesucristo, nuestro Señor.

EN COMUNIÓN
CON LA TRADICIÓN VIVA DE LA IGLESIA

«*Llegó a Cafarnaúm, y cuando el sábado siguiente fue a la sinagoga a enseñar, se quedaron asombrados de su enseñanza. Era ciertamente lógico que la muchedumbre se sintiera abrumada por el peso de sus palabras y desfalleciera ante la sublimidad de sus preceptos. Pero no. Era tal el poder de convicción del Maestro, que no sólo convenció a muchos de sus oyentes causándoles una profunda admiración, sino que, por el solo placer de escucharle, muchos no acertaban a separarse de él, aun*  *después de terminado el discurso. De hecho, cuando hubo bajado del monte, no se dispersaron sus oyentes, sino que lo siguió toda la concurrencia: ¡tanto amor a su doctrina supo infundirles! Y aquello que más admiraban era su autoridad. Pues Cristo no hablaba apoyando sus afirmaciones en la autoridad de otro, como lo hacían los profetas o el mismo Moisés, sino dejando siempre claro que era en él en quien residía la autoridad. En efecto, después de haber aducido testimonios legales, solía añadir: Pero yo os digo. Y cuando sacó a colación el día del juicio, se presentaba a sí mismo como juez que debía decretar premio o castigo. Un motivo más para que se hubieran turbado los oyentes. Porque si los letrados, que le habían visto demostrar con obras su poder, intentaron apedrearle y le arrojaron fuera de la ciudad, ¿no era lógico que cuando exhibía sólo palabras como prueba de su autoridad, los oyentes se escandalizaran, máxime ocurriendo esto al comienzo de su predicación, antes de hacer una demostración de su poder? Y, sin embargo, nada de esto ocurrió*» (**San Juan Crisóstomo** [347-407]. Homilía 25 sobre el evangelio de Mateo).

5º DOMINGO ORDINARIO

CUANDO TE INVOCAMOS, SEÑOR, NOS ESCUCHASTE

Los primeros llamados a la misión. El relato evangélico combina dos episodios tradicionales: la pesca milagrosa y la llamada de los primeros discípulos. La palabra de Jesús cambia radicalmente sus roles, y ellos abandonan todo para seguir a quien los ha llamado. Sin embargo, en la narración de Lucas el episodio de la vocación está mezclado con el de la pesca milagrosa: símbolo de la misión a la cual son llamados estos discípulos. En el llamado que les hace demuestra gran autoridad: su palabra que anunciaba «el Reino de Dios» (Lc 4, 43) realiza cuanto dice.

La barca de Pedro. Tengamos presente este detalle: con este relato evangélico san Lucas tiene la intención de presentar el rol especial de Pedro, poniendo en primer plano la importancia de su figura en la Iglesia y su primado entre los apóstoles. Jesús «vio dos barcas que estaban junto a la orilla». Muestra preferencia por una de las dos, que es la de Simón. Éste es ya un detalle que asume un significado teológico y eclesial. Jesús acompaña la acción de Pedro y la hace fructífera con su presencia creadora. Desde esta barca, que es guiada visible e históricamente por Pedro, Jesús enseña a las multitudes como maestro de toda la Iglesia. Todavía hoy y para siempre la Iglesia de Cristo es confiada a la guía visible del Pedro de hoy, que es el Papa.

La pesca milagrosa. Después de que Jesús concluyó la enseñanza a la multitud, quiere dar un signo tangible de su identidad a estos pescadores, para los cuales tiene un programa particular. Los invita a «Llevar la barca mar adentro…». Durante el día no es posible pescar. Éste es un trabajo que se debe realizar de noche. Además, Pedro y sus compañeros estaban cansados pues esa noche «no hemos pescado nada». Un cansancio que no había producido buenos resultados. Pedro no se deja condicionar por estas adversidades y, a pesar de estar cansado y de todas las contrariedades, afirma: «Confiado en tu palabra, echaré las redes».

¡Apártate de mí, Señor, porque soy un pecador! ¿Cuál es la reacción del pescador? Pedro está frente a una experiencia de lo divino. En la pesca milagrosa ve la mano de Dios. Experimenta –como Isaías– la cercanía de la trascendencia de Dios. En ese momento no llama a Jesús simplemente «Maestro», como antes, sino que lo proclama «Señor», título propio del Dios Omnipotente y Creador de la Alianza antigua. De esta manera confiesa que Jesús es el Señor, el Omnipotente, Pedro profesa también la propia humanidad y se reconoce por aquello que realmente es: un ¡simple pescador!

He visto con mis ojos al Rey y Señor de los ejércitos. Es una página luminosa de una llamada por parte de Dios para realizar una misión divina –**primera lectura**–. Esta experiencia, que Isaías hace en el templo de Jerusalén, es como un paradigma del nacimiento de toda vocación. La visión del Trascendente fascina y contagia al hombre. Pero Isaías, al igual que Pedro, confiesa el propio pecado, la propia indignidad.

Les recuerdo el Evangelio que yo les prediqué. La enseñanza sobre la resurrección es la clave de lectura de todo el pensamiento religioso de san Pablo –**segunda lectura**–. Su cristología y eclesiología tienen aquí su culmen. Habla de algunas apariciones del Resucitado no mencionadas en los Evangelios. También a él se le apareció Cristo resucitado en el camino a Damasco, como último en orden de tiempo y de dignidad.

1. Antífona de entrada. Entremos y adoremos de rodillas al Señor, creador nuestro, porque él es nuestro Dios (Sal 94, 6-7).

Se dice gloria

2. Oración colecta. Te rogamos, Señor, que guardes con incesante amor a tu familia santa, que tiene puesto su apoyo sólo en tu gracia, para que halle siempre en tu protección su fortaleza. Por nuestro Señor Jesucristo...

3. 1ª Lectura   (Is 6, 1-2. 3-8)
Del libro del profeta Isaías
El año de la muerte del rey Ozías, vi al Señor, sentado sobre un trono muy alto y magnífico. La orla de su manto llenaba el templo. Había dos serafines junto a él, con seis alas cada uno, que se gritaban el uno al otro:

"Santo, santo, santo es el Señor, Dios de los ejércitos; su gloria llena toda la tierra".

Temblaban las puertas al clamor de su voz y el templo se llenaba de humo. Entonces exclamé:

"¡Ay de mí!, estoy perdido, porque soy un hombre de labios impuros, que habito en medio de un pueblo de labios impuros, porque he visto con mis ojos al Rey y Señor de los ejércitos".

Después voló hacia mí uno de los serafines. Llevaba en la mano una brasa, que había tomado del altar con unas tenazas. Con la brasa me tocó la boca, diciéndome:

"Mira: Esto ha tocado tus labios. Tu iniquidad ha sido quitada y tus pecados están perdonados".

Escuché entonces la voz del Señor que decía: "¿A quién enviaré? ¿Quién irá de parte mía?". Yo le respondí: "Aquí estoy, Señor, envíame".
Palabra de Dios.
A. Te alabamos, Señor.

4. Salmo responsorial (Sal 137)

R. Cuando te invocamos, Señor, nos escuchaste.

L. De todo corazón te damos gracias, Señor, porque escuchaste nuestros ruegos. Te cantaremos delante de tus ángeles. Te adoraremos en tu templo. / **R.**

L. Señor, te damos gracias por tu lealtad y por tu amor: siempre que te invocamos nos oíste y nos llenaste de valor. / **R.**

L. Que todos los reyes de la tierra te reconozcan al escuchar tus prodigios. Que alaben tus caminos, porque tu gloria es inmensa. / **R.**

L. Tu mano, Señor, nos pondrá a salvo, y así concluirás en nosotros tu obra. Señor, tu amor perdura eternamente; obra tuya soy, no me abandones. / **R.**

5. 2ª Lectura (1 Cor 15, 1-11)

De la primera carta del apóstol san Pablo a los corintios

Hermanos: Les recuerdo el Evangelio que yo les prediqué y que ustedes aceptaron y en el cual están firmes. Este Evangelio los salvará, si lo cumplen tal y como yo lo prediqué. De otro modo, habrán creído en vano.

Les transmití, ante todo, lo que yo mismo recibí: que Cristo murió por nuestros pecados, como dicen las Escrituras; que fue sepultado y que resucitó al tercer día, según estaba escrito; que se le apareció a Pedro y luego a los Doce; después se apareció a más de quinientos hermanos reunidos, la mayoría de los cuales vive aún y otros ya murieron. Más tarde se le apareció a Santiago y luego a todos los apóstoles.

Finalmente, se me apareció también a mí, que soy como un aborto. Porque yo perseguí a la Iglesia de Dios y por eso soy el último de los apóstoles e indigno de llamarme apóstol. Sin embargo, por la gracia de Dios, soy lo que soy, y su gracia no ha sido estéril en mí; al contrario, he trabajado más que todos ellos, aunque no he sido yo, sino la gracia de Dios, que está conmigo. De cualquier manera, sea yo, sean ellos, esto es lo que nosotros predicamos y esto mismo lo que ustedes han creído. *Palabra de Dios.*

A. *Te alabamos, Señor.*

6. Aclamación antes del Evangelio (Mt 4, 19)

R. **Aleluya, aleluya.** Síganme, dice el Señor, y yo los haré pescadores de hombres.

R. **Aleluya, aleluya.**

7. Evangelio (Lc 5, 1-11)
Del santo Evangelio según san Lucas
A. *Gloria a ti, Señor.*

En aquel tiempo, Jesús estaba a orillas del lago de Genesaret y la gente se agolpaba en torno suyo para oír la palabra de Dios. Jesús vio dos barcas que estaban junto a la orilla. Los pescadores habían desembarcado y estaban lavando las redes. Subió Jesús a una de las barcas, la de Simón, le pidió que la alejara un poco de tierra, y sentado en la barca, enseñaba a la multitud.

Cuando acabó de hablar, dijo a Simón: "Lleva la barca mar adentro y echen sus redes para pescar". Simón replicó: "Maestro, hemos trabajado toda la noche y no hemos pescado nada; pero, confiado en tu palabra, echaré las redes". Así lo hizo y cogieron tal cantidad de pescados, que las redes se rompían. Entonces hicieron señas a sus compañeros, que estaban en la otra barca, para que vinieran a ayudarlos. Vinieron ellos y llenaron tanto las dos barcas, que casi se hundían.

Al ver esto, Simón Pedro se arrojó a los pies de Jesús y le dijo: "¡Apártate de mí, Señor, porque soy un pecador!". Porque tanto él como sus compañeros estaban llenos de asombro, al ver la pesca que habían conseguido. Lo mismo les pasaba a Santiago y a Juan, hijos de Zebedeo, que eran compañeros de Simón.

Entonces Jesús le dijo a Simón: "No temas; desde ahora serás pescador de hombres". Luego llevaron las barcas a tierra y, dejándolo todo, lo siguieron.

Palabra del Señor.
A. *Gloria a ti, Señor Jesús.*

Se dice Credo

8. Oración sobre las ofrendas. Señor Dios nuestro, que has creado los frutos de la tierra sobre todo para ayuda de nuestra fragilidad, concédenos que también se conviertan para nosotros en sacramento de eternidad. Por Jesucristo, nuestro Señor.

9. Antífona de la comunión. Demos gracias al Señor por su misericordia, por las maravillas que hace en favor de su pueblo; porque da de beber al que tiene sed y les da de comer a los hambrientos (Cfr. Sal 106, 8-9).

10. Oración después de la comunión. Señor Dios, que quisiste hacernos participar de un mismo pan y un mismo cáliz, concédenos vivir de tal manera que, hechos uno en Cristo, demos fruto con alegría para la salvación del mundo. Por Jesucristo, nuestro Señor.

EN COMUNIÓN
CON LA TRADICIÓN VIVA DE LA IGLESIA

«*Estando el bienaventurado Pedro con otros dos discípulos de Cristo en la montaña con el mismo Señor, oyó una voz venida del cielo: Éste es mi Hijo, el amado, mi predilecto. Escuchadlo. Recordando este episodio, el mencionado Apóstol escribe en su Carta: Esta voz venida del cielo la oímos nosotros estando con él en la montaña sagrada. Y luego continúa diciendo: Esto nos certifica la palabra de los profetas. Se oyó aquella voz del cielo, y se cercioró la palabra de los profetas. Este Pedro, que así habla, fue pescador: y en la actualidad es un inestimable timbre de gloria para un orador, ser capaz de comprender al pescador. (···). Aún más, ha escogido la gente baja del*

mundo, lo despreciable, lo que no cuenta, para anular a lo que cuenta. Si para dar comienzo a su obra, Cristo hubiera elegido un orador, el orador hubiera dicho: *"He sido elegido en consideración a mi elocuencia"*. Si hubiera escogido a un senador, el senador hubiera dicho: *"He sido escogido en atención a mi dignidad"*. En fin, si primeramente hubiera elegido a un emperador, éste hubiera dicho: *"He sido elegido en consideración a mi poder"*. Descansen los tales y aguarden todavía un poco. Descansen un poco: no se prescinda de ellos ni se les desprecie; sean tan sólo aplazados quienes pueden gloriarse de sí mismos y en sí mismos. Dame –dice– ese pescador, dame a ese ignorante, dame ese analfabeto, dame a ese con quien no se digna hablar el senador, ni siquiera al comprarle la pesca: dame a ése. Y cuando le haya colmado de mis dones, quedará patente que soy yo quien actúo» (**San Agustín** [354-430]. Sermón 43).

6º DOMINGO ORDINARIO
DICHOSO EL HOMBRE QUE CONFÍA EN EL SEÑOR

Las Bienaventuranzas. Una multitud rodea a Jesús, también están los Apóstoles. Él se pone a enseñarles. Proclama las Bienaventuranzas. Tema central en su predicación y en su vida. Estamos frente a la página programática del Evangelio. Después de varios milagros Jesús deja entrever el misterio de su persona. Luego de llamar a sus primeros colaboradores se presenta públicamente indicando el estilo y contenido de su predicación sobre el Reino.

Allí se encontraba mucha gente... Jesús toma inmediatamente la palabra. Frente a esta gente sencilla no pronuncia un discurso abstracto, como tampoco presenta una doctrina que sea imposible de llevar a la práctica. Quiere indicar a quienes lo escuchan el camino para alcanzar la felicidad. Con las Bienaventuranzas proclama su palabra decisiva, quien la acepta es su discípulo y quien la difunde es apóstol. Las Bienaventuranzas del Maestro constituyen la expresión de la presencia de Dios (o de su Reino) en la existencia de los hombres. Lo que en ellas se proclama es un misterio de gracia y de bondad que sobrepasa todo equilibrio humano.

Dichosos ustedes los pobres... San Lucas trasmite sólo cuatro Bienaventuranzas, a diferencia de Mateo que nos trasmite ocho. Jesús anuncia a los pobres, a los hambrientos, a los abandonados y a los sedientos de justicia que pueden finalmente ser felices porque Dios ha decidido estar junto a ellos. Es precisamente por esto que son «felices»; porque son amados por Dios, son preferidos por Él respecto a tantos que creen ser dichosos, satisfechos, por sus riquezas y por sus seguridades. La cercanía de Dios es para los pobres una inmensa dicha. Ellos, que normalmente son excluidos de la vida, se vuelven los privilegiados, los preferidos por Dios.

Las cuatro Bienaventuranzas se sintetizan en la primera: «Dichosos ustedes los pobres...». Las otras tres son una aclaración de la primera. Lucas, respecto a Mateo que dice «pobres de espíritu», pone el énfasis sobre la pobreza real, en sentido general, interior y exterior, es decir material y espiritual: ser realmente pobres delante de Dios. Jesús enfatiza y declara afortunados a los que pasan necesidad material y viven en la angustia de no tener nada.

El verdadero «dichoso». ¿Quién es el verdaderamente «dichoso»? El primero, verdaderamente bienaventurado no es, por ejemplo, un san Francisco de Asís, que en la historia del cristianismo ha sido tal vez el más pobre entre los pobres; no, el primer verdadero Dichoso es Jesús. Él es el hombre de las Bienaventuranzas porque ha actuado en sí la letra y el espíritu de éstas. Jesús es verdaderamente «el pobre de Dios», al grado de que es llamado aun en el Nuevo Testamento: «el pobre de Yahvé», el «Siervo del Señor».

Jeremías refuerza, con dos imágenes complementarias, el concepto que venimos meditando, una de ellas negativa y la otra positiva. Es considerado «maldito el hombre que confía en el hombre» **-primera lectura-**, es decir, quien pone en sus propias limitaciones su confianza. De esta manera ese hombre se encierra en sí mismo, en su estéril autonomía, por lo que su corazón se aleja del Señor. En cambio, el hombre que confía en el Señor es tenido como «bendito», dichoso.

> **¿Cómo es que algunos de ustedes andan diciendo que los muertos no resucitan?** Pablo parte de la resurrección de Jesús como una realidad para sacar de ella, como una consecuencia, nuestra propia resurrección **–segunda lectura–**. Los corintios negaban la resurrección de los muertos, guiados por la filosofía griega que despreciaba el cuerpo y creía sólo en el espíritu como constitutivo del hombre.

1. Antífona de entrada. Sírveme de defensa, Dios mío, de roca y fortaleza salvadoras. Tú eres mi baluarte y mi refugio, por tu nombre condúceme y guíame (Cfr. Sal 30, 3-4).

Se dice gloria

2. Oración colecta. Señor Dios, que prometiste poner tu morada en los corazones rectos y sinceros, concédenos, por tu gracia, vivir de tal manera que te dignes habitar en nosotros. Por nuestro Señor Jesucristo...

3. 1ª Lectura   (Jer 17, 5-8)
Del libro del profeta Jeremías

Esto dice el Señor: "Maldito el hombre que confía en el hombre, que en él pone su fuerza y aparta del Señor su corazón. Será como un cardo en la estepa, que nunca disfrutará de la lluvia. Vivirá en la aridez del desierto, en una tierra salobre e inhabitable.

Bendito el hombre que confía en el Señor y en él pone su esperanza. Será como un árbol plantado junto al agua, que hunde en la corriente sus raíces; cuando llegue el calor, no lo sentirá y sus hojas se conservarán siempre verdes; en año de sequía no se marchitará ni dejará de dar frutos".

Palabra de Dios.
℟. *Te alabamos, Señor.*

4. Salmo responsorial   (Sal 1)

R. **Dichoso el hombre que confía en el Señor.**

L. Dichoso aquel que no se guía por mundanos criterios, que no anda en malos pasos ni se burla del bueno, que ama la ley de Dios y se goza en cumplir sus mandamientos. / R.

L. Es como un árbol plantado junto al río, que da fruto a su tiempo y nunca se marchita. En todo tendrá éxito. / R.

L. En cambio los malvados serán como la paja barrida por el viento. Porque el Señor protege el camino del justo y al malo sus caminos acaban por perderlo. / R.

5. 2ª Lectura   (1 Cor 15, 12. 16-20)

De la primera carta del apóstol san Pablo a los corintios
Hermanos: Si hemos predicado que Cristo resucitó de entre los muertos, ¿cómo es que algunos de ustedes andan diciendo que los muertos no resucitan? Porque si los muertos no resucitan, tampoco Cristo resucitó. Y si Cristo no resucitó, es vana la fe de ustedes; y por lo tanto, aún viven ustedes en pecado, y los que murieron en Cristo, perecieron. Si nuestra esperanza en Cristo se redujera tan sólo a las cosas de esta vida, seríamos los más infelices de todos los hombres. Pero no es así, porque Cristo resucitó, y resucitó como la primicia de todos los muertos. *Palabra de Dios.*

A. *Te alabamos, Señor.*

6. Aclamación antes del Evangelio   (Lc 6, 23)

R. **Aleluya, aleluya.** Alégrense ese día y salten de gozo, porque su recompensa será grande en el cielo, dice el Señor.

R. **Aleluya, aleluya.**

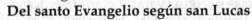

7. Evangelio   (Lc 6, 17. 20-26)

Del santo Evangelio según san Lucas
A. *Gloria a ti, Señor.*

En aquel tiempo, Jesús descendió del monte con sus discípulos y sus apóstoles y se detuvo en un llano. Allí se encontraba mucha gente, que había venido tanto de Judea y de Jerusalén, como de la costa de Tiro y de Sidón.

Mirando entonces a sus discípulos, Jesús les dijo: "Dichosos ustedes los pobres, porque de ustedes es el Reino de Dios. Dichosos ustedes los que ahora tienen hambre, porque serán saciados. Dichosos ustedes los que lloran ahora, porque al fin reirán.

Dichosos serán ustedes cuando los hombres los aborrezcan y los expulsen de entre ellos, y cuando los insulten y maldigan por causa del Hijo del hombre. Alégrense ese día y salten de gozo, porque su recompensa será grande en el cielo. Pues así trataron sus padres a los profetas.

Pero, ¡ay de ustedes, los ricos, porque ya tienen ahora su consuelo! ¡Ay de ustedes, los que se hartan ahora, porque después tendrán hambre! ¡Ay de ustedes, los que ríen ahora, porque llorarán de pena! ¡Ay de ustedes, cuando todo el mundo los alabe, porque de ese modo trataron sus padres a los falsos profetas!".

Palabra del Señor.

A. **Gloria a ti, Señor Jesús.**

Se dice Credo

8. Oración sobre las ofrendas. Que esta ofrenda, Señor, nos purifique y nos renueve, y se convierta en causa de recompensa eterna para quienes cumplimos tu voluntad. Por Jesucristo, nuestro Señor.

9. Antífona de la comunión. Tanto amó Dios al mundo, que le dio a su Hijo único, para que todo el que crea en él no perezca, sino que tenga vida eterna (Jn 3, 16).

10. Oración después de la comunión. Saciados, Señor, por este manjar celestial, te rogamos que nos hagas anhelar siempre este mismo sustento por el cual verdaderamente vivimos. Por Jesucristo, nuestro Señor.

EN COMUNIÓN
CON LA TRADICIÓN VIVA DE LA IGLESIA

«Cristo promulga el código de la vida celestial. Habiéndose congregado en torno a Jesús una muchedumbre, sube a la montaña y se pone a enseñar; es decir, se sitúa en la soberana elevación de la majestad paterna, y promulga el código de la vida celestial. No hubiera, en efecto, podido entregarnos estatutos de eternidad, sino situado en la eternidad. A continuación, el texto se expresa así: Abriendo la boca, se puso a enseñarles. Hubiera sido más rápido decir simplemente habló. Pero como estaba instalado en la gloria de la majestad paterna y enseñaba la eternidad, por eso se pone de manifiesto que la articulación de la boca humana obedecía al impulso del

Espíritu que hablaba. Dichosos los pobres en el espíritu, porque de ellos es el reino de los cielos. El Señor había ya enseñado con su ejemplo que hay que renunciar a la gloria de la ambición humana, diciendo: Al Señor, tu Dios, adorarás y a él sólo darás culto. Y como por boca del profeta había advertido que estaba dispuesto a elegirse un pueblo humilde y que se estremece ante sus palabras, puso los fundamentos de la felicidad perfecta en la humildad de espíritu. Hemos, pues, de aspirar a la sencillez, esto es: recordar que somos hombres, hombres a quienes se les ha dado posesión del reino de los cielos, hombres conscientes de que, siendo el resultado de una combinación de gérmenes pobrísimos y deleznables, son procreados en orden a este hombre perfecto y para comportarse –con la ayuda de Dios– según este modelo de sentir, programar, juzgar y actuar» (**San Hilario de Poitiers** [315–357]. Comentario sobre el evangelio de san Mateo).

7º DOMINGO ORDINARIO

EL SEÑOR ES COMPASIVO Y MISERICORDIOSO

Amor a los enemigos. En el texto evangélico de hoy, tomado del Sermón inaugural de Jesús y cuyo centro son las Bienaventuranzas del Reino, el Señor nos indica de manera concreta el camino para ser verdaderamente dichosos y seguidores de su Evangelio, imitadores de sus ejemplos y, por lo mismo, verdaderos cristianos tanto de palabras como de obras. Se trata de un conjunto de frases precisas del Maestro. Cada una de ellas invita a una seria reflexión. Los seguidores de Jesús deberán amar a los demás hasta un grado heroico.

El nuevo estilo del cristiano. Estas enseñanzas de Jesús no sólo anuncian una nueva actitud de conducta de sus discípulos, sino que presentan concretamente los principios que crean una nueva manera de ser, de vivir, de pensar y de actuar entre los seguidores del Evangelio. Jesús, con su ejemplo, indica la vida nueva que deben seguir sus discípulos, un estilo inconfundible, que deberá marcar su persona. Este nuevo estilo es la «regla de oro» enunciada por el Maestro: un amor sin reservas y sin límites, un amor gratuito y universal.

Nadie es enemigo. Para Jesús nadie merece el calificativo de «enemigo». Nadie está excluido del Evangelio, es decir del camino de la salvación, de la felicidad que Él ofrece. Exhorta a todos a un amor que va más allá de toda medida: «Amen a sus enemigos, hagan el bien a los que los aborrecen». Evidentemente es una exhortación extrañísima para su tiempo, y también para la cultura del mundo actual; alguno o algunos podrían pensar que son "palabras bellas pero irrealizables". Y, sin embargo, son las únicas palabras con las que el mundo puede encontrar la salvación. Sólo desde esta perspectiva se pueden frenar las guerras.

No juzguen y no serán juzgados. Inmediatamente después del llamado a ser «hijos del Padre», por lo tanto sus imitadores, Jesús ordena no juzgar. La exhortación es repetida con énfasis. Ponerse como juez del otro equivale a querer usurpar el lugar de Dios y creer conocer la verdad total de una persona. Una semejante pretensión es enfatizada severamente: quien condena sustituyendo a Dios será condenado en el momento del juicio escatológico. Y al contrario, la generosidad será recompensada por la benevolencia divina.

En estas enseñanzas de Jesús se delinea una especie de código de ley fundamental para la vida del cristiano. Los discípulos son exhortados vivamente por el Señor a no adecuarse a la cultura corriente, que pretende hacerse justicia con la venganza, respondiendo «diente por diente» y «ojo por ojo». Estas palabras radicales de Jesús son conscientemente un camino contra corriente, superando la norma moral de la simple ética natural. Sobre el ejemplo de Cristo, su discípulo debe tener un corazón tan grande, que debe ser capaz de amar y de perdonar con el corazón mismo de Dios.

Todo el **primer libro de Samuel** está dirigido a señalar el paso del sistema tribal al régimen monárquico y, por esto, no debe maravillarnos que el autor insista sobre la sacralidad de los reyes por la unción que han recibido –**primera lectura**–. El futuro gran rey David no ha sabido vencer sólo a Goliat sino que ha sabido vencerse a sí mismo y controlar su odio y deseo de venganza al punto de conmovernos.

El segundo Adán. Como en la Carta a los romanos, el primer Adán es imagen de Cristo, que es el último Adán, constituido espíritu vivificante –**segunda lectura**–, es decir el Viviente por virtud del Espíritu de Dios y dador de la vida y de la resurrección.

1. Antífona de entrada. Confío, Señor, en tu misericordia. Se alegra mi corazón con tu auxilio; cantaré al Señor por el bien que me ha hecho (Sal 12, 6).

Se dice Gloria

2. Oración colecta. Concédenos, Dios todopoderoso, que la constante meditación de tus misterios nos impulse a decir y hacer siempre lo que sea de tu agrado. Por nuestro Señor Jesucristo...

3. 1ª Lectura (1 Sam 26, 2. 7-9. 12-13. 22-23)
Del primer libro de Samuel
En aquellos días, Saúl se puso en camino con tres mil soldados israelitas, bajó al desierto de Zif en persecución de David y acampó en Jakilá.

David y Abisay fueron de noche al campamento enemigo y encontraron a Saúl durmiendo entre los carros; su lanza estaba clavada en tierra, junto a su cabecera, y en torno a él dormían Abner y su ejército. Abisay dijo entonces a David: "Dios te está poniendo al enemigo al alcance de tu mano. Deja que lo clave ahora en tierra con un solo golpe de su misma lanza. No hará falta repetirlo". Pero David replicó: "No lo mates. ¿Quién puede atentar contra el ungido del Señor y quedar sin pecado?".

Entonces cogió David la lanza y el jarro de agua de la cabecera de Saúl y se marchó con Abisay. Nadie los vio, nadie se enteró y nadie despertó; todos siguieron durmiendo, porque el Señor les había enviado un sueño profundo.

David cruzó de nuevo el valle y se detuvo en lo alto del monte, a gran distancia del campamento de Saúl. Desde ahí gritó: "Rey Saúl, aquí está tu lanza, manda a alguno de tus criados a recogerla. El Señor le dará a cada uno según su justicia y su lealtad, pues él te puso hoy en mis manos, pero yo no quise atentar contra el ungido del Señor".

Palabra de Dios.

A. *Te alabamos, Señor.*

4. Salmo responsorial   (Sal 102)

R. El Señor es compasivo y misericordioso.

L. Bendice al Señor, alma mía, que todo mi ser bendiga su santo nombre. Bendice al Señor, alma mía, y no te olvides de sus beneficios. / R.

L. El Señor perdona tus pecados y cura tus enfermedades; él rescata tu vida del sepulcro y te colma de amor y de ternura. / R.

L. El Señor es compasivo y misericordioso, lento para enojarse y generoso para perdonar. No nos trata como merecen nuestras culpas, ni nos paga según nuestros pecados. / R.

L. Como dista el oriente del ocaso, así aleja de nosotros nuestros delitos; como un padre es compasivo con sus hijos, así es compasivo el Señor con quien lo ama. / R.

5. 2ª Lectura   (1 Cor 15, 45-49)

De la primera carta del apóstol san Pablo a los corintios

Hermanos: La Escritura dice que el primer *hombre*, Adán, *fue un ser que tuvo vida;* el último Adán es espíritu que da la vida. Sin embargo, no existe primero lo vivificado por el Espíritu, sino lo puramente humano; lo vivificado por el Espíritu viene después.

El primer hombre, hecho de tierra, es terreno; el segundo viene del cielo. Como fue el hombre terreno, así son los hombres terrenos; como es el hombre celestial, así serán los celestiales. Y del mismo modo que fuimos semejantes al hombre terreno, seremos también semejantes al hombre celestial.

Palabra de Dios.

A. *Te alabamos, Señor.*

6. Aclamación antes del Evangelio   (Jn 13, 34)

R. **Aleluya, aleluya.** Les doy un mandamiento nuevo, dice el Señor, que se amen los unos a los otros, como yo los he amado.

R. **Aleluya, aleluya.**

7. Evangelio   (Lc 6, 27-38)
Del santo Evangelio según San Lucas
A. *Gloria a ti, Señor.*

En aquel tiempo, Jesús dijo a sus discípulos: "Amen a sus enemigos, hagan el bien a los que los aborrecen, bendigan a quienes los maldicen y oren por quienes los difaman. Al que te golpee en una mejilla, preséntale la otra; al que te quite el manto, déjalo llevarse también la túnica. Al que te pida, dale; y al que se lleve lo tuyo, no se lo reclames.

Traten a los demás como quieran que los traten a ustedes; porque si aman sólo a los que los aman, ¿qué hacen de extraordinario? También los pecadores aman a quienes los aman. Si hacen el bien sólo a los que les hacen el bien, ¿qué tiene de extraordinario? Lo mismo hacen los pecadores. Si prestan solamente cuando esperan cobrar, ¿qué hacen de extraordinario? También los pecadores prestan a otros pecadores, con la intención de cobrárselo después.

Ustedes, en cambio, amen a sus enemigos, hagan el bien y presten sin esperar recompensa. Así tendrán un gran premio y serán hijos del Altísimo, porque él es bueno hasta con los malos y los ingratos. Sean misericordiosos, como su Padre es misericordioso.

No juzguen y no serán juzgados; no condenen y no serán condenados; perdonen y serán perdonados. Den y se les dará: recibirán una medida buena, bien sacudida, apretada y rebosante en los pliegues de su túnica. Porque con la misma medida con que midan, serán medidos".

Palabra del Señor.

A. ***Gloria a ti, Señor Jesús.***

Se dice Credo

8. Oración sobre las ofrendas. Al celebrar con la debida reverencia tus misterios, te rogamos, Señor, que los dones ofrecidos en honor de tu gloria nos sirvan para la salvación. Por Jesucristo, nuestro Señor.

9. Antífona de la comunión. Proclamaré todas tus maravillas; me alegraré y exultaré contigo y entonaré salmos a tu nombre, Dios Altísimo (Sal 9, 2-3).

10. Oración después de la comunión. Concédenos, Dios todopoderoso, que alcancemos aquel fruto celestial, cuyo adelanto acabamos de recibir mediante estos sacramentos. Por Jesucristo, nuestro Señor.

EN COMUNIÓN
CON LA TRADICIÓN VIVA DE LA IGLESIA

«Amad a vuestros enemigos... Ved cómo el Señor nos manda envolver en nuestra caridad hasta a los mismos enemigos; la benevolencia de nuestro corazón cristiano ha de llegar hasta nuestros perseguidores. Y ¿cuál será la recompensa de tan arduo trabajo?, ¿cuál el premio prometido a los que pongan en práctica este mandamiento? Que nos demuestre el premio preparado a la caridad, quien gratuitamente, por medio del Espíritu Santo, se ha dignado infundirla en nuestros corazones; que él mismo nos diga lo que en pago a esta caridad está dispuesto a dar a los dignos, él que se ha dignado derramar esta misma caridad en los indignos. Los que amaron a sus enemigos e hicieron el bien a los que los maldecían serán hijos de Dios. Lo que recibirán estos hijos de Dios, nos lo aclara san Pablo: ese

Espíritu y nuestro espíritu dan un testimonio concorde: que somos hijos de Dios; y si somos hijos, también herederos, herederos de Dios y coherederos con Cristo. Escuchad, pues, cristianos; escuchad, hijos de Dios; escuchad herederos de Dios y coherederos con Cristo. Para que podáis entrar en posesión de la herencia paterna, no sólo habéis de amar a los amigos, sino también a los enemigos. A nadie neguéis la caridad, que es el patrimonio común de los hombres buenos. Ejercitadla todos conjuntamente, y para que podáis hacerlo con mayor plenitud, extendedla a todos, buenos y malos. Su posesión es la herencia común de los buenos, herencia no terrena, sino celestial. La caridad es un don de Dios. La codicia, por el contrario, es un lazo del diablo; y no sólo un lazo, sino una espada. Con ella caza a los desgraciados, y con ella, una vez cazados, los asesina» (**San Fulgencio de Ruspe** [468-533]. Sermón 5).

8º DOMINGO ORDINARIO

¡QUÉ BUENO ES DARTE GRACIAS, SEÑOR!

¿Puede acaso un ciego guiar a otro ciego? *Probablemente estas palabras eran un proverbio en el tiempo de Jesús. Es lógico: ¡Imposible que un ciego pueda guiar en su camino a otro ciego! En el fondo de esta pretensión se esconde una tendencia: querer dominar. Aquello que parece una obra de caridad (ayudar a un necesitado) se identifica con un aspecto de egoísmo: guiando a un ciego, me comporto como jefe de su destino y de su personalidad. El conocido proverbio pone ya en ridículo la pretensión del guía-ciego: caerán los dos en el hoyo.*

Exhortación a la comunidad cristiana. En textos de san Lucas se muestra cómo la santidad, característica específica de Dios, es su misericordia. Estas palabras las escuchamos el domingo pasado: «Sean misericordiosos, como su Padre es misericordioso». Es el culmen de lo que es Dios para nosotros. El mandamiento del amor misericordioso, es el único camino para volvernos «hijos del Altísimo». Se trata de una fuerte llamada de atención a los miembros de la comunidad, que pensaban estar iluminados y, por lo tanto, en el deber de dar consejos, de guiar a quienes pensaban y consideraban menos instruidos, menos capaces.

La ceguera fundamental es no sentir necesidad de la misericordia del Padre. Dice san Juan: «Si fueran ciegos, no tendrían pecado; pero como dicen: 'Vemos', su pecado permanece» (9, 41). Ciegos son aquellos discípulos que no han experimentado la misericordia que Dios les ha traído a ellos a través de Jesús. Por esto, actúan sin misericordia y son llevados a la perdición por ellos mismos y a cuantos entran en el círculo de su maldad.

El discípulo no es superior a su maestro... Estar «bien preparados» como el Maestro es renunciar como Él a erguirse como juez de los demás. Caeríamos en la paradoja representada por la imagen de la paja en el ojo ajeno y la viga en el propio. La frase exhorta a no confiarse mucho del propio juicio, pues quien lo hace se expone al reproche de ser una persona sin discernimiento o, más exactamente, de ser: «¡hipócrita!», es decir, un actor que desarrolla un rol, que pretende poseer la virtud del discernimiento sin saber siquiera qué cosa es el discernimiento.

No hay árbol bueno que produzca frutos malos. La parábola agrícola y su aplicación retoman el lenguaje sapiencial del Antiguo Testamento. Por una parte, se aprende una lección a partir de la experiencia: si un árbol es sano se puede ver por sus frutos; además, es sabido que toda planta da un fruto propio y no podemos imaginar recoger frutos exquisitos (higos, uvas y granadas en Israel) de los espinos. Por otra parte, el «fruto» es una metáfora clásica en el Antiguo Testamento para designar las opciones que hace el hombre (Pr 1, 31; Jr 17,10; Os 10,13).

La prueba del hombre está en su razonamiento. ¿Cómo conocer a los hombres? La lectura del Sirácide nos indica tres criterios para conocerlos: el cernidor, el horno y los frutos –**primera lectura**–. Como el cernidor separa el grano de las basuras, así la bondad y la maldad de los hombres se reflejan en sus reflexiones y en sus palabras. Los árboles sanos se conocen por sus frutos.

El tema de la muerte y la vida domina este texto de la **Primera carta a los Corintios**, dedicado a la resurrección de Cristo y de los cristianos **–segunda lectura–**. El discípulo es arrancado al dominio de la muerte. Ésta, con Cristo, ha sido reducida a la más absoluta impotencia.

1. Antífona de entrada. El Señor es mi refugio, lo invoqué y me libró. Me salvó porque me ama (Cfr. Sal 17, 19-20).

Se dice Gloria

2. Oración colecta. Concédenos, Señor, que tu poder pacificador dirija el curso de los acontecimientos del mundo y que tu Iglesia se regocije al poder servirte con tranquilidad. Por nuestro Señor Jesucristo...

3. 1ª Lectura   (Sir 27, 5-8)
Del libro del Sirácide (Eclesiástico)
Al agitar el cernidor, aparecen las basuras; en la discusión aparecen los defectos del hombre. En el horno se prueba la vasija del alfarero; la prueba del hombre está en su razonamiento. El fruto muestra cómo ha sido el cultivo de un árbol; la palabra muestra la mentalidad del hombre. Nunca alabes a nadie antes de que hable, porque ésa es la prueba del hombre.
Palabra de Dios.
A. Te alabamos, Señor.

4. Salmo responsorial   (91)
R. ¡Qué bueno es darte gracias, Señor!
L. ¡Qué bueno es darte gracias, Dios altísimo, y celebrar tu nombre, pregonando tu amor cada mañana y tu fidelidad, todas las noches! / R.
L. Los justos crecerán como las palmas, como los cedros en los altos montes; plantados en la casa del Señor, en medio de sus atrios darán flores. / R.

L. Seguirán dando fruto en su vejez, frondosos y lozanos como jóvenes, para anunciar que en Dios, mi protector, ni maldad ni injusticia se conocen. / **R.**

5. 2ª Lectura (1 Cor 15, 54-58)
De la primera carta del apóstol san Pablo a los corintios
Hermanos: Cuando nuestro ser corruptible y mortal se revista de incorruptibilidad e inmortalidad, entonces se cumplirá la palabra de la Escritura: *La muerte ha sido aniquilada por la victoria. ¿Dónde está, muerte, tu victoria? ¿Dónde está, muerte, tu aguijón?* El aguijón de la muerte es el pecado y la fuerza del pecado es la ley. Gracias a Dios, que nos ha dado la victoria por nuestro Señor Jesucristo.

Así, pues, hermanos míos muy amados, estén firmes y permanezcan constantes, trabajando siempre con fervor en la obra de Cristo, puesto que ustedes saben que sus fatigas no quedarán sin recompensa por parte del Señor.
Palabra de Dios.
A. ***Te alabamos, Señor.***

6. Aclamación antes del Evangelio (Cfr. Flp 2, 15. 16)
R. **Aleluya, aleluya.** Iluminen al mundo con la luz del Evangelio reflejada en su vida.
R. **Aleluya, aleluya.**

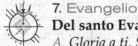 **7.** Evangelio (Lc 6, 39-45)
Del santo Evangelio según san Lucas
A. Gloria a ti, Señor.
En aquel tiempo, Jesús propuso a sus discípulos este ejemplo: "¿Puede acaso un ciego guiar a otro ciego? ¿No caerán los dos en un hoyo? El discípulo no es superior a su maestro; pero cuando termine su aprendizaje, será como su maestro.

¿Por qué ves la paja en el ojo de tu hermano y no la viga que llevas en el tuyo? ¿Cómo te atreves a decirle a tu hermano: 'Déjame quitarte la paja que llevas en el ojo', si no adviertes la viga que llevas en el tuyo? ¡Hipócrita! Saca primero la viga que llevas en tu ojo y entonces podrás ver, para sacar la paja del ojo de tu hermano.

No hay árbol bueno que produzca frutos malos, ni árbol malo que produzca frutos buenos. Cada árbol se conoce por sus frutos. No se recogen higos de las zarzas, ni se cortan uvas de los espinos. El hombre bueno dice cosas buenas, porque el bien está en su corazón, y el hombre malo dice cosas malas, porque el mal está en su corazón, pues la boca habla de lo que está lleno el corazón".

Palabra del Señor.
A. *Gloria a ti, Señor Jesús.*

Se dice Credo

8. Oración sobre las ofrendas. Señor Dios, que haces tuyas nuestras ofrendas, que tú mismo nos das para dedicarlas a tu nombre, concédenos que también nos alcancen la recompensa eterna. Por Jesucristo, nuestro Señor.

9. Antífona de la comunión. Cantaré al Señor por el bien que me ha hecho, y entonaré un himno de alabanza al Dios Altísimo (Cfr. Sal 12, 6).

10. Oración después de la comunión. Alimentados por estos dones de salvación, suplicamos, Señor, tu misericordia, para que este sacramento que nos nutre en nuestra vida temporal nos haga partícipes de la vida eterna. Por Jesucristo, nuestro Señor.

EN COMUNIÓN
CON LA TRADICIÓN VIVA DE LA IGLESIA

«Un discípulo no es más que su maestro, si bien cuando termine el aprendizaje, será como su maestro. Los bienaventurados discípulos estaban llamados a ser los iniciadores y maestros del mundo entero. Por eso era conveniente que aventajasen a los demás en una sólida formación religiosa: necesitaban conocer el camino de la vida evangélica, ser maestros consumados en toda obra buena, impartir a sus alumnos una doctrina clara, sana y ceñida a las reglas de la verdad; como quienes ya antes habían fijado su mirada en la Verdad y poseían una mente iluminada por la luz divina. Sólo así evitarían convertirse en ciegos, guías de ciegos. En efecto, los que están envueltos en las tinieblas de la ignorancia, no podrán conducir al conocimiento de la verdad a quienes se encuentran en idénticas y calamitosas condiciones. Pues de intentarlo, ambos acabarán cayendo en el hoyo de las pasiones. A continuación, y para cortar de raíz el tan difundido morbo de la jactancia, de modo que en ningún momento intenten superar el prestigio de los maestros, añade: Un discípulo no es más que su maestro. Y si ocurriera alguna vez que algunos discípulos hicieran tales progresos, que llegaran a equipararse en mérito a sus antecesores, incluso entonces deben permanecer dentro de los límites de la modestia de los maestros y convertirse en sus imitadores» (**San Cirilo de Alejandría** [c. 373-444]. Comentario sobre el evangelio de san Lucas).

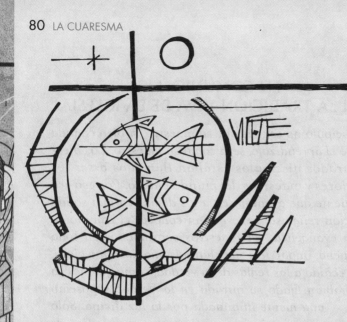

LA CUARESMA

La palabra viene del latín *quadragesima dies*, es decir *"Cuadragésimo día"*. En la Iglesia Católica indica el período litúrgico de "cuarenta días" en preparación a la Pascua. Pocos tiempos litúrgicos han dejado una huella tan marcada como la Cuaresma. Es uno de los «tiempos fuertes» del Año litúrgico, resultado de una historia multisecular. La Cuaresma es una síntesis de un triple itinerario: preparación de los catecúmenos al bautismo, penitencia pública, preparación comunitaria para la Pascua. Denominador común de este triple itinerario ha sido el recuerdo de la cuarentena de días que el Señor quiso cumplir, como dice san Agustín, «para aleccionarnos para la victoria». Este simbolismo bíblico como período de prueba y de tentación, de éxodo a través del desierto, también de gracia y de acción divina en favor de su pueblo, ha sido decisivo para configurar la fisonomía de la

Cuaresma cristiana. Son los cuarenta días de Jesús, cuando después del bautismo es impulsado por el Espíritu al desierto (cf. Lc 4, 1-2), el marco bíblico de este tiempo, al que la liturgia no duda en llamar «sacramento cuaresmal» (Oración colecta I Domingo de Cuaresma), es decir, período sagrado de salvación y signo de la gracia de Cristo.

Historia. No sabemos con certeza en dónde y cómo surgió este tiempo de Cuaresma, sobre todo en Roma; sólo conocemos que se fue formando progresivamente. Las primeras menciones directas a un período prepascual las tenemos en Occidente al final del siglo IV. Aunque una praxis penitencial preparatoria a la Pascua, con ayuno, ya había comenzado a tomar forma desde mediados del siglo II. De finales del siglo IV la estructura de la Cuaresma es de los "cuarenta días" considerados a la luz del simbolismo bíblico que da a este tiempo un valor salvífico-redentor. Al desarrollo de la Cuaresma ha contribuido la disciplina penitencial que se hacía para la reconciliación de los pecadores "públicos" y que culminaba la mañana de Jueves Santo, así como las exigencias siempre mayores del catecumenado para su preparación al bautismo, celebrado la noche de la Vigilia Pascual.

La reforma litúrgica. La Cuaresma es un verdadero sacramental puesto a disposición de toda la comunidad cristiana para que renueve cada año el paso de la muerte a la vida, de la esclavitud del pecado a la libertad de hijos de Dios (cf. Rm 8, 21) y que se realiza en el bautismo de cada uno (cf. Rm 6, 3-11; Col 2, 12). Es esta dimensión pascual y bautismal la que el Vaticano II quiso poner de relieve al hablar de la Cuaresma: «*Tanto en la liturgia como en la catequesis litúrgica debe ponerse más de relieve el carácter doble del tiempo cuaresmal, que prepara a los fieles a oír la palabra de Dios más intensamente y a rezar, especialmente mediante el recuerdo o la preparación del bautismo y la penitencia para celebrar el misterio pascual. Por consiguiente: a) deben usarse con mayor abundancia los elementos bautismales propios de la liturgia cuaresmal, restaurándose,* *según las circunstancias, algunos elementos de la tradición anterior; b) dígase lo mismo de los elementos penitenciales. En lo referente a la catequesis, debe inculcarse a los fieles, juntamente con las consecuencias sociales del pecado por cuanto es ofensa a Dios; no debe olvidarse la participación de la Iglesia en la acción penitencial y recomiéndese la oración por los pecadores»* (Sacrosanctum Concilium 109). La reforma litúrgica ha devuelto a la Cuaresma el substrato más clásico, el de la *Cuadragésima,* y ha establecido el inicio de este tiempo con el Miércoles de Ceniza y el final con la misa *"inter vesperas in Coena Domini"* excluida (con esta Eucaristía inicia el Triduo Pascual). El tiempo de la Cuaresma es de unos cuarenta días; aunque en el rito romano son cuarenta y cuatro días.

Prácticas cuaresmales. Hace algunas décadas Pablo VI escribía: *"A cada cual toca examinar su conciencia, que tiene una nueva voz para nuestra época"* (Populorum progressio 47). Esta afirmación puede ser el hilo conductor para buscar el sentido de algunas prácticas propias de la Cuaresma, como son el ayuno, la limosna, la oración. El *Ayuno* no es sólo abstenerse de alimentos, éste es su signo externo. El ayuno cuaresmal es signo de nuestro vivir de la Palabra. No ayuna quien no se alimenta de la Palabra de Dios. Es signo de nuestra voluntad de expiación; dice san Juan Crisóstomo: "No ayunamos por la Pascua, ni por la cruz, sino por nuestros pecados, porque estamos por acceder a los misterios". El ayuno es signo de abstenernos del pecado: "el ayuno verdaderamente grande, el que empeña a todos los hombres, es la abstinencia de las iniquidades y de los placeres ilícitos del mundo; éste es el ayuno perfecto" (San Agustín). La *limosna*: es fruto del ayuno y de las privaciones a éste vinculadas; la limosna cristiana se asocia al empeño por la justicia y reestructuración de los sistemas sociales; la limosna pone al cristiano en el esfuerzo que se va haciendo por un nuevo orden social. También la *oración* toma su origen del ayuno que hace vivir al hombre de la Palabra; ésta, por tanto, sólo puede nacer de la escucha de la Palabra de Dios, hecha sobre todo en común.

2 DE MARZO – INICIA EL TIEMPO DE CUARESMA – **(MORADO)**

MIÉRCOLES DE CENIZA
EL AYUNO QUE DIOS QUIERE

Después de una plaga asoladora de langostas que destruyeron toda la cosecha en Israel, el profeta Joel invitaba al pueblo a convertirse y a no cometer más injusticias que provocan la ira de Dios. El profeta resume su mensaje diciendo que Dios no quiere tanto ayunos y llantos, sino que "enluten su corazón y no sus vestidos. Conviértanse al Señor, porque es compasivo y misericordioso". Es el mismo llamado que la Iglesia nos hace para iniciar la Cuaresma, a fin de prepararnos a la gran celebración de la Pascua.

En el evangelio, Jesús nos enseña a mejorar nuestras relaciones más importantes: con Dios a través de la **oración**; con los demás, practicando la **limosna**, que no es sólo regalar unas monedas, sino compartir nuestros bienes con los demás; y con nosotros mismos, refrenando nuestros instintos, impulsos y pasiones a través del **ayuno** y otras penitencias. Pero éstas prácticas religiosas corren el peligro de volverse una rutina y actos externos vacíos; o, peor aún, acciones para quedar bien ante los demás y ganar prestigio o privilegios. A esto Jesús lo llama hipocresía o puro teatro. El criterio para calificar cómo vivimos los deberes religiosos es nuestro amor filial al Padre celestial, cuyo amor tenemos que sentir en nuestro corazón, amor que, por su abundancia, se derrama sobre nuestros hermanos.

En la Misa de este día se bendice y se impone la ceniza hecha de ramos de olivo o de otros árboles, bendecidos el Domingo de Ramos del año anterior.

CELEBRACIÓN SOLEMNE DEL MIÉRCOLES DE CENIZA

1. La asamblea de los fieles se reúne en una iglesia diferente de aquella donde se celebrará la Misa.

2. Se canta un canto penitencial.

3. El celebrante dice: "En el nombre del Padre y del Hijo y del Espíritu Santo" y saluda a la asamblea diciendo "El Señor esté con ustedes" u otro saludo presente en el Misal.

4. Dice la siguiente oración:

Te pedimos, Señor, que tu bondad nos ayude a continuar las obras penitenciales que hemos comenzado, para que la austeridad exterior que practicamos vaya siempre acompañada por la sinceridad de corazón. Por Jesucristo, nuestro Señor.

5. Se inicia la procesión con el canto de las letanías:

El diácono dice: "Avancemos en paz".

Todos responden: "En el nombre de Cristo. Amén".

Luego un cantor o cantores cantan, con la respuesta de la asamblea:

I. SÚPLICAS A DIOS

Señor, ten piedad,	*Señor, ten piedad.*
Cristo, ten piedad,	*Cristo, ten piedad.*
Señor, ten piedad,	*Señor, ten piedad.*

II. INVOCACIÓN DE LOS SANTOS

Santa María,	*ruega por nosotros.*
Santa Madre de Dios,	*ruega por nosotros.*
Santa Virgen de las vírgenes,	*ruega por nosotros.*
Santos Miguel, Gabriel y Rafael,	*rueguen por nosotros.*
Todos los santos ángeles,	*rueguen por nosotros.*

Patriarcas y profetas

San Abraham,	*ruega por nosotros.*
San Moisés,	*ruega por nosotros.*
San Elías,	*ruega por nosotros.*
San Juan Bautista,	*ruega por nosotros.*
San José,	*ruega por nosotros.*
Todos los santos patriarcas y profetas,	*rueguen por nosotros.*

Apóstoles y discípulos

Santos Pedro y Pablo,	*rueguen por nosotros.*
San Andrés,	*ruega por nosotros.*
Santos Juan y Santiago,	*rueguen por nosotros.*
Santo Tomás,	*ruega por nosotros.*
Santos Felipe y Santiago,	*rueguen por nosotros.*
San Bartolomé,	*ruega por nosotros.*
San Mateo,	*ruega por nosotros.*
Santos Simón y Tadeo,	*rueguen por nosotros.*
San Matías,	*ruega por nosotros.*
San Lucas,	*ruega por nosotros.*
San Marcos,	*ruega por nosotros.*
San Bernabé,	*ruega por nosotros.*
Santa María Magdalena,	*ruega por nosotros.*
Todos los santos discípulos del Señor,	*ruega por nosotros.*

Mártires

San Esteban,	*ruega por nosotros.*
San Ignacio de Antioquía,	*ruega por nosotros.*
San Policarpo,	*ruega por nosotros.*
San Justino,	*ruega por nosotros.*
San Lorenzo,	*ruega por nosotros.*
San Cipriano,	*ruega por nosotros.*
San Bonifacio,	*ruega por nosotros.*
Santo Tomás Becket,	*ruega por nosotros.*
Santos Juan Fisher y Tomás Moro,	*rueguen por nosotros.*
Santos Pablo Miki y compañeros,	*rueguen por nosotros.*

San Felipe de Jesús,	*ruega por nosotros.*
Santos Carlos Lwanga y compañeros,	*rueguen por nosotros.*
Santos Cristóbal Magallanes y compañeros,	*rueguen por nosotros.*
San José Sánchez del Río,	*ruega por nosotros.*
Santas Perpetua y Felícitas,	*rueguen por nosotros.*
Santa Inés,	*ruega por nosotros.*
Santa Catalina de Alejandría,	*ruega por nosotros.*
Santa María Goretti,	*ruega por nosotros.*
Todos los santos mártires,	*rueguen por nosotros.*

Obispos y doctores

Santos León y Gregorio,	*rueguen por nosotros.*
San Ambrosio,	*ruega por nosotros.*
San Jerónimo,	*ruega por nosotros.*
San Agustín,	*ruega por nosotros.*
San Atanasio,	*ruega por nosotros.*
Stos. Basilio y Gregorio Nacianceno,	*rueguen por nosotros.*
San Juan Crisóstomo,	*ruega por nosotros.*
San Martín,	*ruega por nosotros.*
San Patricio,	*ruega por nosotros.*
Santos Cirilo y Metodio,	*rueguen por nosotros.*
San Carlos Borromeo,	*ruega por nosotros.*
San Francisco de Sales,	*ruega por nosotros.*
San Pío Décimo,	*ruega por nosotros.*
San Rafael Guízar y Valencia,	*ruega por nosotros.*
San Juan XXIII,	*ruega por nosotros.*
San Pablo VI,	*ruega por nosotros.*
San Juan Pablo II,	*ruega por nosotros.*

Sacerdotes y religiosos

San Antonio, abad,	*ruega por nosotros.*
San Benito,	*ruega por nosotros.*
San Bernardo,	*ruega por nosotros.*

Santos Francisco y Domingo,	*rueguen por nosotros.*
Santo Tomás de Aquino,	*ruega por nosotros.*
San Ignacio de Loyola,	*ruega por nosotros.*
San Francisco Javier,	*ruega por nosotros.*
San Vicente de Paúl,	*ruega por nosotros.*
San Juan María Vianney,	*ruega por nosotros.*
San Juan Bosco,	*ruega por nosotros.*
San José María de Yermo y Parres,	*ruega por nosotros.*
Santa Catalina de Siena,	*ruega por nosotros.*
Santa Teresa de Jesús,	*ruega por nosotros.*
Santa Teresa del Niño Jesús,	*ruega por nosotros.*
Santa Rosa de Lima,	*ruega por nosotros.*
Santa María Guadalupe García Zavala,	*ruega por nosotros.*
Santa María de Jesús Sacramentado Venegas,	*ruega por nosotros.*

Laicos

San Luis,	*ruega por nosotros.*
San Juan Diego,	*ruega por nosotros.*
Santa Mónica,	*ruega por nosotros.*
Santa Isabel de Hungría,	*ruega por nosotros.*
Todos los santos y santas de Dios,	*rueguen por nosotros.*

III. INVOCACIONES A CRISTO

Cristo, Hijo de Dios vivo,	*en piedad de nosotros.*
Tú que viniste a este mundo,	*ten piedad de nosotros.*
Tú que estuviste colgado de la cruz,	*ten piedad de nosotros.*
Tú que aceptaste la muerte por nosotros,	*ten piedad de nosotros.*
Tú que fuiste sepultado,	*ten piedad de nosotros.*
Tú que resucitaste de entre los muertos,	*ten piedad de nosotros.*
Tú que ascendiste a los cielos,	*ten piedad de nosotros.*

Tú que enviaste el Espíritu Santo
    sobre los Apóstoles,   *ten piedad de nosotros.*
Tú que estás sentado
    a la derecha del Padre,   *ten piedad de nosotros.*
Tú que vendrás a juzgar a los vivos
    y a los muertos,   *ten piedad de nosotros.*

IV. SÚPLICAS POR DIVERSAS NECESIDADES

Para que nos perdones,   *te rogamos, óyenos.*
Para que nos conduzcas
    a la verdadera penitencia,   *te rogamos, óyenos.*
Para que a nosotros mismos
    nos conserves y confortes
    en tu santo servicio,   *te rogamos, óyenos.*
Para que retribuyas
    con los bienes eternos
    a nuestros benefactores,   *te rogamos, óyenos.*
Para que te dignes dar
y conservar los frutos de la tierra, *te rogamos, óyenos.*
Para que gobiernes
y conserves tu santa Iglesia,   *te rogamos, óyenos.*
Para que asistas al Papa
    y a todos los miembros
    del clero en tu santo servicio, *te rogamos, óyenos.*
Para que te dignes
    enviar obreros a tu mies,   *te rogamos, óyenos.*
Para que concedas la unidad
    a todos los creyentes en Cristo, *te rogamos, óyenos.*
Para que conduzcas
    a todos los hombres
    a la luz del Evangelio,   *te rogamos, óyenos.*

V. CONCLUSIÓN

Cristo, óyenos,   *Cristo, óyenos.*
Cristo, escúchanos,   *Cristo, escúchanos.*

6. Al llegar a la iglesia donde se celebrará la Misa, inicia el canto de entrada. El celebrante venera el altar (eventualmente, también lo inciensa). Luego, se dirige a la sede. Se canta el "Señor, ten piedad". El celebrante dice la oración colecta. La Misa continúa de la manera acostumbrada.

7. En los ritos de conclusión, el celebrante saluda, diciendo: "El Señor esté con ustedes". Luego, con las manos extendidas sobre el pueblo, dice la oración sobre el pueblo. Inmediatamente agrega "Y la bendición de Dios todopoderoso, Padre, Hijo † y Espíritu Santo, descienda sobre ustedes, y permanezca para siempre". Se despide a la asamblea.

RITOS INICIALES
Y LITURGIA DE LA PALABRA

1. Antífona de entrada. Tú, Señor, te compadeces de todos y no aborreces nada de lo que has creado, aparentas no ver los pecados de los hombres, para darles ocasión de arrepentirse, porque tú eres el Señor, nuestro Dios (Cfr. Sab 11, 23. 24. 26).

Se omite el acto penitencial, que es sustituido por el rito de la imposición de la ceniza.

2. Oración colecta. Que el día de ayuno, con el que iniciamos, Señor, esta Cuaresma, sea el principio de una verdadera conversión a ti, y que nuestros actos de penitencia nos ayuden a vencer el espíritu del mal. Por nuestro Señor Jesucristo…

3. 1ª Lectura   (Jl 2, 12-18)
Del libro del profeta Joel
Esto dice el Señor: "Todavía es tiempo. Conviértanse a mí de todo corazón, con ayunos, con lágrimas y llanto; enluten su corazón y no sus vestidos.

Conviértanse al Señor su Dios, porque es compasivo y misericordioso, lento a la cólera, rico en clemencia, y se conmueve ante la desgracia".

Quizá se arrepienta, se compadezca de nosotros y nos deje una bendición, que haga posibles las ofrendas y libaciones al Señor, nuestro Dios.

Toquen la trompeta en Sión, promulguen un ayuno, convoquen la asamblea, reúnan al pueblo, santifiquen la reunión, junten a los ancianos, convoquen a los niños, aun a los niños de pecho. Que el recién casado deje su alcoba y su tálamo la recién casada.

Entre el vestíbulo y el altar lloren los sacerdotes, ministros del Señor, diciendo: "Perdona, Señor, perdona a tu pueblo. No entregues tu heredad a la burla de las naciones". Que no digan los paganos: "¿Dónde está el Dios de Israel?".

Y el Señor se llenó de celo por su tierra y tuvo piedad de su pueblo.

Palabra de Dios.

A. *Te alabamos, Señor.*

4. Salmo responsorial   (Sal 50)

R. **Misericordia, Señor, hemos pecado.**

L. Por tu inmensa compasión y misericordia, Señor, apiádate de mí y olvida mis ofensas. Lávame bien de todos mis delitos y purifícame de mis pecados. / R.

L. Puesto que reconozco mis culpas, tengo siempre presentes mis pecados. Contra ti solo pequé, Señor, haciendo lo que a tus ojos era malo. / R.

L. Crea en mí, Señor, un corazón puro, un espíritu nuevo para cumplir tus mandamientos. No me arrojes, Señor, lejos de ti, ni retires de mí tu santo espíritu. / R.

L. Devuélveme tu salvación, que regocija, y mantén en mí un alma generosa. Señor, abre mis labios y cantará mi boca tu alabanza. / R.

5. 2ª Lectura   (2 Cor 5, 20-6, 2)

De la segunda carta del apóstol san Pablo a los corintios

Hermanos: Somos embajadores de Cristo, y por nuestro medio, es como si Dios mismo los exhortara a ustedes. En nombre de Cristo les pedimos que se dejen reconciliar con Dios. Al que

2 DE MARZO **91**

nunca cometió pecado, Dios lo hizo "pecado" por nosotros, para que, unidos a él, recibamos la salvación de Dios y nos volvamos justos y santos.

Como colaboradores que somos de Dios, los exhortamos a no echar su gracia en saco roto. Porque el Señor dice: *En el tiempo favorable te escuché y en el día de la salvación te socorrí.* Pues bien, ahora es el tiempo favorable; ahora es el día de la salvación.

Palabra de Dios.

A. *Te alabamos, Señor.*

6. Aclamación antes del Evangelio   (Cfr. Sal 94, 8)

R. **Honor y gloria a ti, Señor Jesús.** Hagámosle caso al Señor, que nos dice: "No endurezcan su corazón".

R. **Honor y gloria a ti, Señor Jesús.**

7. Evangelio   (Mt 6, 1-6. 16-18)
Del santo Evangelio según san Mateo
A. *Gloria a ti, Señor.*

En aquel tiempo, Jesús dijo a sus discípulos: "Tengan cuidado de no practicar sus obras de piedad delante de los hombres para que los vean. De lo contrario, no tendrán recompensa con su Padre celestial.

Por lo tanto, cuando des limosna, no lo anuncies con trompeta, como hacen los hipócritas en las sinagogas y por las calles, para que los alaben los hombres. Yo les aseguro que ya recibieron su recompensa. Tú, en cambio, cuando des limosna, que no sepa tu mano izquierda lo que hace la derecha, para que tu limosna quede en secreto; y tu Padre, que ve lo secreto, te recompensará.

Cuando ustedes hagan oración, no sean como los hipócritas, a quienes les gusta orar de pie en las sinagogas y en las esquinas de las plazas, para que los vea la gente. Yo les aseguro que ya recibieron su recompensa. Tú, en cambio, cuando vayas a orar, entra en tu cuarto, cierra la puerta y ora ante tu Padre, que está allí, en lo secreto; y tu Padre, que ve lo secreto, te recompensará.

Cuando ustedes ayunen, no pongan cara triste, como esos hipócritas que descuidan la apariencia de su rostro, para que la gente note que están ayunando. Yo les aseguro que ya recibieron su recompensa. Tú, en cambio, cuando ayunes, perfúmate la cabeza y lávate la cara, para que no sepa la gente que estás ayunando, sino tu Padre, que está en lo secreto; y tu Padre, que ve lo secreto, te recompensará". *Palabra del Señor.*
A. ***Gloria a ti, Señor Jesús.***

BENDICIÓN E IMPOSICIÓN DE LA CENIZA

Después de la homilía, el sacerdote, de pie y con las manos juntas, dice:

Queridos hermanos, pidamos humildemente a Dios Padre que bendiga con su gracia esta ceniza que, en señal de penitencia, vamos a imponer sobre nuestra cabeza.

Y, después de un breve momento de oración en silencio, con las manos extendidas, prosigue:

Señor Dios, que te apiadas de quien se humilla y te muestras benévolo para quien se arrepiente, inclina piadosamente tu oído a nuestras súplicas y derrama la gracia de tu bendición † sobre estos siervos tuyos, que van a recibir la ceniza, para que, perseverando en las prácticas cuaresmales, merezcan llegar, purificada su conciencia, a la celebración del misterio pascual de tu Hijo. Él, que vive y reina por los siglos de los siglos.
R. **Amén.**

O bien:

Señor Dios, que no quieres la muerte del pecador sino su conversión, escucha bondadosamente nuestras súplicas y dígnate bendecir † esta ceniza, que vamos a imponer sobre nuestra cabeza, sabiendo que somos polvo y al polvo hemos de volver y concédenos que, por nuestro esfuerzo en las prácticas cuaresmales, obtengamos el perdón de nuestros pecados y una vida renovada a imagen de tu Hijo resucitado. Él, que vive y reina por los siglos de los siglos.
R. **Amén.**

Y rocía la ceniza con agua bendita, sin decir nada.

Después el sacerdote impone la ceniza a todos los presentes que se acercan a él, y dice a cada uno:

Conviértete y cree en el Evangelio.

O bien:

Recuerda que eres polvo
y al polvo has de volver.

Mientras tanto, se canta la antífona.

ANTÍFONA 1

Renovemos nuestra vida con signos de penitencia; ayunemos y lloremos delante del Señor, porque la misericordia de nuestro Dios está siempre dispuesta a perdonar nuestros pecados.

ANTÍFONA 2   Cfr. Jl 2, 17; Est 4, 17

Entre el atrio y el altar lloren los sacerdotes, ministros del Señor, diciendo: Perdona, Señor, perdona a tu pueblo, y no cierres la boca de aquellos que te alaban.

ANTÍFONA 3   Sal 50, 3

Lávame, Señor, de mis pecados.

*Esta antífona puede repetirse después de cada verso del salmo 50 **Misericordia, Dios mío, por tu bondad**.*

RESPONSORIO   Cfr. Bar 3, 2; Sal 78, 9

R. Renovemos y mejoremos nuestra vida, pues por ignorancia hemos pecado; no sea que, sorprendidos por el día de la muerte, busquemos un tiempo para hacer penitencia, y ya no sea posible encontrarlo. *Escúchanos, Señor, y ten piedad, porque hemos pecado contra ti.

V. Ven en nuestra ayuda, Dios salvador nuestro; por el honor de tu nombre, líbranos, Señor.

R. Escúchanos, Señor, y ten piedad, porque hemos pecado contra ti.

Se puede entonar también otro canto apropiado.

Terminada la imposición de la ceniza, el sacerdote se lava las manos y continúa con la oración universal, y la Misa prosigue del modo acostumbrado.

No se dice Credo

LITURGIA EUCARÍSTICA

8. Oración sobre las ofrendas. Al ofrecer el sacrificio con el que iniciamos solemnemente la Cuaresma, te rogamos, Señor, que por nuestras obras de penitencia y de caridad nos veamos libres de los vicios y los malos deseos, para que, purificados de todo pecado, merezcamos celebrar con fervor la pasión de tu Hijo. Él, que vive y reina por los siglos de los siglos.

9. Antífona de la comunión. El que día y noche medita la ley del Señor, al debido tiempo dará su fruto (Cfr. Sal 1, 2-3).

10. Oración después de la comunión. Que nos auxilien, Señor, los sacramentos que recibimos, para que nuestro ayuno sea de tu agrado y nos aproveche como remedio saludable. Por Jesucristo, nuestro Señor.

ORACIÓN SOBRE EL PUEBLO

Para la despedida, el sacerdote, de pie, vuelto hacia el pueblo y extendiendo las manos sobre él, dice esta oración:

Infunde benignamente, Señor Dios, en quienes, postrados, te adoramos, un espíritu de contrición y que, por nuestro arrepentimiento, merezcamos alcanzar el premio que misericordiosamente nos volviste a prometer. Por Jesucristo, nuestro Señor.

La bendición e imposición de la ceniza puede hacerse también sin Misa. En este caso, conviene celebrar antes la liturgia de la Palabra, usando el canto de entrada, la oración colecta, y las lecturas con sus cánticos, como en la Misa. Enseguida se tienen la homilía y la bendición e imposición de la ceniza. El rito se concluye con la oración universal, la bendición y la despedida de los fieles.

LA PALABRA EN TU VIDA

Haz el propósito de "ayunar" en esta Cuaresma absteniéndote de algo que te cueste realmente: dejar el licor, el chisme, el cigarro, la pornografía, etc., sobre todo lo que más te dañe a ti y a tu familia. O haz el propósito de dar "limosna", siendo más servicial, compartiendo lo que tienes, visitando algún enfermo o anciano... Otro propósito sería mejorar tu "oración", para que el motor de tu vida sea el amor al Padre celestial que te quiere infinitamente.

6 DE MARZO – (MORADO)

1er DOMINGO DE CUARESMA
TÚ ERES MI DIOS Y EN TI CONFÍO

Preparación a la Pascua del Señor. Con este domingo iniciamos un tiempo especial para hacer penitencia y oración. Tiempo de preparación a la Pascua de la Resurrección. Son cuarenta días que nos dan la oportunidad para una renovación espiritual. Un período para convertirnos y para profundizar nuestra fe en el misterio de Jesús y para servirlo en nuestros hermanos necesitados. La Cuaresma, tiempo cargado de mucha historia, lamentablemente parece perder cada vez más su sentido espiritual en este mundo tan preocupado por tantas otras cosas.

Conducido por el mismo Espíritu, se internó en el desierto. El desierto es un tema muy recurrente en la Biblia y con muchos significados; lugar emblemático para indicar un estado de privación y de prueba. En el desierto Jesús pasa «cuarenta días». En esta indicación temporal hay muchos recuerdos: los cuarenta días que estuvo Moisés en el Sinaí; Elías, en el monte Horeb, pasó cuarenta días de ayuno; otro recuerdo son los cuarenta años que el pueblo elegido trascurrió en el desierto del Sinaí.

No comió nada en aquellos días. Los cuarenta días que Jesús pasó en el desierto significaron un período fuerte de crecimiento y de maduración en su misión de Mesías y de Redentor. Son cuarenta días de ayuno total. Ya en el Antiguo Testamento el ayuno era un medio para poder encontrar a Dios. Jesús, en esos cuarenta días, no se nutre con alimentos materiales, sino con otro alimento. Hacer la voluntad del Padre es su alimento y apoyo en las tentaciones. Es en esta luz que se abre para nosotros el misterio de las tentaciones que Jesús sufre en el desierto.

Fue tentado por el demonio. La experiencia de las tentaciones Jesús la vive en el desierto. El demonio personifica el mal. Su triple propuesta no deja lugar a dudas acerca de la identidad de su interlocutor: sugiere a Jesús interpretar la propia condición filial divina como un poder. Se trata de dos puntos de vista contrapuestos: el del demonio y el de Jesús. Al triple intento Jesús opone un rechazo. En tres momentos vemos a Satanás sugerir a Jesús utilizar su condición de Hijo para huir de los límites de la condición humana.

No sólo de pan vive el hombre. Para evitar el hambre, el diablo le sugiere transformar las piedras en pan. Jesús interpreta esa necesidad vital recordando que el hombre no vive sólo de pan (Dt 8, 3). Para saciar la necesidad de poder, el demonio invita a Jesús a doblegarse ante él; Jesús, por el contrario, reserva la adoración solamente a Dios. A la tentación del prodigio religioso y al sueño de escapar de la muerte, apoyada en el Salmo 91, 11-12, Jesús opone Deuteronomio 6, 16. Esta última tentación es muy sutil, porque el demonio utiliza una palabra de la Escritura.

Mi padre fue un arameo errante. Estas palabras del Deuteronomio no constituyen una fórmula de oración sino que son una proclamación de fe que el pueblo recitaba desde el período histórico de los Jueces –primera lectura–. Esta profesión de fe amplía el credo primitivo que tenía un solo artículo «Dios sacó a su pueblo de Egipto».

Al centro de la profesión de fe citada por Pablo en su **Carta a los romanos** domina el evento histórico-salvífico de la Pascua de Cristo –**segunda lectura**–. La resurrección revela el misterio de divinidad y de gloria escondido en el «Siervo» Jesús. El cristiano, contemplando a Jesús, su hermano según la carne, a través de la Pascua descubre a Cristo como Señor.

1. Antífona de entrada. Me invocará y yo lo escucharé; lo libraré y lo glorificaré; prolongaré los días de su vida (Cfr. Sal 90, 15-16).

No se dice Gloria

2. Oración colecta. Concédenos, Dios todopoderoso, que, por las prácticas anuales del sacramento cuaresmal, progresemos en el conocimiento del misterio de Cristo, y traduzcamos su efecto en una conducta irreprochable. Por nuestro Señor Jesucristo…

3. 1ª Lectura (Deut 26, 4-10)
Del libro del Deuteronomio

En aquel tiempo, dijo Moisés al pueblo: "Cuando presentes las primicias de tus cosechas, el sacerdote tomará el cesto de tus manos y lo pondrá ante el altar del Señor, tu Dios. Entonces tú dirás estas palabras ante el Señor, tu Dios:

'Mi padre fue un arameo errante, que bajó a Egipto y se estableció allí con muy pocas personas; pero luego creció hasta convertirse en una gran nación, potente y numerosa.

Los egipcios nos maltrataron, nos oprimieron y nos impusieron una dura esclavitud. Entonces clamamos al Señor, Dios de nuestros padres, y el Señor escuchó nuestra voz, miró nuestra humillación, nuestros trabajos y nuestra angustia. El Señor nos sacó de Egipto con mano poderosa y brazo protector, con un terror muy grande, entre señales y portentos; nos trajo a este país y nos dio esta tierra, que mana leche y miel. Por eso ahora yo traigo aquí las primicias de la tierra que tú, Señor, me has dado'.

Una vez que hayas dejado tus primicias ante el Señor, te postrarás ante él para adorarlo".
Palabra de Dios.
A. **Te alabamos, Señor.**

4. Salmo responsorial   (Sal 90)

R. **Tú eres mi Dios y en ti confío.**

L. Tú, que vives al amparo del Altísimo y descansas a la sombra del Todopoderoso, dile al Señor: "Tú eres mi refugio y fortaleza; tú eres mi Dios y en ti confío". / R.

L. No te sucederá desgracia alguna, ninguna calamidad caerá sobre tu casa, pues el Señor ha dado a sus ángeles la orden de protegerte a dondequiera que vayas. / R.

L. Los ángeles de Dios te llevarán en brazos para que no te tropieces con las piedras, podrás pisar los escorpiones y las víboras y dominar las fieras. / R.

L. "Puesto que tú me conoces y me amas, dice el Señor, yo te libraré y te pondré a salvo. Cuando tú me invoques, yo te escucharé, y en tus angustias estaré contigo, te libraré de ellas y te colmaré de honores". / R.

5. 2ª Lectura   (Rom 10, 8-13)

De la carta del apóstol san Pablo a los romanos

Hermanos: La Escritura afirma: *Muy a tu alcance, en tu boca y en tu corazón, se encuentra la salvación,* esto es, el asunto de la fe que predicamos. Porque basta que cada uno declare con su boca que Jesús es el Señor y que crea en su corazón que Dios lo resucitó de entre los muertos, para que pueda salvarse.

En efecto, hay que creer con el corazón para alcanzar la santidad y declarar con la boca para alcanzar la salvación. Por eso dice la Escritura: *Ninguno que crea en él quedará defraudado,* porque no existe diferencia entre judío y no judío, ya que uno mismo es el Señor de todos, espléndido con todos los que lo invocan, pues *todo el que invoque al Señor como a su Dios, será salvado por él.*

Palabra de Dios.

A. *Te alabamos, Señor.*

6. Aclamación antes del Evangelio   (Mt 4, 4)

R. **Honor y gloria a ti, Señor Jesús.** No sólo de pan vive el hombre, sino también de toda palabra que sale de la boca de Dios.

R. **Honor y gloria a ti, Señor Jesús.**

7. Evangelio   (Lc 4, 1-13)
Del santo Evangelio según san Lucas
A. Gloria a ti, Señor.

En aquel tiempo, Jesús, lleno del Espíritu Santo, regresó del Jordán y conducido por el mismo Espíritu, se internó en el desierto, donde permaneció durante cuarenta días y fue tentado por el demonio.

No comió nada en aquellos días, y cuando se completaron, sintió hambre. Entonces el diablo le dijo: "Si eres el Hijo de Dios, dile a esta piedra que se convierta en pan". Jesús le contestó: "Está escrito: *No sólo de pan vive el hombre*".

Después lo llevó el diablo a un monte elevado y en un instante le hizo ver todos los reinos de la tierra y le dijo: "A mí me ha sido entregado todo el poder y la gloria de estos reinos, y yo los doy a quien quiero. Todo esto será tuyo, si te arrodillas y me adoras". Jesús le respondió: "Está escrito: *Adorarás al Señor, tu Dios, y a él sólo servirás*".

Entonces lo llevó a Jerusalén, lo puso en la parte más alta del templo y le dijo: "Si eres el Hijo de Dios, arrójate desde aquí, porque está escrito: *Los ángeles del Señor tienen órdenes de cuidarte y de sostenerte en sus manos, para que tus pies no tropiecen con las piedras*". Pero Jesús le respondió: "También está escrito: *No tentarás al Señor, tu Dios*".

Concluidas las tentaciones, el diablo se retiró de él, hasta el momento oportuno.

Palabra del Señor.
A. Gloria a ti, Señor Jesús.

Se dice Credo

8. Oración sobre las ofrendas. Te pedimos, Señor, que nos hagas dignos de estos dones que vamos a ofrecerte, ya que con ellos celebramos el inicio de este santo sacramento cuaresmal. Por Jesucristo, nuestro Señor.

PREFACIO: Las tentaciones del Señor

En verdad es justo y necesario, es nuestro deber y salvación darte gracias siempre y en todo lugar, Señor, Padre santo, Dios todopoderoso y eterno, por Cristo, Señor nuestro. Porque él mismo, al abstenerse durante cuarenta días de tomar alimento, consagró la práctica de nuestra penitencia cuaresmal y, al rechazar las tentaciones del enemigo, nos enseñó a superar la seducción del pecado, para que, después de celebrar con espíritu renovado el misterio pascual, pasemos finalmente a la Pascua eterna.

Por eso, con los coros de los ángeles y los santos, te cantamos el himno de alabanza, diciendo sin cesar:

Santo, Santo, Santo...

9. Antífona de la comunión. No sólo de pan vive el hombre, sino también de toda palabra que sale de la boca de Dios (Mt 4, 4).

10. Oración después de la comunión. Alimentados, Señor, de este pan celestial que nutre la fe, hace crecer la esperanza y fortalece la caridad, te suplicamos la gracia de aprender a sentir hambre de aquel que es el pan vivo y verdadero, y a vivir de toda palabra que procede de tu boca. Por Jesucristo, nuestro Señor.

ORACIÓN SOBRE EL PUEBLO

Derrama sobre tu pueblo, Señor, la abundancia de tu bendición para que su esperanza crezca en la adversidad, su virtud se fortalezca en la tentación, y alcance la redención eterna. Por Jesucristo, nuestro Señor.

EN COMUNIÓN
CON LA TRADICIÓN VIVA DE LA IGLESIA

«Comenzamos hoy la observancia cuaresmal nuevamente presentada con rito solemne, con cuya ocasión
también a vosotros se os debe una solemne exhortación
por parte nuestra, a fin de que la palabra de Dios presentada por nuestro ministerio alimente el corazón de
quienes ayunan en el cuerpo. De esta suerte el hombre
interior, alimentado con su manjar especial, podrá llevar
a término la maceración del hombre exterior y
soportarlo con mayor entereza. Pues es muy
conveniente a nuestra devoción que, quienes
nos disponemos a celebrar la pasión del Señor
crucificado ya próxima, nos fabriquemos nosotros mismos la cruz de la represión de los placeres carnales, como dice el Apóstol: Los que
son de Cristo Jesús han crucificado su carne con
sus pasiones y deseos. De esta cruz debe continuamente pender el cristiano durante toda
esta vida que discurre en medio de tentaciones. No es
este tiempo de arrancar clavos, de los que se dice en el
salmo: Traspasa mis carnes con los clavos de tu temor.
Las carnes son las concupiscencias carnales; los clavos,
los preceptos de la justicia: con estos clavos nos traspasa el temor de Dios, por cuanto nos crucifica como
víctima aceptable para él. Por eso nuevamente dice el
Apóstol: Os exhorto, hermanos, por la misericordia de
Dios, a presentar vuestros cuerpos como hostia viva,
santa, agradable a Dios. Es, pues, aquella cruz de la que
el siervo de Dios no se avergüenza, sino que más bien
se gloría de ella diciendo: Dios me libre de gloriarme si
no es en la cruz de nuestro Señor Jesucristo, en el cual
el mundo está crucificado para mí, y yo para el mundo.
Esta cruz, no es cruz de solo cuarenta días, sino de toda
la vida» (**San Agustín** [354-430]. Sermón 205).

13 DE MARZO – **(MORADO)**

2º DOMINGO DE CUARESMA

EL SEÑOR ES MI LUZ Y MI SALVACIÓN

La Transfiguración de Jesús. La narración lucana de la Transfiguración del Señor es una de las escenas más evocativas del Evangelio. Este relato clarifica que la glorificación sucederá después de ser rechazado y sufrir hasta la muerte; precisa que su identidad está vinculada a su filiación divina: todo prefigura su muerte y glorificación. De esta manera continúa la formación de sus discípulos. El aspecto más importante de este relato es que los hace partícipes de una manifestación divina (una teofanía): Dios está presente en Jesús-Hijo en su camino a la cruz.

Sus vestiduras se hicieron blancas y relampagueantes. San Lucas precisa que Jesús ha subido al monte a hacer oración. Ésta constituye el ambiente espiritual en el que se desarrolla esa maravillosa manifestación de lo divino en Cristo. Se realiza en el «monte». El motivo de la manifestación domina toda la acción: el blanco hace referencia a la luz, la nube es la modalidad con la cual Dios hace sentir su presencia, lo mismo la voz y el temor de los Apóstoles ante esta manifestación. Jesús, después de haber anunciado su resurrección (Lc 9, 22), la anticipa por un momento. El texto parece sugerirnos, con la respectiva insistencia sobre la «oración» de Jesús, que es esta oración, intensa y profunda, la que provoca la «transfiguración» de su persona.

Hablaban del éxodo que Jesús debía realizar en Jerusalén. Mientras los otros dos Evangelios sinópticos (Mateo y Marcos) concuerdan en referir la presencia de Elías y Moisés que «hablaban» con Jesús sobre el monte de la Transfiguración, sólo Lucas dice algo sobre el «contenido» de ese misterioso diálogo de Jesús con los dos personajes del Antiguo Testamento. El vocablo griego correspondiente a «salida», es «éxodos». Justamente por ello el relato de la Transfiguración nos introduce de nuevo en el clima de la Cuaresma, entendida como repetición casi «concentrada» ya sea del fatigoso camino del éxodo de Israel de la esclavitud de Egipto como del viaje de Jesús hacia Jerusalén, donde realizará su sacrificio expiatorio.

Vieron la gloria de Jesús y de los que estaban con él. Más allá de lo difícil que fue para los Evangelistas expresar en palabras comunes y corrientes esta experiencia, incluso con algunas diversidades entre ellos, coinciden en describir «algo prodigioso» y divino que sucedió en esa ocasión en Jesús. Ellos concuerdan en afirmar un dato: a los ojos adormecidos de los Apóstoles se manifestó la «gloria» de Dios resplandeciente «sobre el rostro de Cristo». Con estas palabras los evangelistas quieren indicarnos que Cristo da a sus Apóstoles una manifestación visible y auditiva de la «gloria» y del poder de Dios que lo envuelve. En este sentido la Transfiguración es como una anticipación de la Resurrección.

Hizo el Señor, aquel día, una alianza con Abram. La promesa patriarcal es la idea-fuerza de la teología del Pentateuco, como el mesianismo es la idea-fuerza en la historia de la monarquía davídica **–primera lectura–**. Ésta confiere unidad a los recuerdos fragmentarios en torno a los patriarcas, al éxodo y a la conquista de Canaán. La promesa está compuesta de tres apartados: descendencia, tierra y bendición.

Viven como enemigos de la cruz de Cristo. Pablo se preocupa de algunos cristianos filipenses, que parece que han cancelado de su vida el recuerdo de la cruz **–segunda lectura–**. La perdición será su futuro. Probablemente el Apóstol se refiere a los «judaizantes», o a algunos cristianos de vida muy relajada. De cualquier manera se trata de personas que han perdido el sentido «cuaresmal» de la vida, eliminando la sombra «fastidiosa» de la cruz.

1. Antífona de entrada. Mi corazón me habla de ti diciendo: "Busca su rostro". Tu faz estoy buscando, Señor; no me escondas tu rostro (Cfr. Sal 26, 8-9).

No se dice Gloria

2. Oración colecta. Señor Dios, que nos mandaste escuchar a tu Hijo muy amado, dígnate alimentarnos íntimamente con tu palabra, para que, ya purificada nuestra mirada interior, nos alegremos en la contemplación de tu gloria. Por nuestro Señor Jesucristo...

3. 1ª Lectura (Gén 15, 5-12. 17-18)
Del libro del Génesis

En aquellos días, Dios sacó a Abram de su casa y le dijo: "Mira el cielo y cuenta las estrellas, si puedes". Luego añadió: "Así será tu descendencia". Abram creyó lo que el Señor le decía y, por esa fe, el Señor lo tuvo por justo.

Entonces le dijo: "Yo soy el Señor, el que te sacó de Ur, ciudad de los caldeos, para entregarte en posesión esta tierra". Abram replicó: "Señor Dios, ¿cómo sabré que voy a poseerla?". Dios le dijo: "Tráeme una ternera, una cabra y un carnero, todos de tres años; una tórtola y un pichón".

Tomó Abram aquellos animales, los partió por la mitad y puso las mitades una enfrente de la otra, pero no partió las aves. Pronto comenzaron los buitres a descender sobre los cadáveres y Abram los ahuyentaba.

Estando ya para ponerse el sol, Abram cayó en un profundo letargo, y un terror intenso y misterioso se apoderó de él. Cuando se puso el sol, hubo densa oscuridad y sucedió que un brasero humeante y una antorcha encendida, pasaron por entre aquellos animales partidos.

De esta manera hizo el Señor, aquel día, una alianza con Abram, diciendo:

"A tus descendientes doy esta tierra, desde el río de Egipto hasta el gran río Éufrates". *Palabra de Dios.*

A. *Te alabamos, Señor.*

4. Salmo responsorial   (Sal 26)
R. **El Señor es mi luz y mi salvación.**

L. El Señor es mi luz y mi salvación, ¿a quién voy a tenerle miedo? El Señor es la defensa de mi vida, ¿quién podrá hacerme temblar? / **R.**

L. Oye, Señor, mi voz y mis clamores y tenme compasión; el corazón me dice que te busque y buscándote estoy. / **R.**

L. No rechaces con cólera a tu siervo, tú eres mi único auxilio; no me abandones ni me dejes solo, Dios y salvador mío. / **R.**

L. La bondad del Señor espero ver en esta misma vida. Ármate de valor y fortaleza y en el Señor confía. / **R.**

5. 2ª Lectura   (Flp 3, 17-4, 1)
De la carta del apóstol san Pablo a los filipenses
Hermanos: Sean todos ustedes imitadores míos y observen la conducta de aquellos que siguen el ejemplo que les he dado a ustedes. Porque, como muchas veces se lo he dicho a ustedes, y ahora se lo repito llorando, hay muchos que viven como enemigos de la cruz de Cristo. Esos tales acabarán en la perdición, porque su dios es el vientre, se enorgullecen de lo que deberían avergonzarse y sólo piensan en cosas de la tierra.

Nosotros, en cambio, somos ciudadanos del cielo, de donde esperamos que venga nuestro Salvador, Jesucristo. Él transformará nuestro cuerpo miserable en un cuerpo glorioso, semejante al suyo, en virtud del poder que tiene para someter a su dominio todas las cosas.

Hermanos míos, a quienes tanto quiero y extraño: ustedes, hermanos míos amadísimos, que son mi alegría y mi corona, manténganse fieles al Señor. *Palabra de Dios.*

A. ***Te alabamos, Señor.***

6. Aclamación antes del Evangelio   (Cfr. Mt 17, 5)
R. **Honor y gloria a ti, Señor Jesús.** En el esplendor de la nube se oyó la voz del Padre, que decía: "Éste es mi Hijo amado; escúchenlo".
R. **Honor y gloria a ti, Señor Jesús.**

7. Evangelio   (Lc 9, 28-36)
Del santo Evangelio según san Lucas
A. *Gloria a ti, Señor.*

En aquel tiempo, Jesús se hizo acompañar de Pedro, Santiago y Juan, y subió a un monte para hacer oración. Mientras oraba, su rostro cambió de aspecto y sus vestiduras se hicieron blancas y relampagueantes. De pronto aparecieron conversando con él dos personajes, rodeados de esplendor: eran Moisés y Elías. Y hablaban del éxodo que Jesús debía realizar en Jerusalén.

Pedro y sus compañeros estaban rendidos de sueño; pero, despertándose, vieron la gloria de Jesús y de los que estaban con él. Cuando éstos se retiraban, Pedro le dijo a Jesús: "Maestro, sería bueno que nos quedáramos aquí y que hiciéramos tres tiendas: una para ti, una para Moisés y otra para Elías", sin saber lo que decía.

No había terminado de hablar, cuando se formó una nube que los cubrió; y ellos, al verse envueltos por la nube, se llenaron de miedo. De la nube salió una voz que decía: "Éste es mi Hijo, mi escogido; escúchenlo". Cuando cesó la voz, se quedó Jesús solo.

Los discípulos guardaron silencio y por entonces no dijeron a nadie nada de lo que habían visto. *Palabra del Señor.*

A. **Gloria a ti, Señor Jesús.**

Se dice Credo

8. Oración sobre las ofrendas. Te rogamos, Señor, que estos dones borren nuestros pecados y santifiquen el cuerpo y el alma de tus fieles, para celebrar dignamente las fiestas pascuales. Por Jesucristo, nuestro Señor.

9. Antífona de la comunión. Éste es mi Hijo muy amado, en quien tengo puestas mis complacencias; escúchenlo (Mt 17, 5).

10. Oración después de la comunión. Al recibir, Señor, este glorioso sacramento, queremos darte gracias de todo corazón porque así nos permites, desde este mundo, participar ya de los bienes del cielo. Por Jesucristo, nuestro Señor.

ORACIÓN SOBRE EL PUEBLO

Bendice, Señor, a tus fieles con una bendición perpetua, y haz que de tal manera acojan el Evangelio de tu Hijo, que puedan debida y felizmente desear y alcanzar la gloria que él manifestó a los apóstoles. Por Jesucristo, nuestro Señor.

EN COMUNIÓN
CON LA TRADICIÓN VIVA DE LA IGLESIA

«Antiguamente, sobre el monte Sinaí, el humo, la tempestad, la oscuridad y el fuego (Éx 19,16s) revelaban la extrema condescendencia de Dios, anunciando que el que daba la Ley era inaccesible... y que el Creador se daba a conocer a través de sus obras. Pero ahora todo se ve lleno de luz y esplendor. Porque el artífice y Señor de todas las cosas vino del seno del Padre. No dejó su propia morada, es decir, su trono en el seno del Padre, sino que descendió para estar con los esclavos. Tomó la condición de siervo (Flp 2, 7) a fin de que Dios, que es incomprensible para los hombres, fuera comprendido. A través de él y en él mismo, nos muestra el esplendor de la naturaleza divina. En otro tiempo Dios se había unido al hombre por su propia gracia. Cuando insufló el espíritu de vida al nuevo hombre formado de tierra, cuando le comunicó lo mejor que él poseía, le honró haciéndolo a su propia imagen y semejanza (Gn 1, 27). Le dio el Edén como mansión. Pero como oscurecimos e hicimos desaparecer en nosotros la imagen divina con el barro de nuestros deseos desordenados, el Compasivo entró en una segunda comunión con nosotros, mucho más segura y más extraordinaria que la primera. Permaneciendo en su condición divina aceptó también lo que estaba por debajo de él, creando en él mismo lo humano; junta el arquetipo con la imagen, y hoy muestra en ella su propia belleza. Su rostro resplandece como el sol porque en su divinidad se identifica con la luz inmaterial; por eso es el Sol de justicia (Ml 3, 20). Sus vestiduras se vuelven blancas como la nieve porque reciben la gloria. Una nube luminosa los cubrió con su sombra haciendo que fuera sensible el resplandor del Espíritu» (San Juan Damasceno [c. 675-749]. Homilía para la Transfiguración).

SAN JOSÉ (S)

SAN JOSÉ, UN ESPOSO Y PAPÁ JUSTO

El evangelio especifica que José, el esposo de María, era "un hombre justo". ¿En qué consiste la justicia de José? Mateo parece sugerir que fue por haber escogido la solución menos dolorosa, o sea, no exponer públicamente la situación de su esposa, embarazada antes de que vivieran juntos, sino abandonarla en secreto. Sin embargo, la justicia de José tiene raíces más profundas: él acepta que algo extraordinario está pasando en su vida, y que Dios le pide que colabore en su plan de salvación universal. Su justicia consiste en aceptar plenamente la voluntad de Dios. Al ver que su esposa espera un hijo que es "obra del Espíritu Santo", descubre que hay una vida superior al matrimonio, que ya había formalizado con María, y se hace a un lado, con una actitud humilde y de entrega. Acepta no tener hijos propios y asume la paternidad legal de Jesús. En ese sentido, José se asemeja a Abraham (Segunda Lectura). De hecho, el patriarca, a pesar de no tener hijos (cfr. Gén 15, 3), cree "contra toda esperanza" en las promesas de Yahvé, y eso se le acredita como justicia, convirtiéndolo en "padre de todos los creyentes". También José cree en el plan de Dios y acepta la paternidad de

Jesús, para que Dios "salve a su pueblo de sus pecados". José, como Abraham, es nuestro padre en la fe y nuestro modelo para colaborar en el plan de Dios.

El santo de hoy: Su misión consistió en "velar por Jesús como padre" (Prefacio). Pero el Señor ha querido que la cabeza de la Sagrada Familia siga cumpliendo la misma función con la Iglesia, que es el cuerpo de Cristo. María es madre de la Iglesia; san José es el protector.

1. Antífona de entrada. Éste es el siervo fiel y prudente, a quien el Señor puso al frente de su familia (Cfr. Lc 12, 42).

Se dice Gloria

2. Oración colecta. Dios todopoderoso, que quisiste poner bajo la protección de san José el nacimiento y la infancia de nuestro Redentor, concédele a tu Iglesia proseguir y llevar a término, bajo su patrocinio, la obra de la redención humana. Por nuestro Señor Jesucristo…

3. 1ª Lectura   (2 Sam 7, 4-5. 12-14. 16)
Del segundo libro de Samuel
En aquellos días, el Señor le habló al profeta Natán y le dijo: "Ve y dile a mi siervo David que el Señor le manda decir esto: 'Cuando tus días se hayan cumplido y descanses para siempre con tus padres, engrandeceré a tu hijo, sangre de tu sangre, y consolidaré su reino.

Él me construirá una casa y yo consolidaré su trono para siempre. Yo seré para él un padre y él será para mí un hijo. Tu casa y tu reino permanecerán para siempre ante mí, y tu trono será estable eternamente'".
Palabra de Dios.
A. Te alabamos, Señor.

4. Salmo responsorial   (Sal 88)
R. Su descendencia perdurará eternamente.
L. Proclamaré sin cesar la misericordia del Señor y daré a conocer que su fidelidad es eterna, pues el Señor ha dicho: "Mi amor es para siempre y mi lealtad, más firme que los cielos. / **R.**

L. Un juramento hice a David, mi servidor, una alianza pacté con mi elegido: 'Consolidaré tu dinastía para siempre y afianzaré tu trono eternamente'. / R.

L. Él me podrá decir: "Tú eres mi padre, el Dios que me protege y que me salva'. Yo jamás le retiraré mi amor ni violaré el juramento que le hice". / R.

5. 2ª Lectura   (Rom 4, 13. 16-18. 22)

De la carta del apóstol san Pablo a los romanos

Hermanos: La promesa que Dios hizo a Abraham y a sus descendientes, de que ellos heredarían el mundo, no dependía de la observancia de la ley, sino de la justificación obtenida mediante la fe.

En esta forma, por medio de la fe, que es gratuita, queda asegurada la promesa para todos sus descendientes, no sólo para aquellos que cumplen la ley, sino también para todos los que tienen la fe de Abraham. Entonces, él es padre de todos nosotros, como dice la Escritura: *Te he constituido padre de todos los pueblos.*

Así pues, Abraham es nuestro padre delante de aquel Dios en quien creyó y que da la vida a los muertos y llama a la existencia a las cosas que todavía no existen. Él, esperando contra toda esperanza, creyó que habría de ser padre de muchos pueblos, conforme a lo que Dios le había prometido: *Así de numerosa será tu descendencia.* Por eso, Dios le acreditó esta fe como justicia.

Palabra de Dios.

A. Te alabamos, Señor.

6. Aclamación antes del Evangelio   (Sal 83, 5)

R. **Honor y gloria a ti, Señor Jesús.** Dichosos los que viven en tu casa; siempre, Señor, te alabarán.

R. **Honor y gloria a ti, Señor Jesús.**

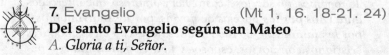 **7.** Evangelio   (Mt 1, 16. 18-21. 24)

Del santo Evangelio según san Mateo

A. Gloria a ti, Señor.

Jacob engendró a José, el esposo de María, de la cual nació Jesús, llamado Cristo.

Cristo vino al mundo de la siguiente manera: Estando María, su madre, desposada con José, y antes de que vivieran juntos, sucedió que ella, por obra del Espíritu Santo, estaba esperando un hijo. José, su esposo, que era hombre justo, no queriendo ponerla en evidencia, pensó dejarla en secreto.

Mientras pensaba en estas cosas, un ángel del Señor le dijo en sueños: "José, hijo de David, no dudes en recibir en tu casa a María, tu esposa, porque ella ha concebido por obra del Espíritu Santo. Dará a luz un hijo y tú le pondrás el nombre de Jesús, porque él salvará a su pueblo de sus pecados".

Cuando José despertó de aquel sueño, hizo lo que le había mandado el ángel del Señor.

Palabra del Señor.

A. **Gloria a ti, Señor Jesús.**

Se dice Credo

8. Oración sobre las ofrendas. Te rogamos, Señor, que así como san José sirvió con amorosa entrega a tu Unigénito, nacido de la Virgen María, así también nosotros, con un corazón limpio, merezcamos servirte en tu altar. Por Jesucristo, nuestro Señor.

9. Antífona de la comunión. Alégrate, siervo bueno y fiel. Entra a compartir el gozo de tu Señor (Mt 25, 21).

10. Oración después de la comunión. Señor, protege siempre a esta familia tuya que alimentada con el sacramento del altar, se alegra hoy al celebrar la solemnidad de san José, y conserva en ella los dones que con tanta bondad le concedes. Por Jesucristo, nuestro Señor.

LA PALABRA EN TU VIDA

Te rogamos, oh san José, casto, fiel y amoroso, que intercedas ante Dios por las parejas de novios, por los matrimonios y por las familias. Que tus virtudes florezcan en los hogares cristianos con novios, esposos y padres de familia responsables y respetuosos de Dios y de su hogar.

3er DOMINGO DE CUARESMA

EL SEÑOR ES COMPASIVO Y MISERICORDIOSO

Si ustedes no se convierten, perecerán de manera semejante. El recuerdo de un asesinato cometido por orden de Pilato y la mención de un mortal accidente de trabajo en donde «dieciocho murieron aplastados por la torre de Siloé», son ocasiones para una llamada a la conversión: Jesús pide una decisión inaplazable. El drama de los galileos masacrados debió haber sido una noticia conocida. Palestina siempre había estado bajo la mirada atenta del imperio, pues era siempre un "avispero".

¿Castigo divino? Volviendo al texto del Evangelio notamos que esta acción cruel de Pilato ponía un doble problema: por una parte, las muertes violentas eran consideradas un castigo divino contra los pecadores; y por la otra, se había cometido un sacrilegio en el Templo, el lugar más santo de la nación. El segundo episodio narrado, por el contrario, es un accidente de trabajo: la caída de la torre de Shiloah (Siloé). A esas dos noticias le sigue un doble comentario: primero, una pregunta que interroga al auditorio y después una invitación.

Casi inmediatamente antes del primer versículo de este texto evangélico, Jesús había reprochado a la gente que lo seguía el no saber leer «los signos de los tiempos»: «¡Hipócritas! Saben explorar el aspecto de la tierra y del cielo, ¿cómo no exploran este tiempo?».

Respuesta de Jesús. Jesús rechaza una creencia popular muy extendida en ese tiempo, según ésta cualquier desgracia era considerada un castigo por determinados pecados. Es una manera muy cómoda para tranquilizar la propia conciencia, escapando de una lectura más profunda de los hechos. Jesús, por el contrario, invita a su auditorio a dejarse involucrar en primera persona por aquello que sucede ante nuestros propios ojos. De hecho, dos veces, después de haber rechazado la creencia popular, afirma solemnemente: «Si ustedes no se convierten perecerán de la misma manera». Es evidente que la palabra «perecerán» no se refiere a la muerte física, sino a la «perdición» espiritual.

Un hombre tenía una higuera. La amenaza de que una planta sin frutos se debe cortar era ya parte esencial de la predicación de Juan Bautista. La breve parábola ofrece la clave de lectura de la doble y urgente invitación a la conversión. El relato ficticio presenta aspectos de normalidad y aspectos alegóricos. Es necesario talar una planta si no da frutos incluso durante tres años seguidos; como también es normal juzgar inútil que una planta estéril ocupe un lugar en la huerta. Es, por el contrario, una alegoría la intervención cuidadosa del viñador, que opone a la decisión del dueño la propuesta de esperar, como también es significativo aflojar el terreno alrededor de una higuera, incluso ponerle abono.

Yo-soy me envía a ustedes. La revelación del nombre específico del Dios de Israel aquí está vinculado a la persona de Moisés y al éxodo –**primera lectura**–. Gradualmente, Dios introduce a Moisés en su misterio, lo hace acercarse a Él, ayudando –con su revelación– al progreso de la fe de este hombre. La revelación del nombre de Dios constituye la parte central del libro del Éxodo.

La historia de Israel en el desierto es meditada por Pablo en clave cristiana, dirigiéndose a la Iglesia de Corinto **–segunda lectura–**. Al don de Dios que –a través del "bautismo" del Mar Rojo– había generado al nuevo pueblo libre y que, a través del "alimento espiritual" del maná y la "bebida espiritual" de las aguas surgidas de la roca, alimentó a su pueblo. Éste le responde con murmuraciones, es decir con la infidelidad.

1. Antífona de entrada. Mis ojos están siempre fijos en el Señor, pues él libra mis pies de toda trampa. Mírame, Señor, y ten piedad de mí, que estoy solo y afligido (Cfr. Sal 24, 15-16).

No se dice Gloria

2. Oración colecta. Señor Dios, fuente de misericordia y de toda bondad, que enseñaste que el remedio contra el pecado está en el ayuno, la oración y la limosna, mira con agrado nuestra humilde confesión, para que a quienes agobia la propia conciencia nos reconforte siempre tu misericordia. Por nuestro Señor Jesucristo…

3. 1ª Lectura (Éx 3, 1-8. 13-15)
Del libro del Éxodo
En aquellos días, Moisés pastoreaba el rebaño de su suegro, Jetró, sacerdote de Madián. En cierta ocasión llevó el rebaño más allá del desierto, hasta el Horeb, el monte de Dios, y el Señor se le apareció en una llama que salía de un zarzal. Moisés observó con gran asombro que la zarza ardía sin consumirse y se dijo: "Voy a ver de cerca esa cosa tan extraña, por qué la zarza no se quema".

Viendo el Señor que Moisés se había desviado para mirar, lo llamó desde la zarza: "¡Moisés, Moisés!". Él respondió: "Aquí estoy". Le dijo Dios: "¡No te acerques! Quítate las sandalias, porque el lugar que pisas es tierra sagrada". Y añadió: "Yo soy el Dios de tus padres, el Dios de Abraham, el Dios de Isaac y el Dios de Jacob".

Entonces Moisés se tapó la cara, porque tuvo miedo de mirar a Dios. Pero el Señor le dijo: "He visto la opresión de mi pueblo en Egipto, he oído sus quejas contra los opresores y conozco bien sus sufrimientos. He descendido para librar a mi pueblo de la opresión de los egipcios, para sacarlo de aquellas tierras y llevarlo a una tierra buena y espaciosa, una tierra que mana leche y miel".

Moisés le dijo a Dios: "Está bien. Me presentaré a los hijos de Israel y les diré: 'El Dios de sus padres me envía a ustedes'; pero cuando me pregunten cuál es su nombre, ¿qué les voy a responder?".

Dios le contestó a Moisés: "Mi nombre es Yo-soy"; y añadió: "Esto les dirás a los israelitas: 'Yo-soy me envía a ustedes'. También les dirás: 'El Señor, el Dios de sus padres, el Dios de Abraham, el Dios de Isaac, el Dios de Jacob, me envía a ustedes'. Éste es mi nombre para siempre. Con este nombre me han de recordar de generación en generación".

Palabra de Dios.
A. Te alabamos, Señor.

4. Salmo responsorial   (Sal 102)
R. El Señor es compasivo y misericordioso.

L. Bendice al Señor, alma mía, que todo mi ser bendiga su santo nombre. Bendice al Señor, alma mía, y no te olvides de sus beneficios. / **R.**

L. El Señor perdona tus pecados y cura tus enfermedades; él rescata tu vida del sepulcro y te colma de amor y de ternura. / **R.**

L. El Señor hace justicia y le da la razón al oprimido. A Moisés le mostró su bondad, y sus prodigios al pueblo de Israel. / **R.**

L. El Señor es compasivo y misericordioso, lento para enojarse y generoso para perdonar. Como desde la tierra hasta el cielo, así es de grande su misericordia. / **R.**

5. 2ª Lectura   (1 Cor 10, 1-6. 10-12)
De la primera carta del apóstol san Pablo a los corintios
Hermanos: No quiero que olviden que en el desierto nuestros padres estuvieron todos bajo la nube, todos cruzaron el
Mar Rojo y todos se sometieron a Moisés, por una especie de
bautismo en la nube y en el mar. Todos comieron el mismo
alimento milagroso y todos bebieron de la misma bebida espiritual, porque bebían de una roca espiritual que los acompa-
ñaba, y la roca era Cristo. Sin embargo, la mayoría de ellos
desagradaron a Dios y murieron en el desierto.

Todo esto sucedió como advertencia para nosotros, a fin
de que no codiciemos cosas malas como ellos lo hicieron. No
murmuren ustedes como algunos de ellos murmuraron y
perecieron a manos del ángel exterminador. Todas estas cosas
les sucedieron a nuestros antepasados como un ejemplo para
nosotros y fueron puestas en las Escrituras como advertencia
para los que vivimos en los últimos tiempos. Así pues, el que
crea estar firme, tenga cuidado de no caer. *Palabra de Dios.*
A. Te alabamos, Señor.

*En vez de estas lecturas se pueden leer las del III Domingo de Cuaresma,
A, Leccionario I, pág. 60.*

6. Aclamación antes del Evangelio   (Mt 4, 17)
R. **Honor y gloria a ti, Señor Jesús.** Conviértanse, dice el
Señor, porque ya está cerca el Reino de los cielos.
R. **Honor y gloria a ti, Señor Jesús.**

7. Evangelio   (Lc 13, 1-9)
Del santo Evangelio según san Lucas
A. Gloria a ti, Señor.
En aquel tiempo, algunos hombres fueron a ver a Jesús y le
contaron que Pilato había mandado matar a unos galileos,
mientras estaban ofreciendo sus sacrificios. Jesús les hizo este
comentario: "¿Piensan ustedes que aquellos galileos, porque
les sucedió esto, eran más pecadores que todos los demás galileos? Ciertamente que no; y si ustedes no se convierten, perecerán de manera semejante. Y aquellos dieciocho que murieron

aplastados por la torre de Siloé, ¿piensan acaso que eran más culpables que todos los demás habitantes de Jerusalén? Ciertamente que no; y si ustedes no se convierten, perecerán de manera semejante".

Entonces les dijo esta parábola: "Un hombre tenía una higuera plantada en su viñedo; fue a buscar higos y no los encontró. Dijo entonces al viñador: 'Mira, durante tres años seguidos he venido a buscar higos en esta higuera y no los he encontrado. Córtala. ¿Para qué ocupa la tierra inútilmente?'. El viñador le contestó: 'Señor, déjala todavía este año; voy a aflojar la tierra alrededor y a echarle abono, para ver si da fruto. Si no, el año que viene la cortaré'".

Palabra del Señor.

A. *Gloria a ti, Señor Jesús.*

Se dice Credo

8. Oración sobre las ofrendas. Por estas ofrendas, Señor, concédenos benigno el perdón de nuestras ofensas, y ayúdanos a perdonar a nuestros hermanos. Por Jesucristo, nuestro Señor.

9. Antífona de la comunión. El gorrión ha encontrado una casa, y la golondrina un nido donde poner sus polluelos: junto a tus altares, Señor de los ejércitos, Rey mío y Dios mío. Dichosos los que viven en tu casa y pueden alabarte siempre (Cfr. Sal 83, 4-5).

10. Oración después de la comunión. Alimentados en la tierra con el pan del cielo, prenda de eterna salvación, te suplicamos, Señor, que lleves a su plenitud en nuestra vida la gracia recibida en este sacramento. Por Jesucristo, nuestro Señor.

ORACIÓN SOBRE EL PUEBLO

Dirige, Señor, los corazones de tus fieles y da en tu bondad a tus siervos una gracia tan grande que, cumpliendo en plenitud tus mandamientos, nos haga permanecer en tu amor y en el de nuestro prójimo. Por Jesucristo, nuestro Señor.

EN COMUNIÓN
CON LA TRADICIÓN VIVA DE LA IGLESIA

«Cuando se avecinan estos días, consagrados más especialmente a los misterios de la redención de la humanidad, estos días que preceden a la fiesta pascual, se nos exige, con más urgencia, una preparación y una purificación del espíritu. Porque es propio de la festividad pascual que toda la Iglesia goce del perdón de los pecados, no sólo aquellos que nacen en el sagrado bautismo, sino también aquellos que, desde hace tiempo, se cuentan ya en el número de los hijos adoptivos. Pues si bien los hombres renacen a la vida nueva principalmente por el bautismo, como a todos nos es

necesario renovarnos cada día de las manchas de nuestra condición pecadora, y no hay nadie que no tenga que ser cada vez mejor en la escala de la perfección, debemos esforzarnos para que nadie se encuentre bajo el efecto de los viejos vicios el día de la redención. Por ello, en estos días, hay que poner especial solicitud y devoción en cumplir aquellas cosas que los cristianos deben realizar en todo tiempo; así viviremos, en santos ayunos, esta Cuaresma de institución apostólica, y precisamente no sólo por el uso menguado de los alimentos, sino sobre todo ayunando de nuestros vicios. Y no hay cosa más útil que unir los ayunos santos y razonables con la limosna, que, bajo la única denominación de misericordia, contiene muchas y laudables acciones de piedad, de modo que, aun en medio de situaciones de fortuna desiguales, puedan ser iguales las disposiciones de ánimo de todos los fieles. Porque el amor, que debemos tanto a Dios como a los hombres, no se ve nunca impedido hasta tal punto que no pueda querer lo que es bueno» (**San León Magno** [c. 390-461]. Sermón sobre la Cuaresma).

ANUNCIACIÓN DEL SEÑOR (S)

LA VIRGEN MARÍA, DISCÍPULA EJEMPLAR

El rey Ajaz, del VIII siglo a.C., fue idólatra y quemó ante los ídolos a su propio hijo (cfr. 2 Re 16, 3). Agobiado por los ataques de dos reyes vecinos, pide auxilio a los asirios. Es entonces cuando Isaías le reprocha por buscar ayuda humana, en lugar de confiar en Dios, y le dice que pida una señal al Señor. Ante la vacilación del idólatra Ajaz, Dios mismo ofrece la señal de protección: "la virgen concebirá y dará a luz un hijo, y le pondrán el nombre de Emmanuel, que quiere decir Dios-con-nosotros". La profecía mesiánica de Isaías, tiene su cumplimiento en la concepción virginal de Jesucristo, el "Hijo del Altísimo", a quien "Dios le dará el trono de David, su padre… y su reino no tendrá fin". Jesús, pues, inaugura un reino nuevo y eterno. Sin embargo, la novedad es que este Mesías no es concebido en un palacio real de Jerusalén, sino en un pueblo marginado, por una joven aldeana que es símbolo de todos los pobres y humildes que esperaban la salvación de Dios. El nombre del niño será "Jesús", que significa "Dios nos salva". El ángel explica a María cómo será esa concepción prodigiosa: "El Espíritu Santo descenderá sobre ti, y el poder del Altísimo te cubrirá con su sombra", porque "no hay nada imposible para Dios". María es la primera y más excelsa discípula de Jesús, y nos enseña a responder con palabras y obras al plan de Dios: "Yo soy la esclava del Señor; cúmplase en mí lo que me has dicho".

La solemnidad de hoy:

Nueve meses antes de la Navidad celebramos la encarnación del Hijo de Dios, que san Lucas describe en el anuncio del ángel a la santísima Virgen. Toda la liturgia del día de hoy está coloreada por las palabras del salmista, que la carta a los hebreos pone en labios de Cristo al llegar al mundo: "Aquí estoy, Dios mío: vengo para cumplir tu voluntad".

1. Antífona de entrada. Cristo dijo, al entrar en el mundo: Aquí estoy, Dios mío; vengo para cumplir tu voluntad (Heb 10, 5. 7).

Se dice Gloria

2. Oración colecta. Dios nuestro, que quisiste que tu Palabra asumiera la realidad de nuestra carne en el seno de la Virgen María, concede, a quienes proclamamos a nuestro Redentor como verdadero Dios y verdadero hombre, que merezcamos participar de su naturaleza divina. Por nuestro Señor Jesucristo...

3. 1ª Lectura   (Is 7, 10-14)
Del libro del profeta Isaías
En aquellos tiempos, el Señor le habló a Ajaz diciendo: "Pide al Señor, tu Dios, una señal de abajo, en lo profundo, o de arriba, en lo alto". Contestó Ajaz: "No la pediré. No tentaré al Señor".

Entonces dijo Isaías: "Oye, pues, casa de David: ¿No satisfechos con cansar a los hombres, quieren cansar también a mi Dios? Pues bien, el Señor mismo les dará por eso una señal: He aquí que la virgen concebirá y dará a luz un hijo y le pondrán el nombre de Emmanuel, que quiere decir Dios-con-nosotros".
Palabra de Dios.
A. *Te alabamos, Señor.*

4. Salmo responsorial   (Sal 39)
R. Aquí estoy, Señor, para hacer tu voluntad.
L. Sacrificios, Señor, tú no quisiste, abriste, en cambio, mis oídos a tu voz. No exigiste holocaustos por la culpa, así que dije: "Aquí estoy". / **R.**

[**R. Aquí estoy, Señor, para hacer tu voluntad.**]

L. En tus libros se me ordena hacer tu voluntad; esto es, Señor, lo que deseo: tu ley en medio de mi corazón. / **R.**

L. He anunciado tu justicia en la gran asamblea; no he cerrado mis labios, tú lo sabes, Señor. / **R.**

L. No callé tu justicia, antes bien, proclamé tu lealtad y tu auxilio. Tu amor y tu lealtad no los he ocultado a la gran asamblea. / **R.**

5. 2ª Lectura   (Heb 10, 4-10)
De la carta a los hebreos
Hermanos: Es imposible que la sangre de toros y machos cabríos pueda borrar los pecados. Por eso, al entrar al mundo, Cristo dijo, conforme al salmo: *No quisiste víctimas ni ofrendas; en cambio, me has dado un cuerpo. No te agradaron los holocaustos ni los sacrificios por el pecado; entonces dije –porque a mí se refiere la Escritura–: "Aquí estoy, Dios mío; vengo para hacer tu voluntad".*

Comienza por decir: *No quisiste víctimas ni ofrendas, no te agradaron los holocaustos ni los sacrificios por el pecado* –siendo así que eso es lo que pedía la ley–; y luego añade: *"Aquí estoy, Dios mío; vengo para hacer tu voluntad".*

Con esto, Cristo suprime los antiguos sacrificios, para establecer el nuevo. Y en virtud de esta voluntad, todos quedamos santificados por la ofrenda del cuerpo de Jesucristo, hecha de una vez por todas. *Palabra de Dios.*

A. ***Te alabamos, Señor.***

6. Aclamación antes del Evangelio   (Jn 1, 14)
R. Honor y gloria a ti, Señor Jesús. Aquel que es la Palabra se hizo hombre y habitó entre nosotros y hemos visto su gloria.
R. Honor y gloria a ti, Señor Jesús.

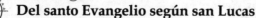

7. Evangelio   (Lc 1, 26-38)
Del santo Evangelio según san Lucas
A. Gloria a ti, Señor.
En aquel tiempo, el ángel Gabriel fue enviado por Dios a una ciudad de Galilea, llamada Nazaret, a una virgen desposada con un varón de la estirpe de David, llamado José. La virgen se llamaba María.

Entró el ángel a donde ella estaba y le dijo: "Alégrate, llena de gracia, el Señor está contigo". Al oír estas palabras, ella se preocupó mucho y se preguntaba qué querría decir semejante saludo.

El ángel le dijo: "No temas, María, porque has hallado gracia ante Dios. Vas a concebir y a dar a luz un hijo y le pondrás por nombre Jesús. Él será grande y será llamado Hijo del Altísimo; el Señor Dios le dará el trono de David, su padre, y él reinará sobre la casa de Jacob por los siglos y su reinado no tendrá fin".

María le dijo entonces al ángel: "¿Cómo podrá ser esto, puesto que yo permanezco virgen?". El ángel le contestó: "El Espíritu Santo descenderá sobre ti y el poder del Altísimo te cubrirá con su sombra. Por eso, el Santo, que va a nacer de ti, será llamado Hijo de Dios. Ahí tienes a tu parienta Isabel, que a pesar de su vejez, ha concebido un hijo y ya va en el sexto mes la que llamaban estéril, porque no hay nada imposible para Dios". María contestó: "Yo soy la esclava del Señor; cúmplase en mí lo que me has dicho". Y el ángel se retiró de su presencia.
Palabra del Señor.
A. *Gloria a ti, Señor Jesús.*

Se dice Credo. Todos se arrodillan a las palabras y por obra...

8. Oración sobre las ofrendas. Dios todopoderoso, dígnate aceptar los dones de tu Iglesia, que reconoce su origen en la encarnación de tu Unigénito, y concédele celebrar con gozo sus misterios en esta solemnidad. Por Jesucristo, nuestro Señor.

PREFACIO: El misterio de la Encarnación

En verdad es justo y necesario, es nuestro deber y salvación darte gracias siempre y en todo lugar, Señor, Padre santo, Dios todopoderoso y eterno, por Cristo, Señor nuestro.

A quien la Virgen santísima acogió primero por la fe, al anunciarle el ángel que, por obra del Espíritu Santo, habría de nacer entre los hombres para que los hombres se salvaran.

Y a quien luego llevó, llena de amor, en sus purísimas entrañas, cumpliendo así la verdad de las promesas que Dios hizo a Israel y colmando de manera admirable la esperanza de todos los pueblos.

Por él, los coros de los ángeles adoran tu grandeza y se alegran eternamente en tu presencia. Permítenos asociarnos a sus voces cantando humildemente tu alabanza:

Santo, Santo, Santo...

9. Antífona de la comunión. Miren: la Virgen concebirá y dará a luz un hijo, a quien le pondrá el nombre de Emmanuel (Is 7, 14).

10. Oración después de la comunión. Señor, por esta comunión fortalece en nosotros la verdadera fe, para que, cuantos proclamamos que el Hijo de la Virgen María es verdadero Dios y verdadero hombre, lleguemos a la alegría eterna por el poder salvador de su resurrección. Por Jesucristo, nuestro Señor.

LA PALABRA EN TU VIDA

Aunque era todavía muy joven, de unos 15 o 16 años, la Virgen María nos da un gran ejemplo de fe y de servicio. Si bien no comprende cómo se llevará a cabo el plan de Dios, ella compromete toda su vida para servir: "Yo soy la esclava del Señor". Pidamos a la Virgen María que nos obtenga esa misma actitud de total servicio y digamos: "Aquí estoy, Señor, para hacer tu voluntad" (Salmo 39).

4º DOMINGO DE CUARESMA

HAZ LA PRUEBA Y VERÁS QUÉ BUENO ES EL SEÑOR

Padre, he pecado contra el cielo y contra ti. San Lucas compone uno de los capítulos más conocidos y hermosos de su Evangelio; hoy nos presenta una extensa parábola llamada del «hijo pródigo», aunque sería más apropiado llamarla «parábola del padre misericordioso». Destinatarios de ésta son los fariseos y los escribas, los recaudadores de impuestos y los pecadores. Ambas categorías deben abrirse a la novedad de Dios. El «hijo pródigo» expresa con este grito no sólo el mal que ha destrozado su vida, sino también el mal que ha causado contra su familia y contra Dios.

El capítulo 15 de Lucas consta de tres parábolas. En los tres relatos hay una progresión: una cosa es perder una oveja o una dracma y algo muy diverso es perder un hijo. De la misma manera la proporción disminuye: se pierde una oveja sobre cien, una dracma sobre diez; los hijos, por el contrario, son solamente dos. Más que las otras dos parábolas, la parábola del «padre pródigo de amor» intenta responder a la acusación que le dirigen los fariseos y los escribas de ser amigo de pecadores.

Estaba todavía lejos, cuando su padre lo vio y se enterneció profundamente. El protagonista es el padre, que hace el punto de conexión entre la primera y segunda parte. La primera parte describe la historia del hijo «menor de ellos» que, al pedir la parte de herencia que le tocaba, se va a países lejanos y la malgasta toda «viviendo de una manera disoluta». Incluso se ve obligado a disputar el alimento de los cerdos, al final entra en sí mismo y reflexiona su situación: se arrepiente y regresa a la casa paterna. La segunda parte nos describe la reacción del hijo mayor: un hombre que se consideraba «bueno». Al padre que sale a invitarlo a entrar le reprocha su pésimo comportamiento y amabilidad. Para nada se siente interesado de la llegada del «hijo malo».

En el centro de la parábola está el tema de la conversión entendida como regreso del hombre a Dios. La conversión implica rehacer el mismo camino que lo había alejado de Él. El inicio de esta conversión-retorno es expresado por el grito del joven: «Me levantaré…». Dice que se levantará, pero ¿de dónde? El hijo menor quiere salir de la situación de pobreza material y espiritual en la cual había caído. Para entender el alcance de la degradación de este joven, hay que tener presente que se trata de un hebreo. En su experiencia sucede lo más inaudito, lo imponderable: de hijo se vuelve siervo, y ¡un siervo-pastor de puercos! Para los hebreos, el cerdo era un animal de por sí inmundo; es más, era como la encarnación de la impureza física, espiritual y legal.

La alegría del padre. Este joven llega con un inmenso gozo. La dicha y la satisfacción del hijo de encontrarse en los brazos del padre son iguales a la alegría inmensa que el padre derrama sobre el hijo que ha regresado a él. «Hay más alegría en el cielo por un pecador que se arrepiente que por noventa y nueve justos que no necesitan conversión» (Lc 15,7). Las palabras del hijo que diría a su padre equivalen a una petición de perdón. La experiencia del retorno a la casa paterna es sellada no sólo por el abrazo afectuoso, sino también por otros signos de rehabilitación, altamente significativos. Al hijo «reencontrado» el padre le pone el vestido más hermoso, le pone el anillo en el dedo como signo que le otorga de nuevo la representación "oficial" paterna.

1. Antífona de entrada. Alégrate, Jerusalén, y que se reúnan cuantos la aman. Compartan su alegría los que estaban tristes, vengan a saciarse con su felicidad (Cfr. Is 66, 10-11).

No se dice Gloria

2. Oración colecta. Señor Dios, que por tu Palabra realizas admirablemente la reconciliación del género humano, concede al pueblo cristiano prepararse con generosa entrega y fe viva a celebrar las próximas fiestas de la Pascua. Por nuestro Señor Jesucristo…

3. 1ª Lectura (Jos 5, 9. 10-12)
Del libro de Josué
En aquellos días, el Señor dijo a Josué: "Hoy he quitado de encima de ustedes el oprobio de Egipto".

Los israelitas acamparon en Guilgal, donde celebraron la Pascua, al atardecer del día catorce del mes, en la llanura desértica de Jericó. El día siguiente a la Pascua, comieron del fruto de la tierra, panes ázimos y granos de trigo tostados. A partir de aquel día, cesó el maná. Los israelitas ya no volvieron a tener maná, y desde aquel año comieron de los frutos que producía la tierra de Canaán.
Palabra de Dios.
A. ***Te alabamos, Señor.***

4. Salmo responsorial (Sal 33)
R. Haz la prueba y verás qué bueno es el Señor.
L. Bendeciré al Señor a todas horas, no cesará mi boca de alabarlo. Yo me siento orgulloso del Señor, que se alegre su pueblo al escucharlo. / **R.**

L. Proclamemos la grandeza del Señor y alabemos todos juntos su poder. Cuando acudí al Señor, me hizo caso y me libró de todos mis temores. / **R.**

L. Confía en el Señor y saltarás de gusto, jamás te sentirás decepcionado, porque el Señor escucha el clamor de los pobres y los libra de todas sus angustias. / **R.**

5. 2ª Lectura   (2 Cor 5, 17-21)

De la segunda carta del apóstol san Pablo a los corintios

Hermanos: El que vive según Cristo es una creatura nueva; para él todo lo viejo ha pasado. Ya todo es nuevo.

Todo esto proviene de Dios, que nos reconcilió consigo por medio de Cristo y que nos confirió el ministerio de la reconciliación. Porque, efectivamente, en Cristo, Dios reconcilió al mundo consigo y renunció a tomar en cuenta los pecados de los hombres, y a nosotros nos confió el mensaje de la reconciliación. Por eso, nosotros somos embajadores de Cristo, y por nuestro medio, es como si Dios mismo los exhortara a ustedes. En nombre de Cristo les pedimos que se dejen reconciliar con Dios.

Al que nunca cometió pecado, Dios lo hizo "pecado" por nosotros, para que, unidos a él, recibamos la salvación de Dios y nos volvamos justos y santos.

Palabra de Dios.

A. Te alabamos, Señor.

6. Aclamación antes del Evangelio   (Lc 15, 18)

R. Honor y gloria a ti, Señor Jesús. Me levantaré, volveré a mi padre y le diré: Padre, he pecado contra el cielo y contra ti.

R. Honor y gloria a ti, Señor Jesús.

7. Evangelio   (Lc 15, 1-3. 11-32)

Del santo Evangelio según san Lucas

A. Gloria a ti, Señor.

En aquel tiempo, se acercaban a Jesús los publicanos y los pecadores para escucharlo; por lo cual los fariseos y los escribas murmuraban entre sí: "Éste recibe a los pecadores y come con ellos".

Jesús les dijo entonces esta parábola: "Un hombre tenía dos hijos, y el menor de ellos le dijo a su padre: 'Padre, dame la parte de la herencia que me toca'. Y él les repartió los bienes.

No muchos días después, el hijo menor, juntando todo lo suyo, se fue a un país lejano y allá derrochó su fortuna, viviendo de una manera disoluta. Después de malgastarlo todo, sobrevino en aquella región una gran hambre y él empezó a pasar necesidad. Entonces fue a pedirle trabajo a un habitante de aquel país, el cual lo mandó a sus campos a cuidar cerdos. Tenía ganas de hartarse con las bellotas que comían los cerdos, pero no lo dejaban que se las comiera.

Se puso entonces a reflexionar y se dijo: '¡Cuántos trabajadores en casa de mi padre tienen pan de sobra, y yo, aquí, me estoy muriendo de hambre! Me levantaré, volveré a mi padre y le diré: Padre, he pecado contra el cielo y contra ti; ya no merezco llamarme hijo tuyo. Recíbeme como a uno de tus trabajadores'.

Enseguida se puso en camino hacia la casa de su padre. Estaba todavía lejos, cuando su padre lo vio y se enterneció profundamente. Corrió hacia él, y echándole los brazos al cuello, lo cubrió de besos. El muchacho le dijo: 'Padre, he pecado contra el cielo y contra ti; ya no merezco llamarme hijo tuyo'.

Pero el padre les dijo a sus criados: '¡Pronto!, traigan la túnica más rica y vístansela; pónganle un anillo en el dedo y sandalias en los pies; traigan el becerro gordo y mátenlo. Comamos y hagamos una fiesta, porque este hijo mío estaba muerto y ha vuelto a la vida, estaba perdido y lo hemos encontrado'. Y empezó el banquete.

El hijo mayor estaba en el campo y al volver, cuando se acercó a la casa, oyó la música y los cantos. Entonces llamó a uno de los criados y le preguntó qué pasaba. Éste le contestó: 'Tu hermano ha regresado y tu padre mandó matar el becerro gordo, por haberlo recobrado sano y salvo'. El hermano mayor se enojó y no quería entrar.

Salió entonces el padre y le rogó que entrara; pero él replicó: '¡Hace tanto tiempo que te sirvo, sin desobedecer jamás una orden tuya, y tú no me has dado nunca ni un cabrito para comérmelo con mis amigos! Pero eso sí, viene ese hijo tuyo, que despilfarró tus bienes con malas mujeres, y tú mandas matar el becerro gordo'.

El padre repuso: 'Hijo, tú siempre estás conmigo y todo lo mío es tuyo. Pero era necesario hacer fiesta y regocijarnos, porque este hermano tuyo estaba muerto y ha vuelto a la vida, estaba perdido y lo hemos encontrado'".

Palabra del Señor.

A. **Gloria a ti, Señor Jesús.**

Se dice Credo

8. Oración sobre las ofrendas. Te presentamos, Señor, llenos de alegría, estas ofrendas para el sacrificio redentor, y pedimos tu ayuda para celebrarlo con fe sincera y ofrecerlo dignamente por la salvación del mundo. Por Jesucristo, nuestro Señor.

9. Antífona de la comunión. Alégrate, hijo mío, porque tu hermano estaba muerto y ha vuelto a la vida, estaba perdido y lo hemos encontrado (Lc 15, 32).

10. Oración después de la comunión. Señor Dios, luz que alumbra a todo hombre que viene a este mundo, ilumina nuestros corazones con el resplandor de tu gracia, para que podamos siempre pensar lo que es digno y grato a tus ojos y amarte con sincero corazón. Por Jesucristo, nuestro Señor.

ORACIÓN SOBRE EL PUEBLO

Protege, Señor, a quienes te invocan, ayuda a los débiles y reaviva siempre con tu luz a quienes caminan en medio de las tinieblas de la muerte; concédeles que, liberados por tu bondad de todos los males, alcancen los bienes supremos. Por Jesucristo, nuestro Señor.

EN COMUNIÓN
CON LA TRADICIÓN VIVA DE LA IGLESIA

«*Entonces se levantará, irá a su padre, y confiando le dirá: "He pecado contra el cielo y contra ti; ya no soy digno de llamarme hijo tuyo; trátame como uno de tus siervos". Repito que si confiesa de esa manera se hará digno de ser recibido por el padre y no como un esclavo o como un extraño, sino que recibirá el beso como hijo, y como muerto será restituido a la vida por aquél, haciéndose digno de ser admitido a la cena divina, dándole el vestido precioso que portaba anteriormente, y con alegría cantará himnos en la casa de su padre. Ésta es la acción de la benignidad y de la bondad paterna, que no sólo devuelve la vida a los muertos, sino que también muestra su gracia por medio del Espíritu. En lugar de la corrupción, reviste al hombre con la incorrupción; en lugar del hambre, mata el becerro gordo; para que no viaje otra vez lejos, cuida del que ha vuelto, calzando sus pies de nuevo. Y lo más admirable: pone un anillo divino en su mano. Mediante todas estas cosas lo regenera de nuevo según la imagen de la gloria de Cristo*» (**San Atanasio** [c. 296-373]. Carta Festal, 9).

5º DOMINGO DE CUARESMA

GRANDES COSAS HAS HECHO POR NOSOTROS, SEÑOR

Tampoco yo te condeno. La forma de representar la misericordia de Jesús, con rasgos tan finos y delicados, es una expresión maravillosa y soberana de Jesús en ofrecer serenamente la reconciliación a los pecadores. El momento en el cual la mujer pecadora está frente a Jesús, el sin pecado, es un acto de drama auténtico: «La Misericordia y la miseria frente a frente», diría san Agustín comentando este texto. Las premisas, en base a la gravedad del pecado cometido y a las acusaciones pronunciadas, presagiaban un final trágico. En esta ocasión se le acerca un grupo rumoroso e inquieto; estas personas, más que dispuestas a escuchar su palabra, vienen decididas a provocarlo, a ponerlo "en aprietos". Llaman a Jesús «maestro», por lo que reconocen la autoridad moral de su enseñanza pública; estos escribas y fariseos le presentan un caso muy delicado: una mujer ha sido sorprendida en adulterio y, según la ley de Moisés, el castigo para esta falta era la pena capital, realizada con la lapidación: arrojándole piedras hasta hacerla morir.

Maestro, esta mujer... El caso es complejo. Jesús es puesto a prueba. Escribas y fariseos quieren una respuesta definitiva de Jesús. Las posibilidades que se le presentaban para resolver dicha cuestión eran dos: enviar absuelta a la mujer, acusada de grave pecado, o apegarse al espíritu y a la letra de la Ley de Moisés. Pero, en el primer caso, absolviendo a la mujer adúltera, se colocaba directa y explícitamente contra la Ley de Moisés y por ende, contra Dios; habría sido acusado de blasfemia y de violación de los preceptos de la Ley. En la segunda hipótesis renegaba de su Evangelio de misericordia e iría contra toda su vida, marcada por el perdón.

Aquel de ustedes que no tenga pecado, que le tire la primera piedra. Jesús no cae en la trampa. Conserva la dignidad de su persona, manifiesta la libertad soberana de su vida y la autoridad moral de la cual toda su existencia ha sido y será un ejemplo perfecto. Acepta la provocación, pero no para dar la respuesta deseada, sino para indicar una solución, la cual desorienta a los acusadores y a la mujer le dona la salvación, la paz y la reconciliación. San Juan describe una acción inusual de Jesús: ante la insistencia de los acusadores «se agachó y se puso a escribir en el suelo con el dedo».

Jesús, con estas palabras, envía a sus interlocutores a Dios ante quien todos los humanos somos pecadores. Dios, juez justo, debería escribir en el polvo de la tierra el nombre de todos nosotros y abandonarnos a la muerte. No lo hace porque es misericordia. Jesús hace esta acción profética en dos ocasiones. Pero en el centro de la escena está la pregunta que tiene la fuerza de provocación y desafío «Aquel de ustedes que no tenga pecado que le tire la primera piedra». Sólo Jesús podía pronunciar palabras de ese tenor, ya que sólo en Él no existe sombra de pecado.

No recuerden lo pasado. Dios se echa a las espaldas el pecado del hombre, para hacer de él una nueva creatura **–primera lectura–**. Abre un «nuevo sendero» en su corazón y en su vida: el camino del amor hacia Dios y hacia el prójimo.

San Pablo en su Carta a los filipenses nos hace sentir las vibraciones cálidas de su espíritu **–segunda lectura–**. Es un texto interesante porque más que exponernos una doctrina nos presenta un programa de vida cristiana que es la experiencia misma del Apóstol.

1. Antífona de entrada. Señor, hazme justicia. Defiende mi causa contra la gente sin piedad, sálvame del hombre traidor y malvado, tú que eres mi Dios y mi defensa (Cfr. Sal 42, 1-2).

No se dice Gloria

2. Oración colecta. Te rogamos, Señor Dios nuestro, que, con tu auxilio, avancemos animosamente hacia aquel grado de amor con el que tu Hijo, por la salvación del mundo, se entregó a la muerte. Él, que vive y reina contigo...

3. 1ª Lectura   (Is 43, 16-21)
Del libro del profeta Isaías
Esto dice el Señor, que abrió un camino en el mar y un sendero en las aguas impetuosas, el que hizo salir a la batalla a un formidable ejército de carros y caballos, que cayeron y no se levantaron, y se apagaron como una mecha que se extingue:
"No recuerden lo pasado ni piensen en lo antiguo; yo voy a realizar algo nuevo. Ya está brotando. ¿No lo notan? Voy a abrir caminos en el desierto y haré que corran los ríos en la tierra árida. Me darán gloria las bestias salvajes, los chacales y las avestruces, porque haré correr agua en el desierto, y ríos en el yermo, para apagar la sed de mi pueblo escogido. Entonces el pueblo que me he formado proclamará mis alabanzas".
Palabra de Dios.
A. ***Te alabamos, Señor.***

4. Salmo responsorial   (Sal 125)
R. **Grandes cosas has hecho por nosotros, Señor.**
L. Cuando el Señor nos hizo volver del cautiverio, creíamos soñar; entonces no cesaba de reír nuestra boca, ni se cansaba entonces la lengua de cantar. / R.
L. Aun los mismos paganos con asombro decían: "¡Grandes cosas ha hecho por ellos el Señor!". Y estábamos alegres, pues ha hecho grandes cosas por su pueblo el Señor. / R.

L. Como cambian los ríos la suerte del desierto, cambia también ahora nuestra suerte, Señor, y entre gritos de júbilo cosecharán aquellos que siembran con dolor. / R.

L. Al ir, iban llorando, cargando la semilla; al regresar, cantando vendrán con sus gavillas. / R.

5. 2ª Lectura   (Flp 3, 7-14)
De la carta del apóstol san Pablo a los filipenses
Hermanos: Todo lo que era valioso para mí, lo consideré sin valor a causa de Cristo. Más aún pienso que nada vale la pena en comparación con el bien supremo, que consiste en conocer a Cristo Jesús, mi Señor, por cuyo amor he renunciado a todo, y todo lo considero como basura, con tal de ganar a Cristo y de estar unido a él, no porque haya obtenido la justificación que proviene de la ley, sino la que procede de la fe en Cristo Jesús, con la que Dios hace justos a los que creen.

Y todo esto, para conocer a Cristo, experimentar la fuerza de su resurrección, compartir sus sufrimientos y asemejarme a él en su muerte, con la esperanza de resucitar con él de entre los muertos.

No quiero decir que haya logrado ya ese ideal o que sea ya perfecto, pero me esfuerzo en conquistarlo, porque Cristo Jesús me ha conquistado. No, hermanos, considero que todavía no lo he logrado. Pero eso sí, olvido lo que he dejado atrás, y me lanzo hacia adelante, en busca de la meta y del trofeo al que Dios, por medio de Cristo Jesús, nos llama desde el cielo.

Palabra de Dios.
A. *Te alabamos, Señor.*

6. Aclamación antes del evangelio (Joel 2, 12-13)
R. **Honor y gloria a ti, Señor Jesús.** Todavía es tiempo, dice el Señor, conviértanse a mí de todo corazón, porque soy compasivo y misericordioso.
R. **Honor y gloria a ti, Señor Jesús.**

7. Evangelio   (Jn 8, 1-11)
Del santo Evangelio según san Juan
A. Gloria a ti, Señor.

En aquel tiempo, Jesús se retiró al monte de los Olivos y al amanecer se presentó de nuevo en el templo, donde la multitud se le acercaba; y él, sentado entre ellos, les enseñaba.

Entonces los escribas y fariseos le llevaron a una mujer sorprendida en adulterio, y poniéndola frente a él, le dijeron: "Maestro, esta mujer ha sido sorprendida en flagrante adulterio. Moisés nos manda en la ley apedrear a estas mujeres. ¿Tú qué dices?".

Le preguntaban esto para ponerle una trampa y poder acusarlo. Pero Jesús se agachó y se puso a escribir en el suelo con el dedo. Como insistían en su pregunta, se incorporó y les dijo: "Aquel de ustedes que no tenga pecado, que le tire la primera piedra". Se volvió a agachar y siguió escribiendo en el suelo.

Al oír aquellas palabras, los acusadores comenzaron a escabullirse uno tras otro, empezando por los más viejos, hasta que dejaron solos a Jesús y a la mujer, que estaba de pie, junto a él.

Entonces Jesús se enderezó y le preguntó: "Mujer, ¿dónde están los que te acusaban? ¿Nadie te ha condenado?". Ella le contestó: "Nadie, Señor". Y Jesús le dijo: "Tampoco yo te condeno. Vete y ya no vuelvas a pecar". *Palabra del Señor.*

*A. **Gloria a ti, Señor Jesús.***

Se dice Credo

8. Oración sobre las ofrendas. Escúchanos, Dios todopoderoso, y concede a tus siervos, en quienes infundiste la sabiduría de la fe cristiana, quedar purificados, por la eficacia de este sacrificio. Por Jesucristo, nuestro Señor.

9. Antífona de la comunión. ¿Nadie te ha condenado, mujer? Nadie, Señor. Yo tampoco te condeno. Ya no vuelvas a pecar (Jn 8, 10-11).

10. Oración después de la comunión. Te rogamos, Dios todopoderoso, que podamos contarnos siempre entre los miembros de aquel cuyo Cuerpo y Sangre acabamos de comulgar. Él, que vive y reina por los siglos de los siglos.

ORACIÓN SOBRE EL PUEBLO

Bendice, Señor, a tu pueblo, que espera los dones de tu misericordia, y concédele recibir de tu mano generosa lo que tú mismo lo mueves a pedir. Por Jesucristo, nuestro Señor.

EN COMUNIÓN
CON LA TRADICIÓN VIVA DE LA IGLESIA

«Qué responde el Señor Jesús? ¿Qué responde la verdad? ¿Qué responde la Sabiduría? ¿Qué responde la misma justicia contra la cual era directa la calumnia? No dijo: "¡No sea lapidada!". Se hubiera puesto contra la ley. También está atento en no decir "sea lapidada". Había venido, no a perder lo que había encontrado, sino a buscar aquello que estaba perdido (Lc 19,10). Entonces, ¿qué respondió?

Miren qué respuesta llena de justicia, y al mismo tiempo plena de mansedumbre y de verdad: Quien de ustedes esté sin pecado –dice– arroje la primera piedra contra ella. ¡Oh respuesta de la Sabiduría! ¡Cómo los obliga a mirarse interiormente! Ellos estaban fuera e intencionados de calumniar a los otros, en lugar de escrutar profundamente a sí mismos. Se interesaban de la adúltera, y entre tanto se perdían de vista ellos mismos. Violadores de la ley exigían la observancia de la ley recurriendo a la calumnia, no sinceramente, como lo hace quien condena el adulterio con el ejemplo de la castidad. Habéis escuchado, oh judíos, habéis escuchado, fariseos y ustedes, doctores de la ley, habéis escuchado todos la respuesta del custodio de la ley, pero no habéis entendido aún que él es el legislador. ¿Qué otra cosa quiso decirles, escribiendo por tierra con el dedo? La ley, de hecho, fue escrita con el dedo de Dios, y fue escrita sobre la piedra para significar la dureza de sus corazones (Éx 31, 18). Y ahora el Señor escribía en tierra, porque buscaba el fruto. Por lo tanto, ¿habéis escuchado el veredicto?» (**San Agustín** [354-430]. Evangelio de Juan).

DOMINGO DE RAMOS DE LA PASIÓN DEL SEÑOR

DIOS MÍO, DIOS MÍO, ¿POR QUÉ ME HAS ABANDONADO?

¡Bendito el rey que viene en nombre del Señor! A partir de hoy, Domingo de las Palmas o de Ramos, entramos en el centro del Misterio Pascual, que celebraremos en el arco de la semana más importante del Año litúrgico: la Semana Santa. Comenzamos con el sencillo rito de la procesión con las palmas. La «bendición de las palmas», seguida de esta procesión, intenta conmemorar la solemne entrada de Jesús en la Ciudad Santa, aclamado por la multitud alegre y jubilosa.

¡Padre, en tus manos encomiendo mi espíritu! Es en el relato de la Pasión en donde, más que en las otras partes, los Evangelistas, incluso san Juan, coinciden. Aun teniendo un fondo común, cada uno de los Evangelistas ha querido evidenciar algo de «particular» en esta historia de sufrimiento y de amor inmenso, marcada por la vileza, por la ignominia y por acuerdos repugnantes de las autoridades de Jerusalén. En este sublime relato lucano encontramos, ante todo, el «absoluto dominio» de Cristo en todos los hechos terribles de la Pasión. Es claro que la Pascua es la prefiguración y el inicio del sacrificio de su vida, representado por el pan y por el vino de la cena puestos frente a todos como «signo» de su donación hasta la muerte.

Padre, si quieres. aparta de mí esta amarga prueba; pero que no se haga mi voluntad... Y también ese último momento de su vida no está marcado por un sentimiento de fatalidad o de sentirse abandonado por su Padre, sino de un tranquilo confiarse en sus manos. Mientras que en los Evangelios de Marcos y Mateo, Jesús muere casi con un grito de desesperación «Dios mío, Dios mío, ¿por qué me has abandonado?», en Lucas se ve una serenidad y dominio absoluto de la propia vida: «Padre, en tus manos encomiendo mi espíritu». Todo esto no es que Lucas haya intentado «desdramatizar» la realidad de la Pasión, como si hubiera tenido compasión hacia el Señor sufriente. Pero, al mismo tiempo, es extraño que el detalle más dramático de la agonía en el Getsemaní sea Lucas quien lo transmite.

Yo te aseguro que hoy estarás conmigo en el paraíso. Para el buen ladrón la muerte de Jesús en cruz no constituía un fracaso, sino el inicio de su «realeza», el ingreso en su «Reino». Es sólo san Lucas quien ha sabido expresar, mejor que cualquier otro, este aspecto extremamente consolador del drama más oscuro que jamás se haya realizado en nuestra historia. Este Cristo crucificado es el corazón del mundo. Él abraza el dolor y el sufrimiento de toda la humanidad. En su dolor, sufrido por amor, late el corazón de la humanidad necesitada de justicia, de esperanza y de salvación.

Pero el Señor me ayuda. El autor es un profeta-poeta anónimo que vive en el exilio, junto con otros compatriotas. Su actividad se desarrolló en los años 550 a.C. Los primeros deportados tenían la esperanza de que el exilio durara poco tiempo. Pero con una nueva deportación de otros hebreos, las esperanzas se cayeron. En esta **primera lectura** es reportada una parte del tercer canto del Siervo sufriente de Yahvé.

Por eso Dios lo exaltó sobre todas las cosas... Si el pasaje del profeta Isaías es una «profecía» sobre la Pasión, la **segunda lectura,** tomada de la Carta de Pablo a los filipenses, es una altísima «meditación» teológica sobre el anonadarse de Cristo, que encuentra su punto más profundo en la «muerte de cruz». Pero Cristo no muere para permanecer en la muerte, sino para entrar en la «gloria» del Padre.

I. *En este día la Iglesia recuerda la entrada de Cristo nuestro Señor a Jerusalén para consumar su Misterio Pascual. Por lo tanto, en todas las Misas se conmemora esta entrada del Señor mediante una procesión o una entrada solemne, antes de la Misa principal, y por medio de una entrada sencilla antes de las demás Misas. Pero puede repetirse la entrada solemne (no la procesión), antes de algunas otras Misas que se celebren con gran asistencia del pueblo.*

Conviene que donde no pueda hacerse ni procesión ni entrada solemne, se tenga una celebración de la Palabra de Dios, sobre la entrada mesiánica y la Pasión del Señor, ya sea el sábado por la tarde o ya sea el domingo a una hora oportuna.

CONMEMORACIÓN DE LA ENTRADA DEL SEÑOR EN JERUSALÉN

Primera forma: Procesión

2. *A la hora señalada, los fieles se reúnen en una iglesia menor o en algún otro lugar adecuado, fuera de la iglesia hacia la cual va a dirigirse la procesión. Los fieles llevan sus ramos en las manos.*

3. *El sacerdote y el diácono, revestidos con las vestiduras rojas requeridas para la Misa, acompañados por los otros ministros, se acercan al lugar donde el pueblo está congregado. El sacerdote, en lugar de casulla, puede usar la capa pluvial, que dejará después de la procesión, y se pondrá la casulla.*

4. *Entretanto se canta la siguiente antífona u otro cántico adecuado:*

ANTÍFONA Mt 21, 9

Hosanna al Hijo de David. Bendito el que viene en nombre del Señor, el Rey de Israel. Hosanna en el cielo.

5. *Enseguida el sacerdote y los fieles se santiguan mientras el sacerdote dice:* **"En el nombre del Padre, y del Hijo, y del Espíritu Santo".** *Después el sacerdote saluda al pueblo de la manera acostumbrada y hace una breve monición para invitar a los fieles a participar activa y conscientemente en la celebración de este día.*

Puede hacerlo con éstas o semejantes palabras:

Queridos hermanos: Después de haber preparado nuestros corazones desde el principio de la Cuaresma con nuestra penitencia y nuestras obras de caridad, hoy nos reunimos para iniciar, unidos con toda la Iglesia, la celebración anual del Misterio Pascual, es decir, de la pasión y resurrección de nuestro Señor Jesucristo, misterios que empezaron con su entrada en Jerusalén, su ciudad.

Por eso, recordando con toda fe y devoción esta entrada salvadora, sigamos al Señor, para que, participando de su cruz, tengamos parte con él en su resurrección y su vida.

6. *Después de esta monición, el sacerdote, teniendo extendidas las manos, dice una de las dos oraciones siguientes:*

Oremos.
Dios todopoderoso y eterno, santifica con tu bendición † estos ramos, para que, quienes acompañamos jubilosos a Cristo Rey, podamos llegar, por él, a la Jerusalén del cielo. Él, que vive y reina por los siglos de los siglos.
R. Amén.

O bien:

Aumenta, Señor Dios, la fe de los que esperan en ti y escucha con bondad las súplicas de quienes te invocan, para que, al presentar hoy nuestros ramos a Cristo victorioso, demos para ti en él frutos de buenas obras. Él, que vive y reina por los siglos de los siglos.
R. Amén.

Y, en silencio, rocía los ramos con agua bendita.

7. *Enseguida el diácono, o en su ausencia el sacerdote, proclama del modo acostumbrado el Evangelio de la entrada del Señor en Jerusalén, según alguno de los cuatro evangelistas. Si es oportuno se usa el incienso.*

Evangelio   (Lc 19, 28-40)
Del santo Evangelio según san Lucas
A. Gloria a ti, Señor.
En aquel tiempo, Jesús, acompañado de sus discípulos, iba camino de Jerusalén, y al acercarse a Betfagé y a Betania, junto al monte llamado de los Olivos, envió a dos de sus discípulos, diciéndoles: "Vayan al caserío que está frente a ustedes. Al entrar, encontrarán atado un burrito que nadie ha montado

todavía. Desátenlo y tráiganlo aquí. Si alguien les pregunta por qué lo desatan, díganle: 'El Señor lo necesita'".

Fueron y encontraron todo como el Señor les había dicho. Mientras desataban el burro, los dueños les preguntaron: "¿Por qué lo desamarran?". Ellos contestaron: "El Señor lo necesita". Se llevaron, pues, el burro, le echaron encima los mantos e hicieron que Jesús montara en él.

Conforme iba avanzando, la gente tapizaba el camino con sus mantos, y cuando ya estaba cerca la bajada del monte de los Olivos, la multitud de discípulos, entusiasmados, se pusieron a alabar a Dios a gritos por todos los prodigios que habían visto, diciendo:

"*¡Bendito el rey que viene en nombre del Señor!* ¡Paz en el cielo y gloria en las alturas!*".

Algunos fariseos que iban entre la gente, le dijeron: "Maestro, reprende a tus discípulos". Él les replicó: "Les aseguro que si ellos se callan, gritarán las piedras".

Palabra del Señor.

A. **Gloria a ti, Señor Jesús.**

8. *Después del Evangelio, puede tenerse una breve homilía. Al iniciar la procesión, el celebrante, el diácono u otro ministro idóneo puede hacer una monición con estas palabras u otras parecidas:*

Queridos hermanos:
Imitando a la multitud que aclamaba al Señor, avancemos en paz.

O bien:

Avancemos en paz.

En este caso responden:
En el nombre de Cristo. Amén.

9. *Y se inicia del modo acostumbrado la procesión hacia la iglesia en donde va a celebrarse la Misa. Si se usa el incienso, el turiferario va adelante con el incensario, en el cual habrá puesto incienso previamente; enseguida, un acólito u otro ministro con la cruz* *adornada con ramos, según la costumbre del lugar, y, a su lado, dos ministros con velas encendidas. Sigue luego el diácono con el Evangeliario, el sacerdote con los ministros y, detrás de ellos, los fieles con ramos en las manos. Al avanzar la procesión, el coro y el pueblo entonan los siguientes cánticos u otros apropiados en honor a Cristo Rey:*

ANTÍFONA 1

Los niños hebreos, llevando ramos de olivo, salieron al encuentro del Señor, aclamando: "Hosanna en el cielo".

Si se cree oportuno, puede alternarse esta antífona con los versículos del siguiente salmo.

SALMO 23

Del Señor es la tierra y lo que ella tiene, el orbe todo y los que en él habitan, pues él lo edificó sobre los mares, él fue quien lo asentó sobre los ríos.
Se repite la antífona

¿Quién subirá hasta el monte del Señor? ¿Quién podrá entrar en su recinto santo? El de corazón limpio y manos puras y que no jura en falso.
Se repite la antífona

Ése obtendrá la bendición de Dios y Dios, su salvador, le hará justicia. Ésta es la clase de hombres que te buscan y vienen ante ti, Dios de Jacob.
Se repite la antífona

¡Puertas, ábranse de par en par; agrándense, portones eternos, porque va a entrar el rey de la gloria!
Se repite la antífona

Y ¿quién es el rey de la gloria? Es el Señor, fuerte y poderoso, el Señor, poderoso en la batalla.
Se repite la antífona

¡Puertas, ábranse de par en par; agrándense, portones eternos, porque va a entrar el rey de la gloria!
Se repite la antífona

Y ¿quién es el rey de la gloria? El Señor, Dios de los ejércitos, él es el rey de la gloria.

Se repite la antífona

ANTÍFONA 2
Los niños hebreos extendían sus mantos por el camino y aclamaban: "Hosanna al Hijo de David, bendito el que viene en nombre del Señor".

Si se cree oportuno, puede alternarse esta antífona con los versículos del siguiente salmo.

SALMO 46
Aplaudan, pueblos todos; aclamen al Señor, de gozo llenos; que el Señor, el Altísimo, es terrible y de toda la tierra, rey supremo.

Se repite la antífona

Fue él quien nos puso por encima de todas las naciones y los pueblos, al elegirnos como herencia suya, orgullo de Jacob, su predilecto.

Se repite la antífona

Entre voces de júbilo y trompetas, Dios, el Señor, asciende hasta su trono. Cantemos en honor de nuestro Dios, al rey honremos y cantemos todos.

Se repite la antífona

Porque Dios es el rey del universo, cantemos el mejor de nuestros cantos. Reina Dios sobre todas las naciones desde su trono santo.

Se repite la antífona

Los jefes de los pueblos se han reunido con el pueblo de Dios, Dios de Abraham, porque de Dios son los grandes de la tierra. Por encima de todo Dios está.

Se repite la antífona

HIMNO A CRISTO REY

Coro:
Gloria, alabanza y honor, a ti Cristo rey, redentor; a quien infantil cortejo entonó piadoso Hosanna.

Todos repiten:
Gloria, alabanza y honor...

Coro:
Tú eres el rey de Israel, prole ínclita de David, rey bendito, que vienes en el nombre del Señor.

Todos repiten:
Gloria, alabanza y honor...

Coro:
Toda la corte celestial te alaba en las alturas, y el hombre mortal, con todas las creaturas.

Todos repiten:
Gloria, alabanza y honor...

Coro:
El pueblo hebreo salió con palmas a tu encuentro; nosotros con preces, votos e himnos venimos a ti.

Todos repiten:
Gloria, alabanza y honor...

Coro:
Aquellos cuando ibas a padecer te tributaban loores; nosotros ahora que reinas, te ofrecemos nuestro canto.

Todos repiten:
Gloria, alabanza y honor...

Coro:
Aquellos te agradaron, que te agrade también nuestra devoción: ¡Rey bueno, rey clemente, a quien agrada todo lo bueno!

Todos repiten:
Gloria, alabanza y honor...

O bien:

HIMNO A CRISTO REY

¡Que viva mi Cristo,
que viva mi Rey,
que impere doquiera
triunfante su ley! (2)
¡Viva Cristo Rey,
viva Cristo Rey!

1. Mexicanos, un Padre tenemos
que nos dio de la Patria la unión,
a ese Padre gozosos cantemos
empuñando con fe su pendón.

2. Demos gracias al Padre que ha hecho
que tengamos de herencia la luz
y podamos vivir en el reino
que su Hijo nos dio por la cruz.

3. Dios le dio el poder, la victoria;
pueblos todos, venid y alabad
a este Rey de los cielos y tierra
en quien sólo tenemos la paz.

4. Rey eterno, Rey universal,
en quien todo ya se restauró,
te rogamos que todos los pueblos
sean unidos en un solo amor.

10. *Al entrar la procesión en la iglesia, se canta el siguiente responsorio u otro canto alusivo a la entrada del Señor en Jerusalén:*

RESPONSORIO

R. Al entrar el Señor en la ciudad santa, los niños hebreos, anunciando con anticipación la resurrección del Señor de la vida, *con palmas en las manos, aclamaban: Hosanna en el cielo.

V. Al enterarse de que Jesús llegaba a Jerusalén, el pueblo salió a su encuentro.

R. Con palmas en las manos, aclamaban: Hosanna en el cielo.

11. *El sacerdote, al llegar al altar, hace la debida reverencia y, si lo juzga oportuno, lo inciensa. Luego se dirige a la sede donde se quita la capa pluvial, si la usó, y se pone la casulla y, omitidos los demás ritos iniciales de la Misa, incluso el* **Señor, ten piedad**, *si es oportuno, dice la oración colecta y prosigue la Misa de la manera acostumbrada.*

Segunda forma: Entrada solemne

12. *Donde no se pueda hacer la procesión fuera de la iglesia, la entrada del Señor se celebra dentro de la iglesia por medio de una entrada solemne, antes de la Misa principal.*

13. *Los fieles se reúnen ante la puerta de la iglesia, o bien, dentro de la misma iglesia, llevando los ramos en las manos. El sacerdote, los ministros y algunos de los fieles, van a algún sitio adecuado de la iglesia, fuera del presbiterio, en donde pueda ser vista fácilmente la ceremonia, al menos por la mayor parte de los fieles.*

14. *Mientras el sacerdote se dirige al sitio indicado, se canta la antífona* **Hosanna al Hijo de David** (n. 4), *u algún otro canto adecuado. Después se bendicen los ramos y se lee el Evangelio de la entrada del Señor en Jerusalén, como se indicó en los nn. 5-7. Después del Evangelio, el sacerdote va solemnemente hacia el presbiterio a través de la iglesia, acompañado por los ministros y un pequeño grupo de fieles, mientras se canta el responsorio* **Al entrar el Señor** (n. 10), *u otro canto apropiado.*

15. *Al llegar al altar, el sacerdote hace la debida reverencia. Enseguida va a la sede y, omitidos los ritos iniciales de la Misa, incluso el* **Señor, ten piedad**, *si es oportuno, dice la oración colecta y prosigue la Misa de la manera acostumbrada.*

Tercera forma: Entrada sencilla

16. *En todas las demás Misas de este domingo, en las que no se hace la entrada solemne, se recuerda la entrada del Señor en Jerusalén por medio de una entrada sencilla.*

17. Mientras el sacerdote se dirige al altar, se canta la antífona de entrada con su salmo (n. 18), u otro canto sobre el mismo tema. El sacerdote, al llegar al altar, lo venera haciendo la debida reverencia, y va a la sede. Después de hacer el signo de la cruz, saluda al pueblo. Luego sigue la Misa de la manera acostumbrada.

En las demás Misas en que no es posible cantar la antífona de entrada, el sacerdote, al llegar al altar, lo venera haciendo la debida reverencia, saluda al pueblo, lee la antífona de entrada y prosigue la Misa de la manera acostumbrada.

18. ANTÍFONA DE ENTRADA

Seis días antes de la Pascua, cuando el Señor entró a la ciudad de Jerusalén, salieron los niños a su encuentro y llevando en sus manos ramos de palmera aclamaban con fuerte voz:

*Hosanna en el cielo. Bendito tú, que vienes lleno de bondad y de misericordia.

Puertas, ábranse de par en par; agrándense, portones eternos, porque va a entrar el Rey de la gloria. Y ¿quién es ese Rey de la gloria? El Señor de los ejércitos es el Rey de la gloria.

*Hosanna en el cielo. Bendito tú, que vienes lleno de bondad y de misericordia (Cfr. Jn 12, 1.12-13; Sal 23, 9-10).

MISA

19. Después de la procesión o de la entrada solemne, el sacerdote comienza la Misa con la oración colecta.

20. Oración colecta. Dios todopoderoso y eterno, que quisiste que nuestro Salvador se hiciera hombre y padeciera en la cruz para dar al género humano ejemplo de humildad, concédenos, benigno, seguir las enseñanzas de su pasión y que merezcamos participar de su gloriosa resurrección. Él, que vive y reina contigo…

Primera Lectura   (Is 50, 4-7)
Del libro del profeta Isaías
En aquel entonces, dijo Isaías: "El Señor me ha dado una lengua experta, para que pueda confortar al abatido con palabras de aliento.

Mañana tras mañana, el Señor despierta mi oído, para que escuche yo, como discípulo. El Señor Dios me ha hecho oír sus palabras y yo no he opuesto resistencia ni me he echado para atrás.

Ofrecí la espalda a los que me golpeaban, la mejilla a los que me tiraban de la barba. No aparté mi rostro de los insultos y salivazos.

Pero el Señor me ayuda, por eso no quedaré confundido, por eso endurecí mi rostro como roca y sé que no quedaré avergonzado".

Palabra de Dios.

A. *Te alabamos, Señor.*

Salmo responsorial   (Sal 21)

R. Dios mío, Dios mío, ¿por qué me has abandonado?

L. Todos los que me ven, de mí se burlan; me hacen gestos y dicen: "Confiaba en el Señor, pues que él lo salve; si de veras lo ama, que lo libre". / **R.**

L. Los malvados me cercan por doquiera como rabiosos perros. Mis manos y mis pies han taladrado y se pueden contar todos mis huesos. / **R.**

L. Reparten entre sí mis vestiduras y se juegan mi túnica a los dados. Señor, auxilio mío, ven y ayúdame, no te quedes de mí tan alejado. / **R.**

L. A mis hermanos contaré tu gloria y en la asamblea alabaré tu nombre. Que alaben al Señor los que lo temen. Que el pueblo de Israel siempre lo adore. / **R.**

Segunda Lectura   (Flp 2, 6-11)

De la carta del apóstol san Pablo a los filipenses

Cristo Jesús, siendo Dios, no consideró que debía aferrarse a las prerrogativas de su condición divina, sino que, por el contrario, se anonadó a sí mismo tomando la condición de siervo, y se hizo semejante a los hombres. Así, hecho uno de ellos, se humilló a sí mismo y por obediencia aceptó incluso la muerte, y una muerte de cruz.

Por eso Dios lo exaltó sobre todas las cosas y le otorgó el nombre que está sobre todo nombre, para que, al nombre de Jesús, todos doblen la rodilla en el cielo, en la tierra y en los abismos, y todos reconozcan públicamente que Jesucristo es el Señor, para gloria de Dios Padre.

Palabra de Dios.

A. Te alabamos, Señor.

Aclamación antes del Evangelio (Flp 2, 8-9)

R. Honor y gloria a ti, Señor Jesús. Cristo se humilló por nosotros y por obediencia aceptó incluso la muerte, y una muerte de cruz. Por eso Dios lo exaltó sobre todas las cosas y le otorgó el nombre que está sobre todo nombre.

R. Honor y gloria a ti, Señor Jesús.

21. Se lee la historia de la Pasión del Señor. No se llevan ciriales ni incienso, ni se hace al principio el saludo, ni se signa el libro. La lectura la hace un diácono o, en su defecto, el sacerdote. Puede también ser hecha por lectores, reservando al sacerdote, si es posible, la parte correspondiente a Cristo.

Solamente los diáconos piden la bendición del celebrante antes del canto de la Pasión, como se hace antes del Evangelio.

Indicaciones para la lectura dialogada:

Las siglas que indican a los diversos interlocutores son las siguientes:
✝ = Jesús; S = Discípulos, pueblo y otros personajes; C = Cronista.

PASIÓN DE NUESTRO SEÑOR JESUCRISTO SEGÚN SAN LUCAS (Lc 22, 14-23, 56)

C. Llegada la hora de cenar, se sentó Jesús con sus discípulos y les dijo:

✝ "Cuánto he deseado celebrar esta Pascua con ustedes, antes de padecer, porque yo les aseguro que ya no la volveré a celebrar, hasta que tenga cabal cumplimiento en el Reino de Dios".

C. Luego tomó en sus manos una copa de vino, pronunció la acción de gracias y dijo:

✝ "Tomen esto y repártanlo entre ustedes, porque les aseguro que ya no volveré a beber del fruto de la vid hasta que venga el Reino de Dios".

C. Tomando después un pan, pronunció la acción de gracias, lo partió y se lo dio, diciendo:

✝ "Esto es mi cuerpo, que se entrega por ustedes. Hagan esto en memoria mía".

C. Después de cenar, hizo lo mismo con una copa de vino, diciendo:

✝ "Esta copa es la nueva alianza, sellada con mi sangre, que se derrama por ustedes". "Pero miren: la mano del que me va a entregar está conmigo en la mesa. Porque el Hijo del hombre va a morir, según lo decretado; pero ¡ay de aquel hombre por quien será entregado!".

C. Ellos empezaron a preguntarse unos a otros quién de ellos podía ser el que lo iba a traicionar. Después los discípulos se pusieron a discutir sobre cuál de ellos debería ser considerado como el más importante. Jesús les dijo:

✝ "Los reyes de los paganos los dominan, y los que ejercen la autoridad se hacen llamar bienhechores. Pero ustedes no hagan eso, sino todo lo contrario: que el mayor entre ustedes actúe como si fuera el menor, y el que gobierna, como si fuera un servidor. Porque, ¿quién vale más, el que está a la mesa o el que sirve? ¿Verdad que es el que está a la mesa? Pues yo estoy en medio de ustedes como el que sirve. Ustedes han perseverado conmigo en mis pruebas, y yo les voy a dar el Reino, como mi Padre me lo dio a mí, para que coman y beban a mi mesa en el Reino, y se siente cada uno en un trono, para juzgar a las doce tribus de Israel".

C. Luego añadió:

✝ "Simón, Simón, mira que Satanás ha pedido permiso para zarandearlos como trigo; pero yo he orado por ti, para que tu fe no desfallezca; y tú, una vez convertido, confirma a tus hermanos".

C. Él le contestó:

S. "Señor, estoy dispuesto a ir contigo incluso a la cárcel y a la muerte".

C. Jesús le replicó:

✝ "Te digo, Pedro, que hoy, antes de que cante el gallo, habrás negado tres veces que me conoces".

C. Después les dijo a todos ellos:

✝ "Cuando los envié sin provisiones, sin dinero ni sandalias, ¿acaso les faltó algo?".

C. Ellos contestaron:

S. "Nada".

C. Él añadió:

✝ "Ahora, en cambio, el que tenga dinero o provisiones, que los tome; y el que no tenga espada, que venda su manto y compre una. Les aseguro que conviene que se cumpla esto que está escrito de mí: *Fue contado entre los malhechores,* porque se acerca el cumplimiento de todo lo que se refiere a mí".

C. Ellos le dijeron:

S. "Señor, aquí hay dos espadas".

C. Él les contestó:

✝ "¡Basta ya!".

C. Salió Jesús, como de costumbre, al monte de los Olivos y lo acompañaron los discípulos. Al llegar a ese sitio, les dijo:

✝ "Oren, para no caer en la tentación".

C. Luego se alejó de ellos a la distancia de un tiro de piedra y se puso a orar de rodillas, diciendo:

✝ "Padre, si quieres, aparta de mí esta amarga prueba; pero que no se haga mi voluntad, sino la tuya".

C. Se le apareció entonces un ángel para confortarlo; él, en su angustia mortal, oraba con mayor insistencia, y comenzó a sudar gruesas gotas de sangre, que caían hasta el suelo. Por fin terminó su oración, se levantó, fue hacia sus discípulos y los encontró dormidos por la pena. Entonces les dijo:

✝ "¿Por qué están dormidos? Levántense y oren para no caer en la tentación".

C. Todavía estaba hablando, cuando llegó una turba encabezada por Judas, uno de los Doce, quien se acercó a Jesús para besarlo. Jesús le dijo:

† "Judas, ¿con un beso entregas al Hijo del hombre?".

C. Al darse cuenta de lo que iba a suceder, los que estaban con él dijeron:

S. "Señor, ¿los atacamos con la espada?".

C. Y uno de ellos hirió a un criado del sumo sacerdote y le cortó la oreja derecha. Jesús intervino, diciendo:

† "¡Dejen! ¡Basta!".

C. Le tocó la oreja y lo curó. Después Jesús dijo a los sumos sacerdotes, a los encargados del templo y a los ancianos que habían venido a arrestarlo:

† "Han venido a aprehenderme con espadas y palos, como si fuera un bandido. Todos los días he estado con ustedes en el templo y no me echaron mano. Pero ésta es su hora y la del poder de las tinieblas".

C. Ellos lo arrestaron, se lo llevaron y lo hicieron entrar en la casa del sumo sacerdote. Pedro los seguía desde lejos. Encendieron fuego en medio del patio, se sentaron alrededor y Pedro se sentó también con ellos. Al verlo sentado junto a la lumbre, una criada se le quedó mirando y dijo:

S. "Éste también estaba con él".

C. Pero él lo negó diciendo:

S. "No lo conozco, mujer".

C. Poco después lo vio otro y le dijo:

S. "Tú también eres uno de ellos".

C. Pedro replicó:

S. "¡Hombre, no lo soy!".

C. Y como después de una hora, otro insistió:

S. "Sin duda que éste también estaba con él, porque es galileo".

C. Pedro contestó:

S. "¡Hombre, no sé de qué hablas!".

C. Todavía estaba hablando, cuando cantó un gallo. El Señor, volviéndose, miró a Pedro. Pedro se acordó entonces de las palabras que el Señor le había dicho: 'Antes de que cante el gallo, me negarás tres veces', y saliendo de allí se soltó a llorar amargamente. Los hombres que sujetaban a Jesús se burlaban de él, le daban golpes, le tapaban la cara y le preguntaban:

S. "Adivina, ¿quién te ha pegado?".

C. Y proferían contra él muchos insultos. Al amanecer se reunió el consejo de los ancianos con los sumos sacerdotes y los escribas. Hicieron comparecer a Jesús ante el sanedrín y le dijeron:

S. "Si tú eres el Mesías, dínoslo".

C. Él les contestó:

✝ "Si se lo digo, no lo van a creer, y si les pregunto, no me van a responder. Pero ya desde ahora, el Hijo del hombre está sentado a la derecha de Dios todopoderoso".

C. Dijeron todos:

S. "Entonces, ¿tú eres el Hijo de Dios?".

C. Él les contestó:

✝ "Ustedes mismos lo han dicho: sí lo soy".

C. Entonces ellos dijeron:

S. "¿Qué necesidad tenemos ya de testigos? Nosotros mismos lo hemos oído de su boca".

Comienza la forma breve: (Lc 23, 1-49). Si se utiliza ésta, se inicia con las palabras: "En aquel tiempo...".

C. El consejo de los ancianos, con los sumos sacerdotes y los escribas, se levantaron y llevaron a Jesús ante Pilato. Entonces comenzaron a acusarlo, diciendo:

S. "Hemos comprobado que éste anda amotinando a nuestra nación y oponiéndose a que se pague tributo al César y diciendo que él es el Mesías rey".

C. Pilato preguntó a Jesús:

S. "¿Eres tú el rey de los judíos?".

C. Él le contestó:

✝ "Tú lo has dicho".

C. Pilato dijo a los sumos sacerdotes y a la turba:

S. "No encuentro ninguna culpa en este hombre".

C. Ellos insistían con más fuerza, diciendo:

S. "Solivianta al pueblo enseñando por toda Judea, desde Galilea hasta aquí".

C. Al oír esto, Pilato preguntó si era galileo, y al enterarse de que era de la jurisdicción de Herodes, se lo remitió, ya que Herodes estaba en Jerusalén precisamente por aquellos días. Herodes, al ver a Jesús, se puso muy contento, porque hacía mucho tiempo que quería verlo, pues había oído hablar mucho de él y esperaba presenciar algún milagro suyo. Le hizo muchas preguntas, pero él no le contestó ni una palabra. Estaban ahí los sumos sacerdotes y los escribas, acusándolo sin cesar. Entonces Herodes, con su escolta, lo trató con desprecio y se burló de él, y le mandó poner una vestidura blanca. Después se lo remitió a Pilato. Aquel mismo día se hicieron amigos Herodes y Pilato, porque antes eran enemigos. Pilato convocó a los sumos sacerdotes, a las autoridades y al pueblo, y les dijo:

S. "Me han traído a este hombre, alegando que alborota al pueblo; pero yo lo he interrogado delante de ustedes y no he encontrado en él ninguna de las culpas de que lo acusan. Tampoco Herodes, porque me lo ha enviado de nuevo. Ya ven que ningún delito digno de muerte se ha probado. Así pues, le aplicaré un escarmiento y lo soltaré".

C. Con ocasión de la fiesta, Pilato tenía que dejarles libre a un preso. Ellos vociferaron en masa, diciendo:

S. "¡Quita a ése! ¡Suéltanos a Barrabás!".

C. A éste lo habían metido en la cárcel por una revuelta acaecida en la ciudad y un homicidio. Pilato volvió a dirigirles la palabra, con la intención de poner en libertad a Jesús; pero ellos seguían gritando:

S. "¡Crucifícalo, crucifícalo!".

C. Él les dijo por tercera vez:

S. "¿Pues qué ha hecho de malo? No he encontrado en él ningún delito que merezca la muerte; de modo que le aplicaré un escarmiento y lo soltaré".

C. Pero ellos insistían, pidiendo a gritos que lo crucificara. Como iba creciendo el griterío, Pilato decidió que se cumpliera su petición; soltó al que le pedían, al que había sido encarcelado por revuelta y homicidio, y a Jesús se lo entregó a su arbitrio. Mientras lo llevaban a crucificar, echaron mano a un cierto Simón de Cirene, que volvía del campo, y lo obligaron a cargar la cruz, detrás de Jesús. Lo iba siguiendo una gran multitud de hombres y mujeres, que se golpeaban el pecho y lloraban por él. Jesús se volvió hacia las mujeres y les dijo:

† "Hijas de Jerusalén, no lloren por mí; lloren por ustedes y por sus hijos, porque van a venir días en que se dirá: '¡Dichosas las estériles y los vientres que no han dado a luz y los pechos que no han criado!'. Entonces dirán a los montes: 'Desplómense sobre nosotros', y a las colinas: 'Sepúltennos', porque si así tratan al árbol verde, ¿qué pasará con el seco?".

C. Conducían, además, a dos malhechores, para ajusticiarlos con él. Cuando llegaron al lugar llamado "la Calavera", lo crucificaron allí, a él y a los malhechores, uno a su derecha y el otro a su izquierda. Jesús decía desde la cruz:

† "Padre, perdónalos, porque no saben lo que hacen".

C. Los soldados se repartieron sus ropas, echando suertes. El pueblo estaba mirando. Las autoridades le hacían muecas, diciendo:

S. "A otros ha salvado; que se salve a sí mismo, si él es el Mesías de Dios, el elegido".

C. También los soldados se burlaban de Jesús, y acercándose a él, le ofrecían vinagre y le decían:

S. "Si tú eres el rey de los judíos, sálvate a ti mismo".

C. Había, en efecto, sobre la cruz, un letrero en griego, latín y hebreo, que decía: "Éste es el rey de los judíos". Uno de los malhechores crucificados insultaba a Jesús, diciéndole:

S. "Si tú eres el Mesías, sálvate a ti mismo y a nosotros".

C. Pero el otro le reclamaba, indignado:

S. "¿Ni siquiera temes tú a Dios, estando en el mismo suplicio? Nosotros justamente recibimos el pago de lo que hicimos. Pero éste ningún mal ha hecho".

C. Y le decía a Jesús:

S. "Señor, cuando llegues a tu Reino, acuérdate de mí".

C. Jesús le respondió:

† "Yo te aseguro que hoy estarás conmigo en el paraíso".

C. Era casi el mediodía, cuando las tinieblas invadieron toda la región y se oscureció el sol hasta las tres de la tarde. El velo del templo se rasgó a la mitad. Jesús, clamando con voz potente, dijo:

✝ "¡Padre, en tus manos encomiendo mi espíritu!".

C. Y dicho esto, expiró.

Aquí todos se arrodillan y se hace una breve pausa.

C. El oficial romano, al ver lo que pasaba, dio gloria a Dios, diciendo:

S. "Verdaderamente este hombre era justo".

C. Toda la muchedumbre que había acudido a este espectáculo, mirando lo que ocurría, se volvió a su casa dándose golpes de pecho. Los conocidos de Jesús se mantenían a distancia, lo mismo que las mujeres que lo habían seguido desde Galilea, y permanecían mirando todo aquello.

Fin de la forma breve.

Un hombre llamado José, consejero del sanedrín, hombre bueno y justo, que no había estado de acuerdo con la decisión de los judíos ni con sus actos, que era natural de Arimatea, ciudad de Judea, y que aguardaba el Reino de Dios, se presentó ante Pilato para pedirle el cuerpo de Jesús. Lo bajó de la cruz, lo envolvió en una sábana y lo colocó en un sepulcro excavado en la roca, donde no habían puesto a nadie todavía. Era el día de la Pascua y ya iba a empezar el sábado. Las mujeres que habían seguido a Jesús desde Galilea acompañaron a José para ver el sepulcro y cómo colocaban el cuerpo. Al regresar a su casa, prepararon perfumes y ungüentos, y el sábado guardaron reposo, conforme al mandamiento.

Palabra del Señor.

A. *Gloria a ti, Señor Jesús.*

22. *Después de la lectura de la Pasión, puede tenerse, si se cree oportuno, una breve homilía. También se puede guardar un momento de silencio.*

Se dice Credo y se hace la oración universal.

23. Oración sobre las ofrendas. Que la pasión de tu Unigénito, Señor, nos atraiga tu perdón, y aunque no lo merecemos por nuestras obras, por la mediación de este sacrificio único, lo recibamos de tu misericordia. Por Jesucristo, nuestro Señor.

24. PREFACIO: La Pasión del Señor

En verdad es justo y necesario, es nuestro deber y salvación darte gracias siempre y en todo lugar, Señor, Padre santo, Dios todopoderoso y eterno, por Cristo, Señor nuestro. El cual, siendo inocente, se dignó padecer por los pecadores y fue injustamente condenado por salvar a los culpables; con su muerte borró nuestros delitos y, resucitando, conquistó nuestra justificación. Por eso, te alabamos con todos los ángeles y te aclamamos con voces de júbilo, diciendo:

Santo, Santo, Santo…

25. Antífona de la comunión. Padre mío, si no es posible evitar que yo beba este cáliz, hágase tu voluntad (Mt 26, 42).

26. Oración después de la comunión. Tú que nos has alimentado con esta Eucaristía, y por medio de la muerte de tu Hijo nos das la esperanza de alcanzar lo que la fe nos promete, concédenos, Señor, llegar, por medio de su resurrección, a la meta de nuestras esperanzas. Por Jesucristo, nuestro Señor.

27. Oración sobre el Pueblo. Dios y Padre nuestro, mira con bondad a esta familia tuya, por la cual nuestro Señor Jesucristo no dudó en entregarse a sus verdugos y padecer el tormento de la cruz. Por Jesucristo, nuestro Señor.

EN COMUNIÓN
CON LA TRADICIÓN VIVA DE LA IGLESIA

«Venid, y al mismo tiempo que ascendemos al monte de los Olivos, salgamos al encuentro de Cristo, que vuelve hoy de Betania y, por propia voluntad, se apresura hacia su venerable y dichosa pasión, para llevar a plenitud el misterio de la salvación de los hombres. Porque el que va libremente hacia Jerusalén es el mismo que por nosotros, los hombres, bajó del cielo, para levantar consigo a los que yacíamos en lo más profundo y colocarnos, como dice la Escritura, por encima de todo principado, potestad, fuerza y dominación, y por encima de todo nombre conocido (cfr. Ef 1, 21). Y viene, no como quien busca su gloria por medio de la fastuosidad y de la pompa. No porfiará, dice, no gritará, no voceará por las calles, sino que será manso y humilde, y se presentará sin espectacularidad alguna. Ánimo, pues, corramos a una con quien se apresura a su pasión, e imitemos a quienes salieron a su encuentro. Y no para extender por el suelo, a su paso, ramos de

olivo, vestiduras o palmas, sino para prosternarnos nosotros mismos, con la disposición más humillada de que seamos capaces y con el más limpio propósito, de manera que acojamos al Verbo que viene, y así logremos captar a aquel Dios que nunca puede ser totalmente captado por nosotros. Alegrémonos, pues, porque se nos ha presentado mansamente el que es manso y que asciende sobre el ocaso de nuestra ínfima vileza, para venir hasta nosotros y convivir con nosotros, de modo que pueda, por su parte, llevarnos hasta la familiaridad con él» (**San Andrés de Creta** [660-740]. Homilía para el Domingo de Ramos).

11 DE ABRIL – (MORADO)

LUNES DE LA SEMANA SANTA

¿CÓMO DEMUESTRO MI CARIÑO Y APRECIO A JESÚS?

Ya estamos en la Semana Santa. Durante los días pasados las lecturas nos vinieron develando la identidad de Jesús en la misma forma que lo hace la Primera lectura: "No gritará ni clamará, no hará oír su voz en las plazas, no romperá la caña resquebrajada, ni apagará la mecha que aún humea. Proclamará la justicia con firmeza, no titubeará ni se doblegará, hasta haber establecido el derecho sobre la tierra". Pero ahora, en el Evangelio, Jesús calla, deja que los demás actúen, sobre todo ahora que todos saben que Él es un condenado a muerte. Esta actitud de Jesús permite que se develen las identidades e intenciones de todas aquellas personas que lo han seguido o se han acercado a Él a lo largo de su vida y de su misión. Se devela en primer lugar la amistad y la cortesía de sus amigos Lázaro y Marta que le ofrecen una cena de despedida, pero, sobre todo, la adoración y cariño invaluable de María que lo unge de perfume de pies a cabeza. En contraste, se devela la verdadera identidad de Judas como ladrón, que seguía a Jesús por puro interés. Pero también el Evangelio nos habla de aquellos que buscaban a Jesús por simple curiosidad, ya sea para observar los milagros que hacía o bien para ser testigos de cómo sería capturado por los sumos sacerdotes.

1. Antífona de entrada. Juzga, Señor, a los que me hacen daño, ataca a los que me atacan, toma las armas y el escudo, levántate y ven en mi ayuda. Señor, mi fuerza de salvación (Cfr. Sal 34, 1-2; Sal 139, 8).

2. Oración colecta. Te rogamos, Dios todopoderoso, que, quienes desfallecemos a causa de nuestra debilidad, nos recuperemos gracias a la pasión de tu Unigénito. Él, que vive y reina contigo…

3. 1ª Lectura   (Is 42, 1-7)
Del libro del profeta Isaías

"Miren a mi siervo, a quien sostengo, a mi elegido, en quien tengo mis complacencias. En él he puesto mi espíritu para que haga brillar la justicia sobre las naciones. No gritará, no clamará, no hará oír su voz por las calles; no romperá la caña resquebrajada, ni apagará la mecha que aún humea. Promoverá con firmeza la justicia, no titubeará ni se doblegará hasta haber establecido el derecho sobre la tierra y hasta que las islas escuchen su enseñanza".

Esto dice el Señor Dios, el que creó el cielo y lo extendió, el que dio firmeza a la tierra, con lo que en ella brota; el que dio el aliento a la gente que habita la tierra y la respiración a cuanto se mueve en ella: "Yo, el Señor, fiel a mi designio de salvación, te llamé, te tomé de la mano, te he formado y te he constituido alianza de un pueblo, luz de las naciones, para que abras los ojos de los ciegos, saques a los cautivos de la prisión y de la mazmorra a los que habitan en tinieblas". *Palabra de Dios.*

A. ***Te alabamos, Señor.***

4. Salmo responsorial   (Sal 26)
R. El Señor es mi luz y mi salvación.

L. El Señor es mi luz y mi salvación, ¿a quién voy a tenerle miedo? El Señor es la defensa de mi vida, ¿quién podrá hacerme temblar? / **R.**

L. Cuando me asaltan los malvados para devorarme, ellos, enemigos y adversarios, tropiezan y caen. / **R.**

L. Aunque se lance contra mí un ejército, no temerá mi corazón; aun cuando hagan la guerra contra mí, tendré plena confianza en el Señor. / **R.**

L. La bondad del Señor espero ver en esta misma vida. Ármate de valor y fortaleza y en el Señor confía. / **R.**

5. Aclamación antes del Evangelio
R. Honor y gloria a ti, Señor Jesús. Señor Jesús, rey nuestro, sólo tú has tenido compasión de nuestras faltas.
R. Honor y gloria a ti, Señor Jesús.

6. Evangelio   (Jn 12, 1-11)
Del santo Evangelio según san Juan
A. Gloria a ti, Señor.

Seis días antes de la Pascua, fue Jesús a Betania, donde vivía Lázaro, a quien había resucitado de entre los muertos. Allí le ofrecieron una cena; Marta servía y Lázaro era uno de los que estaban con él a la mesa. María tomó entonces una libra de perfume de nardo auténtico, muy costoso, le ungió a Jesús los pies con él y se los enjugó con su cabellera, y la casa se llenó con la fragancia del perfume. Entonces Judas Iscariote, uno de los discípulos, el que iba a entregar a Jesús, exclamó: "¿Por qué no se ha vendido ese perfume en trescientos denarios para dárselos a los pobres?". Esto lo dijo, no porque le importaran los pobres, sino porque era ladrón, y como tenía a su cargo la bolsa, robaba lo que echaban en ella.

Entonces dijo Jesús: "Déjala. Esto lo tenía guardado para el día de mi sepultura; porque a los pobres los tendrán siempre con ustedes, pero a mí no siempre me tendrán".

Mientras tanto, la multitud de judíos, que se enteró de que Jesús estaba allí, acudió, no sólo por Jesús, sino también para ver a Lázaro, a quien el Señor había resucitado de entre los muertos. Los sumos sacerdotes deliberaban para matar a Lázaro, porque a causa de él, muchos judíos se separaban y creían en Jesús. *Palabra del Señor.*

*A. **Gloria a ti, Señor Jesús.***

7. Oración sobre las ofrendas. Mira con bondad, Señor, los sagrados misterios que estamos celebrando y ya que en tu misericordia dispusiste que nos sirvieran para desechar nuestros falsos criterios, concédenos que nos ayuden a producir verdaderos frutos de vida eterna. Por Jesucristo, nuestro Señor.

Prefacio II de la Pasión del Señor.

8. Antífona de la comunión. No apartes tu rostro de mí. En el día de mi tribulación, inclina a mí tu oído, y, siempre que te invoque, respóndeme enseguida (Cfr. Sal 101, 3).

9. Oración después de la comunión. Visita, Señor, a tu pueblo y protege con tu constante amor a quienes has santificado por estos misterios, para que recibamos de tu misericordia, y conservemos con tu protección, los auxilios para nuestra salvación eterna. Por Jesucristo, nuestro Señor.

ORACIÓN SOBRE EL PUEBLO Opcional.

Dios y Padre nuestro, que tu protección socorra a los humildes y asista continuamente a quienes confían en tu misericordia, para que se preparen a celebrar las fiestas pascuales no sólo con acciones corporales, sino sobre todo con pureza de corazón. Por Jesucristo, nuestro Señor.

LA PALABRA EN TU VIDA

*El Evangelio de este día también nos da
la oportunidad a nosotros de preguntarnos
¿Por qué sigo a Jesús?
¿Por interés?
¿Por curiosidad?
¿Cuántas veces y de qué manera
le he demostrado mi cariño y mi aprecio?*

12 DE ABRIL – **(MORADO)**

MARTES DE LA SEMANA SANTA

NUESTRA POSICIÓN ANTE JESÚS

En las narraciones del Evangelio de san Juan que hemos venido escuchando podemos detectar que conforme nos acercamos a los últimos momentos de la vida terrena de Jesús, Jesús ha comenzado a guardar silencio y dejar que los demás hablen y actúen. Esta actitud de Jesús permite que se develen las identidades e intenciones de todas aquellas personas que lo han seguido o se han acercado a Él a lo largo de su vida y su misión. Este momento es para Jesús como el tiempo de la cosecha en el que puede ver los frutos o el resultado de toda su misión. Resultados que pueden estar llenos de sorpresas, unas positivas y otras negativas, unas agradables y otras desagradables. De forma admirable, el Evangelista san Juan no hace menos el sufrimiento humano de Jesús ante los resultados desagradables como el de la traición de Judas, uno de sus discípulos llamado por Él mismo. Dice que "Jesús se conmovió profundamente". Pero para contrarrestar las cosas, entra en escena el discípulo amado de Jesús que no lo abandonará en ningún momento y estará con Él antes, durante y después de su muerte, demostrando así que el amor es mucho más fuerte que la traición. De igual modo, el Evangelio nos habla de aquellos que se mantienen indiferentes ante la situación de Jesús o que dicen mantenerse fieles como Pedro, pero sucumbirá ante la primera dificultad, al punto de negar que lo conoce.

1. Antífona de entrada. No me entregues, Señor, al odio de los que me persiguen, pues han surgido contra mí testigos falsos, que respiran violencia (Cfr. Sal 26, 12).

2. Oración colecta. Concédenos, Dios todopoderoso y eterno, celebrar de tal modo los sacramentos de la pasión del Señor, que nos hagamos dignos de recibir tu perdón. Por nuestro Señor Jesucristo…

3. 1ª Lectura (Is 49, 1-6)
Del libro del profeta Isaías
Escúchenme, islas; pueblos lejanos, atiéndanme. El Señor me llamó desde el vientre de mi madre; cuando aún estaba yo en el seno materno, él pronunció mi nombre.

Hizo de mi boca una espada filosa, me escondió en la sombra de su mano, me hizo flecha puntiaguda, me guardó en su aljaba y me dijo: "Tú eres mi siervo, Israel; en ti manifestaré mi gloria". Entonces yo pensé: "En vano me he cansado, inútilmente he gastado mis fuerzas; en realidad mi causa estaba en manos del Señor, mi recompensa la tenía mi Dios".

Ahora habla el Señor, el que me formó desde el seno materno, para que fuera su servidor, para hacer que Jacob volviera a él y congregar a Israel en torno suyo –tanto así me honró el Señor y mi Dios fue mi fuerza–. Ahora, pues, dice el Señor: "Es poco que seas mi siervo sólo para restablecer a las tribus de Jacob y reunir a los sobrevivientes de Israel; te voy a convertir en luz de las naciones, para que mi salvación llegue hasta los últimos rincones de la tierra".

Palabra de Dios.
A. *Te alabamos, Señor.*

4. Salmo responsorial (Sal 70)
R. **En ti, Señor, he puesto mi esperanza.**
L. Señor, tú eres mi esperanza, que no quede yo jamás defraudado. Tú, que eres justo, ayúdame y defiéndeme; escucha mi oración y ponme a salvo. / R.

L. Sé para mí un refugio, ciudad fortificada en que me salves. Y pues eres mi auxilio y mi defensa, líbrame, Señor, de los malvados. / R.

L. Señor, tú eres mi esperanza; desde mi juventud en ti confío. Desde que estaba en el seno de mi madre, yo me apoyaba en ti y tú me sostenías. / R.

L. Yo proclamaré siempre tu justicia y a todas horas, tu misericordia. Me enseñaste a alabarte desde niño y seguir alabándote es mi orgullo. / R.

5. Aclamación antes del Evangelio

R. **Honor y gloria a ti, Señor Jesús.** Señor Jesús, rey nuestro, para obedecer al Padre, quisiste ser llevado a la cruz como manso cordero al sacrificio.

R. **Honor y gloria a ti, Señor Jesús.**

6. Evangelio   (Jn 13, 21-33. 36-38)

Del santo Evangelio según san Juan

A. *Gloria a ti, Señor.*

En aquel tiempo, cuando Jesús estaba a la mesa con sus discípulos, se conmovió profundamente y declaró: "Yo les aseguro que uno de ustedes me va a entregar". Los discípulos se miraron perplejos unos a otros, porque no sabían de quién hablaba. Uno de ellos, al que Jesús tanto amaba, se hallaba reclinado a su derecha. Simón Pedro le hizo una seña y le preguntó: "¿De quién lo dice?". Entonces él, apoyándose en el pecho de Jesús, le preguntó: "Señor, ¿quién es?". Le contestó Jesús: "Aquel a quien yo le dé este trozo de pan, que voy a mojar". Mojó el pan y se lo dio a Judas, hijo de Simón el Iscariote; y tras el bocado, entró en él Satanás.

Jesús le dijo entonces a Judas: "Lo que tienes que hacer, hazlo pronto". Pero ninguno de los comensales entendió a qué se refería; algunos supusieron que, como Judas tenía a su cargo la bolsa, Jesús le había encomendado comprar lo necesario para la fiesta o dar algo a los pobres. Judas, después de tomar el bocado, salió inmediatamente. Era de noche.

Una vez que Judas se fue, Jesús dijo: "Ahora ha sido glorificado el Hijo del hombre y Dios ha sido glorificado en él. Si Dios ha sido glorificado en él, también Dios lo glorificará en sí mismo y pronto lo glorificará.

Hijitos, todavía estaré un poco con ustedes. Me buscarán, pero como les dije a los judíos, así se lo digo a ustedes ahora: 'A donde yo voy, ustedes no pueden ir'". Simón Pedro le dijo: "Señor, ¿a dónde vas?". Jesús le respondió: "A donde yo voy, no me puedes seguir ahora; me seguirás más tarde". Pedro replicó: "Señor, ¿por qué no puedo seguirte ahora? Yo daré mi

vida por ti". Jesús le contestó: "¿Conque darás tu vida por mí? Yo te aseguro que no cantará el gallo, antes de que me hayas negado tres veces".
Palabra del Señor.
A. ***Gloria a ti, Señor Jesús.***

7. Oración sobre las ofrendas. Mira con bondad, Señor, las ofrendas de esta familia tuya y, ya que la hiciste partícipe de tus sagrados dones, concédele obtener plenamente su fruto. Por Jesucristo, nuestro Señor.

Prefacio II de la Pasión del Señor.

8. Antífona de la comunión. Dios no escatimó la vida de su propio Hijo, sino que lo entregó por todos nosotros (Rom 8, 32).

9. Oración después de la comunión. Alimentados por estos dones de salvación, suplicamos, Señor, tu misericordia, para que este Sacramento, que nos nutre en nuestra vida temporal, nos haga partícipes de la vida eterna. Por Jesucristo, nuestro Señor.

ORACIÓN SOBRE EL PUEBLO Opcional.
Dios y Padre nuestro, al pueblo que quiere obedecerte, purifícalo de la antigua maldad por tu misericordia y hazlo capaz de una santa renovación. Por Jesucristo, nuestro Señor.

LA PALABRA EN TU VIDA

Jesús se despide de sus discípulos, come con ellos y conversa con ellos, a pesar del drama interno que está viviendo, donde la Primera lectura y el Salmo responsorial, como si se tratara de la voz interna de Jesús, nos expresan lo que está sintiendo, pero no de manera pesimista sino con palabras llenas de confianza y esperanza en Dios.

13 DE ABRIL — **(MORADO)**

MIÉRCOLES DE LA SEMANA SANTA

"¿ACASO SOY UN TRAIDOR?"

Hace algunos años se puso de moda un póster de Jesús muy semejante a los carteles que se utilizan en la búsqueda de personas desaparecidas o de criminales muy peligrosos con la siguiente leyenda: "Se Busca. Recompensa: La Eternidad: Jesús de Nazaret, Galileo, 33 años, tez morena, barba y cabellos al estilo hippy, cicatrices en las manos y en los pies. Se acompaña de leprosos, mendigos, perseguidos y una banda de 12 incondicionales. Escandaliza a las masas con frases tan revolucionarias como: 'Ámense unos a los otros' y 'Perdona a tus enemigos'. Si lo encuentras…, sigue sus huellas". Todo parece indicar que la intención del autor de este póster era motivar a la búsqueda de Jesús, tal como fue interpretado en la versión cantada que hizo José Luis Rodríguez, "el Puma" con el estribillo: "¡Búscalo! ¡Búscalo!".

Esa intención es muy semejante a la de Jesús con sus apóstoles en el Evangelio, que leemos el día de hoy, al decirles que uno de ellos lo va a traicionar. Todos le preguntan: "¿Acaso soy yo?". Y no reciben respuesta. Es como si la intención de Jesús fuera que todos los apóstoles se hagan la misma pregunta. Es como si Jesús pretendiera que también nosotros nos hagamos esa misma pregunta u otras semejantes: ¿Puedo yo traicionar a Jesús? ¿Puedo yo provocar que Jesús y su mensaje sean dañados? ¿Cómo? ¿Cuándo?

1. Antífona de entrada. Que al nombre de Jesús, toda rodilla se doble, en el cielo, en la tierra y en los abismos, porque el Señor se hizo obediente hasta la muerte, y una muerte de cruz. Por eso Jesucristo es el Señor para gloria de Dios Padre (Cfr. Flp 2, 10. 8. 11).

2. Oración colecta. Padre misericordioso, que para librarnos del poder del enemigo, quisiste que tu Hijo sufriera por nosotros el suplicio de la cruz, concédenos alcanzar la gracia de la resurrección. Por nuestro Señor Jesucristo…

3. 1ª Lectura (Is 50, 4-9)
Del libro del profeta Isaías
En aquel entonces, dijo Isaías: "El Señor me ha dado una lengua experta, para que pueda confortar al abatido con palabras de aliento.

Mañana tras mañana, el Señor despierta mi oído, para que escuche yo, como discípulo. El Señor Dios me ha hecho oír sus palabras y yo no he opuesto resistencia ni me he echado para atrás.

Ofrecí la espalda a los que me golpeaban, la mejilla a los que me tiraban de la barba. No aparté mi rostro a los insultos y salivazos.

Pero el Señor me ayuda, por eso no quedaré confundido, por eso endurecí mi rostro como roca y sé que no quedaré avergonzado. Cercano está de mí el que me hace justicia, ¿quién luchará contra mí? ¿Quién es mi adversario? ¿Quién me acusa? Que se me enfrente. El Señor es mi ayuda, ¿quién se atreverá a condenarme?".
Palabra de Dios.
A. *Te alabamos, Señor.*

4. Salmo responsorial (Sal 68)
R. **Por tu bondad, Señor, socórreme.**
L. Por ti he sufrido injurias y la vergüenza cubre mi semblante. Extraño soy y advenedizo, aun para aquellos de mi propia sangre; pues me devora el celo de tu casa, el odio del que te odia, en mí recae. / **R.**

L. La afrenta me destroza el corazón y desfallezco. Espero compasión y no la hallo; busco quien me consuele y no lo encuentro. En mi comida me echaron hiel, para mi sed me dieron vinagre. / **R.**

L. En mi cantar exaltaré tu nombre, proclamaré tu gloria, agradecido. Se alegrarán al verlo los que sufren, quienes buscan a Dios tendrán más ánimo, porque el Señor jamás desoye al pobre, ni olvida al que se encuentra encadenado. / **R.**

5. Aclamación antes del Evangelio

R. **Honor y gloria a ti, Señor Jesús.** Señor Jesús, rey nuestro, para obedecer al Padre, quisiste ser llevado a la cruz como manso cordero al sacrificio.

R. **Honor y gloria a ti, Señor Jesús.**

6. Evangelio (Mt 26, 14-25)

Del santo Evangelio según san Mateo

A. *Gloria a ti, Señor.*

En aquel tiempo, uno de los Doce, llamado Judas Iscariote, fue a ver a los sumos sacerdotes y les dijo: "¿Cuánto me dan si les entrego a Jesús?". Ellos quedaron en darle treinta monedas de plata. Y desde ese momento andaba buscando una oportunidad para entregárselo.

El primer día de la fiesta de los panes Ázimos, los discípulos se acercaron a Jesús y le preguntaron: "¿Dónde quieres que te preparemos la cena de Pascua?". Él respondió: "Vayan a la ciudad, a casa de fulano y díganle: 'El Maestro dice: Mi hora está ya cerca. Voy a celebrar la Pascua con mis discípulos en tu casa'". Ellos hicieron lo que Jesús les había ordenado y prepararon la cena de Pascua.

Al atardecer, se sentó a la mesa con los Doce, y mientras cenaban, les dijo: "Yo les aseguro que uno de ustedes va a entregarme". Ellos se pusieron muy tristes y comenzaron a preguntarle uno por uno: "¿Acaso soy yo, Señor?". Él respondió: "El que moja su pan en el mismo plato que yo, ése va a entregarme. Porque el Hijo del hombre va a morir, como está escrito de él; pero ¡ay de aquel por quien el Hijo del hombre va a ser entregado! Más le valiera a ese hombre no haber nacido". Entonces preguntó Judas, el que lo iba a entregar: "¿Acaso soy yo, Maestro?". Jesús le respondió: "Tú lo has dicho".

Palabra del Señor.

A. *Gloria a ti, Señor Jesús.*

7. Oración sobre las ofrendas. Recibe, Señor, los dones que te presentamos y concédenos que la pasión de tu Hijo, que celebramos en este sacramento, fructifique plenamente en nuestra vida. Por Jesucristo, nuestro Señor.

Prefacio II de la Pasión del Señor.

8. Antífona de la comunión. El Hijo del hombre no ha venido a ser servido, sino a servir, y a dar la vida por la redención de todos (Mt 20, 28).

9. Oración después de la comunión. Concédenos, Dios todopoderoso, creer y sentir profundamente que, por la muerte temporal de tu Hijo, proclamada en estos santos misterios, tú nos has dado la vida eterna. Por Jesucristo, nuestro Señor.

ORACIÓN SOBRE EL PUEBLO Opcional.

Dios y Padre nuestro, concede a tu pueblo frecuentar los sacramentos pascuales y esperar con vivo deseo los bienes futuros para que, manteniéndose fiel a los santos misterios de los que ha renacido, se sienta impulsado por ellos a una vida nueva. Por Jesucristo, nuestro Señor.

LA PALABRA EN TU VIDA

Al final de cuentas, no sólo Judas traicionó a Jesús, sino la mayoría de sus apóstoles, que huyeron despavoridos (cfr. Mt 26, 56), dejando constancia de que todos estamos expuestos a traicionarlo. Pero, a pesar de eso, Dios no se desanima y sigue depositando su confianza en nosotros como la depositó en los apóstoles.

14 DE ABRIL - (BLANCO)

JUEVES SANTO DE LA CENA DEL SEÑOR
SAGRADO TRIDUO PACUAL

"HAGAN ESTO EN MEMORIA MÍA"

Este día comenzamos el Triduo Pascual con la celebración de la Cena del Señor. En las lecturas que escucharemos se nos manda recordar, celebrar y realizar los acontecimientos que ahí se narran de la siguiente manera:

El libro del Éxodo nos dice en la Primera Lectura: "Este día será para ustedes un memorial y lo celebrarán como fiesta en honor del Señor. De generación en generación celebrarán esta festividad, como institución perpetua"; san Pablo nos dice en la Segunda Lectura de la Primera Carta a los corintios: "Hagan esto en memoria mía"; y Jesús mismo nos dice en el Evangelio de san Juan: "Les he dado ejemplo, para que lo que yo he hecho con ustedes, también ustedes lo hagan".

Todos los hechos que ahí se narran están íntimamente relacionados y todos remiten a la última Cena del Señor Jesús. De ese modo, la Pascua de Egipto se manifiesta como una verdadera anticipación de la Eucaristía y de nuestra salvación; y así como los judíos por la sangre del cordero sobre sus puertas fueron salvados de la muerte, así por la Eucaristía nosotros somos salvados de la muerte y se nos da vida eterna.

Para los judíos no se trata de la celebración de un recuerdo, sino de la participación de un acontecimiento salvífico. Cada uno de ellos considera que salió personalmente de Egipto y creen que la presencia misteriosa de Dios los envuelve y sigue guiando y salvando. Del mismo modo, nosotros no celebramos el recuerdo de la Cena del Señor, sino que de forma misteriosa participamos de ella.

MISA VESPERTINA

1. En la tarde, a la hora más oportuna, se celebra la Misa de la Cena del Señor, con la participación de toda la comunidad local y con la intervención, según su propio oficio, de todos los sacerdotes y ministros.

2. Todos los sacerdotes que hayan concelebrado en la Misa del Santo Crisma o hayan celebrado otra Misa para la utilidad de los fieles, pueden concelebrar en la Misa vespertina.

3. Donde lo pida un motivo pastoral, el Ordinario del lugar puede permitir que se celebre otra Misa en la tarde en iglesias u oratorios, y en caso de verdadera necesidad, aun en la mañana, pero solamente en favor de los fieles que de ninguna manera puedan asistir a la Misa de la tarde. Téngase cuidado, sin embargo, de que estas celebraciones no se hagan en provecho de personas particulares o de pequeños grupos especiales, y de que no sean en perjuicio de la asistencia a la Misa vespertina.

4. La sagrada Comunión puede distribuirse a los fieles sólo dentro de la Misa; pero a los enfermos puede llevárseles a cualquier hora del día.

5. Adórnese el altar con flores con la moderación que conviene a la índole de este día. El sagrario debe estar completamente vacío. Conságrense en esta Misa suficientes hostias, de modo que alcancen para la comunión del clero y del pueblo, hoy y mañana.

6. ANTÍFONA DE ENTRADA. Debemos gloriarnos en la cruz de nuestro Señor Jesucristo, porque en él está nuestra salvación, nuestra vida y nuestra resurrección, y por él fuimos salvados y redimidos (Cfr. Gál 6, 14).

*7. Se dice Gloria. Mientras se canta este himno, se tocan las campanas. Terminado el canto, las campanas no vuelven a tocarse hasta el **Gloria** de la Vigilia Pascual, a no ser que el obispo diocesano disponga otra cosa. En este mismo tiempo, también pueden usarse el órgano y los demás instrumentos musicales, pero sólo para acompañar el canto.*

8. ORACIÓN COLECTA. Dios nuestro, reunidos para celebrar la santísima Cena en la que tu Hijo unigénito, antes de entregarse a la muerte, confió a la Iglesia el nuevo y eterno sacrificio, banquete pascual de su amor, concédenos que, de tan sublime misterio, brote para nosotros la plenitud del amor y de la vida. Por nuestro Señor Jesucristo...

Primera Lectura   (Éx 12, 1-8. 11-14)

Del libro del Éxodo

En aquellos días, el Señor les dijo a Moisés y a Aarón en tierra de Egipto: "Este mes será para ustedes el primero de todos los meses y el principio del año. Díganle a toda la comunidad de Israel: 'El día diez de este mes, tomará cada uno un cordero por familia, uno por casa. Si la familia es demasiado pequeña para comérselo, que se junte con los vecinos y elija un cordero adecuado al número de personas y a la cantidad que cada cual pueda comer. Será un animal sin defecto, macho, de un año, cordero o cabrito.

Lo guardarán hasta el día catorce del mes, cuando toda la comunidad de los hijos de Israel lo inmolará al atardecer. Tomarán la sangre y rociarán las dos jambas y el dintel de la puerta de la casa donde vayan a comer el cordero. Esa noche comerán la carne, asada a fuego; comerán panes sin levadura y hierbas amargas. Comerán así: con la cintura ceñida, las sandalias en los pies, un bastón en la mano y a toda prisa, porque es la Pascua, es decir, el paso del Señor.

Yo pasaré esa noche por la tierra de Egipto y heriré a todos los primogénitos del país de Egipto, desde los hombres hasta los ganados. Castigaré a todos los dioses de Egipto, yo, el Señor. La sangre les servirá de señal en las casas donde habitan ustedes. Cuando yo vea la sangre, pasaré de largo y no habrá entre ustedes plaga exterminadora, cuando hiera yo la tierra de Egipto.

Ese día será para ustedes un memorial y lo celebrarán como fiesta en honor del Señor. De generación en generación celebrarán esta festividad, como institución perpetua'".

Palabra de Dios.

A. *Te alabamos, Señor.*

Salmo responsorial (Sal 115)
R. **Gracias, Señor, por tu sangre que nos lava.**

L. ¿Cómo le pagaré al Señor todo el bien que me ha hecho? Levantaré el cáliz de salvación e invocaré el nombre del Señor. / R.

L. A los ojos del Señor es muy penoso que mueran sus amigos. De la muerte, Señor, me has librado, a mí, tu esclavo e hijo de tu esclava. / R.

L. Te ofreceré con gratitud un sacrificio e invocaré tu nombre. Cumpliré mis promesas al Señor ante todo su pueblo. / R.

Segunda Lectura (1 Cor 11, 23-26)
De la primera carta del apóstol san Pablo a los corintios
Hermanos: Yo recibí del Señor lo mismo que les he transmitido: que el Señor Jesús, la noche en que iba a ser entregado, tomó pan en sus manos, y pronunciando la acción de gracias, lo partió y dijo: "Esto es mi cuerpo, que se entrega por ustedes. Hagan esto en memoria mía".

Lo mismo hizo con el cáliz después de cenar, diciendo: "Este cáliz es la nueva alianza que se sella con mi sangre. Hagan esto en memoria mía siempre que beban de él".

Por eso, cada vez que ustedes comen de este pan y beben de este cáliz, proclaman la muerte del Señor, hasta que vuelva.
Palabra de Dios.

A. *Te alabamos, Señor.*

Aclamación antes del Evangelio (Jn 13, 34)
R. **Honor y gloria a ti, Señor Jesús.** Les doy un mandamiento nuevo, dice el Señor, que se amen los unos a los otros, como yo los he amado.
R. **Honor y gloria a ti, Señor Jesús.**

Evangelio (Jn 13, 1-15)
Del santo Evangelio según san Juan
A. *Gloria a ti, Señor.*
Antes de la fiesta de la Pascua, sabiendo Jesús que había llegado la hora de pasar de este mundo al Padre y habiendo amado a los suyos, que estaban en el mundo, los amó hasta el extremo.

En el transcurso de la cena, cuando ya el diablo había puesto en el corazón de Judas Iscariote, hijo de Simón, la idea de entregarlo, Jesús, consciente de que el Padre había puesto en sus manos todas las cosas y sabiendo que había salido de Dios y a Dios volvía, se levantó de la mesa, se quitó el manto y tomando una toalla, se la ciñó; luego echó agua en una jofaina y se puso a lavarles los pies a los discípulos y a secárselos con la toalla que se había ceñido.

Cuando llegó a Simón Pedro, éste le dijo: "Señor, ¿me vas a lavar tú a mí los pies?". Jesús le replicó: "Lo que estoy haciendo tú no lo entiendes ahora, pero lo comprenderás más tarde". Pedro le dijo: "Tú no me lavarás los pies jamás". Jesús le contestó: "Si no te lavo, no tendrás parte conmigo". Entonces le dijo Simón Pedro: "En ese caso, Señor, no sólo los pies, sino también las manos y la cabeza". Jesús le dijo: "El que se ha bañado no necesita lavarse más que los pies, porque todo él está limpio. Y ustedes están limpios, aunque no todos". Como sabía quién lo iba a entregar, por eso dijo: "No todos están limpios".

Cuando acabó de lavarles los pies, se puso otra vez el manto, volvió a la mesa y les dijo: "¿Comprenden lo que acabo de hacer con ustedes? Ustedes me llaman Maestro y Señor, y dicen bien, porque lo soy. Pues si yo, que soy el Maestro y el Señor, les he lavado los pies, también ustedes deben lavarse los pies los unos a los otros. Les he dado ejemplo, para que lo que yo he hecho con ustedes, también ustedes lo hagan".

Palabra del Señor.
A. **Gloria a ti, Señor Jesús.**

9. *Después de la proclamación del Evangelio, el sacerdote dice la homilía, en la cual se exponen los grandes misterios que se recuerdan en esta Misa, es decir, la institución de la Sagrada Eucaristía y del Orden Sacerdotal y el mandato del Señor sobre el amor fraterno.*

LAVATORIO DE LOS PIES

10. *Después de la homilía, donde lo aconseje el bien pastoral, se lleva a cabo el lavatorio de los pies.*

11. *Los elegidos entre el pueblo de Dios van, acompañados por los ministros, a ocupar los asientos preparados para ellos. El sacerdote se quita la casulla, si es necesario, y se acerca a cada una de las personas designadas. Con la ayuda de los ministros, les lava los pies y se los seca.*

12. *Mientras tanto, se cantan algunas de las siguientes antífonas o algún canto apropiado.*

Antífona 1   Cfr. Jn 13, 4. 5. 15

El Señor se levantó de la mesa, echó agua en un recipiente y se puso a lavar los pies de sus discípulos, para darles ejemplo.

Antífona 2   Cfr. Jn 13, 12. 13. 15

El Señor Jesús, después de haber cenado con sus discípulos, lavó sus pies y les dijo: "¿Comprenden lo que acabo de hacer con ustedes, yo, el Señor y el Maestro? Les he dado ejemplo, para que también ustedes lo hagan".

Antífona 3   Jn 13, 6. 7. 8

Señor, ¿pretendes tú lavarme a mí los pies? Jesús le respondió: si no te lavo los pies, no tendrás nada que ver conmigo.

V. Fue Jesús hacia Simón Pedro y éste le dijo:

— Señor, ¿pretendes tú lavarme a mí los pies?...

V. Lo que yo estoy haciendo, tú no lo entiendes ahora; lo entenderás más tarde.

— Señor, ¿pretendes tú lavarme a mí los pies?...

Antífona 4   Cfr. Jn 13, 14

Si yo, que soy el Maestro y el Señor, les he lavado los pies, ¡con cuánta mayor razón ustedes deben lavarse los pies unos a otros!

Antífona 5   Jn 13, 35

En esto reconocerán todos que ustedes son mis discípulos: en que se amen los unos a los otros.

V. Jesús les dice a sus discípulos.

— En esto reconocerán todos...

Antífona 6   Jn 13, 34

Les doy un mandamiento nuevo: que se amen los unos a los otros, como yo los he amado, dice el Señor.

Antífona 7   1 Cor 13, 13

Que permanezcan en ustedes la fe, la esperanza y el amor; pero la mayor de estas tres virtudes es el amor.

V. Ahora tenemos la fe, la esperanza y el amor; pero la mayor de estas tres virtudes es el amor.

— Que permanezcan en ustedes...

13. *Después del lavatorio de los pies, el sacerdote lava y seca sus manos, se pone la casulla y regresa a la sede, y desde ahí, dirige la oración universal.*

No se dice Credo

LITURGIA EUCARÍSTICA

14. *Al comienzo de la liturgia eucarística, puede organizarse una procesión de los fieles, en la que junto con el pan y el vino se lleven dones para los pobres.*

Mientras tanto, se canta el siguiente himno u otro canto apropiado.

Ant. **Donde hay caridad y amor, allí está Dios.**

V. **Nos congregó y unió el amor de Cristo.**

V. **Regocijémonos y alegrémonos en él.**

V. **Temamos y amemos al Dios vivo.**

V. **Y amémonos con corazón sincero.**

Ant. **Donde hay caridad y amor, allí está Dios.**

V. Pues estamos en un cuerpo congregados.

V. Cuidemos que no se divida nuestro afecto.

V. Cesen las contiendas malignas, cesen los litigios.

V. Y en medio de nosotros esté Cristo Dios.

Ant. Donde hay caridad y amor, allí está Dios.

V. Veamos juntamente con los santos

V. tu glorioso rostro, ¡oh Cristo Dios!

V. Éste será gozo inmenso y puro.

V. Por los siglos de los siglos infinitos. Amén.

15. Oración sobre las ofrendas. Concédenos, Señor, participar dignamente en estos misterios, porque cada vez que se celebra el memorial de este sacrificio, se realiza la obra de nuestra redención. Por Jesucristo, nuestro Señor.

16. PREFACIO: El sacrificio y el sacramento de Cristo

En verdad es justo y necesario, es nuestro deber y salvación darte gracias siempre y en todo lugar, Señor, Padre santo, Dios todopoderoso y eterno, por Cristo, Señor nuestro. El cual, verdadero y eterno Sacerdote, al instituir el sacrificio de la eterna alianza, se ofreció primero a ti como víctima salvadora, y nos mandó que lo ofreciéramos como memorial suyo. Cuando comemos su carne, inmolada por nosotros, quedamos fortalecidos; y cuando bebemos su sangre, derramada por nosotros, quedamos limpios de nuestros pecados.

Por eso, con los ángeles y los arcángeles, con los tronos y dominaciones y con todos los coros celestiales, cantamos sin cesar el himno de tu gloria:

Santo, Santo, Santo...

17. *Si se usan las Plegarias eucarísticas II o III, téngase en cuenta la referencia que se hace de esta Misa en el relato de la institución, pp. 572 y 580. Si se usa el Canon Romano, se dicen sus partes propias para este día de la siguiente manera:*

18. *El sacerdote, con las manos extendidas, dice:*

Padre misericordioso, te pedimos humildemente, por Jesucristo, tu Hijo, nuestro Señor,

Junta las manos y dice:

que aceptes

Traza el signo de la cruz sobre el pan y el cáliz conjuntamente, diciendo:

y bendigas † estos dones, este sacrificio santo y puro que te ofrecemos,

Con las manos extendidas, prosigue:

ante todo, por tu Iglesia santa y católica, para que le conce-das la paz, la protejas, la congregues en la unidad y la gobier-nes en el mundo entero, con tu servidor el Papa N., con nuestro Obispo N.[1], y todos los demás Obispos que, fieles a la verdad, promueven la fe católica y apostólica.

19. *Conmemoración de los vivos*

Acuérdate, Señor, de tus hijos N. y N.

Junta las manos y ora unos momentos por quienes tiene la intención de orar.

Después, con las manos extendidas, prosigue:

y de todos los aquí reunidos, cuya fe y entrega bien conoces; por ellos y todos los suyos, por el perdón de sus pecados y la salvación que esperan, te ofrecemos, y ellos mismos te ofrecen, este sacrificio de alabanza, a ti, eterno Dios, vivo y verdadero.

20. *Conmemoración de los santos*

Reunidos en comunión con toda la Iglesia para celebrar el día santo en que nuestro Señor Jesucristo fue entregado por nosotros, veneramos la memoria, ante todo, de la glo-riosa siempre Virgen María, Madre de Jesucristo, nuestro Dios y Señor; la de su esposo, san José; la de los santos após-toles y mártires Pedro y Pablo, Andrés (Santiago y Juan, Tomás, Santiago, Felipe, Bartolomé, Mateo, Simón y Tadeo; Lino, Cleto, Clemente, Sixto, Cornelio, Cipriano, Lorenzo, Crisógono, Juan y Pablo, Cosme y Damián) y la de todos los

---

1.- Aquí se puede hacer mención del Obispo coadjutor o de los Obispos auxiliares, conforme a lo previsto por la IGMR, n. 149.

santos; por sus méritos y oraciones concédenos en todo tu protección.

(Por Cristo, nuestro Señor. Amén.)

21. *Con las manos extendidas, prosigue:*

Acepta, Señor, en tu bondad, esta ofrenda de tus siervos y de toda tu familia santa, que te presentamos en el día mismo en que nuestro Señor Jesucristo encomendó a sus discípulos la celebración del sacramento de su Cuerpo y de su Sangre; ordena en tu paz nuestros días, líbranos de la condenación eterna y cuéntanos entre tus elegidos.

Junta las manos.

(Por Cristo, nuestro Señor. Amén.)

22. *Extendiendo las manos sobre las ofrendas, dice:*

Bendice y santifica esta ofrenda, Padre, haciéndola perfecta, espiritual y digna de ti: que se convierta para nosotros en el Cuerpo y la Sangre de tu Hijo amado, Jesucristo, nuestro Señor.

Junta las manos.

23. *En las fórmulas que siguen, las palabras del Señor deben pronunciarse claramente y con precisión, como lo requiere la naturaleza de las mismas palabras.*

El cual, hoy, la víspera de padecer por nuestra salvación y la de todos los hombres,

Toma el pan y, sosteniéndolo un poco elevado sobre el altar, prosigue:

tomó pan en sus santas y venerables manos,

Eleva los ojos.

y, elevando los ojos al cielo, hacia ti, Dios, Padre suyo todopoderoso, dando gracias te bendijo, lo partió, y lo dio a sus discípulos, diciendo:

Se inclina un poco.

**Tomen y coman todos de él,
porque esto es mi Cuerpo,
que será entregado por ustedes.**

Muestra el pan consagrado al pueblo, lo deposita luego sobre la patena y lo adora haciendo genuflexión.

24. *Después prosigue:*
Del mismo modo, acabada la cena,

Toma el cáliz y, sosteniéndolo un poco elevado sobre el altar, prosigue:
tomó este cáliz glorioso en sus santas y venerables manos, dando gracias te bendijo, y lo dio a sus discípulos, diciendo:

Se inclina un poco.
**Tomen y beban todos de él,
porque éste es el cáliz de mi Sangre,
Sangre de la alianza nueva y eterna,
que será derramada
por ustedes y por muchos
para el perdón de los pecados.**

Hagan esto en conmemoración mía.

Muestra el cáliz al pueblo, lo deposita luego sobre el corporal y lo adora haciendo genuflexión.

25. *Luego se dice una de las siguientes fórmulas:*

I CP Éste es el Misterio de la fe.

O bien:

Éste es el Sacramento de nuestra fe.

Y el pueblo prosigue, aclamando:

Anunciamos tu muerte, proclamamos tu resurrección. ¡Ven, Señor Jesús!

II CP Éste es el Misterio de la fe. Cristo nos redimió.

Y el pueblo prosigue, aclamando:

Cada vez que comemos de este pan y bebemos de este cáliz, anunciamos tu muerte, Señor, hasta que vuelvas.

III CP Éste es el Misterio de la fe. Cristo se entregó por nosotros.

Y el pueblo prosigue, aclamando:

Salvador del mundo, sálvanos, tú que nos has liberado por tu cruz y resurrección.

26. *Después el sacerdote, con las manos extendidas, dice:*
Por eso, Padre, nosotros, tus siervos, y todo tu pueblo santo, al celebrar este memorial de la muerte gloriosa de Jesucristo, tu Hijo, nuestro Señor, de su santa resurrección del lugar de los muertos y de su admirable ascensión a los cielos, te ofrecemos, Dios de gloria y majestad, de los mismos bienes que nos has dado, el sacrificio puro, inmaculado y santo: pan de vida eterna y cáliz de eterna salvación.

27. Mira con ojos de bondad esta ofrenda y acéptala, como aceptaste los dones del justo Abel, el sacrificio de Abraham, nuestro padre en la fe, y la oblación pura de tu sumo sacerdote Melquisedec.

28. *Inclinado, con las manos juntas, prosigue:*
Te pedimos humildemente, Dios todopoderoso, que esta ofrenda sea llevada a tu presencia, hasta el altar del cielo, por manos de tu Ángel, para que cuantos recibimos el Cuerpo y la Sangre de tu Hijo, al participar aquí de este altar,

Se endereza y se signa, diciendo:
seamos colmados de gracia y bendición.

Junta las manos.
(Por Cristo, nuestro Señor. Amén.)

29. *Conmemoración de los difuntos*

Con las manos extendidas, dice:
Acuérdate también, Señor, de tus hijos N. y N., que nos han precedido con el signo de la fe y duermen ya el sueño de la paz.

Junta las manos y ora unos momentos por los difuntos por quienes tiene la intención de orar.

Después, con las manos extendidas, prosigue:

A ellos, Señor, y a cuantos descansan en Cristo, concédeles el lugar del consuelo, de la luz y de la paz.

Junta las manos.

(Por Cristo, nuestro Señor. Amén.)

30. *Con la mano derecha se golpea el pecho, diciendo:*

Y a nosotros, pecadores, siervos tuyos,

Con las manos extendidas, prosigue:

que confiamos en tu infinita misericordia, admítenos en la asamblea de los santos apóstoles y mártires Juan el Bautista, Esteban, Matías y Bernabé (Ignacio, Alejandro, Marcelino y Pedro, Felícitas y Perpetua, Águeda, Lucía, Inés, Cecilia, Anastasia,) y de todos los santos; y acéptanos en su compañía, no por nuestros méritos, sino conforme a tu bondad.

Junta las manos.

Por Cristo, Señor nuestro.

31. *Y continúa:*

Por quien sigues creando todos los bienes, los santificas, los llenas de vida, los bendices y los repartes entre nosotros.

32. *Toma la patena con el pan consagrado y el cáliz, los eleva y dice:*

Por Cristo, con Él y en Él, a ti, Dios Padre omnipotente, en la unidad del Espíritu Santo, todo honor y toda gloria por los siglos de los siglos.

El pueblo aclama:

Amén.

33. *En la Comunión, en un momento oportuno, el sacerdote, tomando del altar la Eucaristía, la entrega a los diáconos, acólitos u otros ministros extraordinarios, para que la lleven a los enfermos en sus casas.*

34. Antífona de la comunión. Esto es mi Cuerpo, que se entrega por ustedes. Este cáliz es la nueva alianza establecida por mi Sangre; cuantas veces lo beban, háganlo en memoria mía, dice el Señor (1 Cor 11, 24-25).

35. *Después de distribuir la Comunión, se deja sobre el altar un copón con hostias para la Comunión del día siguiente. El sacerdote, de pie ante la sede, dice la oración después de la Comunión.*

36. Oración después de la comunión. Concédenos, Dios todopoderoso, que así como somos alimentados en esta vida con la Cena pascual de tu Hijo, así también merezcamos ser saciados en el banquete eterno. Por Jesucristo, nuestro Señor.

TRASLADO DEL SANTÍSIMO SACRAMENTO

37. *Dicha la oración después de la Comunión, el sacerdote, de pie, pone incienso en el incensario, lo bendice y, arrodillado, inciensa tres veces al Santísimo Sacramento. Enseguida recibe el paño de hombros de color blanco, se pone de pie, toma en sus manos el copón y lo cubre con las extremidades del paño.*

38. *Se forma entonces la procesión para llevar el Santísimo Sacramento con ciriales e incienso a través de la iglesia, hasta el sitio donde se le va a guardar, preparado en alguna parte de la iglesia o en una capilla convenientemente adornada. Va adelante un ministro laico con la cruz alta en medio de otros dos con ciriales encendidos. Siguen los demás con velas encendidas. El sacerdote lleva el Santísimo Sacramento, lo precede el turiferario con el incensario humeante. Entre tanto se canta el himno **Pange, lingua** (excepto las dos últimas estrofas), o algún otro canto eucarístico.*

39. *Al llegar la procesión al lugar donde va a depositarse el Santísimo Sacramento, el sacerdote, ayudado si es necesario por un diácono, deposita el copón en el tabernáculo, que permanece con la puerta abierta. Enseguida, pone de nuevo incienso en el incensario, se arrodilla e inciensa el Santísimo Sacramento, mientras se canta **Tantum ergo Sacramentum** u otro canto eucarístico. Después, el diácono o el mismo sacerdote cierra el tabernáculo.*

40. *Después de unos momentos de adoración en silencio, el sacerdote y los ministros hacen genuflexión y se retiran a la sacristía.*

41. *En el momento oportuno se desnuda el altar y, si es posible, se quitan de la iglesia las cruces. Si algunas no se pueden quitar, es conveniente que queden cubiertas con un velo.*

42. *Quienes asistieron a la Misa de la Cena del Señor, no celebran las Vísperas.*

43. *Invítese a los fieles, según las circunstancias y costumbres del lugar, a dedicar alguna parte de su tiempo, en la noche, a la adoración delante del Santísimo Sacramento. Esta adoración, después de la media noche, hágase sin solemnidad.*

44. *Si en la misma iglesia no se va a celebrar la Pasión del Señor el Viernes Santo, la Misa se concluye como es de costumbre y se deposita el Santísimo Sacramento en el sagrario.*

LA PALABRA EN TU VIDA

Somos herederos de una rica tradición: El relato más antiguo de la Eucaristía del que se tenga memoria lo hemos leído en la Segunda Lectura de la Primera Carta a los corintios. Fue escrito por san Pablo alrededor del año 56 d.C., por lo que pudo haberlo transmitido de viva voz a esa comunidad alrededor del año 51 d.C. No es de Pablo, porque él mismo afirma haberlo recibido. Él lo pudo haber heredado de las comunidades de Damasco, Antioquia y Jerusalén inmediatamente después de su conversión y nos lo quiso compartir también a nosotros.

VIERNES SANTO DE LA PASIÓN DEL SEÑOR

EL VIACRUCIS DE JESÚS

La palabra "viacrucis" proviene de la expresión latina vía crucis que en español significa el "camino de la cruz". Hace referencia a la devoción o práctica religiosa en la que se usan imágenes, se hacen procesiones y se dicen rezos para conmemorar y revivir los últimos momentos de la vida de Jesús en torno a su ejecución en la cruz.

Todos lo hemos rezado o seguido alguna vez, ya sea como protagonistas o como espectadores a través de las transmisiones de los medios de comunicación que lo han convertido en todo un espectáculo, pues en estos días nos hacen llegar imágenes de las más multitudinarias e impactantes representaciones alrededor del mundo.

Pero, ¿quién inventó esta devoción?

¡Jesús! El mismo "rezó" su Viacrucis por las calles de Jerusalén en vivo y en directo.

No fue ni una actuación ni una representación.

También la tradición de la Iglesia plasmada en los evangelios apócrifos nos relata que la Virgen María acostumbraba recorrer con devoción en el mismo lugar que sucedió, en meditación profunda, el camino que Jesús había seguido hasta el Calvario (cfr. *La Asunción de la Virgen*). De modo que también a ella y a los primeros cristianos que la acompañaban les debemos habernos heredado esta bella devoción.

1. *El día de hoy y el de mañana, por una antiquísima tradición, la Iglesia omite por completo la celebración de los Sacramentos, excepto el de la Penitencia y el de la Unción de los enfermos.*

2. *En este día la Sagrada Comunión se distribuye a los fieles únicamente dentro de la celebración de la Pasión del Señor; pero a los enfermos que no puedan tomar parte en esta celebración, se les puede llevar a cualquier hora del día.*

3. *El altar debe estar desnudo por completo: sin cruz, sin candeleros y sin manteles.*

CELEBRACIÓN DE LA PASIÓN DEL SEÑOR

4. *Después del mediodía, alrededor de las tres de la tarde, a no ser que por razón pastoral se elija una hora más avanzada, se celebra la Pasión del Señor, que consta de tres partes: Liturgia de la Palabra, Adoración de la Cruz y Sagrada Comunión.*

5. *El sacerdote y el diácono, si está presente, revestidos de color rojo como para la Misa, se dirigen al altar en silencio, y hecha la debida reverencia, se postran rostro en tierra o, si se juzga conveniente, se arrodillan, y oran en silencio durante un espacio de tiempo. Todos los demás se arrodillan.*

6. *Después el sacerdote con los ministros, se dirige a la sede, donde, vuelto hacia el pueblo, que está de pie, dice, con las manos extendidas, una de las siguientes oraciones, omitida la invitación* Oremos.

ORACIÓN
Acuérdate, Señor, de tu gran misericordia, y santifica a tus siervos con tu constante protección, ya que por ellos Cristo, tu Hijo, derramando su sangre, instituyó el misterio pascual. Él, que vive y reina por los siglos de los siglos.

R. Amén.

O bien:

Señor Dios, que por la Pasión de nuestro Señor Jesucristo nos libraste de la muerte heredada del antiguo pecado, concédenos asemejarnos a tu Hijo y haz que, así como naturalmente llevamos en nosotros la imagen del hombre terreno, por la gracia de la santificación, llevemos también la imagen del hombre celestial. Por Jesucristo, nuestro Señor.

R. Amén.

PRIMERA PARTE
LITURGIA DE LA PALABRA

7. *Todos se sientan, y se hace la primera lectura, tomada del profeta Isaías (52, 13-53, 12), con su salmo.*

Primera Lectura   (Is 52, 13-53, 12)

Del libro del profeta Isaías

He aquí que mi siervo prosperará, será engrandecido y exaltado, será puesto en alto. Muchos se horrorizaron al verlo, porque estaba desfigurado su semblante, que no tenía ya aspecto de hombre; pero muchos pueblos se llenaron de asombro. Ante él los reyes cerrarán la boca, porque verán lo que nunca se les había contado y comprenderán lo que nunca se habían imaginado.

¿Quién habrá de creer lo que hemos anunciado? ¿A quién se le revelará el poder del Señor? Creció en su presencia como planta débil, como una raíz en el desierto. No tenía gracia ni belleza. No vimos en él ningún aspecto atrayente; despreciado y rechazado por los hombres, varón de dolores, habituado al sufrimiento; como uno del cual se aparta la mirada, despreciado y desestimado.

Él soportó nuestros sufrimientos y aguantó nuestros dolores; nosotros lo tuvimos por leproso, herido por Dios y humillado, traspasado por nuestras rebeliones, triturado por nuestros crímenes. Él soportó el castigo que nos trae la paz. Por sus llagas hemos sido curados.

Todos andábamos errantes como ovejas, cada uno siguiendo su camino, y el Señor cargó sobre él todos nuestros crímenes. Cuando lo maltrataban, se humillaba y no abría la boca, como un cordero llevado a degollar; como oveja ante el esquilador, enmudecía y no abría la boca.

Inicuamente y contra toda justicia se lo llevaron. ¿Quién se preocupó de su suerte? Lo arrancaron de la tierra de los vivos, lo hirieron de muerte por los pecados de mi pueblo, le dieron sepultura con los malhechores a la hora de su muerte, aunque no había cometido crímenes, ni hubo engaño en su boca.

El Señor quiso triturarlo con el sufrimiento. Cuando entregue su vida como expiación, verá a sus descendientes, prolongará sus años y por medio de él prosperarán los designios del Señor. Por las fatigas de su alma, verá la luz y se saciará; con sus sufrimientos justificará mi siervo a muchos, cargando con los crímenes de ellos.

Por eso le daré una parte entre los grandes, y con los fuertes repartirá despojos, ya que indefenso se entregó a la muerte y fue contado entre los malhechores, cuando tomó sobre sí las culpas de todos e intercedió por los pecadores.

Palabra de Dios.

A. **Te alabamos, Señor.**

Salmo responsorial   (Sal 30)

R. **Padre, en tus manos encomiendo mi espíritu.**

L. A ti, Señor, me acojo, que no quede yo nunca defraudado. En tus manos encomiendo mi espíritu y tú, mi Dios leal, me librarás. / R.

L. Se burlan de mí mis enemigos, mis vecinos y parientes de mí se espantan, los que me ven pasar huyen de mí. Estoy en el olvido, como un muerto, como un objeto tirado en la basura. / R.

L. Pero yo, Señor, en ti confío. Tú eres mi Dios, y en tus manos está mi destino. Líbrame de los enemigos que me persiguen. / R.

L. Vuelve, Señor, tus ojos a tu siervo y sálvame, por tu misericordia. Sean fuertes y valientes de corazón, ustedes, los que esperan en el Señor. / R.

8. *A continuación, se hace la segunda lectura, tomada de la carta a los Hebreos (4, 14-16; 5, 7-9) con el canto antes del Evangelio.*

Segunda Lectura   (Heb 4, 14-16; 5, 7-9)

De la carta a los hebreos

Hermanos: Jesús, el Hijo de Dios, es nuestro sumo sacerdote, que ha entrado en el cielo. Mantengamos firme la profesión de nuestra fe. En efecto, no tenemos un sumo sacerdote que no sea capaz de compadecerse de nuestros sufrimientos, puesto que él mismo ha pasado por las mismas pruebas que nosotros, excepto el pecado. Acerquémonos, por lo tanto, con plena confianza al trono de la gracia, para recibir misericordia, hallar la gracia y obtener ayuda en el momento oportuno.

Precisamente por eso, Cristo, durante su vida mortal, ofreció oraciones y súplicas, con poderoso clamor y lágrimas, a aquel que podía librarlo de la muerte, y fue escuchado por su piedad. A pesar de que era el Hijo, aprendió a obedecer padeciendo, y llegado a su perfección, se convirtió en la causa de la salvación eterna para todos los que lo obedecen. *Palabra de Dios.*

A. **Te alabamos, Señor.**

Aclamación antes del Evangelio   (Flp 2, 8-9)

R. **Honor y gloria a ti, Señor Jesús.** Cristo se humilló por nosotros y por obediencia aceptó incluso la muerte, y una muerte de cruz. Por eso Dios lo exaltó sobre todas las cosas y le otorgó el nombre que está sobre todo nombre.

R. **Honor y gloria a ti, Señor Jesús.**

9. *Finalmente se lee la Pasión del Señor según san Juan (18, 1-19, 42), del mismo modo que el domingo precedente.*

Indicaciones para la lectura dialogada:

Las siglas que indican a los diversos interlocutores son las siguientes:
† = *Jesús;* S = *Discípulos, pueblo y otros personajes;* C = *Cronista.*

PASIÓN DE NUESTRO SEÑOR JESUCRISTO SEGÚN SAN JUAN (18, 1-19, 42)

C. En aquel tiempo, Jesús fue con sus discípulos al otro lado del torrente Cedrón, donde había un huerto, y entraron allí él y sus discípulos. Judas, el traidor, conocía también el sitio, porque Jesús se reunía a menudo allí con sus discípulos. Entonces Judas tomó un batallón de soldados y guardias de los sumos sacerdotes y de los fariseos y entró en el huerto con linternas, antorchas y armas. Jesús, sabiendo todo lo que iba a suceder, se adelantó y les dijo:

† "¿A quién buscan?".

C. Le contestaron:

S. "A Jesús, el nazareno".

C. Les dijo Jesús:

† "Yo soy".

C. Estaba también con ellos Judas, el traidor. Al decirles 'Yo soy', retrocedieron y cayeron a tierra. Jesús les volvió a preguntar:

† "¿A quién buscan?".

C. Ellos dijeron:

S. "A Jesús, el nazareno".

C. Jesús contestó:

† "Les he dicho que soy yo. Si me buscan a mí, dejen que éstos se vayan".

C. Así se cumplió lo que Jesús había dicho: 'No he perdido a ninguno de los que me diste'. Entonces Simón Pedro, que llevaba una espada, la sacó e hirió a un criado del sumo sacerdote y le cortó la oreja derecha. Este criado se llamaba Malco. Dijo entonces Jesús a Pedro:

† "Mete la espada en la vaina. ¿No voy a beber el cáliz que me ha dado mi Padre?".

C. El batallón, su comandante y los criados de los judíos apresaron a Jesús, lo ataron y lo llevaron primero ante Anás, porque era suegro de Caifás, sumo sacerdote aquel año. Caifás era el que había dado a los judíos este consejo: 'Conviene que muera un solo hombre por el pueblo'. Simón Pedro y otro discípulo iban siguiendo a Jesús. Este discípulo era conocido del sumo sacerdote y entró con Jesús en el palacio del sumo sacerdote, mientras Pedro se quedaba fuera, junto a la puerta. Salió el otro discípulo, el conocido del sumo sacerdote, habló con la portera e hizo entrar a Pedro. La portera dijo entonces a Pedro:

S. "¿No eres tú también uno de los discípulos de ese hombre?".

C. Él dijo:

S. "No lo soy".

C. Los criados y los guardias habían encendido un brasero, porque hacía frío, y se calentaban. También Pedro estaba con ellos de pie, calentándose. El sumo sacerdote interrogó a Jesús acerca de sus discípulos y de su doctrina. Jesús le contestó:

† "Yo he hablado abiertamente al mundo y he enseñado continuamente en la sinagoga y en el templo, donde se reúnen todos los judíos, y no he dicho nada a escondidas. ¿Por qué me interrogas a mí? Interroga a los que me han oído, sobre lo que les he hablado. Ellos saben lo que he dicho".

C. Apenas dijo esto, uno de los guardias le dio una bofetada a Jesús, diciéndole:

S. "¿Así contestas al sumo sacerdote?".

C. Jesús le respondió:

† "Si he faltado al hablar, demuestra en qué he faltado; pero si he hablado como se debe, ¿por qué me pegas?".

C. Entonces Anás lo envió atado a Caifás, el sumo sacerdote. Simón Pedro estaba de pie, calentándose, y le dijeron:

S. "¿No eres tú también uno de sus discípulos?".

C. Él lo negó diciendo:

S. "No lo soy".

C. Uno de los criados del sumo sacerdote, pariente de aquel a quien Pedro le había cortado la oreja, le dijo:

S. "¿Qué no te vi yo con él en el huerto?".

C. Pedro volvió a negarlo y enseguida cantó un gallo. Llevaron a Jesús de casa de Caifás al pretorio. Era muy de mañana y ellos no entraron en el palacio para no incurrir en impureza y poder así comer la cena de Pascua. Salió entonces Pilato a donde estaban ellos y les dijo:

S. "¿De qué acusan a este hombre?".

C. Le contestaron:

S. "Si éste no fuera un malhechor, no te lo hubiéramos traído".

C. Pilato les dijo:

S. "Pues llévenselo y júzguenlo según su ley".

C. Los judíos le respondieron:

S. "No estamos autorizados para dar muerte a nadie".

C. Así se cumplió lo que había dicho Jesús, indicando de qué muerte iba a morir. Entró otra vez Pilato en el pretorio, llamó a Jesús y le dijo:

S. "¿Eres tú el rey de los judíos?".

C. Jesús le contestó:

✝ "¿Eso lo preguntas por tu cuenta o te lo han dicho otros?".

C. Pilato le respondió:

S. "¿Acaso soy yo judío? Tu pueblo y los sumos sacerdotes te han entregado a mí. ¿Qué es lo que has hecho?".

C. Jesús le contestó:

✝ "Mi Reino no es de este mundo. Si mi Reino fuera de este mundo, mis servidores habrían luchado para que no cayera yo en manos de los judíos. Pero mi Reino no es de aquí".

C. Pilato le dijo:

S. "¿Conque tú eres rey?".

C. Jesús le contestó:

✝ "Tú lo has dicho. Soy rey. Yo nací y vine al mundo para ser testigo de la verdad. Todo el que es de la verdad, escucha mi voz".

C. Pilato le dijo:

S. "¿Y qué es la verdad?".

C. Dicho esto, salió otra vez a donde estaban los judíos y les dijo:

S. "No encuentro en él ninguna culpa. Entre ustedes es costumbre que por Pascua ponga en libertad a un preso. ¿Quieren que les suelte al rey de los judíos?".

C. Pero todos ellos gritaron:

S. "¡No, a ése no! ¡A Barrabás!".

C. (El tal Barrabás era un bandido). Entonces Pilato tomó a Jesús y lo mandó azotar. Los soldados trenzaron una corona de espinas, se la pusieron en la cabeza, le echaron encima un manto color púrpura, y acercándose a él, le decían:

S. "¡Viva el rey de los judíos!",

C. y le daban de bofetadas. Pilato salió otra vez afuera y les dijo:

S. "Aquí lo traigo para que sepan que no encuentro en él ninguna culpa".

C. Salió, pues, Jesús, llevando la corona de espinas y el manto color púrpura. Pilato les dijo:

S. "Aquí está el hombre".

C. Cuando lo vieron los sumos sacerdotes y sus servidores, gritaron:

S. "¡Crucifícalo, crucifícalo!".

C. Pilato les dijo:

S. "Llévenselo ustedes y crucifíquenlo, porque yo no encuentro culpa en él".

C. Los judíos le contestaron:

S. "Nosotros tenemos una ley y según esa ley tiene que morir, porque se ha declarado Hijo de Dios".

C. Cuando Pilato oyó estas palabras, se asustó aún más, y entrando otra vez en el pretorio, dijo a Jesús:

S. "¿De dónde eres tú?".

C. Pero Jesús no le respondió. Pilato le dijo entonces:

S. "¿A mí no me hablas? ¿No sabes que tengo autoridad para soltarte y autoridad para crucificarte?".

C. Jesús le contestó:

† "No tendrías ninguna autoridad sobre mí, si no te la hubieran dado de lo alto. Por eso, el que me ha entregado a ti tiene un pecado mayor".

C. Desde ese momento Pilato trataba de soltarlo, pero los judíos gritaban:

S. "¡Si sueltas a ése, no eres amigo del César!; porque todo el que pretende ser rey, es enemigo del César".

C. Al oír estas palabras, Pilato sacó a Jesús y lo sentó en el tribunal, en el sitio que llaman "el Enlosado" (en hebreo Gábbata). Era el día de la preparación de la Pascua, hacia el mediodía. Y dijo Pilato a los judíos:

S. "Aquí tienen a su rey".

C. Ellos gritaron:

S. "¡Fuera, fuera! ¡Crucifícalo!".

C. Pilato les dijo:

S. "¿A su rey voy a crucificar?".

C. Contestaron los sumos sacerdotes:

S. "No tenemos más rey que el César".

C. Entonces se lo entregó para que lo crucificaran. Tomaron a Jesús, y él, cargando con la cruz, se dirigió hacia el sitio llamado "la Calavera" (que en hebreo se dice Gólgota), donde lo crucificaron, y con él a otros dos, uno de cada lado, y en medio Jesús. Pilato mandó escribir un letrero y ponerlo encima de la cruz; en él estaba escrito: 'Jesús el nazareno, el rey de los judíos'. Leyeron el letrero muchos judíos, porque estaba cerca el lugar donde crucificaron a Jesús y estaba escrito en hebreo, latín y griego. Entonces los sumos sacerdotes de los judíos le dijeron a Pilato:

S. "No escribas: 'El rey de los judíos', sino: 'Éste ha dicho: Soy rey de los judíos'".

C. Pilato les contestó:

S. "Lo escrito, escrito está".

C. Cuando crucificaron a Jesús, los soldados cogieron su ropa e hicieron cuatro partes, una para cada soldado, y apartaron la túnica. Era una túnica sin costura, tejida toda de una pieza de arriba abajo. Por eso se dijeron:

S. "No la rasguemos, sino echemos suertes para ver a quién le toca".

C. Así se cumplió lo que dice la Escritura: *Se repartieron mi ropa y echaron a suerte mi túnica.* Y eso hicieron los soldados. Junto a la cruz de Jesús estaban su madre, la hermana de su madre, María la de Cleofás, y María Magdalena. Al ver a su madre y junto a ella al discípulo que tanto quería, Jesús dijo a su madre:

† "Mujer, ahí está tu hijo".

C. Luego dijo al discípulo:

† "Ahí está tu madre".

C. Y desde aquella hora el discípulo se la llevó a vivir con él. Después de esto, sabiendo Jesús que todo había llegado a su término, para que se cumpliera la Escritura dijo:

† *"Tengo sed".*

C. Había allí un jarro lleno de vinagre. Los soldados sujetaron una esponja empapada en vinagre a una caña de hisopo y se la acercaron a la boca. Jesús probó el vinagre y dijo:

† "Todo está cumplido",

C. e inclinando la cabeza, entregó el espíritu.

Aquí se arrodillan todos y se hace una breve pausa.

C. Entonces, los judíos, como era el día de la preparación de la Pascua, para que los cuerpos de los ajusticiados no se quedaran en la cruz el sábado, porque aquel sábado era un día muy solemne, pidieron a Pilato que les quebraran las piernas y los quitaran de la cruz. Fueron los soldados, le quebraron las piernas a uno y luego al otro de los que habían sido crucificados con él. Pero al llegar a Jesús, viendo que ya había muerto, no le quebraron las piernas, sino que uno de los soldados le traspasó el costado con una lanza e inmediatamente salió sangre y agua.

El que vio da testimonio de esto y su testimonio es verdadero y él sabe que dice la verdad, para que también ustedes crean. Esto sucedió para que se cumpliera lo que dice la Escritura: *No le quebrarán ningún hueso;* y en otro lugar la Escritura dice: *Mirarán al que traspasaron.* Después de esto, José de Arimatea, que era discípulo de Jesús, pero oculto por miedo a los judíos, pidió a Pilato que lo dejara llevarse el cuerpo de Jesús. Y Pilato lo autorizó. Él fue entonces y se llevó el cuerpo.

Llegó también Nicodemo, el que había ido a verlo de noche, y trajo unas cien libras de una mezcla de mirra y áloe.

Tomaron el cuerpo de Jesús y lo envolvieron en lienzos con esos aromas, según se acostumbra enterrar entre los judíos. Había un huerto en el sitio donde lo crucificaron, y en el huerto, un sepulcro nuevo, donde nadie había sido enterrado todavía. Y como para los judíos era el día de la preparación de la Pascua y el sepulcro estaba cerca, allí pusieron a Jesús.

Palabra del Señor.

A. ***Gloria a ti, Señor Jesús.***

10. *Después de la lectura de la Pasión del Señor, el sacerdote dice una breve homilía, después de la cual puede exhortar a los fieles a orar durante un breve espacio de tiempo.*

ORACIÓN UNIVERSAL

11. *La Liturgia de la Palabra se termina con la oración universal, que se hace de esta manera: el diácono, si está presente o, en su ausencia, un ministro laico, de pie, en el ambón, dice la invitación, en la cual se expresa la intención por la que se va a orar. Enseguida oran todos en silencio durante un breve espacio de tiempo, y luego el sacerdote, de pie, en la sede o, si se cree oportuno, en el altar, dice la oración con las manos extendidas.*

Los fieles pueden permanecer arrodillados o de pie, durante todo el tiempo de la oración.

12. *Antes de cada oración del sacerdote pueden utilizarse las invitaciones tradicionales del diácono:* **Nos ponemos de rodillas – Nos ponemos de pie**; *en ese caso, los fieles se arrodillan en silencio durante la súplica.*

Las Conferencias Episcopales pueden proponer otras invitaciones para introducir la oración del sacerdote.

13. *Cuando hay una grave necesidad pública, el obispo diocesano puede permitir o prescribir que se añada alguna intención especial.*

La oración se dice en tono simple o, si se hacen las invitaciones: **Nos ponemos de rodillas – Nos ponemos de pie**, *en tono solemne.*

I. Por la santa Iglesia

Oremos, queridos hermanos, por la santa Iglesia de Dios, para que nuestro Dios y Señor le conceda la paz y la unidad, se digne protegerla en toda la tierra y nos conceda glorificarlo, como Dios Padre omnipotente, con una vida pacífica y serena.

Se ora un momento en silencio. Luego prosigue el sacerdote:

Dios todopoderoso y eterno, que en Cristo revelaste tu gloria a todas las naciones, conserva la obra de tu misericordia, para que tu Iglesia, extendida por toda la tierra, persevere con fe inquebrantable en la confesión de tu nombre. Por Jesucristo, nuestro Señor.

R. **Amén.**

II. Por el Papa

Oremos también por nuestro Santo Padre el Papa N., para que Dios nuestro Señor, que lo escogió para el orden de los obispos, lo conserve a salvo y sin daño para bien de su santa Iglesia, a fin de que pueda gobernar al pueblo santo de Dios.

Se ora un momento en silencio. Luego prosigue el sacerdote:

Dios todopoderoso y eterno, cuya sabiduría gobierna el universo, atiende favorablemente nuestras súplicas y protege con tu amor al Papa que nos diste, para que el pueblo cristiano, que tú mismo pastoreas, progrese bajo su cuidado en la firmeza de su fe. Por Jesucristo, nuestro Señor.

R. **Amén.**

III. Por el pueblo de Dios y sus ministros

Oremos también por nuestro obispo N.[1], por todos los obispos, presbíteros y diáconos de la Iglesia, y por todo el pueblo santo de Dios.

Se ora un momento en silencio. Luego prosigue el sacerdote:

Dios todopoderoso y eterno, que con tu Espíritu santificas y gobiernas a toda la Iglesia, escucha nuestras súplicas por tus ministros, para que, con la ayuda de tu gracia, te sirvan con fidelidad. Por Jesucristo, nuestro Señor.

R. **Amén.**

IV. Por los catecúmenos

Oremos también por los (nuestros) catecúmenos, para que Dios nuestro Señor abra los oídos de sus corazones y les manifieste su misericordia, y para que, mediante el bautismo, se les perdonen todos sus pecados y queden incorporados a Cristo, Señor nuestro.

Se ora un momento en silencio. Luego prosigue el sacerdote:

1.- *Aquí se puede hacer mención del obispo coadjutor o de los obispos auxiliares, conforme a lo previsto por la IGMR, n. 149.*

Dios todopoderoso y eterno, que sin cesar concedes nuevos hijos a tu Iglesia, acrecienta la fe y el conocimiento a los (nuestros) catecúmenos, para que, renacidos en la fuente bautismal, los cuentes entre tus hijos de adopción. Por Jesucristo, nuestro Señor.

R. **Amén.**

V. Por la unidad de los cristianos

Oremos también por todos los hermanos que creen en Cristo, para que Dios nuestro Señor se digne congregar y custodiar en la única Iglesia a quienes procuran vivir en la verdad.

Se ora un momento en silencio. Luego prosigue el sacerdote:

Dios todopoderoso y eterno, que reúnes a los que están dispersos y los mantienes en la unidad, mira benignamente la grey de tu Hijo, para que, a cuantos están consagrados por el único bautismo, también los una la integridad de la fe y los asocie el vínculo de la caridad. Por Jesucristo, nuestro Señor.

R. **Amén.**

VI. Por los judíos

Oremos también por los judíos, para que a quienes Dios nuestro Señor habló primero, les conceda progresar continuamente en el amor de su nombre y en la fidelidad a su alianza.

Se ora un momento en silencio. Luego prosigue el sacerdote:

Dios todopoderoso y eterno, que confiaste tus promesas a Abraham y a su descendencia, oye compasivo los ruegos de tu Iglesia, para que el pueblo que adquiriste primero como tuyo, merezca llegar a la plenitud de la redención. Por Jesucristo, nuestro Señor.

R. **Amén.**

VII. Por los que no creen en Cristo

Oremos también por los que no creen en Cristo, para que, iluminados por el Espíritu Santo, puedan ellos encontrar el camino de la salvación.

Se ora un momento en silencio. Luego prosigue el sacerdote:

Dios todopoderoso y eterno, concede a quienes no creen en Cristo, que, caminando en tu presencia con sinceridad de corazón, encuentren la verdad; y a nosotros concédenos crecer en el amor mutuo y en el deseo de comprender mejor los misterios de tu vida, a fin de que seamos testigos cada vez más auténticos de tu amor en el mundo. Por Jesucristo, nuestro Señor.
R. **Amén.**

VIII. Por los que no creen en Dios
Oremos también por los que no conocen a Dios, para que, buscando con sinceridad lo que es recto, merezcan llegar hasta él.

Se ora un momento en silencio. Luego prosigue el sacerdote:

Dios todopoderoso y eterno, que creaste a todos los hombres para que deseándote te busquen, y para que al encontrarte descansen en ti, concédenos que, en medio de las dificultades de este mundo, al ver los signos de tu amor y el testimonio de las buenas obras de los creyentes, todos los hombres se alegren al confesarte como único Dios verdadero y Padre de todos. Por Jesucristo, nuestro Señor.
R. **Amén.**

IX. Por los gobernantes
Oremos también por todos los gobernantes de las naciones, para que Dios nuestro Señor guíe sus mentes y corazones, según su voluntad providente, hacia la paz verdadera y la libertad de todos.

Se ora un momento en silencio. Luego prosigue el sacerdote:

Dios todopoderoso y eterno, en cuyas manos están los corazones de los hombres y los derechos de las naciones, mira con bondad a nuestros gobernantes, para que, con tu ayuda, se afiance en toda la tierra un auténtico progreso social, una paz duradera y una verdadera libertad religiosa. Por Jesucristo, nuestro Señor.
R. **Amén.**

X. Por los que se encuentran en alguna tribulación

Oremos, hermanos muy queridos, a Dios Padre todopoderoso, para que libre al mundo de todos sus errores, aleje las enfermedades, alimente a los que tienen hambre, libere a los encarcelados y haga justicia a los oprimidos, conceda seguridad a los que viajan, un buen retorno a los que se hallan lejos del hogar, la salud a los enfermos y la salvación a los moribundos.

Se ora un momento en silencio. Luego prosigue el sacerdote:

Dios todopoderoso y eterno, consuelo de los afligidos y fortaleza de los que sufren, escucha a los que te invocan en su tribulación, para que todos experimenten en sus necesidades la alegría de tu misericordia. Por Jesucristo, nuestro Señor.

R. **Amén.**

SEGUNDA PARTE
ADORACIÓN DE LA SANTA CRUZ

14. *Terminada la oración universal, se hace la adoración solemne de la Santa Cruz. De las dos formas que se proponen a continuación para la presentación de la Cruz, elíjase la que se juzgue más apropiada conforme a las necesidades pastorales.*

Presentación de la Santa Cruz

Primera forma

15. *El diácono, u otro ministro idóneo, con los ministros, se dirige a la sacristía, de donde trae procesionalmente la Cruz, cubierta con un velo morado. Se dirige a través de la iglesia hasta el centro del presbiterio, acompañado de dos ministros con velas encendidas.*

El sacerdote, de pie ante el altar, de cara al pueblo, recibe la Cruz, descubre un poco su extremo superior, la eleva y canta: **Miren el árbol de la Cruz**, *ayudado en el canto por el diácono o, si es necesario, por el coro. Todos responden:* **Vengan y adoremos**. *Terminado el canto, todos se arrodillan y adoran en silencio, durante unos instantes, la Cruz que el sacerdote, de pie, mantiene en alto.*

Miren el árbol de la Cruz, donde estuvo clavado el Salvador del mundo.

R. Vengan y adoremos.

Enseguida el sacerdote descubre el brazo derecho de la Cruz y, elevándola de nuevo, comienza a cantar (en el mismo tono que antes) **Miren el árbol de la Cruz**, y se prosigue como la primera vez.

Finalmente, descubre por completo la Cruz y, volviéndola a elevar, comienza por tercera vez: **Miren el árbol de la Cruz**, como la primera vez.

Segunda forma

16. El sacerdote o el diácono, u otro ministro idóneo, va a la puerta de la iglesia, juntamente con los ministros. Ahí recibe la Cruz ya descubierta, los ministros toman los ciriales encendidos, y todos avanzan en procesión hacia el presbiterio. Cerca de la puerta de la iglesia, el que lleva la Cruz la levanta y canta: **Miren el árbol de la Cruz**. Todos responden: **Vengan y adoremos**, se arrodillan después de la respuesta, y adoran un momento en silencio. Esto mismo se repite a la mitad de la iglesia y a la entrada del presbiterio (Se canta las tres veces en un mismo tono).

ADORACIÓN DE LA SANTA CRUZ

17. Enseguida, el sacerdote o el diácono, acompañado de dos ministros con velas encendidas, lleva la Cruz hasta la entrada del presbiterio o hasta un lugar apto y la coloca ahí o la entrega a los ministros para que la sostengan, y se colocan las velas a la derecha y a la izquierda de la Cruz.

18. Para la adoración de la Cruz, se acerca primero el sacerdote celebrante, habiéndose quitado la casulla y el calzado, si es oportuno. Enseguida, se acercan, a la manera de una procesión, el clero, los ministros laicos y los fieles, y adoran la Cruz, haciendo delante de ella una genuflexión simple o algún otro signo de veneración, según la costumbre del lugar, por ejemplo, besando la Cruz.

19. Expóngase solamente una Cruz a la adoración de los fieles. Si por el gran número de asistentes no todos pudieran acercarse, el sacerdote, después de que una parte del clero y de los fieles hayan hecho la adoración, toma la Cruz y, de pie ante el altar, invita a todo el pueblo con breves palabras a adorar la santa Cruz. Luego la levanta en alto, por un momento, para que los fieles la adoren en silencio.

20. Mientras tanto, se canta la antífona **Tu Cruz adoramos**, los improperios, el himno **Crux fidelis**, u otros cantos apropiados. Todos, conforme van terminando de adorar la Cruz, regresan a su lugar y se sientan.

CANTOS PARA LA ADORACIÓN DE LA SANTA CRUZ

ANTÍFONA

Tu Cruz adoramos, Señor, tu santa resurrección alabamos
y glorificamos, pues del árbol de la Cruz ha venido la alegría
al mundo entero.

Cfr. Sal 66, 2

Que el Señor se apiade de nosotros y nos bendiga,
que nos muestre su rostro radiante y misericordioso.

Se repite la antífona: Tu Cruz...

IMPROPERIOS

Las partes que corresponden al primer coro se indican con el número 1; las que corresponden al segundo con el número 2; las que deben cantarse juntamente por los dos coros, con los números 1 y 2. Algunos versos también pueden cantarse por dos cantores.

I

1 y 2. Pueblo mío, ¿qué mal te he causado,
o en qué cosa te he ofendido? Respóndeme.

1. ¿Porque yo te saqué de Egipto,
tú le has preparado una cruz a tu Salvador?

2. Pueblo mío, ¿qué mal te he causado,
o en qué cosa te he ofendido? Respóndeme.

1. Hágios o Theós.
2. Santo Dios.
1. Hágios Ischyrós.
2. Santo fuerte.
1. Hágios Athánatos, eléison himás.
2. Santo inmortal, ten piedad de nosotros.

1 y 2. ¿Porque yo te guié cuarenta años por el desierto,
te alimenté con el maná y te introduje en una tierra fértil,
tú le preparaste una cruz a tu Salvador?

1. Hágios o Theós…

1 y 2. ¿Qué más pude hacer, o qué dejé sin hacer por ti?
Yo mismo te elegí y te planté, hermosa viña mía,
pero tú te has vuelto áspera y amarga conmigo,
porque en mi sed me diste de beber vinagre
y has plantado una lanza en el costado a tu Salvador.

1. Hágios o Theós…

II

Cantores:
Por ti yo azoté a Egipto y a sus primogénitos,
y tú me has entregado para que me azoten.

1 y 2 repiten:
Pueblo mío, ¿qué mal te he causado,
o en qué cosa te he ofendido? Respóndeme.

Cantores:
Yo te saqué de Egipto y te libré del faraón en el Mar Rojo,
y tú me has entregado a los sumos sacerdotes.

1 y 2 repiten:
Pueblo mío…

Cantores:
Yo te abrí camino por el mar,
y tú me has abierto el costado con tu lanza.

1 y 2 repiten:
Pueblo mío…

Cantores:
Yo te serví de guía con una columna de nubes,
y tú me has conducido al pretorio de Pilato.

1 y 2 repiten:
Pueblo mío…

Cantores:
Yo te di de comer maná en el desierto,
y tú me has dado de bofetadas y azotes.

1 y 2 repiten:
Pueblo mío...

Cantores:
Yo te di a beber el agua salvadora que brotó de la peña,
y tú me has dado a beber hiel y vinagre.

1 y 2 repiten:
Pueblo mío...

Cantores:
Por ti yo herí a los reyes cananeos,
y tú, con una caña, me has herido en la cabeza.

1 y 2 repiten:
Pueblo mío...

Cantores:
Yo puse en tus manos un cetro real,
y tú me has puesto en la cabeza una corona de espinas.

1 y 2 repiten:
Pueblo mío...

Cantores:
Yo te exalté con mi omnipotencia,
y tú me has hecho subir a la deshonra de la Cruz.

1 y 2 repiten:
Pueblo mío...

HIMNO

Todos:
Cruz amable y redentora, árbol noble, espléndido.
Ningún árbol fue tan rico, ni en sus frutos ni en su flor.
Dulce leño, dulces clavos. Dulce el fruto que nos dio.

Cantores:
Canta, oh lengua jubilosa, el combate singular
en que el Salvador del mundo inmolado en una cruz,
con su sangre redentora a los hombres rescató.

Todos:
Cruz amable y redentora, árbol noble, espléndido.
Ningún árbol fue tan rico, ni en sus frutos ni en su flor.

Cantores:
Cuando Adán, movido a engaño comió el fruto del Edén,
el Creador, compadecido, desde entonces decretó
que un árbol nos devolviera lo que un árbol nos quitó.

Todos:
Dulce leño, dulces clavos, dulce el fruto que nos dio.

Cantores:
Quiso, con sus propias armas, vencer Dios al seductor,
la sabiduría a la astucia fiero duelo le aceptó,
para hacer surgir la vida donde la muerte brotó.

Todos:
Cruz amable y redentora, árbol noble, espléndido.
Ningún árbol fue tan rico, ni en sus frutos ni en su flor.

Cantores:
Cuando el tiempo hubo llegado, el Eterno nos envió
a su Hijo desde el cielo, Dios eterno como él,
que en el seno de una Virgen carne humana revistió.

Todos:
Dulce leño, dulces clavos, dulce el fruto que nos dio.

Cantores:
Hecho un niño está llorando, de un pesebre en la estrechez.
En Belén, la Virgen madre en pañales lo envolvió.
He allí al Dios potente, pobre, débil, párvulo.

Todos:
Cruz amable y redentora, árbol noble, espléndido.
Ningún árbol fue tan rico, ni en sus frutos ni en su flor.

Cantores:
Cuando el cuerpo del Dios-Hombre alcanzó su plenitud,
al tormento, libremente, cual cordero, se entregó,
pues a ello vino al mundo a morir en una cruz.

Todos:
Dulce leño, dulces clavos, dulce el fruto que nos dio.

Cantores:
Ya se enfrenta a las injurias, a los golpes y al rencor,
ya la sangre está brotando de la fuente de salud.
En qué río tan divino se ha lavado la creación.

Todos:
Cruz amable y redentora, árbol noble, espléndido.
Ningún árbol fue tan rico, ni en sus frutos ni en su flor.

Cantores:
Árbol santo, cruz excelsa, tu dureza ablanda ya,
que tus ramas se dobleguen al morir el Redentor
y en tu tronco suavizado, lo sostenga con piedad.

Todos:
Dulce leño, dulces clavos, dulce el fruto que nos dio.

Cantores:
Feliz puerto preparaste para el mundo náufrago
y el rescate presentaste para nuestra redención,
pues la Sangre del Cordero en tus brazos se ofrendó.

Todos:
Cruz amable y redentora, árbol noble, espléndido.
Ningún árbol fue tan rico, ni en sus frutos ni en su flor.

Conclusión que nunca debe omitirse:

Todos:
Elevemos jubilosos a la augusta Trinidad,
nuestra gratitud inmensa, por su amor y redención,
al eterno Padre, al Hijo y al Espíritu de amor. Amén.

Según las condiciones del lugar o de las tradiciones populares y, según la conveniencia pastoral, puede cantarse **Stabat Mater,** *de acuerdo al Gradual Romano, o algún canto apropiado que recuerde el dolor de la Santísima Virgen María.*

21. *Terminada la adoración, la Cruz es llevada por el diácono o por algún ministro a su lugar cerca del altar. Las velas encendidas se colocan cerca, o sobre el altar o junto a la Cruz.*

TERCERA PARTE
SAGRADA COMUNIÓN

22. *Se extiende un mantel sobre el altar y se pone sobre él un corporal y el misal. Entre tanto, el diácono o, en su ausencia, el mismo sacerdote, habiéndose colocado el paño de hombros, trae el Santísimo Sacramento del lugar de la reserva directamente al altar, mientras todos permanecen de pie y en silencio. Dos ministros con candeleros encendidos, acompañan al Santísimo Sacramento y depositan luego los candeleros junto al altar o sobre él.*

Después de que el diácono, si está presente, ha depositado el Santísimo Sacramento sobre el altar y ha descubierto el copón, se acerca el sacerdote al altar y hace genuflexión.

23. *A continuación el sacerdote, teniendo las manos juntas, dice con voz clara:*

Fieles a la recomendación del Salvador y siguiendo su divina enseñanza, nos atrevemos a decir:

El sacerdote, con las manos extendidas, dice junto con el pueblo:

Padre nuestro, que estás en el cielo, santificado sea tu nombre; venga a nosotros tu reino; hágase tu voluntad en la tierra como en el cielo.

Danos hoy nuestro pan de cada día; perdona nuestras ofensas, como también nosotros perdonamos a los que nos ofenden; no nos dejes caer en la tentación, y líbranos del mal.

24. *El sacerdote, con las manos extendidas, prosigue él solo:*

Líbranos de todos los males, Señor, y concédenos la paz en nuestros días, para que, ayudados por tu misericordia, vivamos siempre libres de pecado y protegidos de toda perturbación, mientras esperamos la gloriosa venida de nuestro Salvador Jesucristo.

Junta las manos.

El pueblo concluye la oración, aclamando:

Tuyo es el reino, tuyo el poder y la gloria, por siempre, Señor.

25. *A continuación el sacerdote, con las manos juntas, dice en secreto:*

Señor Jesucristo, la comunión de tu Cuerpo no sea para mí un motivo de juicio y condenación, sino que, por tu piedad, me aproveche para defensa de alma y cuerpo y como remedio saludable.

26. *Enseguida hace genuflexión, toma una partícula, la mantiene un poco elevada sobre el copón, y dice con voz clara, de cara al pueblo:*

Éste es el Cordero de Dios, que quita el pecado del mundo. Dichosos los invitados a la cena del Señor.

Y, juntamente con el pueblo, dice una sola vez:

Señor, no soy digno de que entres en mi casa, pero una palabra tuya bastará para sanarme.

27. *Y, vuelto hacia el altar, comulga reverentemente el Cuerpo de Cristo, diciendo en secreto:* **El Cuerpo de Cristo.**

28. *Después distribuye la Comunión a los fieles. Durante la Comunión se puede cantar el salmo 21, u otro canto apropiado.*

29. *Acabada la Comunión, el diácono u otro ministro idóneo lleva el copón a algún lugar especialmente preparado fuera de la iglesia, o bien, si lo exigen las circunstancias, lo reserva en el sagrario.*

30. *Después el sacerdote dice:* **Oremos**, *y guardando, si lo cree oportuno, un breve silencio, dice la oración después de la Comunión:*

Dios todopoderoso y eterno, que nos has redimido con la gloriosa muerte y resurrección de tu Hijo Jesucristo, prosigue en nosotros la obra de tu misericordia, para que, mediante nuestra participación en este misterio, permanezcamos dedicados a tu servicio. Por Jesucristo, nuestro Señor.

R. Amén.

31. *Para la despedida el diácono, o en su ausencia, el mismo sacerdote, puede decir la invitación:* **Inclinen la cabeza para recibir la bendición.** *Enseguida el sacerdote, de pie y vuelto hacia el pueblo, extendiendo las manos sobre él, dice la siguiente oración sobre el pueblo:*

Envía, Señor, sobre este pueblo tuyo, que ha conmemorado la muerte de tu Hijo, en espera de su resurrección, la abundancia de tu bendición; llegue a él tu perdón, reciba tu consuelo, se acreciente su fe santa y se consolide su eterna redención. Por Jesucristo, nuestro Señor.

R. Amén.

32. *Y todos, haciendo genuflexión a la Cruz, se retiran en silencio.*

33. *Después de la celebración se desnuda el altar, dejando, sin embargo, sobre él la Cruz con dos o cuatro candeleros.*

34. *Los que asistieron a esta solemne acción litúrgica de la tarde, no celebran la hora de Vísperas.*

LA PALABRA EN TU VIDA

Somos herederos de una rica tradición: Los franciscanos fueron los continuadores de la tradición del viacrucis que descubrieron a su llegada a Tierra Santa y la extendieron por todo el mundo. Así, hasta hoy, ininterrumpidamente, todos los viernes, llueva, truene o relampaguee, haya guerra o haya paz, lo siguen conmemorando seguidos, algunas veces, por multitudes de peregrinos fervientes y emocionados y, otras, solamente por unas cuantas mujeres cristianas del lugar. Hoy es un buen día para recordarlos y agradecerles esta preciosa herencia.

16 DE ABRIL — **(ROJO)**

DE LA SEPULTURA DEL SEÑOR

SÁBADO SANTO

Durante este día, la Iglesia permanece en ayuno y oración, meditando en la pasión y muerte del Señor, así como en su descenso al lugar de los muertos, en la espera de la resurrección.

Es un buen día para estar tranquilos en casa, conviviendo sobriamente, en paz y armonía.

Tómese en cuenta que "la gloria" (Gozo de la Resurrección) se abre dentro de la Misa de esta noche; no antes ni fuera de ella. Se pide a todos, pero muy especialmente a los cristianos, acudir a la Celebración eucarística de esta noche o el día de mañana (precepto de guardar) para unirse a la Comunidad que celebra la Vida plena de su Señor que ha vencido la muerte, precio del pecado, y que celebra con gozo festivo, como un anticipo de la contemplación beatífica del Padre, del Hijo y del Espíritu Santo. ¡Gloria a la Santísima Trinidad! ¡Viva la vida eterna por los siglos de los siglos!

1. Durante el Sábado Santo, la Iglesia permanece en ayuno y oración, junto al sepulcro del Señor, meditando en su pasión y muerte, así como en su descenso al lugar de los muertos, y esperando su resurrección.

2. Manteniendo el altar enteramente desnudo, la Iglesia se abstiene de celebrar el sacrificio de la Misa hasta que, después de la Vigilia solemne o espera nocturna de la resurrección, se desborda la alegría pascual, cuya exuberancia inunda los cincuenta días subsiguientes.

3. Este día la sagrada Comunión puede administrarse sólo como viático.

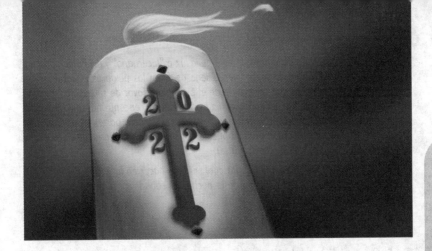

DOMINGO DE PASCUA
DE LA RESURRECCIÓN DEL SEÑOR
VIGILIA PASCUAL EN LA NOCHE SANTA

¡Que las trompetas anuncien la salvación! Ésta es la alegre exclamación que la Iglesia, celebrando la solemne Vigilia Pascual, ha saludado la resurrección del Señor Jesucristo. Y hoy, Domingo de Pascua, toda la liturgia canta esa gloria. ¡No podría ser de otra manera! El anuncio de la resurrección de Jesús es la noticia más extraordinaria que jamás se había proclamado. ¡Increíble para muchos hombres que no conocen a Jesús! Hoy la Iglesia proclama a todo el mundo: el Crucificado, el Hombre de los dolores y compendio de todo el sufrimiento del mundo, es ya ahora el Señor de la vida, primogénito de la resurrección de entre los muertos y garantía de nuestra futura resurrección.

1. Según una tradición muy antigua, ésta es una noche de vigilia en honor del Señor (Éx 12, 42). Los fieles, llevando en la mano —según la exhortación evangélica (Lc 12, 35-37)– lámparas encendidas, se asemejan a quienes esperan el regreso de su Señor para que, cuando él vuelva, los encuentre vigilantes y los haga sentar a su mesa.

2. La Vigilia de esta noche, la más grande y noble de todas las solemnidades, sea una sola para cada una de las iglesias. Así esta celebración de la Vigilia se desarrolla de la siguiente manera: después de la breve liturgia de la luz o "lucernario" y del Pregón pascual (primera parte de la Vigilia), la santa Iglesia, llena de fe en las palabras y promesas del Señor, medita los portentos que él obró desde el principio a favor de su pueblo (segunda parte o liturgia de la Palabra), y cuando el día está por llegar, encontrándose ya acompañada de sus nuevos miembros, renacidos en el Bautismo (tercera parte), es invitada a la mesa que el Señor ha preparado para su pueblo por medio del memorial de su muerte y resurrección, hasta que vuelva (cuarta parte).

3. Toda la celebración de la Vigilia Pascual se debe hacer en la noche, de modo que no debe comenzar antes del principio de la noche del sábado, ni terminar después del alba del domingo.

4. La Misa de la Vigilia, aunque se celebre antes de la medianoche, es ya la Misa pascual del domingo de Resurrección.

5. Quien participa en la Misa de la noche, puede comulgar también en la Misa del día. Quien celebra o concelebra la Misa de la noche, puede celebrar o concelebrar también la Misa del día.

La Vigilia Pascual ocupa el lugar del Oficio de lectura.

6. El diácono asiste como de costumbre al sacerdote. En su ausencia, su ministerio lo asumen el sacerdote celebrante o un concelebrante, con excepción de lo que se indica más adelante.

El sacerdote y el diácono se revisten, desde el principio, como para la Misa, con vestiduras blancas.

7. Prepárense suficientes velas para todos los fieles que participen en la Vigilia. Se apagan todas las luces de la iglesia.

PRIMERA PARTE

SOLEMNE INICIO DE LA VIGILIA, O "LUCERNARIO"

BENDICIÓN DEL FUEGO Y PREPARACIÓN DEL CIRIO

8. En un lugar adecuado, fuera de la iglesia, se prepara un fuego que llamee. Congregado ahí el pueblo, llega el sacerdote con los ministros. Uno de los ministros lleva el cirio pascual. No se usan ni la cruz procesional ni los ciriales.

Si las circunstancias no permiten encender el fuego fuera de la iglesia, todo este rito se desarrolla como se indica en el n. 13.

9. *El sacerdote y los fieles se signan, mientras él dice:* **En el nombre del Padre, y del Hijo, y del Espíritu Santo,** *y enseguida saluda al pueblo, como de costumbre, le hace una breve monición sobre la vigilia de esta noche, con estas palabras u otras semejantes:*

Hermanos: En esta noche santa, en que nuestro Señor Jesucristo pasó de la muerte a la vida, la Iglesia invita a todos sus hijos, diseminados por el mundo, a que se reúnan para velar en oración. Conmemoremos, pues, juntos la Pascua del Señor, escuchando su palabra y participando en sus sacramentos, con la esperanza cierta de participar también en su triunfo sobre la muerte y de vivir con él para siempre en Dios.

10. *Enseguida el sacerdote bendice el fuego, diciendo con las manos extendidas:*

Oremos.
Dios nuestro, que por medio de tu Hijo comunicaste a tus fieles el fuego de tu luz, santifica † este fuego nuevo y concédenos que, al celebrar estas fiestas pascuales, se encienda en nosotros el deseo de las cosas celestiales, para que podamos llegar con un espíritu renovado a las fiestas de la eterna claridad. Por Jesucristo, nuestro Señor.

R. Amén.

11. *Una vez bendecido el fuego nuevo, uno de los ministros lleva el cirio pascual ante el celebrante. Éste, con un punzón, graba una cruz en el cirio. Después, traza sobre él, la letra griega Alfa y, debajo, la letra Omega; entre los brazos de la cruz traza los cuatro números del año en curso, mientras dice:*

1. Cristo ayer y hoy,
traza la línea vertical;

2. Principio y fin,
traza la línea horizontal;

3. Alfa
traza la letra Alfa, arriba de la línea vertical;

4. y Omega.
traza la letra Omega, debajo de la línea vertical;

5. Suyo es el tiempo
traza el primer número del año en curso, en el ángulo superior izquierdo de la cruz;

6. y la eternidad.

traza el segundo número del año en curso, en el ángulo superior derecho;

7. A él la gloria y el poder,

traza el tercer número del año en curso, en el ángulo inferior izquierdo;

8. por los siglos de los siglos. Amén.

traza el cuarto número del año en curso, en el ángulo inferior derecho.

12. *Después de haber trazado la cruz y los demás signos, el sacerdote puede incrustar en el cirio cinco granos de incienso, en forma de cruz diciendo al mismo tiempo:*

1. Por sus santas llagas

2. gloriosas,

3. nos proteja

4. y nos guarde

5. Jesucristo, nuestro Señor. Amén.

13. *Cuando por alguna razón no se puede encender el fuego fuera de la iglesia, el rito se acomoda a las circunstancias. El pueblo se reúne como de costumbre en la iglesia. El celebrante con los ministros, uno de los cuales lleva el cirio pascual, se dirige a la puerta de entrada. El pueblo, en cuanto sea posible, se vuelve hacia el sacerdote.*

Hecho el saludo y la monición como se indica en el número 9, enseguida se bendice el fuego y se prepara el cirio como se indica en los números 10-12.

14. *El celebrante enciende el cirio pascual con el fuego nuevo, diciendo:*

Que la luz de Cristo, resucitado y glorioso,
disipe las tinieblas de nuestro corazón y de nuestro espíritu.

En cuanto a los elementos precedentes, las Conferencias Episcopales pueden establecer otras formas de hacer los ritos más acomodadas a la idiosincrasia de cada pueblo.

PROCESIÓN

15. *Encendido el cirio, uno de los ministros toma del fuego unos carbones ardientes y los coloca en el incensario, y el sacerdote, en la forma acostumbrada, pone el incienso. El diácono, o en su ausencia otro ministro idóneo, recibe de un ministro el cirio pascual y* se dispone la procesión. El turiferario con el incensario humeante se coloca adelante del diácono o del otro ministro, que lleva el cirio pascual. Siguen el sacerdote, los ministros y luego el pueblo, que llevan todos en la mano las velas apagadas.

En la puerta de la iglesia, el diácono se detiene y, elevando el cirio, canta:

V. Luz de Cristo.

Y todos responden:

R. Demos gracias a Dios.

El sacerdote enciende su vela de la llama del cirio pascual.

16. Enseguida el diácono avanza hasta la mitad de la iglesia, se detiene y, elevando el cirio, canta por segunda vez:

Luz de Cristo.

Y todos responden:

Demos gracias a Dios.

Todos encienden su vela de la llama del cirio pascual y avanzan.

17. Al llegar ante el altar, el diácono, vuelto hacia el pueblo, eleva el cirio y canta por tercera vez:

Luz de Cristo.

Y todos responden:

Demos gracias a Dios.

A continuación el diácono pone el cirio pascual en el candelabro que está preparado junto al ambón o en medio del presbiterio.

Y entonces se encienden las luces de la iglesia, con excepción de las velas del altar.

PREGÓN PASCUAL

18. Cuando el sacerdote llega al altar, se dirige a la sede, entrega su vela a un ministro, pone y bendice el incienso como lo hace en la Misa antes del Evangelio. El diácono se acerca al sacerdote y, diciendo: **Padre, dame tu bendición,** pide y recibe la bendición del sacerdote, el cual dice en voz baja:

El Señor esté en tu corazón y en tus labios,
para que proclames dignamente su Pregón pascual;
en el nombre del Padre, y del Hijo †, y del Espíritu Santo.

Y el diácono responde:

Amén.

Esta bendición se omite si el Pregón pascual es proclamado por otro que no sea diácono.

19. *El diácono, habiendo incensado el libro y el cirio, proclama el Pregón pascual desde el ambón o desde un atril. Todos permanecen de pie, teniendo en sus manos las velas encendidas.*

El Pregón pascual puede ser proclamado, en ausencia del diácono, por el mismo sacerdote o por otro presbítero concelebrante. Pero si, en caso de necesidad, un cantor laico proclama el Pregón, omite las palabras **Por eso, queridos hermanos,** *hasta el final del invitatorio, así como el saludo:* **El Señor esté con ustedes.**

FORMA LARGA DEL PREGÓN PASCUAL

Alégrense, por fin, los coros de los ángeles, alégrense las jerarquías del cielo y, por la victoria de rey tan poderoso, que las trompetas anuncien la salvación.

Goce también la tierra, inundada de tanta claridad, y que, radiante con el fulgor del rey eterno, se sienta libre de la tiniebla que cubría el orbe entero.

Alégrese también nuestra madre la Iglesia, revestida de luz tan brillante; resuene este recinto con las aclamaciones del pueblo.

(Por eso, queridos hermanos, que asisten a la admirable claridad de esta luz santa, invoquen conmigo la misericordia de Dios omnipotente, para que aquel que, sin mérito mío, me agregó al número de los ministros, complete mi alabanza a este cirio, infundiendo el resplandor de su luz).

(V. El Señor esté con ustedes.

R. Y con tu espíritu).

V. Levantemos el corazón.

R. Lo tenemos levantado hacia el Señor.

V. Demos gracias al Señor, nuestro Dios.

R. Es justo y necesario.

En verdad es justo y necesario aclamar con nuestras voces y con todo el afecto del corazón, a Dios invisible, el Padre todopoderoso, y a su Hijo único, nuestro Señor Jesucristo.

Porque él ha pagado por nosotros al eterno Padre la deuda de Adán, y ha borrado con su sangre inmaculada la condena del antiguo pecado.

Porque éstas son las fiestas de Pascua, en las que se inmola el verdadero Cordero, cuya sangre consagra las puertas de los fieles.

Ésta es la noche en que sacaste de Egipto a los israelitas, nuestros padres, y los hiciste pasar a pie, sin mojarse, el Mar Rojo.

Ésta es la noche en que la columna de fuego esclareció las tinieblas del pecado.

Ésta es la noche que a todos los que creen en Cristo, por toda la tierra, los arranca de los vicios del mundo y de la oscuridad del pecado, los restituye a la gracia y los agrega a los santos.

Ésta es la noche en que, rotas las cadenas de la muerte, Cristo asciende victorioso del abismo.

¿De qué nos serviría haber nacido si no hubiéramos sido rescatados? ¡Qué asombroso beneficio de tu amor por nosotros! ¡Qué incomparable ternura y caridad! ¡Para rescatar al esclavo entregaste al Hijo!

Necesario fue el pecado de Adán, que ha sido borrado por la muerte de Cristo. ¡Feliz la culpa que mereció tal Redentor!

¡Qué noche tan dichosa! Sólo ella conoció el momento en que Cristo resucitó del abismo. Ésta es la noche de la que estaba escrito: "Será la noche clara como el día, la noche iluminada por mi gozo".

Y así, esta noche santa ahuyenta los pecados, lava las culpas, devuelve la inocencia a los caídos, la alegría a los tristes, expulsa el odio, trae la concordia, doblega a los poderosos.

En esta noche de gracia, acepta, Padre santo, el sacrificio vespertino de alabanza, que la santa Iglesia te ofrece en la solemne ofrenda de este cirio, obra de las abejas.

Sabemos ya lo que anuncia esta columna de fuego, que arde en llama viva para la gloria de Dios. Y aunque distribuye su luz, no mengua al repartirla, porque se alimenta de cera fundida que elaboró la abeja fecunda para hacer esta lámpara preciosa.

¡Qué noche tan dichosa, en que se une el cielo con la tierra, lo humano con lo divino!

Te rogamos, Señor, que este cirio consagrado a tu nombre para destruir la oscuridad de esta noche, arda sin apagarse y, aceptado como perfume, se asocie a las lumbreras del cielo. Que el lucero matinal lo encuentre ardiendo, ese lucero que no conoce ocaso, Jesucristo, tu Hijo, que volviendo del abismo, brilla sereno para el linaje humano y vive y reina por los siglos de los siglos.

R. Amén.

SEGUNDA PARTE
LITURGIA DE LA PALABRA

20. En esta Vigilia, "madre de todas las Vigilias", se proponen nueve lecturas, siete del Antiguo Testamento y dos del Nuevo (la Epístola y el Evangelio), que deben ser leídas todas, siempre que sea posible, para conservar la índole de la Vigilia, la cual exige que dure un tiempo prolongado.

21. Sin embargo, donde lo pidan circunstancias pastorales verdaderamente graves, puede reducirse el número de lecturas del Antiguo Testamento; pero téngase siempre en cuenta que la lectura de la Palabra de Dios es parte fundamental de esta Vigilia Pascual. Deben leerse, por lo menos tres lecturas del Antiguo Testamento, tomadas de la Ley y de los Profetas, y cántense sus respectivos salmos responsoriales. Nunca se omita la tercera lectura, tomada del capítulo 14 del Éxodo, con su cántico.

22. Todos apagan sus velas y se sientan. Antes de comenzar las lecturas, el sacerdote exhorta a la asamblea con estas palabras u otras semejantes:

Hermanos,
habiendo iniciado solemnemente la Vigilia Pascual, escuchemos con recogimiento la palabra de Dios. Meditemos cómo, en la antigua alianza, Dios salvó a su pueblo y en la plenitud

de los tiempos, envió al mundo a su Hijo para que nos redimiera. Oremos para que Dios lleve a su plenitud la obra de la redención realizada por el misterio pascual.

23. *Siguen luego las lecturas. Un lector va al ambón y proclama la lectura. Después el salmista o cantor dice el salmo, alternando con las respuestas del pueblo. Enseguida todos se levantan, el sacerdote dice:* **Oremos**, *y, después de que todos han orado en silencio durante unos momentos, dice la oración que corresponde a la lectura.*

En lugar del salmo responsorial, se puede guardar un momento de silencio sagrado. En este caso se omite la pausa después del **Oremos**.

Primera Lectura (Gén 1, 1-2, 2)
Del libro del Génesis

En el principio creó Dios el cielo y la tierra. La tierra era soledad y caos; y las tinieblas cubrían la faz del abismo. El espíritu de Dios se movía sobre la superficie de las aguas.

Dijo Dios: "Que exista la luz", y la luz existió. Vio Dios que la luz era buena, y separó la luz de las tinieblas. Llamó a la luz "día" y a las tinieblas, "noche". Fue la tarde y la mañana del primer día.

Dijo Dios: "Que haya una bóveda entre las aguas, que separe unas aguas de otras". E hizo Dios una bóveda y separó con ella las aguas de arriba, de las aguas de abajo. Y así fue. Llamó Dios a la bóveda "cielo". Fue la tarde y la mañana del segundo día.

Dijo Dios: "Que se junten las aguas de debajo del cielo en un solo lugar y que aparezca el suelo seco". Y así fue. Llamó Dios "tierra" al suelo seco y "mar" a la masa de las aguas. Y vio Dios que era bueno.

Dijo Dios: "Verdee la tierra con plantas que den semilla y árboles que den fruto y semilla, según su especie, sobre la tierra". Y así fue. Brotó de la tierra hierba verde, que producía semilla, según su especie, y árboles que daban fruto y llevaban semilla, según su especie. Y vio Dios que era bueno. Fue la tarde y la mañana del tercer día.

Dijo Dios: "Que haya lumbreras en la bóveda del cielo, que separen el día de la noche, señalen las estaciones, los días y los años, y luzcan en la bóveda del cielo para iluminar la tierra". Y así fue. Hizo Dios las dos grandes lumbreras: la lumbrera mayor para regir el día y la menor, para regir la noche; y también hizo las estrellas. Dios puso las lumbreras en la bóveda del cielo para iluminar la tierra, para regir el día y la noche, y separar la luz de las tinieblas. Y vio Dios que era bueno. Fue la tarde y la mañana del cuarto día.

Dijo Dios: "Agítense las aguas con un hervidero de seres vivientes y revoloteen sobre la tierra las aves, bajo la bóveda del cielo". Creó Dios los grandes animales marinos y los vivientes que en el agua se deslizan y la pueblan, según su especie. Creó también el mundo de las aves, según sus especies. Vio Dios que era bueno y los bendijo, diciendo: "Sean fecundos y multiplíquense; llenen las aguas del mar; que las aves se multipliquen en la tierra". Fue la tarde y la mañana del quinto día.

Dijo Dios: "Produzca la tierra vivientes, según sus especies: animales domésticos, reptiles y fieras, según sus especies". Y así fue. Hizo Dios las fieras, los animales domésticos y los reptiles, cada uno según su especie. Y vio Dios que era bueno.

Dijo Dios: "Hagamos al hombre a nuestra imagen y semejanza; que domine a los peces del mar, a las aves del cielo, a los animales domésticos y a todo animal que se arrastra sobre la tierra".

Y creó Dios al hombre a su imagen; a imagen suya lo creó; hombre y mujer los creó.

Y los bendijo Dios y les dijo: "Sean fecundos y multiplíquense, llenen la tierra y sométanla; dominen a los peces del mar, a las aves del cielo y a todo ser viviente que se mueve sobre la tierra".

Y dijo Dios: "He aquí que les entrego todas las plantas de semilla que hay sobre la faz de la tierra, y todos los árboles que producen fruto y semilla, para que les sirvan de alimento. Y a todas las fieras de la tierra, a todas las aves del cielo, a todos los reptiles de la tierra, a todos los seres que respiran, también les doy por alimento las verdes plantas". Y así fue. Vio Dios todo lo que había hecho y lo encontró muy bueno. Fue la tarde y la mañana del sexto día.

Así quedaron concluidos el cielo y la tierra con todos sus ornamentos, y terminada su obra, descansó Dios el séptimo día de todo cuanto había hecho.

Palabra de Dios.

A. **Te alabamos, Señor.**

O bien: Forma breve

Del libro del Génesis   (Gén 1, 1. 26-31)

En el principio creó Dios el cielo y la tierra. Y dijo Dios: "Hagamos al hombre a nuestra imagen y semejanza; que domine a los peces del mar, a las aves del cielo, a los animales domésticos y a todo animal que se arrastra sobre la tierra".

Y creó Dios al hombre a su imagen; a imagen suya lo creó; hombre y mujer los creó.

Y los bendijo Dios y les dijo: "Sean fecundos y multiplíquense, llenen la tierra y sométanla; dominen a los peces del mar, a las aves del cielo y a todo ser viviente que se mueve sobre la tierra".

Y dijo Dios: "He aquí que les entrego todas las plantas de semilla que hay sobre la faz de la tierra, y todos los árboles que producen fruto y semilla, para que les sirvan de alimento. Y a todas las fieras de la tierra, a todas las aves del cielo, a todos los reptiles de la tierra, a todos los seres que respiran, también les doy por alimento las verdes plantas". Y así fue. Vio Dios todo lo que había hecho y lo encontró muy bueno.

Palabra de Dios.

A. **Te alabamos, Señor.**

Salmo responsorial   (Sal 103)

R. **Bendice al Señor, alma mía.**

L. Bendice al Señor, alma mía; Señor y Dios mío, inmensa es tu grandeza. Te vistes de belleza y majestad, la luz te envuelve como un manto. / R.

[R. Bendice al Señor, alma mía.]

L. Sobre bases inconmovibles asentaste la tierra para siempre. Con un vestido de mares la cubriste y las aguas en los montes concentraste. / R.

L. En los valles haces brotar las fuentes, que van corriendo entre montañas; junto al arroyo vienen a vivir las aves, que cantan entre las ramas. / R.

L. Desde tu cielo riegas los montes y sacias la tierra del fruto de tus manos; haces brotar hierba para los ganados y pasto para los que sirven al hombre. / R.

L. ¡Qué numerosas son tus obras, Señor, y todas las hiciste con maestría! La tierra está llena de tus creaturas. Bendice al Señor, alma mía. / R.

O bien:

Salmo responsorial   (Sal 32)

R. La tierra llena está de tus bondades.

L. Sincera es la palabra del Señor y todas sus acciones son leales. Él ama la justicia y el derecho, la tierra llena está de sus bondades. / R.

L. La palabra del Señor hizo los cielos y su aliento, los astros. Los mares encerró como en un odre y como en una presa, los océanos. / R.

L. Feliz la nación cuyo Dios es el Señor; dichoso el pueblo que escogió por suyo. Desde el cielo el Señor, atentamente, mira a todos los hombres. / R.

L. En el Señor está nuestra esperanza, pues él es nuestra ayuda y nuestro amparo. Muéstrate bondadoso con nosotros, puesto que en ti, Señor, hemos confiado. / R.

24. *Después de la primera lectura: La creación (Gén 1, 1-2, 2; o bien, en forma breve, 1, 1. 26-31a), y el salmo (103 o 32).*

Oremos.

Dios todopoderoso y eterno, que en todas las obras de tu amor te muestras admirable, concede a quienes has redimido, comprender que el sacrificio de Cristo, nuestra Pascua, en la plenitud de los tiempos, es una obra más maravillosa todavía que la misma creación del mundo. Por Jesucristo, nuestro Señor.

R. Amén.

O bien: Creación del hombre.

Oremos.

Dios nuestro, que de modo admirable creaste al hombre y de modo más admirable aún lo redimiste, concédenos sabiduría de espíritu, para resistir a los atractivos del pecado y poder llegar así a las alegrías eternas. Por Jesucristo, nuestro Señor.

R. Amén.

Segunda Lectura   (Gén 22, 1-18)
Del libro del Génesis

En aquel tiempo, Dios le puso una prueba a Abraham y le dijo: "¡Abraham, Abraham!". Él respondió: "Aquí estoy". Y Dios le dijo: "Toma a tu hijo único, Isaac, a quien tanto amas; vete a la región de Moria y ofrécemelo en sacrificio, en el monte que yo te indicaré".

Abraham madrugó, aparejó su burro, tomó consigo a dos de sus criados y a su hijo Isaac; cortó leña para el sacrificio y se encaminó al lugar que Dios le había indicado. Al tercer día divisó a lo lejos el lugar. Les dijo entonces a sus criados: "Quédense aquí con el burro; yo iré con el muchacho hasta allá, para adorar a Dios y después regresaremos".

Abraham tomó la leña para el sacrificio, se la cargó a su hijo Isaac y tomó en su mano el fuego y el cuchillo. Los dos caminaban juntos. Isaac dijo a su padre Abraham: "¡Padre!". Él respondió: "¿Qué quieres, hijo?". El muchacho contestó: "Ya tenemos fuego y leña, pero, ¿dónde está el cordero para el sacrificio?". Abraham le contestó: "Dios nos dará el cordero para el sacrificio, hijo mío". Y siguieron caminando juntos.

Cuando llegaron al sitio que Dios le había señalado, Abraham levantó un altar y acomodó la leña. Luego ató a su hijo Isaac, lo puso sobre el altar, encima de la leña, y tomó el cuchillo para degollarlo.

Pero el ángel del Señor lo llamó desde el cielo y le dijo: "¡Abraham, Abraham!". Él contestó: "Aquí estoy". El ángel le dijo: "No descargues la mano contra tu hijo, ni le hagas daño. Ya veo que temes a Dios, porque no le has negado a tu hijo único". Abraham levantó los ojos y vio un carnero, enredado por los cuernos en la maleza. Atrapó el carnero y lo ofreció en sacrificio en lugar de su hijo. Abraham puso por nombre a aquel sitio "el Señor provee", por lo que aun el día de hoy se dice: "el monte donde el Señor provee".

El ángel del Señor volvió a llamar a Abraham desde el cielo y le dijo: "Juro por mí mismo, dice el Señor, que por haber hecho esto y no haberme negado a tu hijo único, yo te bendeciré y multiplicaré tu descendencia como las estrellas del cielo y las arenas del mar. Tus descendientes conquistarán las ciudades enemigas. En tu descendencia serán bendecidos todos los pueblos de la tierra, porque obedeciste a mis palabras".

Palabra de Dios.

A. *Te alabamos, Señor.*

O bien: Forma breve

Del libro del Génesis   (Gén 22, 1-2. 9-13. 15-18)

En aquel tiempo, Dios le puso una prueba a Abraham y le dijo: "¡Abraham, Abraham!". Él respondió: "Aquí estoy". Y Dios le dijo: "Toma a tu hijo único, Isaac, a quien tanto amas; vete a la región de Moria y ofrécemelo en sacrificio, en el monte que yo te indicaré".

Cuando llegaron al sitio que Dios le había señalado, Abraham levantó un altar y acomodó la leña. Luego ató a su hijo Isaac, lo puso sobre el altar, encima de la leña, y tomó el cuchillo para degollarlo.

Pero el ángel del Señor lo llamó desde el cielo y le dijo: "¡Abraham, Abraham!". Él contestó: "Aquí estoy". El ángel le dijo: "No descargues la mano contra tu hijo, ni le hagas daño. Ya veo que temes a Dios, porque no le has negado a tu hijo único". Abraham levantó los ojos y vio un carnero, enredado por los cuernos en la maleza. Atrapó el carnero y lo ofreció en sacrificio en lugar de su hijo.

El ángel del Señor volvió a llamar a Abraham desde el cielo y le dijo: "Juro por mí mismo, dice el Señor, que por haber hecho esto y no haberme negado a tu hijo único, yo te bendeciré y multiplicaré tu descendencia como las estrellas del cielo y las arenas del mar. Tus descendientes conquistarán las ciudades enemigas. En tu descendencia serán bendecidos todos los pueblos de la tierra, porque obedeciste a mis palabras".

Palabra de Dios.

A. Te alabamos, Señor.

Salmo responsorial   (Sal 15)
R. **Protégeme, Dios mío, porque me refugio en ti.**

L. El Señor es la parte que me ha tocado en herencia: mi vida está en sus manos. Tengo siempre presente al Señor y con él a mi lado, jamás tropezaré. / R.

L. Por eso se me alegran el corazón y el alma y mi cuerpo vivirá tranquilo, porque tú no me abandonarás a la muerte, ni dejarás que sufra yo la corrupción. / R.

L. Enséñame el camino de la vida, sáciame de gozo en tu presencia y de alegría perpetua junto a ti. / R.

25. *Después de la segunda lectura: El sacrificio de Abraham (Gén 22, 1-18; o bien, en forma breve, 1-2. 9a. 10-13. 15-18), y el salmo (15).*

Oremos.

Dios nuestro, excelso Padre de los creyentes, que por medio de la gracia de la adopción y por el misterio pascual sigues cumpliendo la promesa hecha a Abraham de multiplicar su descendencia por toda la tierra y de hacerlo el padre de todas las naciones, concede a tu pueblo responder dignamente a la gracia de tu llamada. Por Jesucristo, nuestro Señor.

R. Amén.

Tercera Lectura   (Éx 14, 15-15, 1)
Del libro del Éxodo

En aquellos días, dijo el Señor a Moisés: "¿Por qué sigues clamando a mí? Diles a los israelitas que se pongan en marcha. Y tú, alza tu bastón, extiende tu mano sobre el mar y divídelo, para que los israelitas entren en el mar sin mojarse. Yo voy a endurecer el corazón de los egipcios para que los persigan, y me cubriré de gloria a expensas del faraón y de todo su ejército, de sus carros y jinetes. Cuando me haya cubierto de gloria a expensas del faraón, de sus carros y jinetes, los egipcios sabrán que yo soy el Señor".

El ángel del Señor, que iba al frente de las huestes de Israel, se colocó tras ellas. Y la columna de nubes que iba adelante, también se desplazó y se puso a sus espaldas, entre el campamento de los israelitas y el campamento de los egipcios. La nube era tinieblas para unos y claridad para otros, y así los ejércitos no trabaron contacto durante toda la noche.

Moisés extendió la mano sobre el mar, y el Señor hizo soplar durante toda la noche un fuerte viento del este, que secó el mar, y dividió las aguas. Los israelitas entraron en el mar y no se mojaban, mientras las aguas formaban una muralla a su derecha y a su izquierda. Los egipcios se lanzaron en su persecución y toda la caballería del faraón, sus carros y jinetes, entraron tras ellos en el mar.

Hacia el amanecer, el Señor miró desde la columna de fuego y humo al ejército de los egipcios y sembró entre ellos el pánico. Trabó las ruedas de sus carros, de suerte que no avanzaban sino pesadamente. Dijeron entonces los egipcios: "Huyamos de Israel, porque el Señor lucha en su favor contra Egipto".

Entonces el Señor le dijo a Moisés: "Extiende tu mano sobre el mar, para que vuelvan las aguas sobre los egipcios, sus carros y sus jinetes". Y extendió Moisés su mano sobre el mar, y al amanecer, las aguas volvieron a su sitio, de suerte que al huir, los egipcios se encontraron con ellas, y el Señor los derribó en medio del mar. Volvieron las aguas y cubrieron los carros, a los jinetes y a todo el ejército del faraón, que se había metido en el mar para perseguir a Israel. Ni uno solo se salvó.

Pero los hijos de Israel caminaban por lo seco en medio del mar. Las aguas les hacían muralla a derecha e izquierda. Aquel día salvó el Señor a Israel de las manos de Egipto. Israel vio a los egipcios, muertos en la orilla del mar. Israel vio la mano fuerte del Señor sobre los egipcios, y el pueblo temió al Señor y creyó en el Señor y en Moisés, su siervo. Entonces Moisés y los hijos de Israel cantaron este cántico al Señor:

Salmo responsorial   (Éxodo 15)

R. **Alabemos al Señor por su victoria.**

L. Cantemos al Señor, sublime es su victoria: caballos y jinetes arrojó en el mar. Mi fortaleza y mi canto es el Señor, él es mi salvación; él es mi Dios, y yo lo alabaré, es el Dios de mis padres, y yo le cantaré. / R.

L. El Señor es un guerrero, su nombre es el Señor. Precipitó en el mar los carros del faraón y a sus guerreros; ahogó en el Mar Rojo a sus mejores capitanes. / R.

L. Las olas los cubrieron, cayeron hasta el fondo, como piedras. Señor, tu diestra brilla por su fuerza, tu diestra, Señor, tritura al enemigo. / R.

L. Tú llevas a tu pueblo para plantarlo en el monte que le diste en herencia, en el lugar que convertiste en tu morada, en el santuario que construyeron tus manos. Tú, Señor, reinarás para siempre. / R.

26. *Después de la tercera lectura: El paso del Mar Rojo (Éx 14, 15-15, 1), y su cántico (Éx 15).*

Oremos.

Señor Dios, cuyos antiguos prodigios los percibimos resplandeciendo también en nuestros tiempos, puesto que aquello mismo que realizó la diestra de tu poder para liberar a un solo pueblo de la esclavitud del faraón, lo sigues realizando también ahora, por medio del agua del bautismo para salvar a todas las naciones, concede que todos los hombres del mundo lleguen a contarse entre los hijos de Abraham y participen de la dignidad del pueblo elegido. Por Jesucristo, nuestro Señor.

R. Amén.

O bien:

Oremos.

Dios nuestro, que manifestaste a la luz del Nuevo Testamento el sentido profundo de los prodigios realizados en los tiempos antiguos, dejándonos ver en el paso del Mar Rojo, una imagen del bautismo y en el pueblo liberado de la esclavitud, un anuncio de los sacramentos del pueblo cristiano, haz que todos los hombres, mediante la fe, participen del privilegio del pueblo elegido y sean regenerados por la acción santificadora de tu Espíritu. Por Jesucristo, nuestro Señor. R. Amén.

Cuarta Lectura   (Is 54, 5-14)
Del libro del profeta Isaías
"El que te creó, te tomará por esposa; su nombre es 'Señor de los ejércitos'. Tu redentor es el Santo de Israel; será llamado 'Dios de toda la tierra'. Como a una mujer abandonada y abatida te vuelve a llamar el Señor. ¿Acaso repudia uno a la esposa de la juventud?, dice tu Dios.

Por un instante te abandoné, pero con inmensa misericordia te volveré a tomar. En un arrebato de ira te oculté un instante mi rostro, pero con amor eterno me he apiadado de ti, dice el Señor, tu redentor.

Me pasa ahora como en los días de Noé: entonces juré que las aguas del diluvio no volverían a cubrir la tierra; ahora juro no enojarme ya contra ti ni volver a amenazarte. Podrán desaparecer los montes y hundirse las colinas, pero mi amor por ti no desaparecerá y mi alianza de paz quedará firme para siempre. Lo dice el Señor, el que se apiada de ti.

Tú, la afligida, la zarandeada por la tempestad, la no consolada: He aquí que yo mismo coloco tus piedras sobre piedras finas, tus cimientos sobre zafiros; te pondré almenas de rubí y puertas de esmeralda y murallas de piedras preciosas.

Todos tus hijos serán discípulos del Señor, y será grande su prosperidad. Serás consolada en la justicia. Destierra la angustia, pues ya nada tienes que temer; olvida tu miedo, porque ya no se acercará a ti".

Palabra de Dios.

A. Te alabamos, Señor.

Salmo responsorial   (Sal 29)

R. Te alabaré, Señor, eternamente.

L. Te alabaré, Señor, pues no dejaste que se rieran de mí mis enemigos. Tú, Señor, me salvaste de la muerte y a punto de morir, me reviviste. / R.

L. Alaben al Señor quienes lo aman, den gracias a su nombre, porque su ira dura un solo instante y su bondad, toda la vida. El llanto nos visita por la tarde; por la mañana, el júbilo. / R.

L. Escúchame, Señor, y compadécete; Señor, ven en mi ayuda. Convertiste mi duelo en alegría, te alabaré por eso eternamente. / R.

27. *Después de la cuarta lectura: La nueva Jerusalén (Is 54, 5-14), y el salmo (29).*

Oremos.

Dios todopoderoso y eterno, multiplica, en honor a tu nombre, cuanto prometiste a nuestros padres en la fe y acrecienta la descendencia por ti prometida mediante la santa adopción filial, para que aquello que los antiguos patriarcas no dudaron que habría de acontecer, tu Iglesia advierta que ya está en gran parte cumplido. Por Jesucristo, nuestro Señor.

R. Amén.

La oración anterior puede sustituirse por alguna de las que siguen, cuando sus lecturas correspondientes vayan a omitirse.

Quinta Lectura   (Is 55, 1-11)

Del libro del profeta Isaías

Esto dice el Señor: "Todos ustedes, los que tienen sed, vengan por agua; y los que no tienen dinero, vengan, tomen trigo y coman; tomen vino y leche sin pagar. ¿Por qué gastar el dinero en lo que no es pan y el salario, en lo que no alimenta?

Escúchenme atentos y comerán bien, saborearán platillos sustanciosos. Préstenme atención, vengan a mí, escúchenme y vivirán.

Sellaré con ustedes una alianza perpetua, cumpliré las promesas que hice a David. Como a él lo puse por testigo ante los pueblos, como príncipe y soberano de las naciones, así tú reunirás a un pueblo desconocido, y las naciones que no te conocían acudirán a ti, por amor del Señor, tu Dios, por el Santo de Israel, que te ha honrado.

Busquen al Señor mientras lo pueden encontrar, invóquenlo mientras está cerca; que el malvado abandone su camino, y el criminal, sus planes; que regrese al Señor, y él tendrá piedad; a nuestro Dios, que es rico en perdón.

Mis pensamientos no son los pensamientos de ustedes, sus caminos no son mis caminos. Porque así como aventajan los cielos a la tierra, así aventajan mis caminos a los de ustedes y mis pensamientos a sus pensamientos.

Como bajan del cielo la lluvia y la nieve y no vuelven allá, sino después de empapar la tierra, de fecundarla y hacerla germinar a fin de que dé semilla para sembrar y pan para comer, así será la palabra que sale de mi boca: no volverá a mí sin resultado, sino que hará mi voluntad y cumplirá su misión".

Palabra de Dios.

A. **Te alabamos, Señor.**

Salmo responsorial   (Isaías 12)

R. **El Señor es mi Dios y salvador.**

L. El Señor es mi Dios y salvador, con él estoy seguro y nada temo. El Señor es mi protección y mi fuerza y ha sido mi salvación. Sacarán agua con gozo de la fuente de salvación. / R.

L. Den gracias al Señor, invoquen su nombre, cuenten a los pueblos sus hazañas, proclamen que su nombre es sublime. / R.

L. Alaben al Señor por sus proezas, anúncienlas a toda la tierra. Griten jubilosos, habitantes de Sión, porque el Dios de Israel ha sido grande con ustedes. / R.

28. *Después de la quinta lectura: La salvación que se ofrece gratuitamente a todos (Is 55, 1-11), y el cántico (Is 12).*

Oremos.

Dios todopoderoso y eterno, única esperanza del mundo, tú que anunciaste, por voz de los profetas, los misterios que estamos celebrando esta noche, multiplica en el corazón de tu pueblo los santos propósitos porque no podría ningún santo anhelo alcanzar crecimiento sin el impulso que procede de ti. Por Jesucristo, nuestro Señor.

R. Amén.

Sexta Lectura   (Bar 3, 9-15. 32-4, 4)
Del libro del profeta Baruc

Escucha, Israel, los mandatos de vida, presta oído para que adquieras prudencia. ¿A qué se debe, Israel, que estés aún en país enemigo, que envejezcas en tierra extranjera, que te hayas contaminado por el trato con los muertos, que te veas contado entre los que descienden al abismo?

Es que abandonaste la fuente de la sabiduría. Si hubieras seguido los senderos de Dios, habitarías en paz eternamente.

Aprende dónde están la prudencia, la inteligencia y la ener- gía, así aprenderás dónde se encuentra el secreto de vivir larga vida, y dónde la luz de los ojos y la paz. ¿Quién es el que halló el lugar de la sabiduría y tuvo acceso a sus tesoros? El que todo lo sabe, la conoce; con su inteligencia la ha escudriñado. El que cimentó la tierra para todos los tiempos, y la pobló de animales cuadrúpedos; el que envía la luz, y ella va, la llama, y temblorosa le obedece; llama a los astros, que brillan jubilosos en sus puestos de guardia, y ellos le responden: "Aquí estamos", y refulgen gozosos para aquel que los hizo. Él es nuestro Dios y no hay otro como él; él ha escudriñado los caminos de la sabi- duría y se la dio a su hijo Jacob, a Israel, su predilecto. Después de esto, ella apareció en el mundo y convivió con los hombres.

La sabiduría es el libro de los mandatos de Dios, la ley de validez eterna; los que la guardan, vivirán, los que la abando- nan, morirán.

Vuélvete a ella, Jacob, y abrázala; camina hacia la claridad de su luz; no entregues a otros tu gloria, ni tu dignidad a un pueblo extranjero. Bienaventurados nosotros, Israel, porque lo que agrada al Señor nos ha sido revelado.

Palabra de Dios.

A. *Te alabamos, Señor.*

Salmo responsorial   (Sal 18)

R. Tú tienes, Señor, palabras de vida eterna.

L. La ley del Señor es perfecta del todo y reconforta el alma; inmutables son las palabras del Señor y hacen sabio al sencillo. / **R.**

L. En los mandamientos del Señor hay rectitud y alegría para el corazón; son luz los preceptos del Señor para alumbrar el camino. / **R.**

L. La voluntad de Dios es santa y para siempre estable; los mandatos del Señor son verdaderos y enteramente justos. / **R.**

L. Más deseables que el oro y las piedras preciosas, las normas del Señor, y más dulces que la miel de un panal que gotea. / **R.**

29. *Después de la sexta lectura: La fuente de la sabiduría (Bar 3, 9-15. 32-4, 4), y el salmo (18).*

Oremos.

Dios nuestro, que haces crecer continuamente a tu Iglesia con hijos llamados de todos los pueblos, dígnate proteger siempre con tu gracia a quienes has purificado con el agua del bautismo. Por Jesucristo, nuestro Señor.

R. Amén.

Séptima Lectura   (Ez 36, 16-28)

Del libro del profeta Ezequiel

En aquel tiempo, me fue dirigida la palabra del Señor en estos términos: "Hijo de hombre, cuando los de la casa de Israel habitaban en su tierra, la mancharon con su conducta y con sus obras; como inmundicia fue su proceder ante mis ojos. Entonces descargué mi furor contra ellos, por la sangre que habían derramado en el país y por haberlo profanado con sus idolatrías. Los dispersé entre las naciones y anduvieron errantes por todas las tierras. Los juzgué según su conducta, según sus acciones los sentencié. Y en las naciones a las que se fueron, desacreditaron mi santo nombre, haciendo que de ellos se dijera: 'Éste es el pueblo del Señor, y ha tenido que salir de su tierra'.

Pero, por mi santo nombre, que la casa de Israel profanó entre las naciones a donde llegó, me he compadecido. Por eso, dile a la casa de Israel: 'Esto dice el Señor: no lo hago por ustedes, casa de Israel. Yo mismo mostraré la santidad de mi nombre excelso, que ustedes profanaron entre las naciones. Entonces ellas reconocerán que yo soy el Señor, cuando por medio de ustedes les haga ver mi santidad.

Los sacaré a ustedes de entre las naciones, los reuniré de todos los países y los llevaré a su tierra. Los rociaré con agua pura y quedarán purificados; los purificaré de todas sus inmundicias e idolatrías.

Les daré un corazón nuevo y les infundiré un espíritu nuevo; arrancaré de ustedes el corazón de piedra y les daré un corazón de carne. Les infundiré mi espíritu y los haré vivir según mis preceptos y guardar y cumplir mis mandamientos. Habitarán en la tierra que di a sus padres; ustedes serán mi pueblo y yo seré su Dios'". *Palabra de Dios.*

A. *Te alabamos, Señor.*

Salmo responsorial   (De los salmos 41 y 42)
R. **Estoy sediento del Dios que da la vida.**
L. Como el venado busca el agua de los ríos, así, cansada, mi alma te busca a ti, Dios mío. / R.
L. Del Dios que da la vida está mi ser sediento. ¿Cuándo será posible ver de nuevo su templo? / R.
L. Recuerdo cuando íbamos a casa del Señor, cantando, jubilosos, alabanzas a Dios. / R.
L. Envíame, Señor, tu luz y tu verdad; que ellas se conviertan en mi guía y hasta tu monte santo me conduzcan, allí donde tú habitas. / R.
L. Al altar del Señor me acercaré, al Dios que es mi alegría, y a mi Dios, el Señor, le daré gracias al compás de la cítara. / R.

O bien, cuando hay bautizos:

(Isaías 12)

R. **Sacarán agua con gozo de la fuente de salvación.**

L. El Señor es mi Dios y salvador, con él estoy seguro y nada temo. El Señor es mi protección y mi fuerza y ha sido mi salvación. Sacarán agua con gozo de la fuente de salvación. / R.

L. Den gracias al Señor, invoquen su nombre, cuenten a los pueblos sus hazañas, proclamen que su nombre es sublime. / R.

L. Alaben al Señor por sus proezas, anúncienlas a toda la tierra. Griten jubilosos, habitantes de Sión, porque el Dios de Israel ha sido grande con ustedes. / R.

O bien: Del salmo 50

R. **Crea en mí, Señor, un corazón puro.**

L. Crea en mí, Señor, un corazón puro, un espíritu nuevo para cumplir tus mandamientos. No me arrojes, Señor, lejos de ti, ni retires de mí tu santo espíritu. / R.

L. Devuélveme tu salvación, que regocija, y mantén en mí un alma generosa. Enseñaré a los descarriados tus caminos y volverán a ti los pecadores. / R.

L. Tú, Señor, no te complaces en los sacrificios y si te ofreciera un holocausto, no te agradaría. Un corazón contrito te presento, y a un corazón contrito, tú nunca lo desprecias. / R.

30. *Después de la séptima lectura: El corazón nuevo y el espíritu nuevo (Ez 36, 16-28), y el salmo (41-42).*

Oremos.

Dios de inmutable poder y eterna luz, mira propicio el admirable misterio de la Iglesia entera y realiza serenamente, en virtud de tu eterno designio, la obra de la humana salvación; que todo el mundo vea y reconozca que los caídos se levantan, que se renueva lo que había envejecido y que, por obra de Jesucristo, todas las cosas concurren hacia la unidad que tuvieron en el origen. Él, que vive y reina por los siglos de los siglos.

R. Amén.

O bien:

Oremos.

Señor Dios, que con las enseñanzas de ambos Testamentos nos instruyes para celebrar el sacramento de la Pascua, haz que comprendamos la hondura de tu misericordia, para que los dones que hoy recibimos afiancen en nosotros la esperanza de los bienes futuros. Por Jesucristo, nuestro Señor.
R. Amén.

31. Terminada la última lectura del Antiguo Testamento, con su salmo responsorial y la oración correspondiente, se encienden las velas del altar, y el sacerdote entona el himno **Gloria a Dios en el cielo,** *que todos prosiguen, mientras se tocan las campanas, de acuerdo con las costumbres de cada lugar.*

32. Terminado el himno, el sacerdote dice la oración colecta, como de ordinario.

ORACIÓN COLECTA

Oremos.

Dios nuestro, que haces resplandecer esta noche con la gloria de la resurrección del Señor, aviva en tu Iglesia el espíritu de adopción filial, para que, renovados en cuerpo y alma, nos entreguemos fielmente a tu servicio. Por nuestro Señor Jesucristo...

33. Enseguida un lector hace la lectura del Apóstol.

EPÍSTOLA   (Rom 6, 3-11)
De la carta del apóstol san Pablo a los romanos
Hermanos: ¿No saben ustedes que todos los que hemos sido incorporados a Cristo Jesús por medio del bautismo, hemos sido incorporados a él en su muerte? En efecto, por el bautismo fuimos sepultados con él en su muerte, para que, así como Cristo resucitó de entre los muertos por la gloria del Padre, así también nosotros llevemos una vida nueva.

Porque, si hemos estado íntimamente unidos a él por una muerte semejante a la suya, también lo estaremos en su resurrección. Sabemos que nuestro hombre viejo fue crucificado con Cristo, para que el cuerpo del pecado quedara destruido, a fin de que ya no sirvamos al pecado, pues el que ha muerto queda libre del pecado.

Por lo tanto, si hemos muerto con Cristo, estamos seguros de que también viviremos con él; pues sabemos que Cristo, una vez resucitado de entre los muertos, ya no morirá nunca. La muerte ya no tiene dominio sobre él, porque al morir, murió al pecado de una vez para siempre; y al resucitar, vive ahora para Dios. Lo mismo ustedes, considérense muertos al pecado y vivos para Dios en Cristo Jesús, Señor nuestro.

Palabra de Dios.
A. *Te alabamos, Señor.*

34. *Leída la Epístola, todos se ponen de pie, y el sacerdote entona solemnemente tres veces, elevando gradualmente su voz, el Aleluya, que todos repiten. Si hace falta, un salmista canta el Aleluya.*

Luego un salmista o un cantor dice el salmo 117, al que el pueblo responde: Aleluya.

Salmo responsorial   (Sal 117)
R. **Aleluya, aleluya.**

L. Te damos gracias, Señor, porque eres bueno, porque tu misericordia es eterna. Diga la casa de Israel: "Su misericordia es eterna". / R.

L. La diestra del Señor es poderosa, la diestra del Señor es nuestro orgullo. No moriré, continuaré viviendo, para contar lo que el Señor ha hecho. / R.

L. La piedra que desecharon los constructores, es ahora la piedra angular. Esto es obra de la mano del Señor, es un milagro patente. / R.

35. *El sacerdote, como es costumbre, pone incienso y bendice al diácono. Para el Evangelio no se llevan los ciriales, sino solamente el incienso.*

EVANGELIO   (Lc 24, 1-12)
Del santo Evangelio según san Lucas
  A. *Gloria a ti, Señor.*

El primer día después del sábado, muy de mañana, llegaron las mujeres al sepulcro, llevando los perfumes que habían preparado. Encontraron que la piedra ya había sido retirada del sepulcro y entraron, pero no hallaron el cuerpo del Señor Jesús.

Estando ellas todas desconcertadas por esto, se les presentaron dos varones con vestidos resplandecientes. Como ellas se llenaron de miedo e inclinaron el rostro a tierra, los varones les dijeron: "¿Por qué buscan entre los muertos al que está vivo? No está aquí; ha resucitado. Recuerden que cuando estaba todavía en Galilea les dijo: 'Es necesario que el Hijo del hombre sea entregado en manos de los pecadores y sea crucificado y al tercer día resucite'". Y ellas recordaron sus palabras.

Cuando regresaron del sepulcro, las mujeres anunciaron todas estas cosas a los Once y a todos los demás. Las que decían estas cosas a los apóstoles eran María Magdalena, Juana, María (la madre de Santiago) y las demás que estaban con ellas. Pero todas estas palabras les parecían desvaríos y no les creían.

Pedro se levantó y corrió al sepulcro. Se asomó, pero sólo vio los lienzos y se regresó a su casa, asombrado por lo sucedido.
  Palabra del Señor.
  A. *Gloria a ti, Señor Jesús.*

36. *Después del Evangelio, no se omita la homilía, aunque sea breve.*

TERCERA PARTE
LITURGIA BAUTISMAL

37. *Después de la homilía se pasa a la liturgia bautismal. El sacerdote con los ministros se dirige a la fuente bautismal, si es que ésta se encuentra a la vista de los fieles. De lo contrario se pone un recipiente con agua en el presbiterio.*

38. *Si hay catecúmenos, son llamados por su nombre y presentados por los padrinos, o, si son niños, son llevados por sus papás y sus padrinos frente a toda la asamblea.*

39. *Si tiene lugar la procesión al bautisterio o a la fuente bautismal, se organiza en este momento. Va delante el ministro con el cirio pascual; lo siguen los bautizandos con sus padrinos, enseguida los ministros, el diácono y el sacerdote. Durante la procesión se cantan las letanías (n. 43). Terminadas las letanías, el sacerdote hace la monición (n. 40).*

40. *Si, en cambio, se lleva a cabo la liturgia bautismal en el presbiterio, el sacerdote inmediatamente hace la monición introductoria con estas palabras u otras semejantes:*

Si están presentes los que se van a bautizar:

Hermanos, acompañemos con nuestra oración a quienes anhelan renacer a una nueva vida en la fuente del bautismo, para que Dios, nuestro Padre, les otorgue su protección y amor.

Si se bendice la fuente, pero no hay bautismos:

Hermanos, pidamos a Dios todopoderoso, que con su poder santifique esta fuente bautismal, para que cuantos en el bautismo van a ser regenerados en Cristo, sean agregados al número de hijos adoptivos de Dios.

41. *Dos cantores entonan las letanías, a las que todos responden, estando de pie (por razón del Tiempo Pascual).*

Si la procesión hasta el bautisterio es larga, se cantan las letanías durante la procesión; en este caso se llama a los que se van a bautizar, antes de comenzar la procesión. Se abre la procesión con el cirio pascual, luego siguen los bautizandos con sus padrinos, después los ministros, el diácono y el sacerdote. En este caso, la monición precedente se hace antes de la bendición del agua.

42. *Si no hay bautismos ni bendición de la fuente, omitidas las letanías se procede inmediatamente a la bendición del agua (n. 54).*

43. *En las letanías se pueden añadir algunos nombres de santos, especialmente el del titular de la iglesia, el de los patronos del lugar y el de los patronos de quienes serán bautizados.*

Señor, ten piedad de nosotros.	*Señor, ten piedad de nosotros.*
Cristo, ten piedad de nosotros.	*Cristo, ten piedad de nosotros.*
Señor, ten piedad de nosotros.	*Señor, ten piedad de nosotros.*

Santa María, Madre de Dios,	*ruega por nosotros.*
San Miguel,	*ruega por nosotros.*
Santos ángeles de Dios,	*rueguen por nosotros.*
San Juan Bautista,	*ruega por nosotros.*
San José,	*ruega por nosotros.*
San Pedro y san Pablo,	*rueguen por nosotros.*
San Andrés,	*ruega por nosotros.*
San Juan,	*ruega por nosotros.*
Santa María Magdalena,	*ruega por nosotros.*
San Esteban,	*ruega por nosotros.*
San Ignacio de Antioquía,	*ruega por nosotros.*
San Lorenzo,	*ruega por nosotros.*
San Felipe de Jesús,	*ruega por nosotros.*
Santos Cristóbal Magallanes y compañeros, mártires,	*rueguen por nosotros.*
Santas Perpetua y Felícitas,	*rueguen por nosotros.*
Santa Inés,	*ruega por nosotros.*
San Gregorio,	*ruega por nosotros.*
San Agustín,	*ruega por nosotros.*
San Atanasio,	*ruega por nosotros.*
San Basilio,	*ruega por nosotros.*
San Martín,	*ruega por nosotros.*
San Benito,	*ruega por nosotros.*
San Francisco y santo Domingo,	*rueguen por nosotros.*
San Francisco Javier,	*ruega por nosotros.*
San Juan María Vianney,	*ruega por nosotros.*
San Rafael Guízar y Valencia,	*ruega por nosotros.*
San José María de Yermo y Parres,	*ruega por nosotros.*
Santa Catalina de Siena,	*ruega por nosotros.*
Santa Teresa de Jesús,	*ruega por nosotros.*
Santa Teresa del Niño Jesús,	*ruega por nosotros.*
Santa María de Jesús Sacramentado Venegas,	*ruega por nosotros.*
Santa María Guadalupe García Zavala,	*ruega por nosotros.*
San Juan Diego,	*ruega por nosotros.*
Todos los santos y santas de Dios,	*rueguen por nosotros.*

Muéstrate propicio,	*líbranos, Señor.*
De todo mal,	*líbranos, Señor.*
De todo pecado,	*líbranos, Señor.*
De la muerte eterna,	*líbranos, Señor.*
Por tu encarnación,	*líbranos, Señor.*
Por tu muerte y resurrección,	*líbranos, Señor.*
Por el don del Espíritu Santo,	*líbranos, Señor.*
Nosotros, que somos pecadores,	*te rogamos, óyenos.*

Si hay bautismos:

Para que estos elegidos renazcan a la vida nueva por medio del bautismo,	*te rogamos, óyenos.*

Si no hay bautismos:

Para que santifiques esta fuente bautismal por la que renacerán tus hijos a la vida nueva,	*te rogamos, óyenos.*
Jesús, Hijo de Dios vivo,	*te rogamos, óyenos.*
Cristo, óyenos.	*Cristo, óyenos.*
Cristo, escúchanos.	*Cristo, escúchanos.*

Si hay bautismos, el sacerdote, con las manos extendidas, dice esta oración:

Derrama, Señor, tu infinita bondad en este sacramento del bautismo y envía tu santo Espíritu, para que haga renacer de la fuente bautismal a estos nuevos hijos tuyos, que van a ser santificados por tu gracia, mediante nuestra humilde colaboración en este ministerio. Por Jesucristo, nuestro Señor.

R. Amén.

BENDICIÓN DEL AGUA BAUTISMAL

44. *La bendición del agua puede ser cantada.*

45. *La aclamación a la bendición del agua también puede ser cantada.*

46. *Enseguida el sacerdote bendice el agua bautismal diciendo, con las manos extendidas, esta oración:*

Dios nuestro, que con tu poder invisible realizas obras admirables por medio de los signos sacramentales y has hecho que tu creatura, el agua, signifique de muchas maneras la gracia del bautismo;

Dios nuestro, cuyo Espíritu aleteaba sobre la superficie de las aguas en los mismos principios del mundo, para que ya desde entonces el agua recibiera el poder de dar la vida;

Dios nuestro, que incluso en las aguas torrenciales del diluvio prefiguraste el nuevo nacimiento de los hombres, al hacer que de una manera misteriosa, un mismo elemento diera fin al pecado y origen a la virtud;

Dios nuestro, que hiciste pasar a pie, sin mojarse, el Mar Rojo a los hijos de Abraham, a fin de que el pueblo, liberado de la esclavitud del faraón, prefigurara al pueblo de los bautizados;

Dios nuestro, cuyo Hijo, al ser bautizado por el Precursor en el agua del Jordán, fue ungido por el Espíritu Santo; suspendido en la cruz, quiso que brotaran de su costado sangre y agua; y después de su resurrección mandó a sus apóstoles: "Vayan y enseñen a todas las naciones, bautizándolas en el nombre del Padre, y del Hijo y del Espíritu Santo": mira ahora a tu Iglesia en oración y abre para ella la fuente del bautismo.

Que por obra del Espíritu Santo esta agua adquiera la gracia de tu Unigénito, para que el hombre, creado a tu imagen, limpio de su antiguo pecado, por el sacramento del bautismo, renazca a la vida nueva por el agua y el Espíritu Santo.

Si es oportuno, introduce el cirio pascual en el agua, una o tres veces, diciendo:

Te pedimos, Señor, que por tu Hijo, descienda sobre el agua de esta fuente el poder del Espíritu Santo,

Manteniendo el cirio dentro del agua, prosigue:

para que todos, sepultados con Cristo en su muerte por el bautismo, resuciten también con él a la vida nueva. Él, que vive y reina contigo en la unidad del Espíritu Santo y es Dios por los siglos de los siglos.

R. Amén.

47. *Enseguida saca el cirio del agua, y el pueblo dice la siguiente aclamación:*

Fuentes del Señor, bendigan al Señor, alábenlo y glorifíquenlo por los siglos.

48. *Concluida la bendición del agua bautismal y dicha la aclamación del pueblo, el sacerdote, de pie, interroga a los adultos y a los papás o padrinos de los niños, para que hagan la renuncia, como está indicado en los respectivos Rituales romanos.*

Si no se ha hecho antes la unción de los adultos con el óleo de los catecúmenos en los ritos inmediatamente preparatorios, se hace en este momento.

49. *Enseguida, el sacerdote interroga a cada uno de los adultos sobre su fe, y también, si se trata de los niños, pide la triple profesión de fe a todos los papás y padrinos simultáneamente, como se indica en los respectivos Rituales.*

Si son muchos los que se bautizan, puede ordenarse este rito de tal manera que, inmediatamente después de la respuesta de los bautizandos, padrinos y papás, el celebrante pida y reciba la renovación de las promesas bautismales de todos los presentes.

50. *Terminado el interrogatorio, el sacerdote bautiza a los elegidos adultos y niños.*

51. *Después del bautismo, el sacerdote unge con el Crisma a quienes no han llegado al uso de razón. Y se entrega a todos, sean adultos o niños, la vestidura blanca. Luego, el sacerdote o el diácono recibe el cirio pascual de mano del ministro y se encienden las velas de los neófitos. El rito del "Effetá" se omite para quienes no han llegado al uso de razón.*

52. *A continuación, si no tuvieron lugar en el presbiterio el baño bautismal y los demás ritos explicativos, se retorna al presbiterio, organizada la procesión como antes, con los neófitos, o padrinos o papás llevando la vela encendida. Durante la procesión se canta el cántico bautismal* **Vidi aquam,** *u otro canto apropiado (n. 56).*

53. *Si los bautizados son adultos, el obispo o, en su ausencia, el presbítero que confirió el bautismo, adminístreles inmediatamente el sacramento de la Confirmación en el presbiterio, como se indica en el Pontifical o en el Ritual Romano.*

BENDICIÓN DEL AGUA

54. *Si no hay bautismos ni tampoco se bendice la fuente bautismal, el sacerdote prepara a los fieles para la bendición del agua, diciendo:*

Pidamos, queridos hermanos, a Dios nuestro Señor, que se digne bendecir esta agua, con la cual seremos rociados en memoria de nuestro bautismo, y que nos renueve interiormente, para que permanezcamos fieles al Espíritu que hemos recibido.

Y después de una breve pausa en silencio dice la siguiente oración, con las manos extendidas:

Señor, Dios nuestro, mira con bondad a este pueblo tuyo, que vela en oración en esta noche santísima, recordando la obra admirable de nuestra creación y la obra más admirable todavía, de nuestra redención. Dígnate bendecir † esta agua, que tú creaste para dar fertilidad a la tierra, frescura y limpieza a nuestros cuerpos.

Tú, además, convertiste el agua en un instrumento de tu misericordia: por ella liberaste a tu pueblo de la esclavitud y en el desierto saciaste su sed; con la imagen del agua viva los profetas anunciaron la nueva alianza que deseabas establecer con los hombres; por ella, finalmente, santificada por Cristo en el Jordán, renovaste, mediante el bautismo que nos da la vida nueva, nuestra naturaleza, corrompida por el pecado.

Que esta agua nos recuerde ahora nuestro bautismo y nos haga participar en la alegría de nuestros hermanos, que han sido bautizados en esta Pascua. Por Jesucristo, nuestro Señor.

℞. Amén.

RENOVACIÓN DE LAS PROMESAS BAUTISMALES

55. *Terminado el rito del Bautismo (y de la Confirmación) o, si no hubo bautismos, después de la bendición del agua, todos, de pie y teniendo en sus manos las velas encendidas, hacen la renovación de las promesas del bautismo, junto con los bautizandos, a no ser que ya se hubieran hecho (cfr. n. 49).*

El sacerdote se dirige a los fieles, con estas palabras u otras semejantes:

Hermanos, por medio del bautismo, hemos sido hechos partícipes del misterio pascual de Cristo; es decir, por medio del bautismo, hemos sido sepultados con él en su muerte para resucitar con él a la vida nueva. Por eso, culminado nuestro camino cuaresmal, es muy conveniente que renovemos las promesas de nuestro bautismo, con las cuales un día renunciamos a Satanás y a sus obras y nos comprometimos a servir a Dios, en la santa Iglesia católica.

Por consiguiente:

Sacerdote: ¿Renuncian ustedes a Satanás?
Todos: Sí, renuncio.
Sacerdote: ¿Renuncian a todas sus obras?
Todos: Sí, renuncio.
Sacerdote: ¿Renuncian a todas sus seducciones?
Todos: Sí, renuncio.

O bien:

Sacerdote: ¿Renuncian ustedes al pecado, para vivir en la libertad de los hijos de Dios?
Todos: Sí, renuncio.
Sacerdote: ¿Renuncian a todas las seducciones del mal, para que el pecado no los esclavice?
Todos: Sí, renuncio.
Sacerdote: ¿Renuncian a Satanás, padre y autor de todo pecado?
Todos: Sí, renuncio.

La Conferencia Episcopal, si lo cree conveniente, puede ajustar más a las circunstancias locales esta segunda fórmula, sobre todo ahí donde entre los cristianos se requiera renunciar a las supersticiones, adivinaciones y artes mágicas.

Prosigue el sacerdote:

Sacerdote: ¿Creen ustedes en Dios, Padre todopoderoso, creador del cielo y de la tierra?

Todos: Sí, creo.

Sacerdote: ¿Creen en Jesucristo, su Hijo único y Señor nuestro, que nació de la Virgen María, padeció y murió por nosotros, resucitó y está sentado a la derecha del Padre?

Todos: Sí, creo.

Sacerdote: ¿Creen en el Espíritu Santo, en la santa Iglesia católica, en la comunión de los santos, en el perdón de los pecados, en la resurrección de los muertos y en la vida eterna?

Todos: Sí, creo.

Y el sacerdote concluye:

Que Dios todopoderoso, Padre de nuestro Señor Jesucristo, que nos liberó del pecado y nos ha hecho renacer por el agua y el Espíritu Santo, nos conserve con su gracia unidos a Jesucristo, nuestro Señor, hasta la vida eterna.

Todos: Amén.

56. *El sacerdote rocía al pueblo con el agua bendita, mientras todos cantan:*

ANTÍFONA
Vi brotar agua del lado derecho del templo, aleluya. Vi que en todos aquellos que recibían el agua, surgía una vida nueva y cantaban con gozo: Aleluya, aleluya.

Se puede cantar también algún otro canto de índole bautismal.

57. *Mientras tanto los neófitos son conducidos a su lugar entre los fieles. Si la bendición del agua bautismal no se hizo en el bautisterio, el diácono y los ministros llevan a la fuente bautismal, con toda reverencia, un recipiente con el agua bendita.*

Si no hubo bendición de la fuente, el agua bendita se coloca en un lugar apropiado.

58. *Hecha la aspersión, el sacerdote vuelve a la sede, en donde, omitido el **Credo**, dirige la oración universal en la cual toman parte los neófitos por primera vez.*

CUARTA PARTE
LITURGIA EUCARÍSTICA

59. *El sacerdote va al altar y comienza la liturgia eucarística en la forma acostumbrada.*

60. *Es conveniente que el pan y el vino sean presentados por los neófitos o, si son niños, por sus papás o padrinos.*

61. Oración sobre las ofrendas. Recibe, Señor, las súplicas de tu pueblo junto con los dones que te presentamos, para que los misterios de la Pascua, que hemos comenzado a celebrar, nos obtengan, con tu ayuda, el remedio para conseguir la vida eterna. Por Jesucristo, nuestro Señor.

62. *Prefacio I de Pascua: El Misterio Pascual (en esta noche).*

63. *En la Plegaria eucarística se hace memoria de los bautizados y de los padrinos, según las fórmulas que se encuentran en cada una de las Plegarias eucarísticas en el Misal y en el Ritual Romano.*

64. *Antes de decir* **Éste es el Cordero de Dios,** *el sacerdote puede exhortar brevemente a los neófitos sobre la primera Comunión que van a recibir y sobre el valor de tan gran misterio, que es el culmen de la iniciación y el centro de toda la vida cristiana.*

65. *Es conveniente que los neófitos reciban la sagrada Comunión bajo las dos especies, junto con sus padrinos, madrinas, papás y esposos católicos, y con los catequistas laicos. Es conveniente también, con el consentimiento del obispo diocesano, donde las circunstancias lo aconsejen, que todos los fieles reciban la sagrada Comunión bajo las dos especies.*

66. Antífona de la comunión. Cristo, nuestro Cordero Pascual, ha sido inmolado. Aleluya. Celebremos, pues, la Pascua, con el pan sin levadura, que es de sinceridad y verdad. Aleluya (1 Cor 5, 7-8).

Conviene cantar el salmo 117.

67. Oración después de la comunión. Infúndenos, Señor, el espíritu de tu caridad, para que, saciados con los sacramentos pascuales, vivamos siempre unidos en tu amor. Por Jesucristo, nuestro Señor.

R. Amén.

68. Bendición Solemne

Que Dios todopoderoso los bendiga en este día solemnísimo de la Pascua y, compadecido de ustedes, los guarde de todo pecado.

R. Amén.

Que les conceda el premio de la inmortalidad aquel que los ha redimido para la vida eterna con la resurrección de su Unigénito.

R. Amén.

Que ustedes, que una vez terminados los días de la Pasión celebran con gozo la fiesta de la Pascua del Señor, puedan participar, con su gracia, del júbilo de la Pascua eterna.

R. Amén.

Y la bendición de Dios todopoderoso, Padre, Hijo †, y Espíritu Santo, descienda sobre ustedes y permanezca para siempre.

R. Amén.

Puede usarse también la fórmula de bendición final del Ritual del Bautismo de los adultos o de los niños, de acuerdo a las circunstancias.

69. *Para despedir al pueblo, el diácono o, en su ausencia, el mismo sacerdote canta o dice:*

Anuncien a todos la alegría del Señor resucitado. Vayan en paz, aleluya, aleluya.

O bien:

Pueden ir en paz, aleluya, aleluya.

Todos responden:
Demos gracias a Dios, aleluya, aleluya.

Esta fórmula de despedida se utiliza durante toda la octava de Pascua.

70. *El cirio pascual se enciende en todas las celebraciones litúrgicas más solemnes de este tiempo.*

LA PALABRA EN TU VIDA

"Cristo, una vez resucitado de entre los muertos, no muere más. La muerte ya no tiene poder sobre él" (Rm 6, 9). San Pablo nos recuerda que los bautizados también hemos muerto y resucitado con Cristo. Por lo tanto, no hemos de volver de nuevo a la muerte espiritual con el pecado, sino vivir en plenitud la vida nueva que nos ha sido conferida.

PASCUA CRISTIANA

La resurrección del Señor es una alegría, un gozo para la Iglesia y para la humanidad. El cristiano celebra una fiesta que dura cincuenta días: de la resurrección hasta Pentecostés. La Iglesia concibe este acontecimiento como un único día, el "sacramento de los cincuenta días". Lo vivimos todos, especialmente quienes han recibido el bautismo en la Vigilia del Sábado santo y los pecadores reconciliados (antiguamente se les llamaba "pecadores públicos"). Nuestra fiesta está centrada sobre la memoria de Cristo resucitado. No es memoria vacía sino experiencia vital en la fe, que motiva un continuo Aleluya. A la luz de esta memoria los cristianos interpretan toda la historia. Esta fiesta se vuelve reafirmación de vida. El cristiano vive en la certeza de ser ya radicalmente libre, sin temer nada en su vida. Es vivida en alegría junto a los otros hermanos en la fe y se manifiesta en tantos otros motivos de gozo: fiesta de la comunidad parroquial, de las primeras comuniones, de las confirmaciones, de las ordenaciones sacerdotales, del final del año catequístico, del mes mariano, entre otras.

El tiempo litúrgico de la Pascua inicia con el Triduo pascual como su fuente de luz y se concluye con la solemnidad de Pentecostés. En honor a la recuperada unidad de este Tiempo como "cincuentena pascual", los domingos son llamados domingos *de* Pascua (no domingos *después* de Pascua). La Ascensión del Señor se celebra en el día cuadragésimo, pero con la posibilidad de ser trasladada al domingo siguiente. El cirio pascual se apaga, no después de la proclamación del Evangelio de la Ascensión, sino después de la última oración comunitaria (Completas, en donde se recitan) del día de Pentecostés, como conclusión del Tiempo pascual. La Oración Colecta de la misa de la Vigilia del domingo de Pentecostés afirma: "Dios eterno y todopoderoso que quisiste que la celebración del sacramento de la Pascua perdurara a lo largo de estos cincuenta días..."; y el Prefacio de la misa del domingo de Pentecostés dice explícitamente: "Porque tú, para llevar a su plenitud el misterio pascual, has enviado hoy al Espíritu Santo". La "Octava de Pascua" se conserva por su vínculo histórico con la semana de iniciación a los sacramentos de los catecúmenos bautizados en la Misa de la Vigilia; los ocho días están unidos al domingo de Pascua y se celebran "como solemnidad del Señor". Con la intención de subrayar la unidad del misterio de Cristo y del Espíritu, los textos eucológicos (de alabanza) ponen de relieve que todo el tiempo de Pascua es siempre tiempo del Espíritu. Por ello podemos decir que el misterio pascual se celebra como una unidad: muerte, resurrección y ascensión del Señor, venida del Espíritu Santo.

HECHOS DE LOS APÓSTOLES

En este tiempo litúrgico, la organización de las lecturas bíblicas ha sido renovada. En fidelidad a la tradición atestiguada en Oriente por san Juan Crisóstomo y en Occidente por san Agustín, durante la cincuentena pascual se lee el libro de los Hechos de los Apóstoles, tomando el lugar de lecturas del Antiguo Testamento. Para algunos causa perplejidad la falta de estas lecturas durante este período central del Año Litúrgico. La causa es la siguiente: si el misterio pascual está en el centro de la historia de la salvación, es también el centro de la unidad de los dos Testamentos. Libro dedicado a Teófilo, como el Evangelio. Es la segunda obra de Lucas, redactado en un griego cuidado y con indudable capacidad narrativa. Los Hechos de los Apóstoles unen una serie de memorias históricas referentes a la difusión del cristianismo primitivo, a través del testimonio y la actividad de los primeros misioneros (entre éstos destacan Pedro y Pablo), a una reflexión teológica sobre la Iglesia y su alma, que es la palabra de Cristo y el Espíritu Santo. Describe la difusión del Evangelio desde Jerusalén hasta Roma.

APOCALIPSIS.

Es el libro que concluye el Nuevo Testamento. En griego, significa "revelación". Escrito en época de persecución (se piensa en la de Diocleciano 90-95 d.C.). Es un escrito cuyo origen son las Iglesias de san Juan del Asia Menor, como lo testifican las cartas dirigidas a las siete comunidades: Éfeso, Esmirna, Pérgamo, Tiatira, Sardes, Filadelfia y Laodicea. Aunque si el lenguaje y símbolos pertenecen al género apocalíptico, una corriente literaria y teológica muy difundida en el judaísmo de entonces, el libro se define "profecía" (1, 3; 22, 7. 19), es decir interpretación de la acción de Dios al interno de la historia. Probablemente es el libro canónico más difícil de entender para el lector de hoy debido al estilo apocalíptico típico de ese tiempo, del cual estamos a dos mil años de distancia.

Libro mal entendido. De hecho, con cierta frecuencia es malentendido, deformado y así predicado. Ya lectores medievales y modernos, al no comprender más el valor simbólico de las imágenes e interpretando literalmente las descripciones, han hecho del "Apocalipsis" un sinónimo de cataclismo, terrible desastre, fin del mundo, etc. Por ello, en el lenguaje periodístico y cinematográfico, la palabra ha conservado este significado distorsionado y erróneo. El peso combativo que el Apocalipsis contiene, sobre todo como crítica despiadada del poder corrupto, fue de gran ayuda a las comunidades cristianas en tiempos difíciles de persecuciones, cuando estaba claro quién era el opresor; pero con el cambio constantiniano la literatura apocalíptica pasó a ser prerrogativa de minorías. A inicios del siglo IV el Apocalipsis comenzó a ser usado de manera intensiva por movimientos heréticos, sobre todo por sectas milenaristas y hoy por las sectas evangélicas y pentecostales, en polémica con la Iglesia Católica. Esta lucha despiadada contra la Iglesia Católica es lo que unifica esta inmensa cantidad de sectas. Actualmente el libro es muy utilizado por estas sectas para atraer prosélitos, sobre todo infundiéndoles miedo.

Libro para sostener a los perseguidos. En lugar de ser un infausto oráculo sobre el fin del mundo, como muchas veces se ha creído, el Apocalipsis es un mensaje concreto de esperanza dirigido a las Iglesias en crisis internas y, sobre todo, azotadas por la persecución de la Babilonia, la prostituta o la bestia, es decir Roma imperial que estaba persiguiendo a los discípulos del Resucitado. La Babilonia mencionada en el libro (sobre todo el capítulo 17) ¡no es la Iglesia Católica! ¡No es el Vaticano, que ni siquiera existía como tal! El libro estaba dirigido a quienes eran perseguidos para que encontraran firmeza en la fe y valor para dar testimonio. El fin último en el cual está moviéndose la historia no es el triunfo del dragón, símbolo del mal, sino el del Cordero, es decir, Cristo, y a la Babilonia perseguidora le seguirá para siempre la Jerusalén de la paz y de la vida.

Autor. Según el mismo escrito su autor es "Juan" (1, 1. 4. 9). San Justino hacia el año 150 d.C. lo identifica con el Apóstol Juan. En el curso de los siglos II y III, esta identificación fue aceptada por san Irineo, san Clemente Alejandrino, san Hipólito de Roma, entre otros. Aunque ya en la segunda mitad del siglo II, Diógenes de Alejandría, sin poner en duda su canonicidad, pensaba que su autor no era el Apóstol, sino otro Juan que la tradición no ha logrado identificar. Diógenes se basaba en la diversidad de estilo y de lenguaje que se encuentra entre el Apocalipsis y el Evangelio y las tres Cartas de Juan. Esta opinión fue seguida más tarde por Eusebio de Cesarea; hoy, es aceptada comúnmente por los estudiosos del Nuevo Testamento.

17 DE ABRIL - **(BLANCO)** (MISA DEL DÍA)

DOMINGO DE PASCUA
DE LA RESURRECCIÓN DEL SEÑOR (S)

ÉSTE ES EL DÍA DEL TRIUNFO DEL SEÑOR. ALELUYA

He resucitado y estoy contigo, aleluya. La Pascua es el gran misterio de la fe cristiana que nos asegura que la vida va más allá de la existencia terrena, está abierta al cielo y culmina en la eternidad. Para los hebreos la Pascua es la celebración del recuerdo de la liberación de la esclavitud en Egipto, del paso del Mar Rojo a la Tierra Prometida. Para nosotros cristianos, la Pascua es un paso también muy importante tanto a nivel personal, como eclesial y social. Es pasar del pecado a la gracia, de la muerte espiritual a la vida verdadera y eterna en Cristo que, con su muerte y resurrección, ha reabierto para siempre el diálogo entre Dios y la humanidad, centrándolo en el amor y en la misericordia.

El primer día después del sábado… fue María Magdalena al sepulcro. En el contexto pascual la expresión *«El primer día»* sugiere que ha iniciado para el mundo un nuevo día. San Juan modifica la hora en que los Evangelios Sinópticos son unánimes en subrayar: *«Muy de mañana»* por: *«Estando todavía oscuro»*. Literalmente el vocablo griego utilizado aquí es «la tiniebla», típico del lenguaje de

Juan. Viene sola. Con el hecho de no mencionar a las otras mujeres que, según los Sinópticos, la acompañaban, Juan quiere preparar el encuentro personal de María y del Resucitado.

Vio removida la piedra que lo cerraba. El primer signo de la resurrección es algo muy humilde y sencillo: no es una aparición gloriosa, es una simple tumba vacía. Al ver la piedra «quitada» María no intuye nada de resurrección. Piensa en un acto de vandalismo. Los lectores del Evangelio de san Juan pueden percibir un contraste: en el texto de hoy la piedra no es quitada por mano de hombre. Fijándonos en el plan simbólico, la piedra «quitada» significa que ha sido vencido el poder del *Sheol*. María ni siquiera entra al sepulcro para cerciorarse de lo sucedido. Corre a dar esa terrible noticia a los discípulos. María nada tiene que trasmitir a los Apóstoles, sólo una constatación negativa y sorprendente: permanece con mucho realismo el robo del cadáver.

Los dos iban corriendo juntos... Todos corren en esa mañana: María Magdalena, Pedro y el «discípulo amado del Señor». El texto de san Juan lleva ante la tumba vacía a toda la Iglesia, con su cabeza visible en ese momento, Pedro, y la llamada a la profesión de fe en el Resucitado, la profesión de su fe en el Dios de la vida y no el Dios de la muerte o de la tumba. Avisado Pedro, el jefe del colegio apostólico, corre al sepulcro. Llegan frente a la tumba y los ayuda otro signo sencillo: *«los lienzos puestos en el suelo»*, el sudario, doblado puesto en otra parte.

Entró también el otro discípulo... y vio y creyó. El autor del Evangelio no habla de la reacción de Pedro ante estos elementos; en cambio sí narra la del otro Discípulo, del cual precedentemente había subrayado la ventaja en la carrera. La fórmula: *«vio y creyó»* es una expresión muy fuerte en cuanto une dos verbos sin indicar el objeto. ¿Qué cosa vio el Discípulo? Seguramente no vio al Resucitado: sobre este punto la situación se asemeja a la del creyente que es declarado «dichoso» porque cree sin haber visto (Jn 20, 29). El Discípulo cree a la vista de las huellas dejadas en la tumba. Antes que se encuentre con su Maestro, ha sido capaz de superar el abismo: en ausencia del cuerpo, para él tiene valor de signo todo lo que ha visto de los lienzos funerarios.

71. Antífona de entrada. He resucitado y estoy contigo, aleluya: has puesto tu mano sobre mí, aleluya: tu sabiduría ha sido maravillosa, aleluya, aleluya (Cfr. Sal 138, 18. 5-6).

Se dice Gloria

72. Oración colecta. Señor Dios, que por medio de tu Unigénito, vencedor de la muerte, nos has abierto hoy las puertas de la vida eterna, concede a quienes celebramos la solemnidad de la resurrección del Señor, resucitar también en la luz de la vida eterna, por la acción renovadora de tu Espíritu. Por nuestro Señor Jesucristo...

1ª Lectura   (Hech 10, 34. 37-43)
Del libro de los Hechos de los Apóstoles
En aquellos días, Pedro tomó la palabra y dijo: "Ya saben ustedes lo sucedido en toda Judea, que tuvo principio en Galilea, después del bautismo predicado por Juan: cómo Dios ungió con el poder del Espíritu Santo a Jesús de Nazaret, y cómo éste pasó haciendo el bien, sanando a todos los oprimidos por el diablo, porque Dios estaba con él.

Nosotros somos testigos de cuanto él hizo en Judea y en Jerusalén. Lo mataron colgándolo de la cruz, pero Dios lo resucitó al tercer día y concedió verlo, no a todo el pueblo, sino únicamente a los testigos que él, de antemano, había escogido: a nosotros, que hemos comido y bebido con él después de que resucitó de entre los muertos.

Él nos mandó predicar al pueblo y dar testimonio de que Dios lo ha constituido juez de vivos y muertos. El testimonio de los profetas es unánime: que cuantos creen en él reciben, por su medio, el perdón de los pecados". *Palabra de Dios.*
A. **Te alabamos, Señor.**

Salmo responsorial   (Sal 117)
R. **Éste es el día del triunfo del Señor. Aleluya.**
L. Te damos gracias, Señor, porque eres bueno, porque tu misericordia es eterna. Diga la casa de Israel: "Su misericordia es eterna". / R.

[R. Éste es el día del triunfo del Señor. Aleluya.]

L. La diestra del Señor es poderosa, la diestra del Señor es nuestro orgullo. No moriré, continuaré viviendo para contar lo que el Señor ha hecho. / R.

L. La piedra que desecharon los constructores, es ahora la piedra angular. Esto es obra de la mano del Señor, es un milagro patente. / R.

2ª Lectura (Col 3, 1-4)

De la carta del apóstol san Pablo a los colosenses

Hermanos: Puesto que han resucitado con Cristo, busquen los bienes de arriba, donde está Cristo, sentado a la derecha de Dios. Pongan todo el corazón en los bienes del cielo, no en los de la tierra, porque han muerto y su vida está escondida con Cristo en Dios. Cuando se manifieste Cristo, vida de ustedes, entonces también ustedes se manifestarán gloriosos, juntamente con él. *Palabra de Dios.*

A. Te alabamos, Señor.

O bien:

2ª Lectura (1 Cor 5, 6-8)

De la primera carta del apóstol san Pablo a los corintios

Hermanos: ¿No saben ustedes que un poco de levadura hace fermentar toda la masa? Tiren la antigua levadura, para que sean ustedes una masa nueva, ya que son pan sin levadura, pues Cristo, nuestro cordero pascual, ha sido inmolado.

Celebremos, pues, la fiesta de la Pascua, no con la antigua levadura, que es de vicio y maldad, sino con el pan sin levadura, que es de sinceridad y verdad. *Palabra de Dios.*

A. Te alabamos, Señor.

Secuencia

(Sólo el día de hoy es obligatoria; durante la octava es opcional)

Ofrezcan los cristianos
ofrendas de alabanza
a gloria de la víctima
propicia de la Pascua.

Cordero sin pecado,
que a las ovejas salva,
a Dios y a los culpables
unió con nueva alianza.

Lucharon vida y muerte
en singular batalla,
y, muerto el que es la vida,
triunfante se levanta.

"¿Qué has visto de camino,
María, en la mañana?".
"A mi Señor glorioso,
la tumba abandonada,

los ángeles testigos,
sudarios y mortaja.
¡Resucitó de veras
amor y mi esperanza!

Venid a Galilea,
allí el Señor aguarda;
allí veréis los suyos
la gloria de la Pascua".

Primicia de los muertos,
sabemos por tu gracia
que estás resucitado;
la muerte en ti no manda.

Rey vencedor, apiádate
de la miseria humana
y da a tus fieles parte
en tu victoria santa.

Aclamación antes del Evangelio   (1 Cor 5, 7-8)
R. **Aleluya, aleluya.** Cristo, nuestro cordero pascual, ha sido inmolado; celebremos, pues, la Pascua.
R. **Aleluya, aleluya.**

Evangelio   (Jn 20, 1-9)
Del santo Evangelio según san Juan
A. *Gloria a ti, Señor.*

El primer día después del sábado, estando todavía oscuro, fue María Magdalena al sepulcro y vio removida la piedra que lo cerraba. Echó a correr, llegó a la casa donde estaban Simón Pedro y el otro discípulo, a quien Jesús amaba, y les dijo: "Se han llevado del sepulcro al Señor y no sabemos dónde lo habrán puesto".

Salieron Pedro y el otro discípulo camino del sepulcro. Los dos iban corriendo juntos, pero el otro discípulo corrió más aprisa que Pedro y llegó primero al sepulcro, e inclinándose, miró los lienzos puestos en el suelo, pero no entró.

En eso llegó también Simón Pedro, que lo venía siguiendo, y entró en el sepulcro. Contempló los lienzos puestos en el suelo y el sudario, que había estado sobre la cabeza de Jesús, puesto no con los lienzos en el suelo, sino doblado en sitio aparte. Entonces entró también el otro discípulo, el que había llegado primero al sepulcro, y vio y creyó, porque hasta entonces no habían entendido las Escrituras, según las cuales Jesús debía resucitar de entre los muertos.

Palabra del Señor.

A. *Gloria a ti, Señor Jesús.*

O bien: Lc 24, 1-12 (Leccionario I, pág. 326)

O bien, en las Misas vespertinas:

 EVANGELIO   (Lc 24, 13-35)
Del santo Evangelio según san Lucas
A. *Gloria a ti, Señor.*

El mismo día de la resurrección, iban dos de los discípulos hacia un pueblo llamado Emaús, situado a unos once kilómetros de Jerusalén, y comentaban todo lo que había sucedido.

Mientras conversaban y discutían, Jesús se les acercó y comenzó a caminar con ellos; pero los ojos de los dos discípulos estaban velados y no lo reconocieron. Él les preguntó: "¿De qué cosas vienen hablando, tan llenos de tristeza?".

Uno de ellos, llamado Cleofás, le respondió: "¿Eres tú el único forastero que no sabe lo que ha sucedido estos días en Jerusalén?". Él les preguntó: "¿Qué cosa?". Ellos le respondieron: "Lo de Jesús el nazareno, que era un profeta poderoso en obras y palabras, ante Dios y ante todo el pueblo. Cómo los sumos sacerdotes y nuestros jefes lo entregaron para que lo condenaran a muerte, y lo crucificaron. Nosotros esperábamos que él sería el libertador de Israel, y sin embargo, han pasado ya tres días desde que estas cosas sucedieron. Es cierto que algunas mujeres de nuestro grupo nos han desconcertado, pues fueron de madrugada al sepulcro, no encontraron el cuerpo y llegaron contando que se les habían aparecido unos ángeles, que les dijeron que estaba vivo. Algunos de nuestros compañeros fueron al sepulcro y hallaron todo como habían dicho las mujeres, pero a él no lo vieron".

Entonces Jesús les dijo: "¡Qué insensatos son ustedes y qué duros de corazón para creer todo lo anunciado por los profetas! ¿Acaso no era necesario que el Mesías padeciera todo esto y así entrara en su gloria?". Y comenzando por Moisés y siguiendo con todos los profetas, les explicó todos los pasajes de la Escritura que se referían a él.

Ya cerca del pueblo a donde se dirigían, él hizo como que iba más lejos; pero ellos le insistieron, diciendo: "Quédate con nosotros, porque ya es tarde y pronto va a oscurecer". Y entró para quedarse con ellos. Cuando estaban a la mesa, tomó un pan, pronunció la bendición, lo partió y se lo dio. Entonces se les abrieron los ojos y lo reconocieron, pero él se les desapareció. Y ellos se decían el uno al otro: "¡Con razón nuestro corazón ardía, mientras nos hablaba por el camino y nos explicaba las Escrituras!".

Se levantaron inmediatamente y regresaron a Jerusalén, donde encontraron reunidos a los Once con sus compañeros, los cuales les dijeron: "De veras ha resucitado el Señor y se le ha aparecido a Simón". Entonces ellos contaron lo que les había pasado en el camino y cómo lo habían reconocido al partir el pan.

Palabra del Señor.
A. *Gloria a ti, Señor Jesús.*

Se dice Credo

73. Oración sobre las ofrendas. Llenos de júbilo por el gozo pascual te ofrecemos, Señor, este sacrificio, mediante el cual admirablemente renace y se nutre tu Iglesia. Por Jesucristo, nuestro Señor.

74. *Prefacio I de Pascua: El Misterio Pascual* (**en este día**).

Si se usa el Canon Romano, se dicen **Reunidos en comunión** (p. 563), y **Acepta, Señor, en tu bondad** (p. 564), *propios. En las otras Plegarias eucarísticas también se dicen las partes propias para esta Misa.*

75. Antífona de la comunión. Cristo, nuestro Cordero Pascual, ha sido inmolado. Aleluya. Celebremos, pues, la Pascua, con el pan sin levadura, que es de sinceridad y verdad. Aleluya (1 Cor 5, 7-8).

76. Oración después de la comunión. Dios de bondad, protege paternalmente con amor incansable a tu Iglesia, para que, renovada por los misterios pascuales, pueda llegar a la gloria de la resurrección. Por Jesucristo, nuestro Señor.

77. *Para dar la bendición al final de la Misa, es conveniente que el sacerdote utilice la fórmula de bendición solemne de la Misa de la Vigilia Pascual, pág 249.*

78. *Para despedir al pueblo, el diácono o, en su ausencia, el mismo sacerdote canta o dice:*

Anuncien a todos la alegría del Señor resucitado.
Vayan en paz, aleluya, aleluya.

O bien:

Pueden ir en paz, aleluya, aleluya.

Todos responden:

Demos gracias a Dios, aleluya, aleluya.

EN COMUNIÓN
CON LA TRADICIÓN VIVA DE LA IGLESIA

«El Salvador ha resucitado; Cristo vive; Cristo es la vida misma. Si mediante la señal de la cruz y la fe en Cristo conculcamos la muerte, habrá que concluir, a juicio de la verdad, que es Cristo y no otro quien ha conseguido la palma y el triunfo sobre la muerte, reduciéndola así a la impotencia. Si además añadimos que la muerte –antes prepotente y, en conse-

cuencia, terrible –, es despreciada a raíz de la venida del Salvador, de su muerte corporal y de su resurrección, es lógico deducir que la muerte fue aniquilada y vencida por Cristo, al ser levantado en la cruz. Cuando, transcurrida la noche, el sol asoma e ilumina con sus rayos la faz de la tierra, a nadie se le ocurre dudar de que es el sol el que, esparciendo su luz por doquier ahuyenta las tinieblas inundándolo todo con su esplendor. Así también, cuando la muerte comenzó a ser despreciada y pisoteada tras la venida del Salvador en forma humana para salvarnos y de su muerte en la cruz, aparece perfectamente claro que fue el mismo Salvador quien, manifestándose corporalmente, destruyó la muerte y consigue cada día en sus discípulos nuevos trofeos sobre ella. Si alguien viere a unos hombres, naturalmente pusilánimes, lanzarse confiadamente a la muerte sin temer la corrupción del sepulcro ni rehuir el descenso a los infiernos, sino provocarla con alegre disposición de ánimo; que no temen los tormentos, antes bien prefieren, por amor a Cristo, la muerte a la presente vida; más aún, si alguien fuera testigo de hombres, mujeres y hasta de tiernos niños que, a impulsos de su amor a Cristo, corren apresuradamente al encuentro con la muerte, ¿quién sería tan necio, tan incrédulo o tan ciego de entendimiento que no comprendiera y reconociera que ese Cristo –a quien tales hombres rinden un testimonio fidedigno– es el que concede y otorga a cada uno de ellos la victoria sobre la muerte y destruye su poder en todos aquellos que creen en él y llevan marcada la señal de la cruz?» (**San Atanasio de Alejandría** [c. 295-373]. Tratado sobre la Encarnación del Verbo).

2º DOMINGO DE PASCUA
O DE LA DIVINA MISERICORDIA

LA MISERICORDIA DEL SEÑOR ES ETERNA. ALELUYA

Al anochecer del día de la Resurrección. El mismo día en que comienza la nueva creación. El primer encuentro del Resucitado con los discípulos se caracteriza por el acto que hace después de saludarlos: *«Les mostró las manos y el costado»*. Es un primer paso fundamental en el camino de fe de los discípulos. Ellos, a pesar de haber seguido a Jesús durante tres años, todavía no son plenamente creyentes; no han comprendido del todo la profundidad del misterio de Jesús.

El Resucitado es Jesús de Nazaret. En todas las apariciones del Resucitado podemos encontrar un elemento fundamental: llevar a los Discípulos a percibir y reconocer que el Resucitado y el Crucificado es el mismo. En razón de las varias apariciones a los Apóstoles se impone la evidencia de la identidad entre Jesús de Nazaret, muerto crucificado, y Aquel que se les presenta vivo y resucitado, después de haberlo visto morir realmente. Éste es el primer dato fundamental de la fe que nace con la Pascua. Sobre esta experiencia de la identidad personal, que los Apóstoles encuentran entre el Crucificado y el Resucitado, se funda su fe y la fe de toda la Iglesia.

Cuando los discípulos vieron al Señor, se llenaron de alegría. El encuentro con el Resucitado, iniciado con la repetición del saludo de paz, comienza a dar frutos: en el corazón de los Apóstoles, destrozados por lo que había sucedido el Viernes Santo, desaparece el miedo y despunta la alegría de ver al Señor. La alegría es un don característico de la Pascua. Señor: es el título divino con el cual los discípulos y los primeros cristianos, testigos de la resurrección, reconocen en Jesús al Salvador. Proclamarlo «Señor» equivale a decir que Él, muerto y crucificado, es el Resucitado, porque ha vencido la muerte.

La paz esté con ustedes. Como el Padre me ha enviado, así también los envío yo. Para conferirles la misión, Jesús repite su saludo. El primer saludo fue para liberarlos del miedo, asegurándoles su victoria. Ahora, esa seguridad y valentía deberá acompañarlos en la misión que comienza. La paz que les deja es para ese presente y para el futuro, en medio de las dificultades que encontrarán en el mundo. La misión es tan esencial a los discípulos que su elección por parte de Jesús estaba en función de ella.

Sopló sobre ellos y les dijo: "Reciban el Espíritu Santo...". Dar el Espíritu Santo capacita a los Apóstoles para la misión. Juan dice *«sopló, exhaló su aliento»*. Con aquel soplo el hombre se convirtió en ser viviente. Jesús infunde ahora a sus discípulos su aliento de vida, que es el Espíritu. El proyecto creador contenía vida; el espíritu es principio vital que realiza ese proyecto; la creación del hombre no está terminada hasta que Jesús no se lo infunde, como lo demuestra la palabra de Juan *«sopló»*.

A los que les perdonen los pecados... Tarea de la Iglesia, como *«Cuerpo de Cristo»* y continuación histórica de su misión, es la de combatir el mal, desenraizar el mal. Esto oscurece el rostro de la historia humana, obstaculizando el cumplimiento del plan de Dios y la irrupción universal de los tiempos mesiánicos, iniciados por la muerte y resurrección de Jesús. Siempre es y será el Espíritu Santo quien ilumine a los Apóstoles y a la Iglesia en el uso «discrecional» de este poder sobre los hombres, justamente porque tal poder no es para condena de los hombres pecadores, sino para su salvación, acogida con fe.

1. Antífona de entrada. Como niños recién nacidos, anhelen una leche pura y espiritual que los haga crecer hacia la salvación. Aleluya (1 Pe 2, 2).

Se dice Gloria

2. Oración colecta. Dios de eterna misericordia, que reanimas la fe de este pueblo a ti consagrado con la celebración anual de las fiestas pascuales, aumenta en nosotros los dones de tu gracia, para que todos comprendamos mejor la excelencia del bautismo que nos ha purificado, la grandeza del Espíritu que nos ha regenerado y el precio de la Sangre que nos ha redimido. Por nuestro Señor Jesucristo...

3. 1ª Lectura (Hech 5, 12-16)
Del libro de los Hechos de los Apóstoles
En aquellos días, los apóstoles realizaban muchos signos y prodigios en medio del pueblo. Todos los creyentes solían reunirse, por común acuerdo, en el pórtico de Salomón. Los demás no se atrevían a juntárseles, aunque la gente los tenía en gran estima.

El número de hombres y mujeres que creían en el Señor iba creciendo de día en día, hasta el punto de que tenían que sacar en literas y camillas a los enfermos y ponerlos en las plazas, para que, cuando Pedro pasara, al menos su sombra cayera sobre alguno de ellos.

Mucha gente de los alrededores acudía a Jerusalén y llevaba a los enfermos y a los atormentados por espíritus malignos, y todos quedaban curados.
Palabra de Dios.
A. ***Te alabamos, Señor.***

4. Salmo responsorial (Sal 117)
R. La misericordia del Señor es eterna. Aleluya.
L. Diga la casa de Israel: "Su misericordia es eterna". Diga la casa de Aarón: "Su misericordia es eterna". Digan los que temen al Señor: "Su misericordia es eterna". / **R.**

L. La piedra que desecharon los constructores, es ahora la piedra angular. Esto es obra de la mano del Señor, es un milagro patente. Éste es el día del triunfo del Señor, día de júbilo y de gozo. / **R.**

L. Libéranos, Señor, y danos tu victoria. Bendito el que viene en nombre del Señor. Que Dios desde su templo nos bendiga. Que el Señor, nuestro Dios, nos ilumine. / **R.**

5. 2ª Lectura   (Apoc 1, 9-11. 12-13. 17-19)
Del libro del Apocalipsis del apóstol san Juan
Yo, Juan, hermano y compañero de ustedes en la tribulación, en el Reino y en la perseverancia en Jesús, estaba desterrado en la isla de Patmos, por haber predicado la palabra de Dios y haber dado testimonio de Jesús.

Un domingo caí en éxtasis y oí a mis espaldas una voz potente, como de trompeta, que decía: "Escribe en un libro lo que veas y envíalo a las siete comunidades cristianas de Asia". Me volví para ver quién me hablaba, y al volverme, vi siete lámparas de oro, y en medio de ellas, un hombre vestido de larga túnica, ceñida a la altura del pecho, con una franja de oro.

Al contemplarlo, caí a sus pies como muerto; pero él, poniendo sobre mí la mano derecha, me dijo: "No temas. Yo soy el primero y el último; yo soy el que vive. Estuve muerto y ahora, como ves, estoy vivo por los siglos de los siglos. Yo tengo las llaves de la muerte y del más allá. Escribe lo que has visto, tanto sobre las cosas que están sucediendo, como sobre las que sucederán después".
Palabra de Dios.
A. *Te alabamos, Señor.*

Secuencia opcional, pág 258.

6. Aclamación antes del Evangelio   (Jn 20, 29)
R. **Aleluya, aleluya.** Tomás, tú crees porque me has visto; dichosos los que creen sin haberme visto, dice el Señor.
R. **Aleluya, aleluya.**

7. Evangelio (Jn 20, 19-31)

Del santo Evangelio según san Juan

A. Gloria a ti, Señor.

Al anochecer del día de la resurrección, estando cerradas las puertas de la casa donde se hallaban los discípulos, por miedo a los judíos, se presentó Jesús en medio de ellos y les dijo: "La paz esté con ustedes". Dicho esto, les mostró las manos y el costado. Cuando los discípulos vieron al Señor, se llenaron de alegría.

De nuevo les dijo Jesús: "La paz esté con ustedes. Como el Padre me ha enviado, así también los envío yo". Después de decir esto, sopló sobre ellos y les dijo: "Reciban el Espíritu Santo. A los que les perdonen los pecados, les quedarán perdonados; y a los que no se los perdonen, les quedarán sin perdonar".

Tomás, uno de los Doce, a quien llamaban el Gemelo, no estaba con ellos cuando vino Jesús, y los otros discípulos le decían: "Hemos visto al Señor". Pero él les contestó: "Si no veo en sus manos la señal de los clavos y si no meto mi dedo en los agujeros de los clavos y no meto mi mano en su costado, no creeré".

Ocho días después, estaban reunidos los discípulos a puerta cerrada y Tomás estaba con ellos. Jesús se presentó de nuevo en medio de ellos y les dijo: "La paz esté con ustedes". Luego le dijo a Tomás: "Aquí están mis manos, acerca tu dedo. Trae acá tu mano, métela en mi costado y no sigas dudando, sino cree". Tomás le respondió: "¡Señor mío y Dios mío!". Jesús añadió: "Tú crees porque me has visto; dichosos los que creen sin haber visto".

Otros muchos signos hizo Jesús en presencia de sus discípulos, pero no están escritos en este libro. Se escribieron éstos para que ustedes crean que Jesús es el Mesías, el Hijo de Dios, y para que, creyendo, tengan vida en su nombre.

Palabra del Señor.

A. Gloria a ti, Señor Jesús.

Se dice Credo

8. Oración sobre las ofrendas. Recibe, Señor, las ofrendas de tu pueblo (y de los recién bautizados), para que, renovados por la confesión de tu nombre y por el bautismo, consigamos la felicidad eterna. Por Jesucristo, nuestro Señor.

Prefacio I de Pascua (en este día).

9. Antífona de la comunión. Jesús dijo a Tomás: Acerca tu mano, toca los agujeros que dejaron los clavos y no seas incrédulo, sino creyente. Aleluya (Cfr. Jn 20, 27).

10. Oración después de la comunión. Dios todopoderoso, concédenos que la gracia recibida en este sacramento pascual permanezca siempre en nuestra vida. Por Jesucristo, nuestro Señor.

Puede utilizarse la fórmula de bendición solemne.

EN COMUNIÓN
CON LA TRADICIÓN VIVA DE LA IGLESIA

«Sus cicatrices nos curaron. Los sufrimientos de nuestro Salvador son nuestra medicina. Es lo que enseña el profeta, cuando dice: Él soportó nuestros sufrimientos y aguantó nuestros dolores; nosotros lo estimamos leproso, herido de Dios y humillado... Nuestro castigo saludable cayó sobre él, sus cicatrices nos curaron. Todos errábamos como ovejas; por esto, como cordero llevado al matadero, como oveja ante el esquilador, enmudecía y no abría la boca. Y, del mismo modo que el pastor, cuando ve a sus ovejas dispersas, toma a una de ellas y la conduce donde quiere, arrastrando así a las demás en pos de ella, así también la Palabra de Dios, viendo al género humano descarriado, tomó la naturaleza de esclavo, uniéndose a ella, y, de esta manera, hizo que vol-

viesen a él todos los hombres y condujo a los pastos divinos a los que andaban por lugares peligrosos, expuestos a la rapacidad de los lobos. Por esto, nuestro Salvador asumió nuestra naturaleza; por esto, Cristo, el Señor, aceptó la pasión salvadora, se entregó a la muerte y fue sepultado; para librarnos de aquella antigua tiranía y darnos la promesa de la incorruptibilidad, a nosotros, que estábamos sujetos a la corrupción. En efecto, al restaurar, por su resurrección, el templo destruido de su cuerpo, manifestó a los muertos y a los que esperaban su resurrección la veracidad y firmeza de sus promesas. Pues, del mismo modo –dice– que la naturaleza que tomé de vosotros, por su unión con la divinidad que habita en ella, alcanzó la resurrección y, libre de la corrupción y del sufrimiento, pasó al estado de incorruptibilidad e inmortalidad, así también vosotros seréis liberados de la dura esclavitud de la muerte y, dejada la corrupción y el sufrimiento, seréis revestidos de impasibilidad» (**San Teodoreto de Ciro** [393-458]. Tratado sobre la Encarnación del Señor).

3er DOMINGO DE PASCUA

TE ALABARÉ, SEÑOR, ETERNAMENTE. ALELUYA

Jesús se les apareció otra vez a los discípulos junto al mar de Tiberíades. A la luz pascual de esta página evangélica entendemos cómo Cristo, muerto y resucitado, está siempre presente en su Iglesia, y cómo viene al encuentro de quienes creen en Él manifestándose y haciéndose encontrar. En este texto es fácil distinguir dos partes: la primera describe el encuentro del Resucitado con un grupo de siete discípulos a orillas del lago y la escena de la pesca milagrosa; la segunda nos describe la asignación a Pedro del primado sobre todo el «rebaño» de Cristo.

Aquella noche no pescaron nada. En este trasfondo pascual se coloca la pesca milagrosa y la consigna a Pedro del primado; aspectos muy unidos. Tres elementos podemos subrayar: el contraste entre el esfuerzo inútil de los discípulos abandonados a sus propias fuerzas y la abundancia de la pesca hecha bajo la palabra de Jesús; el simbolismo de los 153 peces; la aclaración de que, no obstante la cantidad de peces, la red no se rompió. El significado «eclesiológico» es claro. El milagro de la pesca alude a la misión.

Según la exegesis antigua, el número 153 es un número de "misteriosa perfección", útil para indicar el buen éxito de la misión y de su carácter universal. Esta gran cantidad y la universalidad no rompen la unidad de la Iglesia. Es, por lo tanto, la palabra del Señor que garantiza a la Iglesia buenos resultados, la universalidad y la unidad. A la Iglesia no le queda otro camino que obedecer a su Señor. Debe ser una obediencia llena de confianza, como fue la acción de los discípulos que echaron las redes no obstante la precedente experiencia nocturna de fracaso.

Apacienta mis corderos. Esta segunda parte pone en evidencia la misión pastoral de Pedro: podríamos decir que, al mismo tiempo, hay un reconocimiento y una investidura de su función directiva en la Iglesia que ya había sido insinuada cuando Juan dice que él, después de haberse tirado al agua para llegar nadando hasta el Señor, sube a la barca para *«arrastrar hasta la orilla la red, repleta de pescados grandes»*. Estas palabras del Señor ponen al descubierto un proyecto de Dios, que de alguna manera ya se estaba haciendo patente. Frente a este texto tan lleno de referencias teológicas, hay que observar que quien confía a Pedro la misión de «apacentar» sus «corderos» y sus «ovejas» es Cristo resucitado.

Primero hay que obedecer a Dios y luego a los hombres. La requisitoria del sumo sacerdote se refiere a dos aspectos: la transgresión de la orden dada anteriormente y la denuncia del juicio injusto contra Jesús –**primera lectura**–. En las palabras de *«Pedro y los otros apóstoles»* tenemos un breve y vigoroso compendio de la predicación. Lo que Dios ha hecho por Jesús se opone a lo que han hecho en su contra los jefes judíos. *«Mandaron azotar»* se trata de los 40 azotes menos uno, y que constituían un castigo severo.

Yo, Juan, tuve una visión. Los cristianos a los que está dirigido el **Apocalipsis** vivían tiempos amargos por causa de su fe –**segunda lectura**–: persecuciones, exilio, muerte, etc. ¿Cómo entender el proyecto de Dios en estas situaciones? En todo el capítulo quinto el Vidente les muestra que Jesús, por su muerte y resurrección, es quien da sentido a la historia.

1. Antífona de entrada. Aclama a Dios, tierra entera. Canten todos un himno a su nombre, denle gracias y alábenlo. Aleluya (Cfr. Sal 65, 1-2).

Se dice Gloria

2. Oración colecta. Dios nuestro, que tu pueblo se regocije siempre al verse renovado y rejuvenecido, para que, al alegrarse hoy por haber recobrado la dignidad de su adopción filial, aguarde seguro con gozosa esperanza el día de la resurrección. Por nuestro Señor Jesucristo...

3. 1ª Lectura   (Hech 5, 27-32. 40-41)
Del libro de los Hechos de los Apóstoles
En aquellos días, el sumo sacerdote reprendió a los apóstoles y les dijo: "Les hemos prohibido enseñar en nombre de ese Jesús; sin embargo, ustedes han llenado a Jerusalén con sus enseñanzas y quieren hacernos responsables de la sangre de ese hombre".

Pedro y los otros apóstoles replicaron: "Primero hay que obedecer a Dios y luego a los hombres. El Dios de nuestros padres resucitó a Jesús, a quien ustedes dieron muerte colgándolo de la cruz. La mano de Dios lo exaltó y lo ha hecho jefe y salvador, para dar a Israel la gracia de la conversión y el perdón de los pecados. Nosotros somos testigos de todo esto y también lo es el Espíritu Santo, que Dios ha dado a los que lo obedecen".

Los miembros del sanedrín mandaron azotar a los apóstoles, les prohibieron hablar en nombre de Jesús y los soltaron. Ellos se retiraron del sanedrín, felices de haber padecido aquellos ultrajes por el nombre de Jesús.
Palabra de Dios.
A. Te alabamos, Señor.

4. Salmo responsorial   (Sal 29)
R. Te alabaré, Señor, eternamente. Aleluya.
L. Te alabaré, Señor, pues no dejaste que se rieran de mí mis enemigos. Tú, Señor, me salvaste de la muerte y a punto de morir, me reviviste. / **R.**
L. Alaben al Señor quienes lo aman, den gracias a su nombre, porque su ira dura un solo instante y su bondad, toda la vida. El llanto nos visita por la tarde; por la mañana, el júbilo. / **R.**

[R. Te alabaré, Señor, eternamente. Aleluya.]

L. Escúchame, Señor, y compadécete; Señor, ven en mi ayuda. Convertiste mi duelo en alegría, te alabaré por eso eternamente. / R.

5. 2ª Lectura   (Apoc 5, 11-14)

Del libro del Apocalipsis del apóstol san Juan

Yo, Juan, tuve una visión, en la cual oí alrededor del trono de los vivientes y los ancianos, la voz de millones y millones de ángeles, que cantaban con voz potente:

"Digno es el Cordero, que fue inmolado, de recibir el poder y la riqueza, la sabiduría y la fuerza, el honor, la gloria y la alabanza".

Oí a todas las creaturas que hay en el cielo, en la tierra, debajo de la tierra y en el mar –todo cuanto existe–, que decían:

"Al que está sentado en el trono y al Cordero, la alabanza, el honor, la gloria y el poder, por los siglos de los siglos".

Y los cuatro vivientes respondían: "Amén". Los veinticuatro ancianos se postraron en tierra y adoraron al que vive por los siglos de los siglos. *Palabra de Dios.*

A. *Te alabamos, Señor.*

6. Aclamación antes del Evangelio

R. **Aleluya, aleluya.** Resucitó Cristo, que creó todas las cosas y se compadeció de todos los hombres.

R. **Aleluya, aleluya.**

7. Evangelio   (Jn 21, 1-19)

Del santo Evangelio según san Juan

A. *Gloria a ti, Señor.*

En aquel tiempo, Jesús se les apareció otra vez a los discípulos junto al lago de Tiberíades. Se les apareció de esta manera:

Estaban juntos Simón Pedro, Tomás (llamado el Gemelo), Natanael (el de Caná de Galilea), los hijos de Zebedeo y otros dos discípulos. Simón Pedro les dijo: "Voy a pescar". Ellos le respondieron: "También nosotros vamos contigo". Salieron y se embarcaron, pero aquella noche no pescaron nada.

Estaba amaneciendo, cuando Jesús se apareció en la orilla, pero los discípulos no lo reconocieron. Jesús les dijo: "Muchachos, ¿han pescado algo?". Ellos contestaron: "No". Entonces él les dijo: "Echen la red a la derecha de la barca y encontrarán peces". Así lo hicieron, y luego ya no podían jalar la red por tantos pescados.

Entonces el discípulo a quien amaba Jesús le dijo a Pedro: "Es el Señor". Tan pronto como Simón Pedro oyó decir que era el Señor, se anudó a la cintura la túnica, pues se la había quitado, y se tiró al agua. Los otros discípulos llegaron en la barca, arrastrando la red con los pescados, pues no distaban de tierra más de cien metros.

Tan pronto como saltaron a tierra, vieron unas brasas y sobre ellas un pescado y pan. Jesús les dijo: "Traigan algunos pescados de los que acaban de pescar". Entonces Simón Pedro subió a la barca y arrastró hasta la orilla la red, repleta de pescados grandes. Eran ciento cincuenta y tres, y a pesar de que eran tantos, no se rompió la red. Luego les dijo Jesús: "Vengan a almorzar". Y ninguno de los discípulos se atrevía a preguntarle: '¿Quién eres?', porque ya sabían que era el Señor. Jesús se acercó, tomó el pan y se lo dio y también el pescado.

Ésta fue la tercera vez que Jesús se apareció a sus discípulos después de resucitar de entre los muertos.

Después de almorzar le preguntó Jesús a Simón Pedro: "Simón, hijo de Juan, ¿me amas más que éstos?". Él le contestó: "Sí, Señor, tú sabes que te quiero". Jesús le dijo: "Apacienta mis corderos".

Por segunda vez le preguntó: "Simón, hijo de Juan, ¿me amas?". Él le respondió: "Sí, Señor, tú sabes que te quiero". Jesús le dijo: "Pastorea mis ovejas".

Por tercera vez le preguntó: "Simón, hijo de Juan, ¿me quieres?". Pedro se entristeció de que Jesús le hubiera preguntado por tercera vez si lo quería y le contestó: "Señor, tú lo sabes todo; tú bien sabes que te quiero". Jesús le dijo: "Apacienta mis ovejas.

Yo te aseguro: cuando eras joven, tú mismo te ceñías la ropa e ibas a donde querías; pero cuando seas viejo, extenderás los brazos y otro te ceñirá y te llevará a donde no quieras". Esto se lo dijo para indicarle con qué género de muerte habría de glorificar a Dios. Después le dijo: "Sígueme".

Palabra del Señor.

A. *Gloria a ti, Señor Jesús.*

Se dice Credo

8. Oración sobre las ofrendas. Recibe, Señor, los dones que, jubilosa, tu Iglesia te presenta, y puesto que es a ti a quien debe su alegría, concédele también disfrutar de la felicidad eterna. Por Jesucristo, nuestro Señor.

9. Antífona de la comunión. Dijo Jesús a sus discípulos: Vengan a comer. Y tomó un pan y lo repartió entre ellos. Aleluya (Cfr. Jn 21, 12-13).

10. Oración después de la comunión. Dirige, Señor, tu mirada compasiva sobre tu pueblo, al que te has dignado renovar con estos misterios de vida eterna, y concédele llegar un día a la gloria incorruptible de la resurrección. Por Jesucristo, nuestro Señor.

Puede utilizarse la fórmula de bendición solemne.

EN COMUNIÓN
CON LA TRADICIÓN VIVA DE LA IGLESIA

«*Este pasaje del evangelio nos recomienda la virtud del amor perfecto. En realidad, el amor perfecto es aquel con que se nos manda amar al Señor con todo el corazón, con toda el alma, con todo nuestro ser, y al prójimo como a nosotros mismos. Ninguno de estos dos amores sin el otro alcanzan la perfección, pues no es posible amar de verdad a Dios sin el prójimo, ni al prójimo sin Dios. Por eso, el Señor, después de preguntar repetidas veces a Pedro si lo amaba, y habiendo él respondido que el Señor mismo era testigo de que de veras lo amaba,*  *agregó como conclusión cada una de las veces: Apacienta mis ovejas o apacienta mis corderos. Que es como si abiertamente le dijera: la única y verdadera prueba del auténtico amor a Dios consiste en el ejercicio de una diligente y laboriosa solicitud para con los hermanos. Con calculada bondad pregunta el Señor por tres veces a Pedro si lo ama, para que con esta triple confesión rompa las cadenas que lo tenían encadenado con su triple negación, y cuantas veces, bajo el terror de su pasión, había negado conocerlo, otras tantas, reconfortado por su resurrección, afirme que lo ama de todo corazón. Con calculada economía encomienda justamente por tres veces el cuidado de apacentar sus ovejas al que por tres veces le ha confesado su amor, pues era conveniente que cuantas veces había vacilado en la fidelidad al Pastor, otras tantas veces le fuera encomendado cuidar, con renovada fidelidad, incluso los miembros de su Pastor*» (**San Beda el Venerable** [673-375]. Homilía 22).

4º DOMINGO DE PASCUA

EL SEÑOR ES NUESTRO DIOS Y NOSOTROS SU PUEBLO

Jesús, el Cordero de Dios y el Buen Pastor. Las lecturas de este domingo nos llevan a meditar sobre la universalidad de la salvación, realizada por Jesús, Cordero inmolado por nuestros pecados y Pastor bueno del rebaño, es decir de su Iglesia. Son dos grandes imágenes inspiradas en el mundo pastoril. Éstas tienen un gran simbolismo en la revelación del Antiguo Testamento. Jesús, con una clara conciencia mesiánica, hace suyas estas dos imágenes de revelación y salvación.

El contexto en que Jesús pronuncia este discurso es durante la celebración de la fiesta anual de la Dedicación del Templo, la que siempre caía en el invierno palestinense. Jesús se encuentra en Jerusalén, en el pórtico de Salomón, como nos lo narra san Juan. Con ocasión de esta fiesta en Jerusalén se encontraban miles de peregrinos, y en esa ocasión muchos se acercaban para escuchar a este joven profeta.

Mis ovejas escuchan mi voz. Si la condición preliminar para formar parte del rebaño de Cristo es «la escucha» de su palabra, esto quiere decir que no somos nosotros los que nos movemos hacia Él, sino que más bien es Jesús quien se mueve hacia nosotros: Él nos llama primero y nosotros respondemos a ese llamado. Por lo tanto, al inicio de nuestra relación con Cristo está su amor por nosotros. Este amor tiende siempre más a alargarse y profundizarse: lo importante es que el hombre se abra a Dios. En este punto se tendrá como la sensación «física» de estar protegido por el Señor, *«Y yo les doy vida eterna: nunca perecerán y nadie me las arrancará de mi mano»* (Jn 10, 28). Por lo tanto, confiarse a Cristo no es confiarse solamente a Él, sino que a través de Él vamos al Padre: «Por Cristo a Dios».

El Padre y yo somos uno. Esta última expresión subraya lo inquebrantable del amor que sostiene a los cristianos: es el amor «potenciado» del Padre y del Hijo que parece casi como un círculo en torno a los creyentes para que la seducción del mal no los arrebate de sus manos. Además de lo anterior, esas últimas palabras quieren también darnos el ejemplo sobre el cual se debe modelar la Iglesia para ser impenetrable a las acechanzas del mal: una «unidad» tan profunda como es la unidad misteriosa que vincula al Padre y al Hijo, al grado de hacer decir a Jesús en otro momento: *«Quien me ha visto a mí, ha visto al Padre...»*.

Nos dirigiremos a los paganos. El «rebaño» de Cristo no puede encerrarse en sí mismo, todo lo contrario, necesariamente tendrá que extenderse, salir. Pero su fuerza de expansión «misionera» está proporcionada a su vitalidad interior. Esto es lo que vemos en la **primera lectura**, que nos describe el éxito misionero de Pablo y Bernabé en Antioquía de Pisidia, acompañados de las inevitables dificultades. Los misioneros no se rinden frente a los obstáculos y, a través de ellos, «La palabra de Dios se iba propagando por toda la región».

Todos estaban de pie, delante del trono y del Cordero. El párrafo del **Apocalipsis** describe, siempre en el solemne estilo litúrgico que le es propio, el triunfo final de los elegidos que Dios ha «preservado» de la catástrofe que azota la tierra **–segunda lectura–**. El protagonista indiscutible de esta escena grandiosa es el Cordero, que ya antes había sido presentado como «inmolado»: lo que significa que es tomado como símbolo del sufrimiento y del sacrificio.

1. Antífona de entrada. La tierra está llena del amor del Señor y su palabra hizo los cielos. Aleluya (Cfr. Sal 32, 5-6).

Se dice Gloria

2. Oración colecta. Dios todopoderoso y eterno, te pedimos que nos lleves a gozar de las alegrías celestiales, para que tu rebaño, a pesar de su fragilidad, llegue también a donde lo precedió su glorioso Pastor. Él, que vive y reina contigo...

3. 1ª Lectura (Hech 13, 14. 43-52)
Del libro de los Hechos de los Apóstoles
En aquellos días, Pablo y Bernabé prosiguieron su camino desde Perge hasta Antioquía de Pisidia, y el sábado entraron en la sinagoga y tomaron asiento. Cuando se disolvió la asamblea, muchos judíos y prosélitos piadosos acompañaron a Pablo y a Bernabé, quienes siguieron exhortándolos a permanecer fieles a la gracia de Dios.

El sábado siguiente, casi toda la ciudad de Antioquía acudió a oír la palabra de Dios. Cuando los judíos vieron una concurrencia tan grande, se llenaron de envidia y comenzaron a contradecir a Pablo con palabras injuriosas. Entonces Pablo y Bernabé dijeron con valentía: "La palabra de Dios debía ser predicada primero a ustedes; pero como la rechazan y no se juzgan dignos de la vida eterna, nos dirigiremos a los paganos. Así nos lo ha ordenado el Señor, cuando dijo: *Yo te he puesto como luz de los paganos, para que lleves la salvación hasta los últimos rincones de la tierra*".

Al enterarse de esto, los paganos se regocijaban y glorificaban la palabra de Dios, y abrazaron la fe todos aquellos que estaban destinados a la vida eterna.

La palabra de Dios se iba propagando por toda la región. Pero los judíos azuzaron a las mujeres devotas de la alta sociedad y a los ciudadanos principales, y provocaron una persecución contra Pablo y Bernabé, hasta expulsarlos de su territorio.

Pablo y Bernabé se sacudieron el polvo de los pies, como señal de protesta, y se marcharon a Iconio, mientras los discípulos se quedaron llenos de alegría y del Espíritu Santo.
Palabra de Dios.
A. Te alabamos, Señor.

4. Salmo responsorial   (Sal 99)
R. El Señor es nuestro Dios y nosotros su pueblo. Aleluya.

L. Alabemos a Dios todos los hombres, sirvamos al Señor con alegría y con júbilo entremos en su templo. / **R.**

L. Reconozcamos que el Señor es Dios, que él fue quien nos hizo y somos suyos, que somos su pueblo y su rebaño. / **R.**

L. Porque el Señor es bueno, bendigámoslo, porque es eterna su misericordia y su fidelidad nunca se acaba. / **R.**

5. 2ª Lectura   (Apoc 7, 9. 14-17)
Del libro del Apocalipsis del apóstol san Juan
Yo, Juan, vi una muchedumbre tan grande, que nadie podía contarla. Eran individuos de todas las naciones y razas, de todos los pueblos y lenguas. Todos estaban de pie, delante del trono y del Cordero; iban vestidos con una túnica blanca y llevaban palmas en las manos.

Uno de los ancianos que estaban junto al trono, me dijo: "Éstos son los que han pasado por la gran tribulación y han lavado y blanqueado su túnica con la sangre del Cordero. Por eso están ante el trono de Dios y le sirven día y noche en su templo, y el que está sentado en el trono los protegerá continuamente.

Ya no sufrirán hambre ni sed, no los quemará el sol ni los agobiará el calor. Porque el Cordero, que está en medio del trono, será su pastor y los conducirá a las fuentes del agua de la vida, y Dios enjugará de sus ojos toda lágrima".
Palabra de Dios.
A. Te alabamos, Señor.

6. Aclamación antes del Evangelio (Jn 10, 14)

R. **Aleluya, aleluya.** Yo soy el buen pastor, dice el Señor; yo conozco a mis ovejas y ellas me conocen a mí.

R. **Aleluya, aleluya.**

7. Evangelio   (Jn 10, 27-30)

Del santo Evangelio según san Juan

A. *Gloria a ti, Señor.*

En aquel tiempo, Jesús dijo a los judíos: "Mis ovejas escuchan mi voz; yo las conozco y ellas me siguen. Yo les doy la vida eterna y no perecerán jamás; nadie las arrebatará de mi mano. Me las ha dado mi Padre, y él es superior a todos, y nadie puede arrebatarlas de la mano del Padre. El Padre y yo somos uno".

Palabra del Señor.

A. *Gloria a ti, Señor Jesús.*

Se dice Credo

8. Oración sobre las ofrendas. Concédenos, Señor, vivir siempre llenos de gratitud por estos misterios pascuales que celebramos, para que, continuamente renovados por su acción, se conviertan para nosotros en causa de eterna felicidad. Por Jesucristo, nuestro Señor.

9. Antífona de la comunión. Ha resucitado el Buen Pastor, que dio la vida por sus ovejas y se entregó a la muerte por su rebaño. Aleluya.

10. Oración después de la comunión. Buen Pastor, vela con solicitud por tu rebaño y dígnate conducir a las ovejas que redimiste con la preciosa sangre de tu Hijo, a las praderas eternas. Por Jesucristo, nuestro Señor.

Puede utilizarse la fórmula de bendición solemne.

EN COMUNIÓN
CON LA TRADICIÓN VIVA DE LA IGLESIA

«Fijémonos cómo el Señor compara sus predicadores a un vigía. El vigía está siempre en un lugar alto para ver desde lejos todo lo que se acerca. Y todo aquel que es puesto como vigía del pueblo de Dios debe, por su conducta, estar siempre en alto, a fin de preverlo todo y ayudar así a los que tiene bajo su custodia. Estas palabras que les dirijo resultan muy duras para mí, ya que con ellas me ataco a mí mismo, puesto que ni mis palabras ni mi conducta están a la altura de mi misión. Me confieso culpable, reconozco mi tibieza y mi negligencia. Quizá esta confesión de mi culpa-

bilidad me alcance el perdón del Juez piadoso... Me veo, en efecto, obligado a dirimir las causas, ora de las diversas Iglesias, ora de los monasterios, y a juzgar con frecuencia de la vida y actuación de las personas en particular; otras veces tengo que ocuparme de asuntos de orden civil, otras, de lamentarme de los estragos causados por las tropas de los bárbaros y de temer por causa de los lobos que acechan al rebaño que me ha sido confiado... Estando mi espíritu disperso y desgarrado con tan diversas preocupaciones, ¿cómo voy a poder reconcentrarme para dedicarme por entero a la predicación y al ministerio de la palabra? ¿Qué soy yo, por tanto, o qué clase de vigía soy, que no estoy situado, por mis obras, en lo alto de la montaña, sino que estoy postrado aún en la llanura de mi debilidad? Pero el Creador y Redentor del género humano es bastante poderoso para darme a mí, indigno, la necesaria altura de vida y eficacia de palabra, ya que por su amor, cuando hablo de él, ni a mí mismo me perdono» (**San Gregorio Magno** [540-604]. Homilías sobre el libro de Ezequiel).

5º DOMINGO DE PASCUA

BENDECIRÉ AL SEÑOR ETERNAMENTE. ALELUYA

Por este amor reconocerán todos que ustedes son mis discípulos. Jesús pronunció estas palabras en la vigilia de su pasión, la tarde del Jueves Santo en el Cenáculo. Estaba celebrando la Última Cena en recuerdo de la Pascua antigua: Dios había librado al pueblo hebreo de la esclavitud en Egipto, lo había conducido a través del Mar Rojo y por el desierto, en la montaña del Sinaí les había dado la Ley escrita en tablas de piedra y ahí mismo pactó una Alianza con ellos; les dio la Tierra prometida.

La glorificación de Jesús. En esta hora dolorosa de su vida, Jesús muestra en palabras y en obras qué es el amor y qué significa amar a los otros bajo el signo del *«mandamiento nuevo»*. Al final de la Cena Jesús toma un pedazo de pan, lo moja en la salsa del plato y lo da a Judas. Por parte de Jesús, la entrega del bocado es un don de amor a Judas. Judas toma el bocado de las manos de Jesús, pero en lugar de leer su significado profundo y aceptarlo como un acto de amor, hace de éste la ocasión para llevar a cumplimiento cuanto ya había estado maquinando en su corazón: traicionar a su Maestro.

Jesús ha aceptado su muerte, es más, ha puesto libremente su vida en manos de sus enemigos y lo hace sólo por amor al hombre.

Su muerte es la gran prueba del amor de Dios, que da a su Hijo único. La frase: *«Ahora ha sido glorificado el Hijo del hombre...»*, pone en primer lugar la manifestación de la gloria; pero el amor manifestado es el amor de Dios mismo.

Les doy un mandamiento nuevo. Jesús se va, pero los apóstoles se quedan; los va a constituir comunidad, dándoles un estatuto y una identidad. Les da el mandamiento nuevo, por oposición a la Ley antigua; la Ley de Moisés queda sustituida por el mandamiento de Jesús. Ahora va a establecerse la diferencia entre las dos Alianzas: la del legislador y la del Mesías; la que habla desde la tierra y la del Hijo que pronuncia las exigencias de Dios (Jn 3, 29. 32. 34). La Alianza basada sobre la realidad del amor y lealtad de Dios no puede tener otra Ley que la del amor.

Como yo los he amado. Jesús es la meta que sus discípulos deben alcanzar. La salvación del hombre consiste en ser como Él, el Hombre, cumbre de las posibilidades humanas, es decir, en el desarrollo de toda la capacidad de amar. El punto de referencia *«Como yo los he amado»* había sido explicado por el Maestro en las dos escenas precedentes: *«amar»* consiste en ponerse al servicio de los demás, para darles dignidad y libertad por el amor (lavarles los pies).

Contaron... cómo les había abierto a los paganos las puertas de la fe. Es el momento culminante del primer viaje misionero paulino, en donde se da el paso de la predicación dirigida sólo a los judíos y ahora se abre a los paganos –**primera lectura**–. Un largo discurso resume la predicación de Pablo. A la reacción de los judíos, Pablo opone una frase profética que hace presagiar el nuevo modo de evangelización.

La ciudad santa, la nueva Jerusalén. El autor del Apocalipsis retoma un argumento ya utilizado en la literatura profética: Jerusalén es presentada como esposa de Yahvé. Pero en esta **segunda lectura** ese simbolismo es reelaborado y ampliado. De hecho, esta Jerusalén es nueva y desciende del cielo. Está embellecida y preparada para su Esposo, el Cordero. El mismo Dios la proclama: morada de Dios con los hombres.

1. Antífona de entrada. Canten al Señor un cántico nuevo, porque ha hecho maravillas y todos los pueblos han presenciado su victoria. Aleluya (Cfr. Sal 97, 1-2).

Se dice Gloria

2. Oración colecta. Dios todopoderoso y eterno, lleva a su plenitud en nosotros el sacramento pascual, para que, a quienes te dignaste renovar por el santo bautismo, les hagas posible, con el auxilio de tu protección, abundar en frutos buenos, y alcanzar los gozos de la vida eterna. Por nuestro Señor Jesucristo...

3. 1ª Lectura (Hech 14, 21-27)

Del libro de los Hechos de los Apóstoles

En aquellos días, volvieron Pablo y Bernabé a Listra, Iconio y Antioquía, y ahí animaban a los discípulos y los exhortaban a perseverar en la fe, diciéndoles que hay que pasar por muchas tribulaciones para entrar en el Reino de Dios. En cada comunidad designaban presbíteros, y con oraciones y ayunos los encomendaban al Señor, en quien habían creído.

Atravesaron luego Pisidia y llegaron a Panfilia; predicaron en Perge y llegaron a Atalía. De ahí se embarcaron para Antioquía, de donde habían salido, con la gracia de Dios, para la misión que acababan de cumplir.

Al llegar, reunieron a la comunidad y les contaron lo que había hecho Dios por medio de ellos y cómo les había abierto a los paganos las puertas de la fe.

Palabra de Dios.

A. Te alabamos, Señor.

4. Salmo responsorial (Sal 144)

R. Bendeciré al Señor eternamente. Aleluya.

L. El Señor es compasivo y misericordioso, lento para enojarse y generoso para perdonar. Bueno es el Señor para con todos y su amor se extiende a todas sus creaturas. / **R.**

L. Que te alaben, Señor, todas tus obras y que todos tus fieles te bendigan. Que proclamen la gloria de tu reino y den a conocer tus maravillas. / **R.**

L. Que muestren a los hombres tus proezas, el esplendor y la gloria de tu reino. Tu reino, Señor, es para siempre, y tu imperio, por todas las generaciones. / **R.**

5. 2ª Lectura   (Apoc 21, 1-5)
Del libro del Apocalipsis del apóstol san Juan
Yo, Juan, vi un cielo nuevo y una tierra nueva, porque el primer cielo y la primera tierra habían desaparecido y el mar ya no existía.

También vi que descendía del cielo, desde donde está Dios, la ciudad santa, la nueva Jerusalén, engalanada como una novia, que va a desposarse con su prometido. Oí una gran voz, que venía del cielo, que decía:

"Ésta es la morada de Dios con los hombres; vivirá con ellos como su Dios y ellos serán su pueblo. Dios les enjugará todas sus lágrimas y ya no habrá muerte ni duelo, ni penas ni llantos, porque ya todo lo antiguo terminó".

Entonces el que estaba sentado en el trono, dijo: "Ahora yo voy a hacer nuevas todas las cosas". *Palabra de Dios.*

A. *Te alabamos, Señor.*

6. Aclamación antes del Evangelio   (Jn 13, 34)
R. **Aleluya, aleluya.** Les doy un mandamiento nuevo, dice el Señor, que se amen los unos a los otros, como yo los he amado.

R. **Aleluya, aleluya.**

7. Evangelio   (Jn 13, 31-33. 34-35)
Del santo Evangelio según san Juan
   A. Gloria a ti, Señor.
Cuando Judas salió del cenáculo, Jesús dijo: "Ahora ha sido glorificado el Hijo del hombre y Dios ha sido glorificado en él. Si Dios ha sido glorificado en él, también Dios lo glorificará en sí mismo y pronto lo glorificará.

Hijitos, todavía estaré un poco con ustedes. Les doy un mandamiento nuevo: que se amen los unos a los otros, como yo los he amado; y por este amor reconocerán todos que ustedes son mis discípulos".
Palabra del Señor.
A. Gloria a ti, Señor Jesús.

Se dice Credo

8. Oración sobre las ofrendas. Dios nuestro, que por el santo valor de este sacrificio nos hiciste participar de tu misma y gloriosa vida divina, concédenos que, así como hemos conocido tu verdad, de igual manera vivamos de acuerdo con ella. Por Jesucristo, nuestro Señor.

9. Antífona de la comunión. Yo soy la vid verdadera y ustedes los sarmientos, dice el Señor; si permanecen en mí y yo en ustedes darán fruto abundante. Aleluya (Cfr. Jn 15, 1. 5).

10. Oración después de la comunión. Señor, muéstrate benigno con tu pueblo, y, ya que te dignaste alimentarlo con los misterios celestiales, hazlo pasar de su antigua condición de pecado a una vida nueva. Por Jesucristo, nuestro Señor.

Puede utilizarse la fórmula de bendición solemne.

EN COMUNIÓN
CON LA TRADICIÓN VIVA DE LA IGLESIA

«Escuchemos las palabras del Señor en persona, que nos describe cuál es la acción específica del Espíritu en nosotros; dice, en efecto: Muchas cosas me quedan por deciros, pero no podéis cargar con ellas por ahora. Os conviene, por tanto, que yo me vaya, porque, si me voy, os enviaré al Defensor. Y también: Yo le pediré al Padre que os dé otro Defensor, que esté siempre con vosotros, el Espíritu de la verdad. Él os guiará hasta la verdad plena. Pues lo

que hable no será suyo: hablará de lo que oye y os comunicará lo que está por venir. Él me glorificará, porque recibirá de mí. Esta pluralidad de afirmaciones tiene por objeto darnos una mayor comprensión, ya que en ellas se nos explica cuál sea la voluntad del que nos otorga su Don, y cuál la naturaleza de este mismo Don: pues, ya que la debilidad de nuestra razón nos hace incapaces de conocer al Padre y al Hijo y nos dificulta el creer en la encarnación de Dios, el Don que es el Espíritu Santo, con su luz, nos ayuda a penetrar en estas verdades. Al recibirlo, pues, se nos da un conocimiento más profundo. Porque, del mismo modo que nuestro cuerpo natural, cuando se ve privado de los estímulos adecuados, permanece inactivo así también nuestra alma, si no recibe por la fe el Don que es el Espíritu, tendrá ciertamente una naturaleza capaz de entender a Dios, pero le faltará la luz para llegar a ese conocimiento. El Don de Cristo está completamente a nuestra disposición y se encuentra en todas partes, pero se da a proporción del deseo y de los méritos de cada uno. Este Don está con nosotros hasta el fin del mundo; él es nuestro solaz en este tiempo de expectación» (**San Hilario de Poitiers** [315-367]. Tratado sobre la Trinidad).

6º DOMINGO DE PASCUA

QUE TE ALABEN, SEÑOR, TODOS LOS PUEBLOS. ALELUYA

Vendremos a él y haremos en él nuestra morada. El texto evangélico de hoy es la parte final del, así llamado por los estudiosos, primer *«Discurso del adiós»*, transmitido por san Juan. En cuatro capítulos seguidos, entre el lavatorio de los pies y el inicio de la pasión, acomoda este extenso discurso de Jesús. En el pasaje evangélico del domingo pasado Jesús daba a sus apóstoles el *«mandamiento nuevo»*. Los versículos del texto de hoy son su continuación y desarrollan esa temática. De manera particular, podríamos decir que hoy se indica cómo realizar dicho mandamiento nuevo del amor de Dios Padre y de Jesús en nuestra vida, bajo la moción del Espíritu Santo.

El cumplimiento de la palabra de Cristo significa escuchar con fe y disponibilidad, traduciendo en obras concretas lo que nos ordena el Evangelio. La escucha religiosa se vuelve obediencia a Jesús. Manifestando en su vida este amor concreto por Cristo y por su Evangelio, el discípulo alcanza el más alto resultado, ya que se vuelve morada de la Trinidad: *«Mi Padre lo amará y vendremos a él y haremos en él nuestra morada»*.

Les he hablado de esto ahora que estoy con ustedes. En el momento de dejar a los suyos para ir al Padre, Jesús no sólo les promete su retorno, sino realiza, con este alejarse, una nueva presencia de su divinidad, que ya había indicado a la samaritana (Jn 4, 21-24). Los antiguos hebreos habían localizado la «*morada*» de Dios en la Tienda de la Reunión (Éx 26). Los samaritanos, en rivalidad con los judíos, habían levantado «*sobre este monte*», en el monte Garizim, su propio santuario. Pero esos dos templos serán destruidos, para dar espacio al templo nuevo que es Jesús.

La morada de Dios entre los hombres. La grandiosa visión del Apocalipsis **–segunda lectura–** contempla esta dimensión nueva, gloriosa e imperecedera de la *morada* de Dios y los hombres: la «*nueva Jerusalén*». San Juan nos dice que en la Jerusalén «celeste» no habrá «templo», y el motivo es porque: «*el Señor Dios todopoderoso y el Cordero son el templo*». El cuerpo del Cristo Resucitado, glorificado por el Padre, es el «*lugar*» del nuevo encuentro con Dios «*en espíritu y en verdad*».

El Espíritu Santo que el Padre les enviará en mi nombre. Jesús, prometiéndoles el Espíritu Santo, le asigna una función particular en la construcción de la nueva morada divina en el corazón de los creyentes. Tarea propia de la Tercera Persona, denominado el «Consolador», es decir «el socorredor» o «abogado defensor», es introducir a los Apóstoles y a los creyentes en el misterio más profundo de Cristo. Revelador del Padre: *les enseñará todas las cosas, y les recordará todo cuanto les he dicho*.

El Espíritu Santo y nosotros hemos decidido... La acción del Espíritu Santo es continua y fructífera en la Iglesia, de la que constituye su alma. Y es en fuerza del Espíritu que la Iglesia primitiva pudo afrontar y resolver graves problemas, como es el que se dio al principio de la predicación del Evangelio: ¿cómo comportarse con aquellos creyentes que no venían del mundo hebreo y, por tanto, no estaban formados en la escuela del Antiguo Testamento y no circuncidados? **–primera lectura–**. Entre los primeros cristianos algunos querían que también a éstos se les obligara a circuncidarse. Los Apóstoles, bajo la influencia de Pablo y Bernabé, durante el «primer concilio» de Jerusalén comprenden que con la venida del Hijo de Dios terminó la economía del Antiguo Testamento, el bautismo sustituye la circuncisión.

1. Antífona de entrada. Con voz de júbilo, anúncienlo; que se oiga. Que llegue a todos los rincones de la tierra: el Señor ha liberado a su pueblo. Aleluya (Cfr. Is 48, 20).

Se dice Gloria

2. Oración colecta. Dios todopoderoso, concédenos continuar celebrando con incansable amor estos días de tanta alegría en honor del Señor resucitado, y que los misterios que hemos venido conmemorando se manifiesten siempre en nuestras obras. Por nuestro Señor Jesucristo...

3. 1ª Lectura   (Hech 15, 1-2. 22-29)
Del libro de los Hechos de los Apóstoles
En aquellos días, vinieron de Judea a Antioquía algunos discípulos y se pusieron a enseñar a los hermanos que si no se circuncidaban conforme a la ley de Moisés, no podrían salvarse.

Esto provocó un altercado y una violenta discusión con Pablo y Bernabé; al fin se decidió que Pablo, Bernabé y algunos más fueran a Jerusalén para tratar el asunto con los apóstoles y los presbíteros.

Los apóstoles y los presbíteros, de acuerdo con toda la comunidad cristiana, juzgaron oportuno elegir a algunos de entre ellos y enviarlos a Antioquía con Pablo y Bernabé. Los elegidos fueron Judas (llamado Barsabás) y Silas, varones prominentes en la comunidad. A ellos les entregaron una carta que decía:

"Nosotros, los apóstoles y los presbíteros, hermanos suyos, saludamos a los hermanos de Antioquía, Siria y Cilicia, convertidos del paganismo. Enterados de que algunos de entre nosotros, sin mandato nuestro, los han alarmado e inquietado a ustedes con sus palabras, hemos decidido de común acuerdo elegir a dos varones y enviárselos, en compañía de nuestros amados hermanos Bernabé y Pablo, que han consagrado su vida a la causa de nuestro Señor Jesucristo. Les enviamos, pues, a Judas y a Silas, quienes les transmitirán, de viva voz, lo siguiente: 'El Espíritu Santo y nosotros hemos decidido no imponerles más cargas que las estrictamente necesarias. A saber: que se abstengan de la fornicación y de comer lo inmolado a los ídolos, la sangre y los animales estrangulados. Si se apartan de esas cosas, harán bien'. Los saludamos". *Palabra de Dios.*
   A. *Te alabamos, Señor.*

4. Salmo responsorial   (Sal 66)

R. **Que te alaben, Señor, todos los pueblos. Aleluya.**

L. Ten piedad de nosotros y bendícenos; vuelve, Señor, tus ojos a nosotros. Que conozca la tierra tu bondad y los pueblos tu obra salvadora. / R.

L. Las naciones con júbilo te canten, porque juzgas al mundo con justicia; con equidad tú juzgas a los pueblos y riges en la tierra a las naciones. / R.

L. Que te alaben, Señor, todos los pueblos, que los pueblos te aclamen todos juntos. Que nos bendiga Dios y que le rinda honor el mundo entero. / R.

5. 2ª Lectura   (Apoc 21, 10-14. 22-23)

Del libro del Apocalipsis del apóstol san Juan

Un ángel me transportó en espíritu a una montaña elevada, y me mostró a Jerusalén, la ciudad santa, que descendía del cielo, resplandeciente con la gloria de Dios. Su fulgor era semejante al de una piedra preciosa, como el de un diamante cristalino.

Tenía una muralla ancha y elevada, con doce puertas monumentales, y sobre ellas, doce ángeles y doce nombres escritos, los nombres de las doce tribus de Israel. Tres de estas puertas daban al oriente, tres al norte, tres al sur y tres al poniente. La muralla descansaba sobre doce cimientos, en los que estaban escritos los doce nombres de los apóstoles del Cordero.

No vi ningún templo en la ciudad, porque el Señor Dios todopoderoso y el Cordero son el templo. No necesita la luz del sol o de la luna, porque la gloria de Dios la ilumina y el Cordero es su lumbrera.

Palabra de Dios.

A. *Te alabamos, Señor.*

6. Aclamación antes del Evangelio   (Jn 14, 23)

R. **Aleluya, aleluya.** El que me ama, cumplirá mi palabra, dice el Señor; y mi Padre lo amará y vendremos a él.

R. **Aleluya, aleluya.**

7. Evangelio   (Jn 14, 23-29)
Del santo Evangelio según san Juan
A. *Gloria a ti, Señor.*

En aquel tiempo, Jesús dijo a sus discípulos: "El que me ama, cumplirá mi palabra y mi Padre lo amará y vendremos a él y haremos en él nuestra morada. El que no me ama no cumplirá mis palabras. Y la palabra que están oyendo no es mía, sino del Padre, que me envió.

Les he hablado de esto ahora que estoy con ustedes; pero el Paráclito, el Espíritu Santo que mi Padre les enviará en mi nombre, les enseñará todas las cosas y les recordará todo cuanto yo les he dicho.

La paz les dejo, mi paz les doy. No se la doy como la da el mundo. No pierdan la paz ni se acobarden. Me han oído decir: 'Me voy, pero volveré a su lado'. Si me amaran, se alegrarían de que me vaya al Padre, porque el Padre es más que yo. Se lo he dicho ahora, antes de que suceda, para que cuando suceda, crean".
Palabra del Señor.
A. *Gloria a ti, Señor Jesús.*

Se dice Credo

8. Oración sobre las ofrendas. Suba hasta ti, Señor, nuestra oración, acompañada por estas ofrendas, para que, purificados por tu bondad, nos dispongas para celebrar el sacramento de tu inmenso amor. Por Jesucristo, nuestro Señor.

9. Antífona de la comunión. Si me aman, cumplirán mis mandamientos, dice el Señor; y yo rogaré al Padre, y él les dará otro Abogado, que permanecerá con ustedes para siempre. Aleluya (Jn 14, 15-16).

10. Oración después de la comunión. Dios todopoderoso y eterno, que, por la resurrección de Cristo, nos has hecho renacer a la vida eterna, multiplica en nosotros el efecto de este sacramento pascual, e infunde en nuestros corazones el vigor que comunica este alimento de salvación. Por Jesucristo, nuestro Señor.

EN COMUNIÓN
CON LA TRADICIÓN VIVA DE LA IGLESIA

«*Amaneció para nosotros, hermanos, el bendito día, en que la santa Iglesia brilla en los rostros de sus fieles y arde en sus corazones. Porque celebramos el día, en que nuestro Señor Jesucristo, glorificado por la ascensión después de su resurrección, envió el Espíritu Santo. Así está efectivamente escrito en el evangelio: El que tenga sed –dice–, que venga a mí; el que cree en mí, que beba: de sus entrañas manarán torrentes de agua viva. Lo explica enseguida el evangelista, diciendo: Decía esto refiriéndose al Espíritu, que habían de recibir los que creyeran en él.*

Todavía no se había dado el Espíritu, porque Jesús no había sido glorificado. Restaba, pues, que, una vez glorificado Jesús después de la resurrección de entre los muertos y su ascensión al cielo, siguiera ya la donación del Espíritu Santo enviado por el mismo que lo había prometido. Como efectivamente sucedió. En realidad, después de haber convivido el Señor con sus discípulos, después de la resurrección, durante cuarenta días, subió al cielo, y, el día quincuagésimo –que hoy celebramos–, envió el Espíritu Santo, según está escrito: De repente, un ruido del cielo, como de un viento recio, resonó en toda la casa; vieron aparecer unas lenguas, como llamaradas, que se repartían, posándose encima de cada uno. Y empezaron a hablar en lenguas extranjeras, cada uno en la lengua que el Espíritu le sugería. Aquel viento limpiaba los corazones de la paja carnal, aquel fuego consumía el heno de la antigua concupiscencia; aquellas lenguas en que hablaban los que estaban llenos del Espíritu Santo prefiguraban la futura Iglesia mediante las lenguas de todos los pueblos» (**San Agustín** [354-430]. Sermón 271).

29 DE MAYO - (BLANCO)

LA ASCENSIÓN DEL SEÑOR (S)

ENTRE VOCES DE JÚBILO, DIOS ASCIENDE A SU TRONO

Retorno de Jesús al Padre. La fiesta litúrgica de la Ascensión es una celebración de gran significado. ¿Qué significa la Ascensión de Jesús al cielo? Cuando se habla de cielo y paraíso no se está refiriendo a un espacio geográfico que está «arriba», más allá de las nubes o más allá del universo visible. Las expresiones de nuestro lenguaje «arriba» y «abajo», evidentemente son indicaciones espaciales, culturales y que utilizamos, siendo conscientes que por cielo entendemos y queremos decir: la morada de Dios.

Con su Encarnación el Hijo de Dios ha «bajado» de su condición sublime y trascendente de Dios; se ha inmerso en nuestra condición terrena. Asumiendo la «carne» humana asume la naturaleza real del hombre que está marcada por la vulnerabilidad, debilidad, precariedad; esa «carne» está expuesta a las enfermedades, a los fracasos, a la muerte. Y obviamente atravesada de todo el conjunto de sentimientos humanos: miedo, enojos, cansancio, aburrimiento, etc. En el centro de este camino de su vida entre nosotros es colocado el Misterio Pascual. La Ascensión es el camino inverso de su Encarnación: es el retorno de Jesús hacia su Padre. En la Ascensión tenemos la etapa final a la cual llega Cristo.

Jesús se apareció a sus apóstoles y les dijo: está escrito... San Lucas insiste mucho sobre la corporeidad del Señor resucitado. Tal vez lo hace por estar en polémica con el ambiente helenista, en donde creían en la inmortalidad del alma, pero no en la resurrección de los muertos. Esta victoria es fruto de la cruz, en la que se ha ofrecido la solidaridad de Dios con nuestro mal. Clave de lectura y síntesis de las Escrituras –«*Está escrito*»– es el Cristo crucificado que nos ofrece la visión de un Dios que es amor y misericordia infinita.

Jesús el Señor. A partir del acontecimiento de la Ascensión, acontecido cuarenta días después de la Pascua, pero en continuidad directa con la Resurrección, los primeros cristianos han aplicado a su Maestro un nuevo título: lo llaman *Señor* (*Kyrios*, en griego), nombre que en todo el Antiguo Testamento era un título exclusivo del Dios invisible, omnipotente, Creador del mundo. Jesús resucitado, regresando junto al Padre, es el *Kyrios*: el Señor de los vivos y de los muertos.

Ustedes son testigos de esto. Antes de dejar físicamente a sus discípulos Jesús cumple el acto soberano de conferir una misión divina a los Once y a la Iglesia: «*Vayan por todo el mundo y prediquen el Evangelio a toda creatura*» (Mc 16,15). En el Evangelio de hoy Jesús establece el alcance universal y el contenido específico de la misión confiada a la Iglesia: «*En su nombre se había de predicar a todas las naciones...*». También en el final de su Evangelio Lucas vuelve a insistir en uno de sus temas preferidos: Jesús es Salvador universal, es esperanza de todos los hombres. Todos somos llamados a ser «Testigos de esto», testigos de la obra salvífica de Cristo.

Serán mis testigos... El proyecto de Dios no depende de teorías, sino de testimonios que actualicen lo que Jesús hizo y dijo. Esto lo tiene muy presente san Lucas que había concluido su Evangelio hablando de testimonio; y comenzando su segunda obra: **Los Hechos de los Apóstoles** lo hace inmediatamente presente: Jesús renueva el compromiso de los discípulos. Después de Pentecostés los discípulos no cesan de repetir que son testigos. «*Hasta que una nube lo ocultó*»: la referencia a la nube –símbolo teofánico– afirma que Jesús pertenece definitivamente a la esfera de Dios.

1. Antífona de entrada. Hombres de Galilea, ¿qué hacen allí parados mirando al cielo? Ese mismo Jesús, que los ha dejado para subir al cielo, volverá como lo han visto marcharse. Aleluya (Hech 1, 11).

Se dice Gloria

2. Oración colecta. Concédenos, Dios todopoderoso, rebosar de santa alegría y, gozosos, elevar a ti una cumplida acción de gracias, ya que la ascensión de Cristo, tu Hijo, es también nuestra victoria, pues a donde llegó él, que es nuestra cabeza, esperamos llegar también nosotros, que somos su cuerpo. Por nuestro Señor Jesucristo…

3. 1ª Lectura   (Hech 1, 1-11)
Del libro de los Hechos de los Apóstoles
En mi primer libro, querido Teófilo, escribí acerca de todo lo que Jesús hizo y enseñó, hasta el día en que ascendió al cielo, después de dar sus instrucciones, por medio del Espíritu Santo, a los apóstoles que había elegido. A ellos se les apareció después de la pasión, les dio numerosas pruebas de que estaba vivo y durante cuarenta días se dejó ver por ellos y les habló del Reino de Dios.

Un día, estando con ellos a la mesa, les mandó: "No se alejen de Jerusalén. Aguarden aquí a que se cumpla la promesa de mi Padre, de la que ya les he hablado: Juan bautizó con agua; dentro de pocos días ustedes serán bautizados con el Espíritu Santo".

Los ahí reunidos le preguntaban: "Señor, ¿ahora sí vas a restablecer la soberanía de Israel?". Jesús les contestó: "A ustedes no les toca conocer el tiempo y la hora que el Padre ha determinado con su autoridad; pero cuando el Espíritu Santo descienda sobre ustedes, los llenará de fortaleza y serán mis testigos en Jerusalén, en toda Judea, en Samaria y hasta los últimos rincones de la tierra".

Dicho esto, se fue elevando a la vista de ellos, hasta que una nube lo ocultó a sus ojos. Mientras miraban fijamente al cielo, viéndolo alejarse, se les presentaron dos hombres vestidos de blanco, que les dijeron: "Galileos, ¿qué hacen allí parados, mirando al cielo? Ese mismo Jesús que los ha dejado para subir al cielo, volverá como lo han visto alejarse".

Palabra de Dios.
A. Te alabamos, Señor.

4. Salmo responsorial   (Sal 46)
R. Entre voces de júbilo, Dios asciende a su trono. Aleluya.

L. Aplaudan, pueblos todos; aclamen al Señor, de gozo llenos; que el Señor, el Altísimo, es terrible y de toda la tierra, rey supremo. / **R.**

L. Entre voces de júbilo y trompetas, Dios, el Señor, asciende hasta su trono. Cantemos en honor de nuestro Dios, al rey honremos y cantemos todos. / **R.**

L. Porque Dios es el rey del universo, cantemos el mejor de nuestros cantos. Reina Dios sobre todas las naciones desde su trono santo. / **R.**

5. 2ª Lectura   (Heb 9, 24-28; 10, 19-23)
De la carta a los hebreos
Hermanos: Cristo no entró en el santuario de la antigua alianza, construido por mano de hombres y que sólo era figura del verdadero, sino en el cielo mismo, para estar ahora en la presencia de Dios, intercediendo por nosotros.

En la antigua alianza, el sumo sacerdote entraba cada año en el santuario para ofrecer una sangre que no era la suya; pero Cristo no tuvo que ofrecerse una y otra vez a sí mismo en sacrificio, porque en tal caso habría tenido que padecer muchas veces desde la creación del mundo. De hecho, él se manifestó una sola vez, en el momento culminante de la historia, para destruir el pecado con el sacrificio de sí mismo.

Y así como está determinado que los hombres mueran una sola vez y que después de la muerte venga el juicio, así también Cristo se ofreció una sola vez para quitar los pecados de todos.

Al final se manifestará por segunda vez, pero ya no para quitar el pecado, sino para la salvación de aquellos que lo aguardan y en él tienen puesta su esperanza.

Hermanos, en virtud de la sangre de Jesucristo, tenemos la seguridad de poder entrar en el santuario, porque él nos abrió un camino nuevo y viviente a través del velo, que es su propio cuerpo. Asimismo, en Cristo tenemos un sacerdote incomparable al frente de la casa de Dios.

Acerquémonos, pues, con sinceridad de corazón, con una fe total, limpia la conciencia de toda mancha y purificado el cuerpo por el agua saludable. Mantengámonos inconmovibles en la profesión de nuestra esperanza, porque el que nos hizo las promesas es fiel a su palabra.

Palabra de Dios.
A. *Te alabamos, Señor.*

O también: Ef 1, 17-23, Leccionario I, pág. 937.

6. Aclamación antes del Evangelio (Mt 28, 19. 20)
R. **Aleluya, aleluya.** Vayan y hagan discípulos a todos los pueblos, dice el Señor, y sepan que yo estoy con ustedes todos los días, hasta el fin del mundo.
R. **Aleluya, aleluya.**

 7. Evangelio (Lc 24, 46-53)
Del santo Evangelio según san Lucas
A. Gloria a ti, Señor.

En aquel tiempo, Jesús se apareció a sus discípulos y les dijo: "Está escrito que el Mesías tenía que padecer y había de resucitar de entre los muertos al tercer día, y que en su nombre se había de predicar a todas las naciones, comenzando por Jerusalén, la necesidad de volverse a Dios para el perdón de los pecados. Ustedes son testigos de esto. Ahora yo les voy a enviar al que mi Padre les prometió. Permanezcan, pues, en la ciudad, hasta que reciban la fuerza de lo alto".

Después salió con ellos fuera de la ciudad, hacia un lugar cercano a Betania; levantando las manos, los bendijo, y mientras los bendecía, se fue apartando de ellos y elevándose al cielo. Ellos, después de adorarlo, regresaron a Jerusalén, llenos de gozo, y permanecían constantemente en el templo, alabando a Dios.

Palabra del Señor.

A. ***Gloria a ti, Señor Jesús.***

Se dice Credo

8. Oración sobre las ofrendas. Al ofrecerte, Señor, este sacrificio en la gloriosa festividad de la ascensión, concédenos que por este santo intercambio, nos elevemos también nosotros a las cosas del cielo. Por Jesucristo, nuestro Señor.

9. Antífona de la comunión. Yo estaré con ustedes todos los días, hasta el fin del mundo. Aleluya (Mt 28, 20).

10. Oración después de la comunión. Dios todopoderoso y eterno, que nos permites participar en la tierra de los misterios divinos, concede que nuestro fervor cristiano nos oriente hacia el cielo, donde ya nuestra naturaleza humana está contigo. Por Jesucristo, nuestro Señor.

EN COMUNIÓN
CON LA TRADICIÓN VIVA DE LA IGLESIA

«Nuestro Señor Jesucristo, al subir al cielo a los cuarenta días de su resurrección, nos recomendó su cuerpo que debía permanecer aquí abajo. Lo hizo porque previó que muchos iban a rendirle honores por haber ascendido al cielo, y vio también que este honor sería inútil, si pisoteaban sus miembros en la

tierra. *Y para que nadie fuera inducido a error, conculcando los pies en la tierra mientras adora a la cabeza en el cielo, declaró dónde se hallaban sus miembros. Estando, pues, para subir al cielo pronunció sus últimas palabras; después de estas palabras no volvió a hablar ya en la tierra. Estando para ascender la cabeza al cielo, recomendó a los miembros en la tierra. Y desapareció. Ya no encuentras a Cristo hablando en la tierra: lo encuentras hablando, pero en el cielo. ¿Y por qué desde el cielo? Porque sus miembros eran pisoteados en la tierra. A Saulo, el perseguidor, le dijo desde lo alto: Saulo, Saulo, ¿por qué me persigues? Subí al cielo, pero permanezco aún en la tierra; aquí estoy sentado a la derecha del Padre, allí padezco todavía hambre y sed, y soy peregrino. ¿Y de qué modo nos recomendó su cuerpo en la tierra cuando estaba para subir al cielo? (···) Ved dónde permanezco, yo que asciendo. Asciendo porque soy cabeza; permanece todavía mi cuerpo. ¿Dónde permanece? Por toda la tierra. Cuida de no herirlo, cuida de no violarlo, cuida de no pisotearlo: éstas son las últimas palabras de Cristo antes de partir para el cielo»* (**San Agustín** [354-430]. Tratado 10. Primera Carta de san Juan).

5 DE JUNIO - **(ROJO)**

DOMINGO DE PENTECOSTÉS (S)

ENVÍA, SEÑOR, TU ESPÍRITU A RENOVAR LA TIERRA

El Espíritu Santo don de Cristo Resucitado. Las lecturas bíblicas de la solemnidad de Pentecostés nos presentan al Espíritu Santo como un don de Cristo Resucitado a su Iglesia; ésta nace y es presentada al mundo en la venida del Espíritu Santo (*primera lectura*); la naturaleza propia del Espíritu divino es sostener la Iglesia, unificándola en la caridad, para que ella cumpla en la historia y en todo el mundo la misión que le confió Cristo Resucitado.

Al anochecer del día de la resurrección. El texto evangélico inicia situando este evento en el tiempo. Es la tarde del *Primer día de la semana*, el domingo. Para los judíos, ya había iniciado un nuevo día. Para san Juan es todavía el día de la resurrección, la nueva era inaugurada por la victoria de Jesús sobre la muerte. En el Cuarto Evangelio todo lo que acontece después de la resurrección se inserta en un «día pascual» que no tiene fin. También podemos decir que la referencia al *«anochecer»* o la *«tarde»* del domingo refleja la práctica cristiana de reunirse para celebrar la memoria de la muerte y resurrección de Jesús. Con su resurrección, seguida de su Ascensión y retorno junto al Padre, Cristo termina su misión terrena, su presencia visible en medio de sus discípulos.

Se presentó Jesús en medio de ellos... Jesús es el centro y la razón de ser de la comunidad cristiana. El Resucitado saluda a sus discípulos con el saludo de la plenitud de los bienes mesiánicos: *«La paz esté con ustedes»*. Es el mismo saludo de cuando se despedía de ellos (*La paz les dejo, mi paz les doy. Jn 14, 27*). Las cicatrices de Jesús son una característica de los textos de san Juan y son memoria permanente de las torturas sufridas. San Juan engloba en un único marco y en un solo y grande evento la aparición de Jesús, su Pascua y el don del Espíritu: *«Sopló sobre ellos, y les dijo "Reciban el Espíritu Santo..."»*.

Como el Padre me ha enviado. Aunque si no dice explícitamente a quién y hacia dónde Cristo «envía» a los suyos, se puede fácilmente comprender sobre la base de la analogía propuesta por Él mismo: *«Como el Padre me ha enviado...»*, es decir los envía a todos los hombres y al mundo entero. Es en este sentido que lo reafirma y lo hace entender otro versículo equivalente, tomado de la oración sacerdotal de Jesús: *«Como tú me has enviado al mundo, yo también los he enviado al mundo»* (Jn 17,18).

El día de Pentecostés, todos los discípulos estaban reunidos en un mismo lugar. En el relato de la **primera lectura** Lucas nos presenta de manera muy detallada este evento capital del inicio de la Iglesia. En primer lugar tenemos una indicación cronológica: *«El día de Pentecostés»* que hace referencia al período de cincuenta días trascurridos después de la Pascua.

Hay diferentes dones, pero el Espíritu es el mismo. Como se ve, estamos siempre en perspectiva «eclesial»: la multiplicidad de los dones no se entiende si no se pone en un movimiento de convergencia hacia la unidad. Es lo que precisa san Pablo en la **segunda lectura**: es el Espíritu Santo el que hace posible la unidad de la Iglesia no obstante la diversidad de dones (*carismas*): es la acción unificadora del Espíritu que forma la unidad del Cuerpo, es decir la Iglesia, no obstante la diversidad y la variedad de sus miembros.

1. **Antífona de entrada.** El Espíritu del Señor llena toda la tierra; él da consistencia al universo y sabe lo que el hombre dice. Aleluya (Sab 1, 7).

Se dice Gloria

2. Oración colecta. Dios nuestro, que por el misterio de la festividad de Pentecostés que hoy celebramos santificas a tu Iglesia, extendida por todas las naciones, concede al mundo entero los dones del Espíritu Santo y continúa obrando en el corazón de tus fieles las maravillas que te dignaste realizar en los comienzos de la predicación evangélica. Por nuestro Señor Jesucristo...

3. 1ª Lectura   (Hech 2, 1-11)
Del libro de los Hechos de los Apóstoles
El día de Pentecostés, todos los discípulos estaban reunidos en un mismo lugar. De repente se oyó un gran ruido que venía del cielo, como cuando sopla un viento fuerte, que resonó por toda la casa donde se encontraban. Entonces aparecieron lenguas de fuego, que se distribuyeron y se posaron sobre ellos; se llenaron todos del Espíritu Santo y empezaron a hablar en otros idiomas, según el Espíritu los inducía a expresarse.

En esos días había en Jerusalén judíos devotos, venidos de todas partes del mundo. Al oír el ruido, acudieron en masa y quedaron desconcertados, porque cada uno los oía hablar en su propio idioma.

Atónitos y llenos de admiración, preguntaban: "¿No son galileos todos estos que están hablando? ¿Cómo, pues, los oímos hablar en nuestra lengua nativa? Entre nosotros hay medos, partos y elamitas; otros vivimos en Mesopotamia, Judea, Capadocia, en el Ponto y en Asia, en Frigia y en Panfilia, en Egipto o en la zona de Libia que limita con Cirene. Algunos somos visitantes, venidos de Roma, judíos y prosélitos; también hay cretenses y árabes. Y sin embargo, cada quien los oye hablar de las maravillas de Dios en su propia lengua".
Palabra de Dios.
A. *Te alabamos, Señor.*

4. Salmo responsorial   (Sal 103)
R. Envía, Señor, tu Espíritu a renovar la tierra. Aleluya.
L. Bendice al Señor, alma mía; Señor y Dios mío, inmensa es tu grandeza. ¡Qué numerosas son tus obras, Señor! La tierra está llena de tus creaturas. / **R.**

[**R. Envía, Señor, tu Espíritu a renovar la tierra. Aleluya.**]

L. Si retiras tu aliento, toda creatura muere y vuelve al polvo. Pero envías tu espíritu, que da vida, y renuevas el aspecto de la tierra. / **R.**

L. Que Dios sea glorificado para siempre y se goce en sus creaturas. Ojalá que le agraden mis palabras y yo me alegraré en el Señor. / **R.**

5. 2ª Lectura   (Rom 8, 8-17)
De la carta del apóstol san Pablo a los romanos
Hermanos: Los que viven en forma desordenada y egoísta no pueden agradar a Dios. Pero ustedes no llevan esa clase de vida, sino una vida conforme al Espíritu, puesto que el Espíritu de Dios habita verdaderamente en ustedes.

Quien no tiene el Espíritu de Cristo, no es de Cristo. En cambio, si Cristo vive en ustedes, aunque su cuerpo siga sujeto a la muerte a causa del pecado, su espíritu vive a causa de la actividad salvadora de Dios.

Si el Espíritu del Padre, que resucitó a Jesús de entre los muertos, habita en ustedes, entonces el Padre, que resucitó a Jesús de entre los muertos, también les dará vida a sus cuerpos mortales, por obra de su Espíritu, que habita en ustedes.

Por lo tanto, hermanos, no estamos sujetos al desorden egoísta del hombre, para hacer de ese desorden nuestra regla de conducta. Pues si ustedes viven de ese modo, ciertamente serán destruidos. Por el contrario, si con la ayuda del Espíritu destruyen sus malas acciones, entonces vivirán.

Los que se dejan guiar por el Espíritu de Dios, ésos son hijos de Dios. No han recibido ustedes un espíritu de esclavos, que los haga temer de nuevo, sino un espíritu de hijos, en virtud del cual podemos llamar Padre a Dios.

El mismo Espíritu Santo, a una con nuestro propio espíritu, da testimonio de que somos hijos de Dios. Y si somos hijos, somos también herederos de Dios y coherederos con Cristo, puesto que sufrimos con él para ser glorificados junto con él. *Palabra de Dios.*

A. *Te alabamos, Señor.*

O bien: 1 Cor 12, 3-7. 12-13, Leccionario I, pág. 350.

SECUENCIA

Ven, Dios Espíritu Santo,
y envíanos desde el cielo
tu luz, para iluminarnos.

Ven ya, padre de los pobres,
luz que penetra en las almas,
dador de todos los dones.

Fuente de todo consuelo,
amable huésped del alma,
paz en las horas de duelo.

Eres pausa en el trabajo;
brisa, en un clima de fuego;
consuelo, en medio del llanto.

Ven, luz santificadora,
y entra hasta el fondo del alma
de todos los que te adoran.

Sin tu inspiración divina
los hombres nada podemos
y el pecado nos domina.

Lava nuestras inmundicias,
fecunda nuestros desiertos
y cura nuestras heridas.

Doblega nuestra soberbia,
calienta nuestra frialdad,
endereza nuestras sendas.

Concede a aquellos que ponen
en ti su fe y su confianza
tus siete sagrados dones.

Danos virtudes y méritos,
danos una buena muerte
y contigo el gozo eterno.

6. Aclamación antes del Evangelio

R. Aleluya, aleluya. Ven, Espíritu Santo, llena los corazones de tus fieles y enciende en ellos el fuego de tu amor.

R. Aleluya, aleluya.

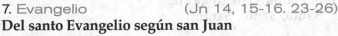

7. Evangelio   (Jn 14, 15-16. 23-26)
Del santo Evangelio según san Juan
A. *Gloria a ti, Señor.*

En aquel tiempo, Jesús dijo a sus discípulos: "Si me aman, cumplirán mis mandamientos; yo le rogaré al Padre y él les dará otro Paráclito para que esté siempre con ustedes, el Espíritu de la verdad.

El que me ama, cumplirá mi palabra y mi Padre lo amará y vendremos a él y haremos en él nuestra morada. El que no me ama no cumplirá mis palabras. Y la palabra que están oyendo no es mía, sino del Padre, que me envió.

Les he hablado de esto ahora que estoy con ustedes; pero el Paráclito, el Espíritu Santo que mi Padre les enviará en mi nombre, les enseñará todas las cosas y les recordará todo cuanto yo les he dicho". *Palabra del Señor.*
A. *Gloria a ti, Señor Jesús.*

O bien: Jn 20, 19-23, Leccionario I, pág. 352.

Se dice Credo

8. Oración sobre las ofrendas. Concédenos, Señor, que, conforme a la promesa de tu Hijo, el Espíritu Santo nos haga comprender con más plenitud el misterio de este sacrificio y haz que nos descubra toda su verdad. Por Jesucristo, nuestro Señor.

PREFACIO El misterio de Pentecostés
En verdad es justo y necesario, es nuestro deber y salvación darte gracias siempre y en todo lugar, Señor, Padre santo, Dios todopoderoso y eterno. Porque tú, para llevar a su plenitud el misterio pascual, has enviado hoy al Espíritu Santo sobre aquellos a quienes adoptaste como hijos al injertarlos en Cristo, tu Unigénito. Este mismo Espíritu fue quien, al nacer la Iglesia, dio a conocer a todos los pueblos el misterio del Dios verdadero y unió la diversidad de las lenguas en la confesión de una misma fe.

Por eso, el mundo entero se desborda de alegría y también los coros celestiales, los ángeles y los arcángeles, cantan sin cesar el himno de tu gloria:
Santo, Santo, Santo...

9. Antífona de la comunión. Todos quedaron llenos del Espíritu Santo, y proclamaban las maravillas de Dios. Aleluya (Hech 2, 4. 11).

10. Oración después de la comunión. Dios nuestro, tú que concedes a tu Iglesia dones celestiales, consérvale la gracia que le has dado, para que permanezca siempre vivo en ella el don del Espíritu Santo que le infundiste; y que este alimento espiritual nos sirva para alcanzar la salvación eterna. Por Jesucristo, nuestro Señor.

EN COMUNIÓN
CON LA TRADICIÓN VIVA DE LA IGLESIA

«*¿Quién, habiendo oído los nombres que se dan al Espíritu, no siente levantado su ánimo y no eleva su pensamiento hacia la naturaleza divina? Ya que es llamado Espíritu de Dios y Espíritu de verdad que procede del Padre; Espíritu firme, Espíritu generoso, Espíritu Santo son sus apelativos propios y peculiares. Hacia él dirigen su mirada todos los que sienten necesidad de santificación, hacia él tiende el deseo de todos los que llevan una vida virtuosa, y su soplo es para ellos a manera de riego que los ayuda en la consecución de su fin propio y natu-*

ral. Él es fuente de santidad, luz para la inteligencia; él da a todo ser racional como una luz para entender la verdad. Aunque inaccesible por naturaleza, se deja comprender por su bondad; con su acción lo llena todo, pero se comunica solamente a los que encuentra dignos, no ciertamente de manera idéntica ni con la misma plenitud, sino distribuyendo su energía según la proporción de la fe. Simple en su esencia y variado en sus dones, está íntegro en cada uno e íntegro en todas partes. Se reparte sin sufrir división, deja que participen en él, pero él permanece íntegro, a semejanza del rayo solar cuyos beneficios llegan a quien disfrute de él como si fuera único, pero, mezclado con el aire, ilumina la tierra entera y el mar. Así el Espíritu Santo está presente en cada hombre capaz de recibirlo, como si sólo él existiera y, no obstante, distribuye a todos gracia abundante y completa; todos disfrutan de él en la medida en que lo requiere la naturaleza de la criatura, pero no en la proporción con que él podría darse» (**San Basilio Magno** [354-430]). Tratado sobre el Espíritu Santo).

DOMINGO: LA SANTÍSIMA TRINIDAD (S)
¡QUÉ ADMIRABLE, SEÑOR, ES TU PODER!

Gloria al Padre, al Hijo y al Espíritu Santo. En estas palabras tenemos una alabanza que la Iglesia y todos los que tratamos de ser discípulos del Señor repetimos cada día, desde hace más de 1500 años. Este canto fue acuñado por uno de los más grandes Padres de la Iglesia, que el cristianismo ha tenido: san Basilio Magno.

Dios revela su misterio. En el cristianismo, por la revelación de Dios mismo, sabemos que Él viene al encuentro del hombre y se le revela. Sólo en esta perspectiva se puede conocer verdaderamente al Señor, por el hecho de que Él mismo se hace conocer. Revelando al hombre la propia intimidad divina y dándole la oportunidad de conocerlo verdaderamente. Por eso hoy nosotros podemos hablar sobre el misterio de Dios, gracias a que Él mismo se nos ha revelado.

Marcados en la Trinidad desde el nacimiento... Desde su nacimiento el cristiano es marcado con el nombre de la Santísima Trinidad. El bautismo, que nos ha constituido hijos de Dios, se nos confiere en el nombre del Padre, del Hijo y del Espíritu Santo. Nuestra vida cristiana está íntimamente marcada por la invocación y de la presencia de la Santísima Trinidad; todos los sacramentos se nos confieren en el nombre del misterio de Dios.

La revelación del misterio de Dios. Las lecturas bíblicas de esta solemnidad nos iluminan y nos ayudan a comprender –a la luz de la revelación bíblica– quién es Dios en su misterio más profundo, más íntimo. Estas lecturas nos hacen recorrer tres etapas, a través de las cuales, gradualmente, Dios se ha dado a conocer al hombre en su unidad de naturaleza divina y en la Trinidad de Personas. En la **primera lectura** tenemos un pasaje muy importante del Antiguo Testamento. En este pasaje del libro de los Proverbios se habla de la Sabiduría de Dios, con la cual Él, desde el principio, ha creado el universo, la vida y el hombre.

Es importante subrayar de esa página: la Sabiduría es eterna y está junto a Dios: recreándose en su presencia *«jugando con la esfera de la tierra y mis delicias eran estar con los hijos de los hombres»*. Dios no ha querido estar «solo» en su plenitud eterna; ha infundido su gloria creando al hombre y poniendo en él su complacencia. Esto nos comprueba dos datos de las Sagradas Escrituras: primero, la creación es para el hombre; segundo, como escribe san Ireneo: *«La gloria de Dios es el hombre viviente»*.

Pero cuando venga el Espíritu de la verdad... El Evangelio marca un momento fundamental, en el cual Dios se hace conocer personalmente. Él mismo se revela, no a través de una imagen, sino en el propio Hijo Jesús, el Dios hecho hombre, la segunda Persona de la Santísima Trinidad. En este contexto, como en tantos otros momentos de su vida, Jesús nos ha revelado que Dios es *Padre*: Padre de todos los hombres, porque es el Creador universal; pero el Dios eterno es Padre de Jesús en modo único, porque es el *Hijo* eterno.

El Espíritu Santo es: *«Espíritu de Verdad... él los irá guiando hasta la verdad plena»*. Claramente el Espíritu Santo no actúa una nueva revelación. La revelación iniciada en el Antiguo Testamento se ha cumplido con la venida y la resurrección de Jesús, revelador definitivo del Padre. Pero la tarea del Espíritu Santo es la de introducir a los creyentes a la comprensión total del misterio de Cristo.

1. Antífona de entrada. Bendito sea Dios, Padre, Hijo y Espíritu Santo, porque ha tenido misericordia con nosotros.

Se dice Gloria

2. Oración colecta. Dios Padre, que al enviar al mundo la Palabra de verdad y el Espíritu santificador, revelaste a todos los hombres tu misterio admirable, concédenos que, profesando la fe verdadera, reconozcamos la gloria de la eterna Trinidad y adoremos la Unidad de su majestad omnipotente. Por nuestro Señor Jesucristo...

3. 1ª Lectura   (Prov 8, 22-31)
Del libro de los Proverbios
Esto dice la sabiduría de Dios: "El Señor me poseía desde el principio, antes que sus obras más antiguas. Quedé establecida desde la eternidad, desde el principio, antes de que la tierra existiera. Antes de que existieran los abismos y antes de que brotaran los manantiales de las aguas, fui concebida.

Antes de que las montañas y las colinas quedaran asentadas, nací yo. Cuando aún no había hecho el Señor la tierra ni los campos ni el primer polvo del universo, cuando él afianzaba los cielos, ahí estaba yo. Cuando ceñía con el horizonte la faz del abismo, cuando colgaba las nubes en lo alto, cuando hacía brotar las fuentes del océano, cuando fijó al mar sus límites y mandó a las aguas que no los traspasaran, cuando establecía los cimientos de la tierra, yo estaba junto a él como arquitecto de sus obras, yo era su encanto cotidiano; todo el tiempo me recreaba en su presencia, jugando con el orbe de la tierra y mis delicias eran estar con los hijos de los hombres".

Palabra de Dios.
A. *Te alabamos, Señor.*

4. Salmo responsorial   (Sal 8)
R. ¡Qué admirable, Señor, es tu poder!
L. Cuando contemplo el cielo, obra de tus manos, la luna y las estrellas, que has creado, me pregunto: ¿Qué es el hombre para que de él te acuerdes, ese pobre ser humano, para que de él te preocupes? / **R.**

L. Sin embargo, lo hiciste un poquito inferior a los ángeles, lo coronaste de gloria y dignidad; le diste el mando sobre las obras de tus manos y todo lo sometiste bajo sus pies. / **R.**

L. Pusiste a su servicio los rebaños y las manadas, todos los animales salvajes, las aves del cielo y los peces del mar, que recorren los caminos de las aguas. / **R.**

5. 2ª Lectura   (Rom 5, 1-5)
De la carta del apóstol san Pablo a los romanos
Hermanos: Ya que hemos sido justificados por la fe, mantengámonos en paz con Dios, por mediación de nuestro Señor Jesucristo. Por él hemos obtenido, con la fe, la entrada al mundo de la gracia, en el cual nos encontramos; por él, podemos gloriarnos de tener la esperanza de participar en la gloria de Dios.

Más aún, nos gloriamos hasta de los sufrimientos, pues sabemos que el sufrimiento engendra la paciencia, la paciencia engendra la virtud sólida, la virtud sólida engendra la esperanza, y la esperanza no defrauda, porque Dios ha infundido su amor en nuestros corazones por medio del Espíritu Santo, que él mismo nos ha dado.
Palabra de Dios.
*A. **Te alabamos, Señor.***

6. Aclamación antes del Evangelio (Cfr. Apoc 1, 8)
R. Aleluya, aleluya. Gloria al Padre y al Hijo y al Espíritu Santo. Al Dios que es, que era y que vendrá.
R. Aleluya, aleluya.

7. Evangelio   (Jn 16, 12-15)
Del santo Evangelio según san Juan
A. Gloria a ti, Señor.
En aquel tiempo, Jesús dijo a sus discípulos: "Aún tengo muchas cosas que decirles, pero todavía no las pueden comprender. Pero cuando venga el Espíritu de la verdad, él los irá guiando hasta la verdad plena, porque no hablará por su cuenta, sino que dirá lo que haya oído y les anunciará las cosas que van a suceder. Él me

glorificará, porque primero recibirá de mí lo que les vaya comunicando. Todo lo que tiene el Padre es mío. Por eso he dicho que tomará de lo mío y se lo comunicará a ustedes".

Palabra del Señor.

A. Gloria a ti, Señor Jesús.

Se dice Credo

8. Oración sobre las ofrendas. Por la invocación de tu nombre, santifica, Señor, estos dones que te presentamos y transfórmanos por ellos en una continua oblación a ti. Por Jesucristo, nuestro Señor.

PREFACIO: El misterio de la Santísima Trinidad

En verdad es justo y necesario, es nuestro deber y salvación darte gracias siempre y en todo lugar, Señor, Padre santo, Dios todopoderoso y eterno. Que con tu Hijo único y el Espíritu Santo, eres un solo Dios, un solo Señor, no en la singularidad de una sola persona, sino en la trinidad de una sola sustancia.

Y lo que creemos de tu gloria, porque tú lo revelaste, eso mismo lo afirmamos de tu Hijo y también del Espíritu Santo, sin diferencia ni distinción. De modo que, al proclamar nuestra fe en la verdadera y eterna divinidad, adoramos a tres personas distintas, en la unidad de un solo ser e iguales en su majestad. A quien alaban los ángeles y los arcángeles, y todos los coros celestiales, que no cesan de aclamarte con una sola voz: **Santo, Santo, Santo...**

9. Antífona de la comunión. Porque ustedes son hijos de Dios, Dios infundió en sus corazones el Espíritu de su Hijo, que clama: Abbá, Padre (Gál 4, 6).

10. Oración después de la comunión. Que la recepción de este sacramento y nuestra profesión de fe en la Trinidad santa y eterna, y en su Unidad indivisible, nos aprovechen, Señor, Dios nuestro, para la salvación de cuerpo y alma. Por Jesucristo, nuestro Señor.

EN COMUNIÓN
CON LA TRADICIÓN VIVA DE LA IGLESIA

«*Siempre resultará provechoso esforzarse en profundizar el contenido de la antigua tradición, de la doctrina y la fe de la Iglesia católica, tal como el Señor nos la entregó, tal como la predicaron los apóstoles y la conservaron los santos Padres. En ella, efectivamente, está fundamentada la Iglesia, de manera que todo aquel que se aparta de esta fe deja de ser cristiano y ya no merece el nombre de tal.*

Existe, pues, una Trinidad, santa y perfecta, de la cual se afirma que es Dios en el Padre, el Hijo y el Espíritu Santo, que no tiene mezclado ningún elemento extraño o externo, que no se compone de uno que crea y de otro que es creado, sino que toda ella es creadora, es consistente por naturaleza, y su actividad es única. El Padre hace todas las cosas a través del que es su Palabra, en el Espíritu Santo. De esta manera, queda a salvo la unidad de la santa Trinidad. Así, en la Iglesia se predica un solo Dios, que lo trasciende todo, y lo penetra todo, y lo invade todo. Lo trasciende todo, en cuanto Padre, principio y fuente; lo penetra todo, por su Palabra; lo invade todo, en el Espíritu Santo. San Pablo, hablando a los corintios acerca de los dones del Espíritu, lo reduce todo al único Dios Padre, como al origen de todo, con estas palabras: Hay diversidad de dones, pero un mismo Espíritu; hay diversidad de ministerios, pero un mismo Señor; y hay diversidad de funciones, pero un mismo Dios que obra todo en todos. El Padre es quien da, por mediación de aquel que es su Palabra, lo que el Espíritu distribuye a cada uno (**San Atanasio de Alejandría** [c. 296-37]. Carta 1 a Serapión).

EL CUERPO Y LA SANGRE DE CRISTO (S)

HAGAN ESTO EN MEMORIA MÍA

Las tres lecturas de este día tienen que ver con la solemnidad del Cuerpo y la Sangre de Cristo. El libro del Génesis nos presenta aquel encuentro entre Abraham y Melquisedec, en el cual el sacerdote recibió el diezmo de lo que Abraham había ganado en la guerra y él a su vez le ofreció a Abraham pan y vino, y le bendijo en nombre de Dios altísimo. Acerca de Melquisedec, la carta a los Hebreos dice: "Su nombre significa 'rey de justicia' y, además, es rey de Salem, es decir, 'rey de paz' (Heb 7, 1-3).

El pan y el vino, en el contexto medio oriental, tienen un gran significado, pues representan el sustento necesario para la vida. Esos mismos elementos son los que Jesús ofrece a sus discípulos durante la celebración de la Pascua, la última que celebraría con ellos. Pero no se los da como simple alimento, sino como la ofrenda que se entrega en sacrificio; así como Jesús estaba a punto de entregar su vida para el perdón de los pecados y para la salvación de todos, les ofrece en el pan y el vino, su Cuerpo y su Sangre, que desde ese momento son alimento no sólo para esta vida, sino para la vida eterna.

Así pues, a partir de ese momento, la celebración de la cena pascual ocupó un lugar fundamental en la vida de las comunidades cristianas; así nos lo recuerda san Pablo en la Primera carta a los corintios, en uno de los testimonios más antiguos que tenemos por escrito de la Celebración Eucarística. Las palabras de bendición que Jesús pronunció en la última cena, se siguen actualizando en cada Eucaristía que celebramos por encargo de Jesús: "Hagan esto en memoria mía" (Lc 22, 19). Por la palabra y los signos eucarísticos, se hace presente el sacrificio de la cruz. Cuando Jesús instituyó la Eucaristía, tomó pan, pronunció la bendición, lo partió y se lo dio a los discípulos diciendo: "Tomen, coman; esto es mi cuerpo". "Esto (el pan) es mi cuerpo" (la persona de Jesús). Lo mismo hizo con el vino, afirmando "Ésta es mi Sangre". Sus palabras no dejan lugar a dudas. No es una comparación ("es como mi cuerpo o, como si fuera mi sangre"), sino que es una afirmación real: "Esto es mi Cuerpo y Ésta es mi Sangre".

1. Antífona de entrada. Alimentó a su pueblo con lo mejor del trigo y lo sació con miel sacada de la roca (Cfr. Sal 80, 17).

Se dice Gloria

2. Oración colecta. Señor nuestro Jesucristo, que en este admirable sacramento nos dejaste el memorial de tu pasión, concédenos venerar de tal modo los sagrados misterios de tu Cuerpo y de tu Sangre, que experimentemos continuamente en nosotros el fruto de tu redención. Tú que vives y reinas...

3. 1ª Lectura (Gén 14, 18-20)
Del libro del Génesis
En aquellos días, Melquisedec, rey de Salem, presentó pan y vino, pues era sacerdote del Dios altísimo, y bendijo a Abram, diciendo: "Bendito sea Abram de parte del Dios altísimo, creador de cielos y tierra; y bendito sea el Dios altísimo, que entregó a tus enemigos en tus manos".
Y Abram le dio el diezmo de todo lo que había rescatado.
Palabra de Dios.
A. *Te alabamos, Señor.*

4. Salmo responsorial (Sal 109)
R. Tú eres sacerdote para siempre.
L. Esto ha dicho el Señor a mi Señor: "Siéntate a mi derecha; yo haré de tus contrarios el estrado donde pongas los pies". / R.
L. Extenderá el Señor desde Sión tu cetro poderoso y tú dominarás al enemigo. / R.
L. Es tuyo el señorío; el día en que naciste en los montes sagrados, te consagró el Señor antes del alba. / R.
L. Juró el Señor y no ha de retractarse: "Tú eres sacerdote para siempre, como Melquisedec". / R.

5. 2ª Lectura (1 Cor 11, 23-26)
De la primera carta del apóstol san Pablo a los corintios
Hermanos: Yo recibí del Señor lo mismo que les he transmitido: Que el Señor Jesús, la noche en que iba a ser entregado, tomó pan en sus manos, y pronunciando la acción de gracias, lo partió y dijo: "Esto es mi cuerpo, que se entrega por ustedes. Hagan esto en memoria mía".
Lo mismo hizo con el cáliz, después de cenar, diciendo: "Este cáliz es la nueva alianza que se sella con mi sangre. Hagan esto en memoria mía siempre que beban de él".
Por eso, cada vez que ustedes comen de este pan y beben de este cáliz, proclaman la muerte del Señor, hasta que vuelva.
Palabra de Dios.
A. Te alabamos, Señor.

SECUENCIA
Puede omitirse o puede recitarse en forma abreviada, comenzando por la estrofa:
* "El pan que del cielo baja".

Al Salvador alabemos,
que es nuestro pastor y guía.
Alabémoslo con himnos
y canciones de alegría.

Alabémoslo sin límites
y con nuestras fuerzas todas;
pues tan grande es el Señor,
que nuestra alabanza es poca.

Gustosos hoy aclamamos
a Cristo, que es nuestro pan,
pues él es el pan de vida,
que nos da vida inmortal.

Doce eran los que cenaban
y les dio pan a los doce.
Doce entonces lo comieron,
y, después, todos los hombres.

Sea plena la alabanza
y llena de alegres cantos;
que nuestra alma se desborde
en todo un concierto santo.

Hoy celebramos con gozo
la gloriosa institución
de este banquete divino,
el banquete del Señor.

Ésta es la nueva Pascua,
Pascua del único Rey,
que termina con la alianza
tan pesada de la ley.

Esto nuevo, siempre nuevo,
es la luz de la verdad,
que sustituye a lo viejo
con reciente claridad.

En aquella última cena
Cristo hizo la maravilla
de dejar a sus amigos
el memorial de su vida.

Enseñados por la Iglesia,
consagramos pan y vino,
que a los hombres nos redimen,
y dan fuerza en el camino.

Es un dogma del cristiano
que el pan se convierte en carne,
y lo que antes era vino
queda convertido en sangre.

Hay cosas que no entendemos,
pues no alcanza la razón;
mas si las vemos con fe,
entrarán al corazón.

Bajo símbolos diversos
y en diferentes figuras,
se esconden ciertas verdades
maravillosas, profundas.

Su sangre es nuestra bebida;
su carne, nuestro alimento;
pero en el pan o en el vino
Cristo está todo completo.

Quien lo come, no lo rompe,
no lo parte ni divide;
él es el todo y la parte;
vivo está en quien lo recibe.

Puede ser tan sólo uno
el que se acerca al altar,
o pueden ser multitudes:
Cristo no se acabará.

Lo comen buenos y malos,
con provecho diferente;
no es lo mismo tener vida
que ser condenado a muerte.

A los malos les da muerte
y a los buenos les da vida.
¡Qué efecto tan diferente
tiene la misma comida!

Si lo parten, no te apures;
sólo parten lo exterior;
en el mínimo fragmento
entero late el Señor.

Cuando parten lo exterior,
sólo parten lo que has visto;
no es una disminución
de la persona de Cristo.

*El pan que del cielo baja
es comida de viajeros.
Es un pan para los hijos.
¡No hay que tirarlo a los perros!

Ten compasión de nosotros,
buen pastor, pan verdadero.
Apaciéntanos y cuídanos
y condúcenos al cielo.

Isaac, el inocente,
es figura de este pan,
con el cordero de Pascua
y el misterioso maná.

Todo lo puedes y sabes,
pastor de ovejas, divino.
Concédenos en el cielo
gozar la herencia contigo. **Amén.**

6. Aclamación antes del Evangelio   (Jn 6, 51)
R. Aleluya, aleluya. Yo soy el pan vivo que ha bajado del cielo, dice el Señor; el que coma de este pan vivirá para siempre.
R. Aleluya, aleluya.

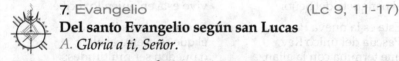

7. Evangelio   (Lc 9, 11-17)
Del santo Evangelio según san Lucas
A. *Gloria a ti, Señor.*

En aquel tiempo, Jesús habló del Reino de Dios a la multitud y curó a los enfermos.

Cuando caía la tarde, los doce apóstoles se acercaron a decirle: "Despide a la gente para que vayan a los pueblos y caseríos a buscar alojamiento y comida, porque aquí estamos en un lugar solitario". Él les contestó: "Denles ustedes de comer". Pero ellos le replicaron: "No tenemos más que cinco panes y dos pescados; a no ser que vayamos nosotros mismos a comprar víveres para toda esta gente". Eran como cinco mil varones.

Entonces Jesús dijo a sus discípulos: "Hagan que se sienten en grupos como de cincuenta". Así lo hicieron, y todos se sentaron. Después Jesús tomó en sus manos los cinco panes y los dos pescados, y levantando su mirada al cielo, pronunció sobre ellos una oración de acción de gracias, los partió y los fue dando a los discípulos, para que ellos los distribuyeran entre la gente.

Comieron todos y se saciaron, y de lo que sobró se llenaron doce canastos.

Palabra del Señor.

A. ***Gloria a ti, Señor Jesús.***

Se dice Credo

8. Oración sobre las ofrendas. Señor, concede, bondadoso, a tu Iglesia, los dones de la unidad y de la paz, significados místicamente en las ofrendas que te presentamos. Por Jesucristo, nuestro Señor.

9. Antífona de la comunión. El que come mi carne y bebe mi sangre, permanece en mí y yo en él, dice el Señor (Jn 6, 56).

10. Oración después de la comunión. Concédenos, Señor Jesucristo, disfrutar eternamente del gozo de tu divinidad que ahora pregustamos, en la comunión de tu Cuerpo y de tu Sangre. Tú que vives y reinas por los siglos de los siglos.

LA PALABRA EN TU VIDA

Pablo, al recordar lo fundamental de la fracción del pan, hace una fuerte llamada de atención a la comunidad, que estaba olvidando lo esencial de este Sacrificio, de esta acción de gracias. Valdría la pena hacer un examen de conciencia personal y comunitario, para revisar nuestras celebraciones, para ver cómo es nuestra participación en la Eucaristía y para ver en qué medida somos fuente de vida, pan compartido para los demás.

CARTA A LOS GÁLATAS

Los destinatarios de esta carta de Pablo, que ha marcado una etapa decisiva en la difusión del Evangelio a los paganos, son los habitantes de la Galacia, norte de la actual Turquía. Los romanos habían conquistado esta zona y habían constituido, en el año 25 a.C., la provincia de la Galacia, la más extensa del original territorio habitado por los gálatas. A las Iglesias de esa región Pablo les dirige un escrito que, en su interior, anticipa los temas que serán desarrollados en la Carta a los romanos. Como dice Pablo en este mismo escrito (4, 13), fue redactada después del segundo viaje misionero a la región de la Galacia. Según dicen los Hechos de los Apóstoles (18, 23), este segundo viaje precedió inmediatamente el largo período de la permanencia de Pablo en Éfeso, años 54-57, por ello esta carta fue escrita entre esos años.

Enemigos de Pablo. El Apóstol debe afrontar una situación eclesial en la que se han introducido algunos cristianos provenientes del judaísmo, llamados "judaizantes", que predicaban: para obtener la salvación es necesario la observancia de la ley mosaica y la práctica de la circuncisión. Por "ley mosaica" se entendía el conjunto de normas y prescripciones contenidas en la parte legislativa del Pentateuco. La circuncisión era el rito con el cual se entraba a formar parte del pueblo elegido. La carta se abre con una exposición autobiográfica, que ocupa los dos primeros capítulos. En ella el Apóstol recuerda el aval recibido, para su misión a los paganos, por parte de las "columnas" de la Iglesia, Santiago, Cefas (Pedro) y Juan. También habla del contraste tenido con Pedro a causa de su conducta en Antioquía, cuando había evitado los contactos con los paganos, en cuanto llegaron a esa ciudad representantes judeocristianos de Jerusalén.

El "**Evangelio**" **de Pablo.** Los capítulos 3 y 6 delinean las características de lo que Pablo predica: el único evangelio que ha recibido "por revelación de Jesucristo" y que no duda en llamar "mi evangelio". Quienes presentan el evangelio bajo otra perspectiva y aún condicionado por el "yugo" de la ley mosaica (que define en 5, 1 como "yugo de la esclavitud"), predican "otro evangelio" y permanecen en un mundo todavía sometido a la "carne". Esta palabra ofrece a Pablo la oportunidad para afrontar la contraposición carne/espíritu (también evangelio/ley, gracia/obras) presente en el mundo y en el hombre aún no alcanzado por Cristo y que se cierra a su salvación.

La **carne**, para Pablo, es todo lo que constituye el ámbito del pecado, la oposición a Cristo, las opciones que están en contraste con el Evangelio y con la novedad de vida que deriva de la Pascua. "Carne" es también el mundo de la ley mosaica, si no se abre a la plena salvación que nos ha sido ofrecida en Cristo. Es, en fin, el ámbito en el cual el hombre vive como "esclavo" y no como "hijo", como "prisionero" y no como "libre".

El **espíritu** es, por el contrario, el ámbito en el cual la Pascua de Jesús (y con ella el Evangelio, el bautismo, la fe, el don del Espíritu Santo) ha colocado al cristiano. Es el ámbito de la libertad (toda la Carta es un himno a la libertad), de la gracia, de la salvación, del amor fraterno, de un mundo completamente renovado y salvado.

19 DE JUNIO – **(VERDE)**

12º DOMINGO ORDINARIO

SEÑOR, MI ALMA TIENE SED DE TI

¿Quién dice la gente que soy yo? Este diálogo que nos narra san Lucas se sitúa al final de las actividades de Jesús en Galilea. Después de esta conversación Jesús comenzará el largo camino hacia Jerusalén, el lugar donde será sacrificado y al tercer día resucitará. Será de esta Ciudad Santa de donde los discípulos, llenos del Espíritu Santo, saldrán a recorrer los caminos del mundo para difundir la Buena Nueva.

Y ustedes, ¿quién dicen que soy yo? A Jesús no le interesa la opinión pública, ni tampoco que los Apóstoles se hagan portavoces de la opinión de los otros, aunque si estas opiniones lo ponen "muy en alto". A ellos, que han vivido con mucha familiaridad con Él, les pide una respuesta personal. Pedro responde por todos y expresa al mismo tiempo la fe de la Iglesia: «El Mesías de Dios». Es de notar que esta respuesta de Pedro es la primera confesión de fe explícita que se haya hecho sobre Jesús, sobre su identidad.

Les ordenó severamente que no lo dijeran a nadie. Después de la confesión de Pedro, que Jesús acepta como verdadera, les ordena severamente no revelarlo a nadie. Esta actitud de Jesús parecería contradictoria. Por una parte, había interrogado a los Apóstoles para que dieran una respuesta explícita sobre lo que pensaban de Él y, por la otra, les impone el silencio sobre esta verdad expresada por Pedro. Esta prohibición la comprenderemos mejor si conocemos el contexto histórico de cuando Pedro la pronunció: «Cristo» o «Mesías» para el común de la gente significaba inmediatamente una figura política, de revolucionario o de rebelde, que aspiraba a salvar a Israel del dominio de Roma con la fuerza militar.

Es necesario que el Hijo del hombre sufra mucho... Jesús acepta ese reconocimiento de fe, pero ilumina enseguida el sentido de este Mesías, cuando les anuncia su muerte y resurrección. Encontramos aquí el pleno significado que ha querido dar a su mesianismo: un Cristo consagrado por Dios para la salvación de los hombres; un Cristo que vence el mal, que libra al hombre y a la humanidad entera a través del dolor, la muerte y la resurrección. Él es –en una palabra– el Mesías de la cruz. El misterio de la cruz como camino a la vida es lo específico de su mesianidad. Los discípulos lo entenderán lentamente, ¡y sólo después de la Pascua!

Sobre la casa de David. Estos versículos del libro del profeta Zacarías forman parte de un oráculo más amplio (12, 9–13,1), en donde se anuncia la regeneración espiritual y escatológica de la nación, compuesta por la casa de David y por los habitantes de Jerusalén –**primera lectura**–. Dios promete una particular «efusión» de amor y de benevolencia hacia su pueblo. El oráculo profético anuncia que, mediante la efusión del espíritu de gracia y de consolación que viene de Yahvé, Jerusalén se convertirá y «mirará» con actitud espiritual diversa a un misterioso personaje que ella contribuyó a suprimir violentamente.

Continuando la proclamación de la **Carta a los gálatas**, san Pablo nos recuerda que en Cristo han sido abolidas todas las discriminaciones. El Apóstol hace una de las grandes síntesis de todo lo que ha enseñado –**segunda lectura**–. Hay un solo Padre y todos son hijos suyos. La unión de las personas en torno a un único Padre acontece con la propagación del Evangelio y con el Bautismo, como consecuencia de la adhesión al proyecto de Dios revelado en Cristo. Pablo ve el Bautismo como una nueva identidad. Esa afirmación se deduce del simbolismo de la ropa nueva.

1. Antífona de entrada. El Señor es la fuerza de su pueblo, defensa y salvación para su Ungido. Sálvanos, Señor, vela sobre nosotros y guíanos siempre (Cfr. Sal 27, 8-9).

Se dice Gloria

2. Oración colecta. Señor, concédenos vivir siempre en el amor y respeto a tu santo nombre, ya que jamás dejas de proteger a quienes estableces en el sólido fundamento de tu amor. Por nuestro Señor Jesucristo…

3. 1ª Lectura (Zac 12, 10-11; 13, 1)
Del libro de profeta Zacarías
Esto dice el Señor: "Derramaré sobre la descendencia de David y sobre los habitantes de Jerusalén, un espíritu de piedad y de compasión y ellos volverán sus ojos hacia mí, a quien traspasaron con la lanza. Harán duelo, como se hace duelo por el hijo único y llorarán por él amargamente, como se llora por la muerte del primogénito.

En ese día será grande el llanto en Jerusalén, como el llanto en la aldea de Hadad-Rimón, en el valle de Meguido".

En aquel día brotará una fuente para la casa de David y los habitantes de Jerusalén, que los purificará de sus pecados e inmundicias.
Palabra de Dios.
A. *Te alabamos, Señor.*

4. Salmo responsorial (Sal 62)
R. **Señor, mi alma tiene sed de ti.**
L. Señor, tú eres mi Dios, a ti te busco; de ti sedienta está mi alma. Señor, todo mi ser te añora como el suelo reseco añora el agua. / R.

L. Para admirar tu gloria y tu poder, con este afán te busco en tu santuario. Pues mejor es tu amor que la existencia; siempre, Señor, te alabarán mis labios. / R.

L. Podré así bendecirte mientras viva y levantar en oración mis manos. De lo mejor se saciará mi alma. Te alabaré con jubilosos labios. / R.

5. 2ª Lectura   (Gál 3, 26-29)

De la carta del apóstol san Pablo a los gálatas

Hermanos: Todos ustedes son hijos de Dios por la fe en Cristo Jesús, pues, cuantos han sido incorporados a Cristo por medio del bautismo, se han revestido de Cristo. Ya no existe diferencia entre judíos y no judíos, entre esclavos y libres, entre varón y mujer, porque todos ustedes son uno en Cristo Jesús. Y si ustedes son de Cristo, son también descendientes de Abraham y la herencia que Dios le prometió les corresponde a ustedes.

Palabra de Dios.

A. ***Te alabamos, Señor.***

6. Aclamación antes del Evangelio   (Jn 10, 27)

R. **Aleluya, aleluya.** Mis ovejas escuchan mi voz, dice el Señor; yo las conozco y ellas me siguen.

R. **Aleluya, aleluya.**

7. Evangelio   (Lc 9, 18-24)

Del santo Evangelio según san Lucas

A. Gloria a ti, Señor.

Un día en que Jesús, acompañado de sus discípulos, había ido a un lugar solitario para orar, les preguntó: "¿Quién dice la gente que soy yo?". Ellos contestaron: "Unos dicen que eres Juan el Bautista; otros, que Elías, y otros, que alguno de los antiguos profetas que ha resucitado".

Él les dijo: "Y ustedes, ¿quién dicen que soy yo?". Respondió Pedro: "El Mesías de Dios". Él les ordenó severamente que no lo dijeran a nadie.

Después les dijo: "Es necesario que el Hijo del hombre sufra mucho, que sea rechazado por los ancianos, los sumos sacerdotes y los escribas, que sea entregado a la muerte y que resucite al tercer día".

Luego, dirigiéndose a la multitud, les dijo: "Si alguno quiere acompañarme, que no se busque a sí mismo, que tome su cruz de cada día y me siga. Pues el que quiera conservar para sí mismo su vida, la perderá; pero el que la pierda por mi causa, ése la encontrará".

Palabra del Señor.

A. ***Gloria a ti, Señor Jesús.***

Se dice Credo

8. Oración sobre las ofrendas. Recibe, Señor, este sacrificio de reconciliación y alabanza y concédenos que, purificados por su eficacia, podamos ofrecerte el entrañable afecto de nuestro corazón. Por Jesucristo, nuestro Señor.

9. Antífona de la comunión. Los ojos de todos esperan en ti, Señor; y tú les das la comida a su tiempo (Sal 144, 15).

10. Oración después de la comunión. Renovados, Señor, por el alimento del sagrado Cuerpo y la preciosa Sangre de tu Hijo, concédenos que lo que realizamos con asidua devoción lo recibamos convertido en certeza de redención. Por Jesucristo, nuestro Señor.

EN COMUNIÓN
CON LA TRADICIÓN VIVA DE LA IGLESIA

«Carguemos con la cruz del Señor para que, crucificando nuestra carne, destruya el pecado. Quien ama los preceptos del Señor, sujeta con clavos la propia carne, sabiendo que cuando su hombre viejo esté con Cristo crucificado en la cruz, destruirá la lujuria de la carne. Sujétala, pues, con clavos y habrás destruido los incentivos del pecado. Existe un clavo espiritual capaz de sujetar esa tu carne al patíbulo de la cruz del Señor. Que el temor del Señor y de sus juicios crucifique esta carne, reduciéndola a servidumbre. Porque si esta carne rechaza los clavos del temor del Señor, indudablemente tendrá que oír: Mi aliento no

durará por siempre en el hombre, puesto que es carne. Por tanto, a menos que esta carne sea clavada a la cruz y se le sujete con los clavos del temor de nuestro Dios, el aliento de Dios no durará en el hombre. Está clavado con estos clavos, quien muere con Cristo, para resucitar con él; está clavado con estos clavos, quien lleva en su cuerpo la muerte del Señor Jesús; está clavado con estos clavos, quien merece escuchar, lo dicho por Jesús: Grábame como un sello en tu brazo, como un sello en tu corazón, porque es fuerte el amor como la muerte, es cruel la pasión como el abismo. Graba, pues, en tu pecho y en tu corazón este sello del Crucificado, grábalo en tu brazo, para que tus obras estén muertas al pecado. No te escandalice la dureza de los clavos, pues es la dureza de la caridad; ni te espante el poderoso rigor de los clavos, porque también el amor es fuerte como la muerte. El amor, en efecto, da muerte a la culpa y a todo pecado; el amor mata como una puñalada mortal» (**San Ambrosio de Milán** [339-397]. Comentario al Salmo 118).

EL SAGRADO CORAZÓN DE JESÚS (S)

CORAZÓN DE BUEN PASTOR

Al honrar hoy al Sagrado Corazón de Jesús, la Iglesia hace un reconocimiento público del amor ilimitado que Jesús nos tiene y que nos ha manifestado hasta el extremo de dar su vida por nosotros.

Todos los hechos de Jesús, no únicamente su Pasión, son una expresión continuada de su amorosa misericordia.

El Corazón de Jesús es el del Buen Pastor, del Pastor que conoce a todas y cada una de sus ovejas; que las ama incondicionalmente; que las guía hacia los pastos saludables y hacia los arroyos de agua viva; que las protege y las defiende de los lobos rapaces y de cualquier peligro; Pastor que busca a las ovejas que se han perdido y carga sobre sus hombros a las que están enfermas o cojas.

Él conduce a su rebaño con suave firmeza; va delante de sus ovejas y con la música suave de una flauta de carrizo las atrae y las mantiene unidas.

En su morral no lleva piedras para arrojarlas contra ellas, sino granos de trigo, ungüento y un poco de sal para las más fatigadas.

Jesús, porque conoce a sus ovejas, las llama a cada una con su nombre. Su Corazón es de Pastor bueno. De Pastor que no duda en entregar su vida para que ninguna perezca.

Dulce Corazón de mi amado Salvador, ¡haz que arda siempre y crezca en mí tu amor!

1. Antífona de entrada. Los proyectos de su corazón subsisten de generación en generación, para librar de la muerte a sus fieles y reanimarlos en tiempo de hambre (Sal 32, 11. 19).

Se dice Gloria

2. Oración colecta. Concédenos, Dios todopoderoso, que, gozosos de honrar el Corazón de tu amado Hijo, al recordar la grandeza de los beneficios de su amor, merezcamos recibir gracias cada vez más abundantes de esa fuente celestial. Por nuestro Señor Jesucristo...

3. 1ª Lectura   (Ez 34, 11-16)
Del libro del profeta Ezequiel
Esto dice el Señor Dios: "Yo mismo iré a buscar a mis ovejas y velaré por ellas. Así como un pastor vela por su rebaño cuando las ovejas se encuentran dispersas, así velaré yo por mis ovejas e iré por ellas a todos los lugares por donde se dispersaron un día de niebla y de oscuridad.

Las sacaré de en medio de los pueblos, las congregaré de entre las naciones, las traeré a su tierra y las apacentaré por los montes de Israel, por las cañadas y por los poblados del país. Las apacentaré en pastizales escogidos, y en lo alto de los montes de Israel tendrán su aprisco; allí reposarán en buenos prados, y en pastos suculentos serán apacentadas sobre los montes de Israel.

Yo mismo apacentaré a mis ovejas; yo mismo las haré reposar, dice el Señor Dios."

Buscaré a la oveja perdida y haré volver a la descarriada; curaré a la herida, robusteceré a la débil, y a la que está gorda y fuerte, la cuidaré. Yo las apacentaré en la justicia". *Palabra de Dios.*
A. *Te alabamos, Señor.*

4. Salmo responsorial   (Sal 22)
R. **El Señor es mi pastor, nada me faltará.**
L. El Señor es mi pastor, nada me falta; en verdes praderas me hace reposar y hacia fuentes tranquilas me conduce para reparar mis fuerzas. / R.
L. Por ser un Dios fiel a sus promesas, me guía por el sendero recto; así, aunque camine por cañadas oscuras, nada temo, porque tú estás conmigo. Tu vara y tu cayado me dan seguridad. / R.
L. Tú mismo me preparas la mesa, a despecho de mis adversarios; me unges la cabeza con perfume y llenas mi copa hasta los bordes. / R.
L. Tu bondad y tu misericordia me acompañarán todos los días de mi vida; y viviré en la casa del Señor por años sin término. / R.

5. 2ª Lectura   (Rom 5, 5-11)
De la carta del apóstol san Pablo a los romanos
Hermanos: Dios ha infundido su amor en nuestros corazones por medio del Espíritu Santo, que él mismo nos ha dado.
En efecto, cuando todavía no teníamos fuerzas para salir del pecado, Cristo murió por los pecadores en el tiempo señalado. Difícilmente habrá alguien que. quiera morir por un justo, aunque puede haber alguno que esté dispuesto a morir por una persona sumamente buena. Y la prueba de que Dios nos ama está en que Cristo murió por nosotros, cuando aún éramos pecadores.
Con mayor razón, ahora que ya hemos sido justificados por su sangre, seremos salvados por él del castigo final. Porque, si cuando éramos enemigos de Dios, fuimos reconciliados con

él por la muerte de su Hijo, con mucha más razón, estando ya reconciliados, recibiremos la salvación participando de la vida de su Hijo. Y no sólo esto, sino que también nos gloriamos en Dios, por medio de nuestro Señor Jesucristo, por quien hemos obtenido ahora la reconciliación.

Palabra de Dios.
A. **Te alabamos, Señor.**

6. Aclamación antes del Evangelio   (Jn 10, 14)
R. **Aleluya, aleluya.** Yo soy el buen pastor, dice el Señor; yo conozco a mis ovejas y ellas me conocen a mí.
R. **Aleluya, aleluya.**

7. Evangelio   (Lc 15, 3-7)
Del santo Evangelio según san Lucas
A. *Gloria a ti, Señor.*

En aquel tiempo, Jesús dijo a los fariseos y a los escribas esta parábola: "¿Quién de ustedes, si tiene cien ovejas y se le pierde una, no deja las noventa y nueve en el campo y va en busca de la que se le perdió hasta encontrarla? Y una vez que la encuentra, la carga sobre sus hombros, lleno de alegría, y al llegar a su casa, reúne a los amigos y vecinos y les dice: 'Alégrense conmigo, porque ya encontré la oveja que se me había perdido'.

Yo les aseguro que también en el cielo habrá más alegría por un pecador que se convierte, que por noventa y nueve justos, que no necesitan convertirse".

Palabra del Señor.
A. *Gloria a ti, Señor Jesús.*

Se dice Credo

8. Oración sobre las ofrendas. Mira, Señor, el inefable amor del Corazón de tu Hijo amado, para que este don que te ofrecemos sea agradable a tus ojos y sirva como expiación de nuestros pecados. Por Jesucristo, nuestro Señor.

PREFACIO: El inmenso amor de Cristo

En verdad es justo y necesario, es nuestro deber y salvación darte gracias siempre y en todo lugar, Señor, Padre santo, Dios todopoderoso y eterno, por Cristo, Señor nuestro. El cual, con inmenso amor, se entregó por nosotros en la cruz e hizo salir sangre y agua de su costado herido, de donde habrían de brotar los sacramentos de la Iglesia, para que todos los hombres, atraídos hacia el corazón abierto del Salvador, pudieran beber siempre, con gozo, de la fuente de la salvación. Por eso, con todos los ángeles y los santos te alabamos, diciendo sin cesar:

Santo, Santo, Santo...

9. Antífona de la comunión. Dice el Señor: si alguno tiene sed, que venga a mí y beba. De aquel que cree en mí, brotarán ríos de agua viva (Cfr. Jn 7, 37-38).

10. Oración después de la comunión. Señor y Padre nuestro, que este sacramento de amor nos haga arder en santo afecto, de modo que, atraídos siempre hacia tu Hijo, sepamos reconocerlo en nuestros hermanos. Él, que vive y reina por los siglos de los siglos.

LA PALABRA EN TU VIDA

Todos los ministros religiosos deben imitar al Buen Pastor y tener, como Él, un corazón misericordioso. Si un animador o guía religioso pierde su fervor pastoral, fácilmente se transforma en un mero funcionario; su labor se vuelve estéril y, en el peor de los casos, contraproducente. En momentos cruciales de la historia de Israel, los sacerdotes del judaísmo llegaron a volverse una lacra, a tal grado que acabaron siendo dañinos para el rebaño; Dios intervino entonces para reprobarlos severamente, y anunció por medio de profetas como Ezequiel, que en lo sucesivo Él mismo se ocuparía de apacentar a sus ovejas (cfr. Ez 34, 11-16).

NATIVIDAD DE SAN JUAN BAUTISTA (S)

"SERÁS LLAMADO PROFETA DEL ALTÍSIMO"

Zacarías, el padre de Juan Bautista, fue el primero en cantar la grandeza de ese personaje de quien Jesús dijo: *"de los nacidos de mujer no se ha manifestado uno más grande que Juan el Bautista..."* (Mt 11, 11). Zacarías, en un canto inspirado acerca del Mesías, dedicó una estrofa al propio hijo, que estaba llamado a ser el Precursor de Jesucristo. *"Y tú, niño, serás llamado profeta del Altísimo, porque irás delante del Señor para prepararle sus caminos"* (Lc 1, 76).

Jesús mismo dará a su Precursor el título de "profeta". Las cosas sucedieron así:

Estando el Bautista encarcelado por orden de Herodes, llegaron a él informaciones acerca de las obras y enseñanzas de Jesús; entonces Juan mandó a algunos de sus discípulos para que le preguntaran al Maestro si era Él el Mesías. Jesús les dio una respuesta indirecta, mencionando los hechos que lo acreditaban como el enviado de Dios. Después, se puso a interrogar a la gente acerca de a quién habían encontrado en el desierto: si a una caña agitada por el viento, o a un hombre cubierto con ricas vestiduras, o a un profeta... Y el Maestro mismo dio la respuesta: *"Eso sí, créanme, hallaron a alguien que es más que un profeta, pues a él se refiere el texto de la Escritura que dice: 'Yo voy a enviar a mi mensajero delante de ti, para que te preceda abriéndote el camino'..."* (Mt 11, 9-10).

Si "profeta" es, sobre todo, uno que revela o anuncia los misterios del Altísimo, el que anuncia y proclama la llegada del Hijo divino al mundo, es un gran profeta. Todos los bautizados estamos llamados a ser profetas, esto es a proclamar en todo lugar y circunstancia las maravillas del Señor.

El santo de hoy: *La Iglesia celebra gozosa el nacimiento de Juan el Bautista, cuya misión fue dar testimonio de la luz en el umbral de los tiempos nuevos. Jesús mismo destacó el incomparable papel del Bautista, cuando dijo: "Entre los hijos de las mujeres no hay ninguno que se pueda comparar con Juan el Bautista".*

1. Antífona de entrada. Vino un hombre enviado por Dios, que se llamaba Juan. Él vino para dar testimonio de la luz y prepararle al Señor un pueblo dispuesto a recibirlo (Jn 1, 6-7; Lc 1, 17).

Se dice Gloria

2. Oración colecta. Dios nuestro, que suscitaste a san Juan Bautista para prepararle a Cristo, el Señor, un pueblo dispuesto a recibirlo, concede ahora a tu Iglesia el don de la alegría espiritual, y guía a tus fieles por el camino de la salvación y de la paz. Por nuestro Señor Jesucristo...

3. 1ª Lectura (Is 49, 1-6)
Del libro del profeta Isaías
Escúchenme, islas; pueblos lejanos, atiéndanme. El Señor me llamó desde el vientre de mi madre; cuando aún estaba yo en el seno materno, él pronunció mi nombre.

Hizo de mi boca una espada filosa, me escondió en la sombra de su mano, me hizo flecha puntiaguda, me guardó en su aljaba y me dijo: "Tú eres mi siervo, Israel; en ti manifestaré mi gloria". Entonces yo pensé: "En vano me he cansado, inútilmente he gastado mis fuerzas; en realidad mi causa estaba en manos del Señor, mi recompensa la tenía mi Dios".

Ahora habla el Señor, el que me formó desde el seno materno, para que fuera su servidor, para hacer que Jacob volviera a él y congregar a Israel en torno suyo –tanto así me honró el Señor y mi Dios fue mi fuerza–. Ahora, pues, dice el Señor: "Es poco que seas mi siervo sólo para restablecer a las tribus de Jacob y reunir a los sobrevivientes de Israel; te voy a convertir en luz de las naciones, para que mi salvación llegue hasta los últimos rincones de la tierra".

Palabra de Dios.
A. **Te alabamos, Señor.**

4. Salmo responsorial   (Sal 138)
R. **Te doy gracias, Señor, porque me has formado maravillosamente.**

L. Tú me conoces, Señor, profundamente: tú conoces cuándo me siento y me levanto, desde lejos sabes mis pensamientos, tú observas mi camino y mi descanso, todas mis sendas te son familiares. / R.

L. Tú formaste mis entrañas, me tejiste en el seno materno. Te doy gracias por tan grandes maravillas; soy un prodigio y tus obras son prodigiosas. / R.

L. Conocías plenamente mi alma; no se te escondía mi organismo, cuando en lo oculto me iba formando y entretejiendo en lo profundo de la tierra. / R.

5. 2ª Lectura   (Hech 13, 22-26)
Del libro de los Hechos de los Apóstoles
En aquellos días, Pablo les dijo a los judíos: "Hermanos: Dios les dio a nuestros padres como rey a David, de quien hizo esta alabanza: *He hallado a David, hijo de Jesé, hombre según mi corazón, quien realizará todos mis designios.*

Del linaje de David, conforme a la promesa, Dios hizo nacer para Israel un salvador, Jesús. Juan preparó su venida, predicando a todo el pueblo de Israel un bautismo de penitencia, y hacia el final de su vida, Juan decía: 'Yo no soy el que ustedes piensan. Después de mí viene uno a quien no merezco desatarle las sandalias'.

Hermanos míos, descendientes de Abraham, y cuantos temen a Dios: Este mensaje de salvación les ha sido enviado a ustedes".

Palabra de Dios.

A. **Te alabamos, Señor.**

6. Aclamación antes del Evangelio   (Lc 1, 76)

R. **Aleluya, aleluya.** Y a ti, niño, te llamarán profeta del Altísimo, porque irás delante del Señor a preparar sus caminos.

R. **Aleluya, aleluya.**

7. Evangelio   (Lc 1, 57-66. 80)

Del santo Evangelio según san Lucas

A. *Gloria a ti, Señor.*

Por aquellos días, le llegó a Isabel la hora de dar a luz y tuvo un hijo. Cuando sus vecinos y parientes se enteraron de que el Señor le había manifestado tan grande misericordia, se regocijaron con ella.

A los ocho días fueron a circuncidar al niño y le querían poner Zacarías, como su padre; pero la madre se opuso, diciéndoles: "No. Su nombre será Juan". Ellos le decían: "Pero si ninguno de tus parientes se llama así".

Entonces le preguntaron por señas al padre cómo quería que se llamara el niño. Él pidió una tablilla y escribió: "Juan es su nombre". Todos se quedaron extrañados. En ese momento a Zacarías se le soltó la lengua, recobró el habla y empezó a bendecir a Dios.

Un sentimiento de temor se apoderó de los vecinos, y en toda la región montañosa de Judea se comentaba este suceso. Cuantos se enteraban de ello se preguntaban impresionados: "¿Qué va a ser de este niño?". Esto lo decían, porque realmente la mano de Dios estaba con él.

El niño se iba desarrollando físicamente y su espíritu se iba fortaleciendo, y vivió en el desierto hasta el día en que se dio a conocer al pueblo de Israel. *Palabra del Señor.*

A. *Gloria a ti, Señor Jesús.*

Se dice Credo

8. Oración sobre las ofrendas. Presentamos, Señor, en tu altar estos dones, al celebrar con el debido honor el nacimiento de aquel que no sólo anunció al Salvador que habría de venir, sino, además, lo mostró ya presente. Él, que vive y reina por los siglos de los siglos.

PREFACIO: La misión del Precursor

En verdad es justo y necesario, es nuestro deber y salvación darte gracias siempre y en todo lugar, Señor, Padre santo, Dios todopoderoso y eterno, por Cristo, Señor nuestro.

Porque en la persona de su Precursor, Juan el Bautista, alabamos tu magnificencia, ya que lo consagraste con el más grande honor entre todos los nacidos de mujer. Al que fuera, en su nacimiento, ocasión de gran júbilo, y aun antes de nacer saltara de gozo ante la llegada de la salvación humana, le fue dado, sólo a él entre todos los profetas, presentar al Cordero que quita el pecado del mundo. Y en favor de quienes habrían de ser santificados, lavó en agua viva al mismo autor del bautismo, y mereció ofrecerle el supremo testimonio de su sangre. Por eso, unidos a los ángeles, te alabamos continuamente en la tierra, proclamando tu grandeza sin cesar:

Santo, Santo, Santo...

9. Antífona de la comunión. Por la entrañable misericordia de nuestro Dios, nos ha visitado el sol que nace de lo alto (Cfr. Lc 1, 78).

10. Oración después de la comunión. Renovados por el banquete celestial del Cordero, te rogamos, Señor, que tu Iglesia, llena de alegría por el nacimiento de Juan el Bautista, reconozca en aquel que Juan anunció que habría de venir al autor de la salvación. Por Jesucristo, nuestro Señor.

LA PALABRA EN TU VIDA

"Te hago luz de las naciones" (Is 49). En el primer canto del "siervo de Yahvé" escrito por el profeta Isaías, los hechos históricos a que se alude, relacionados con el destino de Israel, se entrelazan con el anuncio de un restaurador que será punto de comunión de todas las naciones. El carácter mesiánico del mencionado texto es muy claro: el restaurador del pueblo elegido es el Salvador del mundo; su obra no se circunscribe a un solo pueblo. Jesús proclamará abiertamente: "Yo soy la luz del mundo. El que me sigue no caminará en tinieblas".

13º DOMINGO ORDINARIO
ENSÉÑANOS, SEÑOR, EL CAMINO DE LA VIDA

Jesús tomó la firme determinación de emprender el viaje a Jerusalén. El pasaje evangélico de hoy nos presenta a Jesús en un momento crucial de su vida. Escribe san Lucas: *«Ya se acercaba el tiempo en que tenía que salir de este mundo».* Y Jesús toma la firme decisión de encaminarse hacia Jerusalén. Cuando Lucas nos habla de esta *«firme decisión de ir a Jerusalén»* no quiere ofrecer solamente una indicación geográfica. Esta expresión es una aclaración teológica que sintetiza toda la existencia de Cristo como *camino hacia la cruz.*

Toda esta sesión del Evangelio se centra en Jerusalén, es decir en el evento terminal de la vida de Jesús: pasión, muerte y resurrección. De ahí la importancia «teológica» de este libre encaminarse de Jesús hacia la Ciudad de la Redención: misterio de sufrimiento y de gloria al mismo tiempo. Jesús comienza a recorrer el itinerario de su existencia con la «mirada puesta» en la meta final de su vida.

Los samaritanos no quisieron recibirlo. Las dificultades comienzan inmediatamente al iniciar el recorrido hacia Jerusalén, cuando Jesús deja Galilea y entra en el territorio de Samaria. En una aldea de esa región, no es recibido. Los habitantes de tal lugar no lo hospedan: «*porque supieron que iba a Jerusalén*». Era la Ciudad Santa de las promesas de Dios a David y a los profetas; pero, sobre todo, ahí latía el corazón de la Alianza entre Dios y su pueblo.

Hostilidad entre judíos y samaritanos. Entre samaritanos y judíos, como lo podemos constatar claramente en el diálogo entre Jesús y la samaritana (Jn 4), no había buenas relaciones. Desde hacía siglos entre ellos existía, podemos decirlo, un odio fraterno. Los samaritanos estaban emparentados con los judíos, pero eran considerados cismáticos, por lo tanto, gente que se debe rechazar, personas que "entre más lejos mejor".

Condiciones para seguir a Jesús. La segunda parte del texto nos presenta una serie de encuentros que Jesús tiene durante su camino a Jerusalén. Son personas a quienes les ha convencido el mensaje de Jesús. En estos tres encuentros indicados por el Evangelista san Lucas, se subrayan las condiciones para ser discípulos de Jesús. La primera: abandonar toda seguridad humana; la segunda condición: el desapego radical, incluso de las personas; la tercera es la constancia, sin nostalgias de lo que se ha dejado atrás.

Elías unge a Eliseo. En esta hermosa y sencilla narración del Primer libro de los Reyes, tenemos un ejemplo de cómo se debe seguir la llamada de Dios. Aun el acto de destruir el arado y de sacrificar una yunta de bueyes para distribuir la carne a la gente, expresa la «disponibilidad» radical del Profeta, que rompe con su pasado y la alegría con la cual acepta la llamada que, en cierto sentido, entiende compartir con los otros **–primera lectura–**. Por lo tanto, para seguir la voz de Dios, Eliseo deja todo: sus propiedades, su familia, sus bienes.

¿Espíritu o legalismo? Para que no haya dudas, Pablo agrega una observación profunda: «*Cristo nos ha liberado para que seamos libres*» **–segunda lectura–**. La legislación rabínica, al contrario del derecho helenista, preveía una doble «liberación» de la esclavitud: para una nueva esclavitud –simple cambio de amo– o por una libertad total. Los cristianos pertenecen al segundo esquema: una liberación para la libertad.

1. Antífona de entrada. Pueblos todos, aplaudan y aclamen a Dios con gritos de júbilo (Sal 46, 2).

Se dice Gloria

2. Oración colecta. Señor Dios, que mediante la gracia de la adopción filial quisiste que fuéramos hijos de la luz, concédenos que no nos dejemos envolver en las tinieblas del error, sino que permanezcamos siempre vigilantes en el esplendor de la verdad. Por nuestro Señor Jesucristo...

3. 1ª Lectura   (1 Re 19, 16. 19-21)
Del primer libro de los Reyes
En aquellos tiempos, el Señor le dijo a Elías: "Unge a Eliseo, el hijo de Safat, originario de Abel-Mejolá, para que sea profeta en lugar tuyo".

Elías partió luego y encontró a Eliseo, hijo de Safat, que estaba arando. Delante de él trabajaban doce yuntas de bueyes y él trabajaba con la última. Elías pasó junto a él y le echó encima su manto. Entonces Eliseo abandonó sus bueyes, corrió detrás de Elías y le dijo: "Déjame dar a mis padres el beso de despedida y te seguiré". Elías le contestó: "Ve y vuelve, porque bien sabes lo que ha hecho el Señor contigo".

Se fue Eliseo, se llevó los dos bueyes de la yunta, los sacrificó, asó la carne en la hoguera que hizo con la madera del arado y la repartió a su gente para que se la comieran. Luego se levantó, siguió a Elías y se puso a su servicio.
Palabra de Dios.
A. Te alabamos, Señor.

4. Salmo responsorial   (Sal 15)
R. Enséñanos, Señor, el camino de la vida.
L. Protégeme, Dios mío, pues eres mi refugio. Yo siempre he dicho que tú eres mi Señor. El Señor es la parte que me ha tocado en herencia: mi vida está en sus manos. / **R.**

L. Bendeciré al Señor, que me aconseja, hasta de noche me instruye internamente. Tengo siempre presente al Señor y con él a mi lado, jamás tropezaré. / **R.**

[R. Enséñanos, Señor, el camino de la vida.]

L. Por eso se me alegran el corazón y el alma y mi cuerpo vivirá tranquilo, porque tú no me abandonarás a la muerte ni dejarás que sufra yo la corrupción. / R.

L. Enséñame el camino de la vida, sáciame de gozo en tu presencia y de alegría perpetua junto a ti. / R.

5. 2ª Lectura   (Gál 5, 1. 13-18)
De la carta del apóstol san Pablo a los gálatas
Hermanos: Cristo nos ha liberado para que seamos libres. Conserven, pues, la libertad y no se sometan de nuevo al yugo de la esclavitud. Su vocación, hermanos, es la libertad. Pero cuiden de no tomarla como pretexto para satisfacer su egoísmo; antes bien, háganse servidores los unos de los otros por amor. Porque toda la ley se resume en un solo precepto: *Amarás a tu prójimo como a ti mismo.* Pues si ustedes se muerden y devoran mutuamente, acabarán por destruirse.

Los exhorto, pues, a que vivan de acuerdo con las exigencias del Espíritu; así no se dejarán arrastrar por el desorden egoísta del hombre. Este desorden está en contra del Espíritu de Dios, y el Espíritu está en contra de ese desorden. Y esta oposición es tan radical, que les impide a ustedes hacer lo que querrían hacer. Pero si los guía el Espíritu, ya no están ustedes bajo el dominio de la ley. *Palabra de Dios.*

A. *Te alabamos, Señor.*

6. Aclamación antes del Evangelio (1 Sam 3, 9; Jn 6, 68)
R. **Aleluya, aleluya.** Habla, Señor, que tu siervo te escucha. Tú tienes palabras de vida eterna.
R. **Aleluya, aleluya.**

7. Evangelio   (Lc 9, 51-62)
Del santo Evangelio según san Lucas
A. *Gloria a ti, Señor.*

Cuando ya se acercaba el tiempo en que tenía que salir de este mundo, Jesús tomó la firme determinación de emprender el viaje a Jerusalén. Envió mensajeros por delante y ellos fueron a una aldea de Samaria para conseguirle alojamiento; pero los samaritanos no quisieron recibirlo, porque supieron que iba a Jerusalén. Ante esta negativa, sus discípulos Santiago y Juan le dijeron: "Señor, ¿quieres que hagamos bajar fuego del cielo para que acabe con ellos?". Pero Jesús se volvió hacia ellos y los reprendió. Después se fueron a otra aldea.

Mientras iban de camino, alguien le dijo a Jesús: "Te seguiré a dondequiera que vayas". Jesús le respondió: "Las zorras tienen madrigueras y los pájaros, nidos; pero el Hijo del hombre no tiene en dónde reclinar la cabeza".

A otro, Jesús le dijo: "Sígueme". Pero él le respondió: "Señor, déjame ir primero a enterrar a mi padre". Jesús le replicó: "Deja que los muertos entierren a sus muertos. Tú ve y anuncia el Reino de Dios".

Otro le dijo: "Te seguiré, Señor; pero déjame primero despedirme de mi familia". Jesús le contestó: "El que empuña el arado y mira hacia atrás, no sirve para el Reino de Dios".

Palabra del Señor.

A. *Gloria a ti, Señor Jesús.*

Se dice Credo

8. Oración sobre las ofrendas. Señor Dios, que bondadosamente realizas el fruto de tus sacramentos, concédenos que seamos capaces de servirte como corresponde a tan santos misterios. Por Jesucristo, nuestro Señor.

9. Antífona de la comunión. Bendice, alma mía, al Señor; que todo mi ser bendiga su santo nombre (Cfr. Sal 102, 1).

10. Oración después de la comunión. Que la víctima divina que te hemos ofrecido y que acabamos de recibir, nos vivifique, Señor, para que, unidos a ti con perpetuo amor, demos frutos que permanezcan para siempre. Por Jesucristo, nuestro Señor.

EN COMUNIÓN
CON LA TRADICIÓN VIVA DE LA IGLESIA

«Me llamaste, Señor, para servir a tus hijos. Previniste mi nacimiento con un cuidado superior al de las leyes naturales; pues me sacaste a la luz adoptándome como hijo tuyo y me contaste entre los hijos de tu Iglesia santa e inmaculada. Tú, Señor, me sacaste de los lomos de mi padre; tú me formaste en el vientre de mi madre; tú me diste a luz niño y desnudo, puesto que las leyes de la naturaleza siguen tus mandatos. Con la bendición del Espíritu Santo preparaste mi creación y mi existencia, no por voluntad de varón, ni por deseo carnal, sino por una gracia tuya inefable. (···). Por la imposición de manos del obispo, me llamaste para servir a tus hijos. Ignoro por qué razón me elegiste; tú solo lo sabes. Pero tú, Señor, aligera la pesada carga de mis pecados, con los que gravemente te ofendí; purifica mi corazón y mi mente. Condúceme por el camino recto, tú que eres una lámpara que alumbra. Pon tus palabras en mis labios; dame un lenguaje claro y fácil, mediante la lengua de fuego de tu Espíritu, para que tu presencia siempre vigile. Apaciéntame, Señor, y apacienta tú conmigo, para que mi corazón no se desvíe a derecha ni izquierda, sino que tu Espíritu bueno me conduzca por el camino recto y mis obras se realicen según tu voluntad hasta el último momento. Y tú, cima preclara de la más íntegra pureza, excelente congregación de la Iglesia, que esperas la ayuda de Dios, tú, en quien Dios descansa, recibe de nuestras manos la doctrina inmune de todo error, tal como nos la transmitieron nuestros Padres, y con la cual se fortalece la Iglesia» (**San Juan de Damasco** [675-749]. Declaración de la fe).

SANTOS PEDRO Y PABLO, APÓSTOLES (S)

PIEDRA Y LLAVE

A san Pedro, Jesucristo lo llamó "piedra", aludiendo a su nombre, y le hizo la promesa de poner en sus manos "las llaves del Reino de los cielos" (cfr. Mt 16, 13-19). Por esto último, en la iconografía cristiana, a san Pedro se le representa llevando en sus manos o teniendo junto a su persona, una vistosa llave.

La piedra representa firmeza y estabilidad; así lo ratifica la declaración de Jesús al anunciar a Pedro que, sobre la "piedra" que era él, edificaría su Iglesia, o sea que lo pondría como fundamento y base firme de su Iglesia. También le aseguró que las fuerzas del Maligno no podrían nunca derribarla. De hecho, la Iglesia fundada por nuestro Señor sigue en pie y mantiene su dinamismo a pesar de tantas vicisitudes históricas y enemigos que han pretendido acabar con ella.

Alguien ha escrito, con humilde realismo, que ni siquiera los creyentes pecadores hemos acabado con la Iglesia a causa de nuestras culpas. Bien sabemos que, a lo largo de los siglos, han sido muchos los seguidores de Cristo indignos, incluso entre los Papas en algunas épocas. Y, sin embargo, la Iglesia mantiene su firmeza y sigue siendo "santa" y todos sus miembros están llamados a la santidad, porque su divino Fundador es santo, como es santo también el Espíritu que la anima.

Las "llaves del Reino de los cielos" son una referencia simbólica al poder dado a san Pedro y a todos sus sucesores, para enseñar, regir y santificar al nuevo Pueblo de Dios. Seamos hijos fervientes y fieles de la Iglesia y también a nosotros se nos abrirá el Reino de los cielos.

Los santos de hoy: *Pedro y Pablo poseen temperamentos diferentes y líneas también muy distintas. La forma como ambos encontraron al Señor ha marcado su apostolado, y el genio de Pablo es incomparable en el cristianismo. Pero ambos coinciden en la profundidad de su fe y en el amor fervoroso a Cristo. Pedro dice al Señor: "Señor, tú bien sabes que te amo". Pablo, por su parte: "Para mí, el vivir es Cristo". Ambos derramaron su sangre en Roma en estas fechas: Pedro el año 64; Pablo, el 67.*

1. Antífona de entrada. Éstos son los que, viviendo en nuestra carne, con su sangre fecundaron a la Iglesia, bebieron del cáliz del Señor, y fueron hechos amigos suyos.

Se dice Gloria

2. Oración colecta. Dios nuestro, tú que nos llenas de una venerable y santa alegría en la solemnidad de tus santos apóstoles Pedro y Pablo, concede a tu Iglesia que se mantenga siempre fiel a todas las enseñanzas de aquellos por quienes comenzó la propagación de la fe. Por nuestro Señor Jesucristo…

3. 1ª Lectura   (Hech 12, 1-11)
Del libro de los Hechos de los Apóstoles
En aquellos días, el rey Herodes mandó apresar a algunos miembros de la Iglesia para maltratarlos. Mandó pasar a cuchillo a Santiago, hermano de Juan, y viendo que eso agradaba a los judíos, también hizo apresar a Pedro. Esto sucedió durante los días de la fiesta de los panes Ázimos. Después de apresarlo, lo hizo encarcelar y lo puso bajo la vigilancia de cuatro turnos de guardia, de cuatro soldados cada turno. Su intención

era hacerlo comparecer ante el pueblo después de la Pascua. Mientras Pedro estaba en la cárcel, la comunidad no cesaba de orar a Dios por él.

La noche anterior al día en que Herodes iba a hacerlo comparecer ante el pueblo, Pedro estaba durmiendo entre dos soldados, atado con dos cadenas y los centinelas cuidaban la puerta de la prisión. De pronto apareció el ángel del Señor y el calabozo se llenó de luz. El ángel tocó a Pedro en el costado, lo despertó y le dijo: "Levántate pronto". Entonces las cadenas que le sujetaban las manos se le cayeron. El ángel le dijo: "Cíñete la túnica y ponte las sandalias", y Pedro obedeció. Después le dijo: "Ponte el manto y sígueme". Pedro salió detrás de él, sin saber si era verdad o no lo que el ángel hacía, y le parecía más bien que estaba soñando. Pasaron el primero y el segundo puesto de guardia y llegaron a la puerta de hierro que daba a la calle. La puerta se abrió sola delante de ellos. Salieron y caminaron hasta la esquina de la calle y de pronto el ángel desapareció.

Entonces, Pedro se dio cuenta de lo que pasaba y dijo: "Ahora sí estoy seguro de que el Señor envió a su ángel para librarme de las manos de Herodes y de todo cuanto el pueblo judío esperaba que me hicieran".

Palabra de Dios.
A. **Te alabamos, Señor.**

4. Salmo responsorial   (Sal 33)
R. **El Señor me libró de todos mis temores.**

L. Bendeciré al Señor a todas horas, no cesará mi boca de alabarlo. Yo me siento orgulloso del Señor, que se alegre su pueblo al escucharlo. / R.

L. Proclamemos la grandeza del Señor y alabemos todos juntos su poder. Cuando acudí al Señor, me hizo caso y me libró de todos mis temores. / R.

L. Confía en el Señor y saltarás de gusto, jamás te sentirás decepcionado, porque el Señor escucha el clamor de los pobres y los libra de todas sus angustias. / R.

[R. El Señor me libró de todos mis temores.]
L. Junto a aquellos que temen al Señor el ángel del Señor acampa y los protege. Haz la prueba y verás qué bueno es el Señor. Dichoso el hombre que se refugia en él. / R.

5. 2ª Lectura   (2 Tim 4, 6-8. 17-18)
De la segunda carta del apóstol san Pablo a Timoteo
Querido hermano: Ha llegado para mí la hora del sacrificio y se acerca el momento de mi partida. He luchado bien en el combate, he corrido hasta la meta, he perseverado en la fe. Ahora sólo espero la corona merecida, con la que el Señor, justo juez, me premiará en aquel día, y no solamente a mí, sino a todos aquellos que esperan con amor su glorioso advenimiento.

Cuando todos me abandonaron, el Señor estuvo a mi lado y me dio fuerzas para que, por mi medio, se proclamara claramente el mensaje de salvación y lo oyeran todos los paganos. Y fui librado de las fauces del león. El Señor me seguirá librando de todos los peligros y me llevará sano y salvo a su Reino celestial.
Palabra de Dios.
A. **Te alabamos, Señor.**

6. Aclamación antes del Evangelio   (Mt 16, 18)
R. **Aleluya, aleluya.** Tú eres Pedro y sobre esta piedra edificaré mi Iglesia, y los poderes del infierno no prevalecerán sobre ella, dice el Señor.
R. **Aleluya, aleluya.**

7. Evangelio   (Mt 16, 13-19)
Del santo Evangelio según san Mateo
A. *Gloria a ti, Señor.*

En aquel tiempo, cuando llegó Jesús a la región de Cesarea de Filipo, hizo esta pregunta a sus discípulos: "¿Quién dice la gente que es el Hijo del hombre?". Ellos le respondieron: "Unos dicen que eres Juan el Bautista; otros, que Elías; otros, que Jeremías o alguno de los profetas".

Luego les preguntó: "Y ustedes, ¿quién dicen que soy yo?". Simón Pedro tomó la palabra y le dijo: "Tú eres el Mesías, el Hijo de Dios vivo".

Jesús le dijo entonces: "¡Dichoso tú, Simón, hijo de Juan, porque esto no te lo ha revelado ningún hombre, sino mi Padre, que está en los cielos! Y yo te digo a ti que tú eres Pedro y sobre esta piedra edificaré mi Iglesia. Los poderes del infierno no prevalecerán sobre ella. Yo te daré las llaves del Reino de los cielos; todo lo que ates en la tierra quedará atado en el cielo, y todo lo que desates en la tierra quedará desatado en el cielo".

Palabra del Señor.
A. *Gloria a ti, Señor Jesús.*

Se dice Credo

8. Oración sobre las ofrendas. Haz, Señor, que la oración de tus santos Apóstoles acompañe la ofrenda que te presentamos, y nos permita celebrar con devoción este santo sacrificio. Por Jesucristo, nuestro Señor.

PREFACIO: La doble misión de san Pedro y san Pablo en la Iglesia

En verdad es justo y necesario, es nuestro deber y salvación darte gracias siempre y en todo lugar, Señor, Padre santo, Dios todopoderoso y eterno. Porque en los apóstoles Pedro y Pablo has querido darnos un motivo de alegría: Pedro fue el primero en confesar la fe; Pablo, el defensor que la anunció con claridad; Pedro consolidó la primitiva Iglesia con el resto de Israel; Pablo, maestro y doctor, la extendió entre los paganos llamados a la fe. De esta forma, Señor, por caminos diversos, congregaron a la única familia de Cristo; y coronados por el martirio, son igualmente venerados por tu pueblo. Por eso, con todos los ángeles y santos, te alabamos, proclamando sin cesar:

Santo, Santo, Santo...

9. Antífona de la comunión. Dijo Pedro a Jesús: Tú eres el Mesías, el Hijo de Dios vivo. Jesús le respondió: Tú eres Pedro y sobre esta piedra edificaré mi Iglesia (Cfr. Mt 16, 16. 18).

10. Oración después de la comunión. Renovados por este sacramento, Señor, concédenos vivir de tal manera en tu Iglesia que, perseverando en la fracción del pan y en la enseñanza de los Apóstoles, tengamos un solo corazón y un mismo espíritu, fortalecidos por tu amor. Por Jesucristo, nuestro Señor.

LA PALABRA EN TU VIDA

Un episodio de sumo interés narrado en el libro de Los Hechos de los Apóstoles (cfr. Hech 12, 1-11) es el de la milagrosa liberación de Pedro después de que Herodes lo hizo encarcelar. La Iglesia, mientras tanto, "no cesaba de orar a Dios por él", y sucedió que la noche anterior al día en que Herodes tenía pensado hacerlo comparecer, un ángel resplandeciente apareció en el calabozo y le mandó a Pedro que se pusiera en pie y se dispusiera a salir de la prisión. Las cadenas se le cayeron de las manos y Pedro caminó siguiendo al ángel, hasta que éste desapareció cuando ambos llegaron al extremo de una calle. Sólo entonces Pedro se percató de que había sido una intervención divina y no un sueño lo que había vivido. Dios escucha la oración de los creyentes y protege a sus elegidos.

14º DOMINGO ORDINARIO
LAS OBRAS DEL SEÑOR SON ADMIRABLES

Jesús designó a otros setenta y dos discípulos y los mandó por delante, de dos en dos. La decisión de enviar a este preciso número de misioneros obedece, tal vez, al hecho de que se pensaba que esta cantidad era el total de naciones existentes; pero más bien parece subrayar el hecho que desde la pequeña Galilea la mirada de Jesús estaba ya dirigida a todas las naciones. Nadie quedaría excluido del Evangelio. La perspectiva universal, muy subrayada por san Lucas, aparece clara desde el inicio del viaje de Jesús hacia la Ciudad Santa.

La cosecha es mucha y los trabajadores pocos. Ésta es la constatación que hace Jesús durante su vida terrena. Son palabras que se perciben marcadas por una cierta tristeza y son pronunciadas frente a Palestina y frente a los pueblos del mundo. Hoy nosotros podemos constatar que esta situación no ha cambiado mucho: en la Iglesia de nuestros tiempos se constata una disminución impresionante de vocaciones, de «trabajadores para la viña», problema que se ha convertido en uno de los más graves que afronta el Pueblo de Dios.

Dios quiere que todos los hombres se salven. Ésta es la voluntad de Jesús al enviar a los Doce y a los setenta y dos; nace del amor del Padre por todos sus hijos. La evangelización se extiende siempre más hasta alcanzar los extremos de la tierra. Esta misión de hacer discípulos y seguidores del Hijo nada tiene que ver con un proselitismo. La misión de la Iglesia no es fanatismo, sino conocimiento del amor del Padre por «todos» y por «cada uno» de nosotros.

Pero si entran en una ciudad y no los reciben... La eventualidad del rechazo se describe con mayor fuerza que la aceptación. Estas dos hipótesis se verificarán. El anuncio se hace en la debilidad, para dejar en libertad al hombre de hacer una opción. El rechazo asocia a los discípulos al misterio de la cruz de su Señor. El rechazo público da la ocasión de dar un anuncio más solemne, que evidencia la gravedad. Que el rechazo sea algo normal en el anuncio del Evangelio es claro, tanto para Jesús como para los discípulos.

Los setenta y dos discípulos regresaron llenos de alegría... Al retorno de la misión, Jesús revela el significado último. ¡El camino es claro sólo cuando ya ha sido recorrido todo! El color del regreso es la alegría, don definitivo de los misioneros. Tres veces se menciona esta alegría.

Alégrense todos con Jerusalén... La Ciudad Santa es vista como una madre solícita y llena de felicidad y se presenta a todos sus hijos, a todos aquellos que han llorado por ella en su desgracia y continúan amándola en su triunfo mesiánico –primera lectura–. Jerusalén ha sido consolada, y su consolación se ofrece como lo hace una madre generosa, que ofrece el pecho a los hijos de sus entrañas. No son promesas retóricas: sus habitantes probarán, por primera vez, la paz, la seguridad a todos los niveles.

No permita Dios que yo me gloríe en algo que no sea la cruz de Cristo. La cruz marca el confín entre una situación y la otra: en la cruz ha sido derrotada una posibilidad de vivir la existencia: aquella según la «carne», y ha sido inaugurada una nueva: la vida en el «espíritu» –segunda lectura–. La «carne» y el «mundo» han sido derrotados sobre la cruz.

1. Antífona de entrada. Meditamos, Señor, los dones de tu amor, en medio de tu templo. Tu alabanza llega hasta los confines de la tierra como tu fama. Tu diestra está llena de justicia (Cfr. Sal 47, 10-11).

Se dice Gloria

2. Oración colecta. Señor Dios, que por medio de la humillación de tu Hijo reconstruiste el mundo derrumbado, concede a tus fieles una santa alegría para que, a quienes rescataste de la esclavitud del pecado, nos hagas disfrutar del gozo que no tiene fin. Por nuestro Señor Jesucristo…

3. 1ª Lectura   (Is 66, 10-14)
Del libro del profeta Isaías
Alégrense con Jerusalén, gocen con ella todos los que la aman, alégrense de su alegría todos los que por ella llevaron luto, para que se alimenten de sus pechos, se llenen de sus consuelos y se deleiten con la abundancia de su gloria.

Porque dice el Señor: "Yo haré correr la paz sobre ella como un río y la gloria de las naciones como un torrente desbordado. Como niños serán llevados en el regazo y acariciados sobre sus rodillas; como un hijo a quien su madre consuela, así los consolaré yo. En Jerusalén serán ustedes consolados.

Al ver esto se alegrará su corazón y sus huesos florecerán como un prado. Y los siervos del Señor conocerán su poder".
Palabra de Dios.
A. *Te alabamos, Señor.*

4. Salmo responsorial   (Sal 65)
R. **Las obras del Señor son admirables.**

L. Que aclame al Señor toda la tierra; celebremos su gloria y su poder, cantemos un himno de alabanza, digamos al Señor: "Tu obra es admirable". / R.

L. Que se postre ante ti la tierra entera y celebre con cánticos tu nombre. Admiremos las obras del Señor, los prodigios que ha hecho por los hombres. / R.

[R. Las obras del Señor son admirables.]

L. Él transformó el Mar Rojo en tierra firme y los hizo cruzar el Jordán a pie enjuto. Llenémonos por eso de gozo y gratitud: El Señor es eterno y poderoso. / R.

L. Cuantos temen a Dios vengan y escuchen, y les diré lo que ha hecho por mí. Bendito sea Dios que no rechazó mi súplica, ni me retiró su gracia. / R.

5. 2ª Lectura   (Gál 6, 14-18)
De la carta del apóstol san Pablo a los gálatas
Hermanos: No permita Dios que yo me gloríe en algo que no sea la cruz de nuestro Señor Jesucristo, por el cual el mundo está crucificado para mí y yo para el mundo. Porque en Cristo Jesús de nada vale el estar circuncidado o no, sino el ser una nueva creatura.

Para todos los que vivan conforme a esta norma y también para el verdadero Israel, la paz y la misericordia de Dios. De ahora en adelante, que nadie me ponga más obstáculos, porque llevo en mi cuerpo la marca de los sufrimientos que he pasado por Cristo.

Hermanos, que la gracia de nuestro Señor Jesucristo esté con ustedes. Amén. *Palabra de Dios.*

A. *Te alabamos, Señor.*

6. Aclamación antes del Evangelio (Col 3, 15. 16)
R. **Aleluya, aleluya.** Que en sus corazones reine la paz de Cristo; que la palabra de Cristo habite en ustedes con toda su riqueza.

R. **Aleluya, aleluya.**

7. Evangelio   (Lc 10, 1-12. 17-20)
Del santo Evangelio según san Lucas
A. *Gloria a ti, Señor.*
En aquel tiempo, Jesús designó a otros setenta y dos discípulos y los mandó por delante, de dos en dos, a todos los pueblos y lugares a donde pensaba ir, y les dijo: "La cosecha es mucha y los trabajadores pocos. Ruegen, por lo tanto, al dueño de la

mies que envíe trabajadores a sus campos. Pónganse en camino; yo los envío como corderos en medio de lobos. No lleven ni dinero, ni morral, ni sandalias y no se detengan a saludar a nadie por el camino. Cuando entren en una casa digan: 'Que la paz reine en esta casa'. Y si allí hay gente amante de la paz, el deseo de paz de ustedes se cumplirá; si no, no se cumplirá. Quédense en esa casa. Coman y beban de lo que tengan, porque el trabajador tiene derecho a su salario. No anden de casa en casa. En cualquier ciudad donde entren y los reciban, coman lo que les den. Curen a los enfermos que haya y díganles: 'Ya se acerca a ustedes el Reino de Dios'.

Pero si entran en una ciudad y no los reciben, salgan por las calles y digan: 'Hasta el polvo de esta ciudad que se nos ha pegado a los pies nos lo sacudimos, en señal de protesta contra ustedes. De todos modos, sepan que el Reino de Dios está cerca'. Yo les digo que en el día del juicio, Sodoma será tratada con menos rigor que esa ciudad".

Los setenta y dos discípulos regresaron llenos de alegría y le dijeron a Jesús: "Señor, hasta los demonios se nos someten en tu nombre".

Él les contestó: "Vi a Satanás caer del cielo como el rayo. A ustedes les he dado poder para aplastar serpientes y escorpiones y para vencer toda la fuerza del enemigo, y nada les podrá hacer daño. Pero no se alegren de que los demonios se les someten. Alégrense más bien de que sus nombres están escritos en el cielo".

Palabra del Señor.
A. **Gloria a ti, Señor Jesús.**

Se dice Credo

8. Oración sobre las ofrendas. La oblación que te ofrecemos, Señor, nos purifique, y nos haga participar, de día en día, de la vida del reino glorioso. Por Jesucristo, nuestro Señor.

9. Antífona de la comunión. Vengan a mí, todos los que están fatigados y agobiados por la carga, y yo les daré alivio, dice el Señor (Mt 11, 28).

10. Oración después de la comunión. Señor, que nos has colmado con tantas gracias, concédenos alcanzar los dones de la salvación y que nunca dejemos de alabarte. Por Jesucristo, nuestro Señor.

EN COMUNIÓN
CON LA TRADICIÓN VIVA DE LA IGLESIA

«Los mandó por delante a todos los pueblos y lugares adonde pensaba ir él. En efecto, el Señor viene detrás de sus predicadores, ya que, habiendo precedido la predicación, viene entonces el Señor a la morada de nuestro interior, cuando ésta ha sido preparada por las palabras de exhortación, que han abierto nuestro espíritu a la verdad. (···) Escuchemos lo que dice el Señor a los misioneros que envía a sus campos: La mies es abundante, pero los trabajadores son pocos; rogad, pues, al Señor de la mies que mande trabajadores a su mies. Por lo tanto, para una mies abundante son pocos los trabajadores; al escuchar esto, no podemos dejar de sentir una gran tristeza, porque hay que reconocer que, si bien hay personas que desean escuchar cosas buenas, faltan, en cambio, quienes se dediquen a proclamarlas. Miren cómo el mundo está lleno de sacerdotes, y, sin embargo, es muy difícil encontrar un trabajador para la mies del Señor; porque hemos recibido el ministerio sacerdotal, pero no cumplimos con los deberes de este ministerio. Pensad, pues, amados hermanos, pensad bien en lo que dice el Evangelio: Rogad al Señor de la mies que mande trabajadores a su mies. Rogad también por nosotros, para que nuestro trabajo en bien vuestro sea fructuoso y para que nuestra voz no deje nunca de exhortaros, no sea que, después de haber recibido el ministerio de la predicación, seamos acusados ante el justo Juez por nuestro silencio» (**San Gregorio Magno** [540-604]. Homilía 17 sobre los Evangelios).

CARTA A COLOSENSES

La ciudad de Colosas se encuentra a 200 kilómetros de Éfeso. Estando cerca de dos ciudades muy importantes, Laodicea y Hierápolis, tenía con ellas buenas relaciones (Col 4, 15-16). Probablemente esta Carta fue escrita por Pablo en Roma en la primavera del año 65, durante su "arresto domiciliar". Por otra parte parece que Pablo no pasó por esta región en su segundo o tercer viaje misionero, como tampoco la visitó cuando estuvo en Éfeso. Esto lo afirman las mismas palabras del Apóstol: los colosenses, como los de Laodicea, no se encontraron nunca con él (2, 1), sólo tuvo de ellos noticias indirectas de su fervor en la fe (1, 4-9). Fueron evangelizados por un discípulo suyo, Epafras, cuyo nombre misionó. La comunidad de Colosas provenía del paganismo; pero esto no impidió que se diera una fuerte infiltración judaizante en la nueva fe de los colosenses, como deja ver el tenor de la carta.

Ocasión de la Carta. No tenemos datos concretos sobre la misión de Epafras en Colosas; parece que, algunos años después del ministerio de Pablo en Éfeso, probablemente a su llegada a Roma. Colosas fue teatro de un temerario intento de adaptar el Evangelio al flexible esquema de la religión helenista, interpretada por círculos claramente judaizantes. Esto explica la desconcertante mezcla de judaísmo y de helenismo que se entrevé en los errores de Colosenses que Pablo condena. En el fondo estos errores se vinculaban claramente con una influencia de "religiones mistéricas", muy en boga en el mundo helenista del tiempo. Se trataba de obtener la "salvación" a toda costa, alcanzando la plenitud de la elevación humana. Para los adversarios de Pablo, existía un argumento decisivamente impresionante: Jesús no se pudo librar del poder de las "fuerzas cósmicas" y cayó bajo el destino fatalmente marcado por ellas; igualmente fue incapaz de librarse de tales fuerzas y sus mensajeros. Las persecuciones, de las cuales era víctima Pablo –especialmente su larga prisión en Palestina y en Roma–, demostraban que no tenía el poder de superar la hostilidad de los "dominadores" de las esferas celestes. Los "heréticos" de Colosas no tenían la intención de suplantar a Jesús y a Pablo, sino superarlos e ir más adelante. El cristianismo era bueno por el grado elemental de iniciación religiosa, pero sólo para esto: la salvación total, después de la muerte, podía ser ofrecida sólo por seres celestes, no implicados personalmente en la tragedia humana.

Contenido de la Carta. Después del saludo y el reconocimiento a Epafras, se abre con un himno a Cristo, imagen del Dios invisible, cabeza del cuerpo que es la Iglesia, al cual espera todo primado y en el cual habita toda la plenitud. Sigue la presentación de la "lucha" que Pablo está sosteniendo por la difusión del Evangelio, una lucha que hace semejantes los sufrimientos de Pablo a los de Cristo. Los capítulos 2 y 3 contienen la exhortación a cuidarse de algunas doctrinas que ponen en peligro la fe de la comunidad, como confiarse a la veneración de las potencias celestes o de algunas potencias angélicas, según una angelología judía en contraste con la revelación cristiana. Hay una llamada de atención para nosotros cristianos de hoy: buscar la salvación sólo en Cristo puesto que muchas veces somos tentados a buscarla en otras partes. La Carta se concluye con los saludos y con otras recomendaciones que se refieren sobre todo al ámbito familiar (3, 18-4, 18).

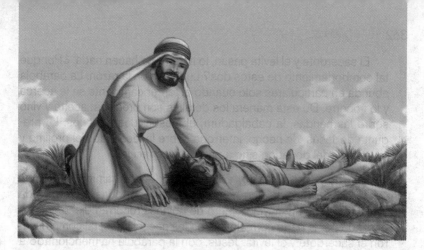

10 DE JULIO – (VERDE)

15º DOMINGO ORDINARIO
ESCÚCHAME, SEÑOR, PORQUE ERES BUENO

Maestro, ¿qué debo hacer para conseguir la vida eterna? Este pasaje comienza con un diálogo entre un doctor de la Ley y Jesús. Este hombre se dirige a Jesús para *«ponerlo a prueba»* y, aunque le hace una pregunta seria, no es motivado por una buena intención, no es sincero. Jesús, utilizando el estilo rabínico, responde con una pregunta a otra pregunta, encierra al doctor de la Ley exactamente sobre el campo de su competencia. El rabino responde correctamente recordando el amor a Dios y el amor al prójimo.

¿Y quién es mi prójimo? El primer personaje de la parábola es un hombre cualquiera, no tiene nombre, unos asaltantes lo robaron, lo hirieron y lo dejaron medio muerto. Ningún elemento le dejaron para poder ser identificado. En el momento en que aparece el sacerdote, se esperaba que hiciera algo, pero *«lo vio y pasó de largo»* sin hacer absolutamente nada por el herido; pasa el levita e hizo lo mismo. El narrador tiene otra sorpresa: pasa un samaritano, persona mal vista por los judíos. Jesús caracteriza su reacción al ver al herido: *«se compadeció de él»*. El aceite y el vino eran los medicamentos de la época; los dos denarios eran suficientes para alojarlo en el albergue al menos dos semanas.

El sacerdote y el levita pasan, lo miran y no hacen nada. ¿Por qué tal comportamiento de estos dos? Lucas no da la razón. La parábola abunda en particulares sólo cuando el tercer caminante se le acerca y lo socorre. De esta manera los detalles son precisos: aceite y vino sobre las heridas, la cabalgadura, el mesón, dos denarios. La pregunta de Jesús, de hecho, interroga sobre la identidad del prójimo y no a partir del donador, sino a partir del beneficiario.

El Buen Samaritano. Los bordes de ese camino que *«baja de Jerusalén a Jericó»* se han multiplicado en todas partes. Cada vez más vemos un mayor número de quienes recorren dicho camino pasando por la parte opuesta a la de los necesitados, tal como hicieron el sacerdote y el levita. Jesús, con la parábola ha mencionado a estas dos personas que tratan "las cosas de Dios", para subrayar el escándalo de la separación del amor a Dios del amor al prójimo.

Tantas generaciones cristianas han identificado en el samaritano a Jesús mismo. La misma tradición patrística que, con grande sabiduría espiritual, también ha reconocido en este hombre misericordioso una revelación del Señor Jesús. Él es el verdadero Samaritano.

Escucha la voz del Señor, tu Dios. El texto del Deuteronomio pertenece a una sección mayor: el llamado "tercer discurso de Moisés" (capítulos 29-30). Esta unidad recuerda, entre otras cosas, lo que Dios hizo por su pueblo en el pasado, la Alianza, la posibilidad de que el pueblo se vuelva infiel al proyecto de Dios (capítulo 29). El capítulo 30 –primera lectura–, por su parte, muestra que Dios observa para siempre su fidelidad.

Cristo es la imagen de Dios invisible. A partir de este domingo, se nos proponen los textos más significativos de la Carta a los colosenses –**segunda lectura**–. Colosas es una pequeña ciudad del Asia Menor, a 200 km de Éfeso. Pablo no la fundó personalmente. Las comunidades cristianas de Colosas fueron fundadas por Epafras, discípulo de Pablo, mientras el Apóstol se encontraba en Éfeso. La Carta fue escrita en la prisión, probablemente en Éfeso. Epafras informa a Pablo sobre la situación de los cristianos de Colosas.

1. Antífona de entrada. Por serte fiel, yo contemplaré tu rostro, Señor, y al despertar, espero saciarme de gloria (Cfr. Sal 16, 15).

Se dice Gloria

2. Oración colecta. Señor Dios, que muestras la luz de tu verdad a los que andan extraviados, para que puedan volver al buen camino, concede a cuantos se profesan como cristianos rechazar lo que sea contrario al nombre que llevan y cumplir lo que ese nombre significa. Por nuestro Señor Jesucristo...

3. 1ª Lectura   (Deut 30, 10-14)
Del libro del Deuteronomio
En aquellos días, habló Moisés al pueblo y le dijo: "Escucha la voz del Señor, tu Dios, que te manda guardar sus mandamientos y disposiciones escritos en el libro de esta ley. Y conviértete al Señor tu Dios, con todo tu corazón y con toda tu alma.

Estos mandamientos que te doy, no son superiores a tus fuerzas ni están fuera de tu alcance. No están en el cielo, de modo que pudieras decir: '¿Quién subirá por nosotros al cielo para que nos los traiga, los escuchemos y podamos cumplirlos?'. Ni tampoco están al otro lado del mar, de modo que pudieras objetar: '¿Quién cruzará el mar por nosotros para que nos los traiga, los escuchemos y podamos cumplirlos?'. Por el contrario, todos mis mandamientos están muy a tu alcance, en tu boca y en tu corazón, para que puedas cumplirlos".
Palabra de Dios.
A. *Te alabamos, Señor.*

4. Salmo responsorial   (Sal 68)
R. **Escúchame, Señor, porque eres bueno.**
L. A ti, Señor, elevo mi plegaria, ven en mi ayuda pronto; escúchame conforme a tu clemencia, Dios fiel en el socorro. Escúchame, Señor, pues eres bueno y en tu ternura vuelve a mí tus ojos. / R.
L. Mírame enfermo y afligido; defiéndeme y ayúdame, Dios mío. En mi cantar exaltaré tu nombre, proclamaré tu gloria, agradecido. / R.

[R. Escúchame, Señor, porque eres bueno.]

L. Se alegrarán al verlo los que sufren; quienes buscan a Dios tendrán más ánimo, porque el Señor jamás desoye al pobre ni olvida al que se encuentra encadenado. / R.

L. Ciertamente el Señor salvará a Sión, reconstruirá a Judá; la heredarán los hijos de sus siervos, quienes aman a Dios la habitarán. / R.

5. 2ª Lectura   (Col 1, 15-20)
De la carta del apóstol san Pablo a los colosenses
Cristo es la imagen de Dios invisible, el primogénito de toda la creación, porque en él tienen su fundamento todas las cosas creadas, del cielo y de la tierra, las visibles y las invisibles, sin excluir a los tronos y dominaciones, a los principados y potestades. Todo fue creado por medio de él y para él.

Él existe antes que todas las cosas, y todas tienen su consistencia en él. Él es también la cabeza del cuerpo, que es la Iglesia. Él es el principio, el primogénito de entre los muertos, para que sea el primero en todo.

Porque Dios quiso que en Cristo habitara toda plenitud y por él quiso reconciliar consigo todas las cosas, del cielo y de la tierra, y darles la paz por medio de su sangre, derramada en la cruz.
Palabra de Dios.
A. *Te alabamos, Señor.*

6. Aclamación antes del Evangelio (Cfr. Jn 6, 63. 68)
R. **Aleluya, aleluya.** Tus palabras, Señor, son espíritu y vida. Tú tienes palabras de vida eterna.
R. **Aleluya, aleluya.**

 7. Evangelio   (Lc 10, 25-37)
Del santo Evangelio según san Lucas
A. *Gloria a ti, Señor.*
En aquel tiempo, se presentó ante Jesús un doctor de la ley para ponerlo a prueba y le preguntó: "Maestro, ¿qué debo hacer para conseguir la vida eterna?". Jesús le dijo: "¿Qué es

lo que está escrito en la ley? ¿Qué lees en ella?". El doctor de la ley contestó: *"Amarás al Señor tu Dios, con todo tu corazón, con toda tu alma, con todas tus fuerzas y con todo tu ser, y a tu prójimo como a ti mismo"*. Jesús le dijo: "Has contestado bien; si haces eso, vivirás".

El doctor de la ley, para justificarse, le preguntó a Jesús: "¿Y quién es mi prójimo?". Jesús le dijo: "Un hombre que bajaba por el camino de Jerusalén a Jericó, cayó en manos de unos ladrones, los cuales lo robaron, lo hirieron y lo dejaron medio muerto. Sucedió que por el mismo camino bajaba un sacerdote, el cual lo vio y pasó de largo. De igual modo, un levita que pasó por ahí, lo vio y siguió adelante. Pero un samaritano que iba de viaje, al verlo, se compadeció de él, se le acercó, ungió sus heridas con aceite y vino y se las vendó; luego lo puso sobre su cabalgadura, lo llevó a un mesón y cuidó de él. Al día siguiente sacó dos denarios, se los dio al dueño del mesón y le dijo: 'Cuida de él y lo que gastes de más, te lo pagaré a mi regreso'.

¿Cuál de estos tres te parece que se portó como prójimo del hombre que fue asaltado por los ladrones?". El doctor de la ley le respondió: "El que tuvo compasión de él". Entonces Jesús le dijo: "Anda y haz tú lo mismo".

Palabra del Señor.
A. ***Gloria a ti, Señor Jesús.***

Se dice Credo

8. Oración sobre las ofrendas. Mira, Señor, los dones de tu Iglesia suplicante, y concede que, al recibirlos, sirvan a tus fieles para crecer en santidad. Por Jesucristo, nuestro Señor.

9. Antífona de la comunión. El que come mi carne y bebe mi sangre, permanece en mí y yo en él, dice el Señor (Jn 6, 56).

10. Oración después de la comunión. Alimentados con los dones que hemos recibido, te suplicamos, Señor, que, participando frecuentemente de este sacramento, crezcan los efectos de nuestra salvación. Por Jesucristo, nuestro Señor.

EN COMUNIÓN
CON LA TRADICIÓN VIVA DE LA IGLESIA

«Pero ¿qué es lo que digo? Aunque si al que viéramos en apuros fuera un pagano cualquiera, nuestra obligación es ayudarlo; y, para decirlo de una vez por todas, debemos socorrer a todo hombre a quien hubiera ocurrido una desgracia: ¡con mayor razón a un fiel seglar! (···)». De hecho, el que pretende favorecer únicamente a los que viven en soledad y dijere, examinándolos con curiosidad: "Si no es digno, si no es justo, si no hace milagros, no lo

ayudo", ya ha quitado a su limosna buena parte de su mérito; más aún, poco a poco le irá quitando hasta ese poco que le resta. Por lo tanto, es también limosna la que se hace tanto a los pecadores como a los reos. La limosna consiste en esto: en compadecerse no de los que hicieron el bien, sino de los que pecaron. Y para que te convenzas de ello, escucha esta parábola de Cristo. Dice así: Un hombre bajaba de Jerusalén a Jericó··· Reflexiona sobre el protagonista de la parábola. Jesús no dijo que un judío hizo todo esto con un samaritano, sino que fue un samaritano el que hizo todo aquel derroche de liberalidad. De donde se deduce que debemos atender a todos por igual y no sólo a los de la misma familia en la fe, descuidando a los demás. Así que también tú si ves que alguien es víctima de una desgracia, no te pares a indagar: tiene el derecho a tu ayuda por el simple hecho de sufrir. Porque si sacas del pozo al asno a punto de ahogarse sin preguntar de quién es, con mayor razón no debe indagarse de quién es aquel hombre: es de Dios, tanto si es griego como si es judío: si es un infiel, tiene necesidad de tu ayuda» (**San Juan Crisóstomo** [c. 350-407]. Homilía 10 sobre la Carta a los hebreos).

16º DOMINGO ORDINARIO

¿QUIÉN SERÁ GRATO A TUS OJOS, SEÑOR?

Marta y María. Hoy el evangelio nos hace entrar en la casa de dos hermanas, amigas de Jesús, Marta y María. Observamos a Marta muy afanada en tratar de la mejor manera a su huésped. Vemos a María sentada escuchando al Maestro. En estos dos párrafos se sintetizan las dos dimensiones de la vida evangélica: el amor por los pobres y necesitados y la escucha de la Palabra de Dios.

Una mujer, llamada Marta, lo recibió en su casa. Marta hospeda a Jesús, pero san Lucas no da ningún detalle para revelarnos los sentimientos de ella. María, por el contrario, es presentada como la «*hermana*» que escucha sentada a los pies del Huésped, tomando la postura de un discípulo. Jamás un maestro hebreo del tiempo hubiera permitido que una mujer asumiera frente a Él la actitud de discípulo. El comportamiento de María es "anormal" y va contra todas las normas impuestas por la cultura de esa época.

Marta, Marta. Al responder el «*Señor*» interpela a Marta dos veces. La tradición hebraica afirma que, cuando Dios se dirige a alguien pronunciando dos veces su nombre, habla el lenguaje de la misericordia y de la ternura. Marta es la patrona de la casa, una mujer muy generosa, que desea ofrecer a Jesús todo lo que está en grado de hacer. Lo mejor que está en sus posibilidades. Por ello cae en la agitación y el afán, acciones típicas de quienes no logran hacerlo todo, pretendiendo más de lo que pueden. San Lucas muestra una gran habilidad narrativa cuando, describiendo la reacción de Marta, precisa: *«acercándose»*.

Escuchar la Palabra. Probablemente María es la hermana menor, pues normalmente las tareas de atender a un huésped se dejaban a la mayor. La menor interrumpe todo y se sienta. Su única ocupación es escuchar al Maestro. Jesús define el comportamiento de María caracterizándolo como la «mejor parte». La palabra «parte» significa herencia. Este mejor nos hace recordar la tierra que daba fruto en la parábola del sembrador. Como la palabra de Jesús sobre las preocupaciones evocaba el terreno lleno de espinas (Lc 8, 14), así la referencia a la *«mejor parte»* alude a la tierra fértil, es decir, el corazón bueno y perfecto.

Nadie se la quitará. El corazón de María ya está donde está su tesoro. Podemos decir que María es una Marta «convertida». Sentada a los pies del Maestro, ya desde ahora se nutre de la palabra de vida. María es anticipación de lo que el Señor quiere donar a todos. Por eso nunca le será quitado. Su *«bien es estar junto al Señor»* (Sal 73, 28).

Te ruego que no pases junto a mí sin detenerte. La narración se presenta como una manifestación de Dios. Ésta se vuelve inmediatamente sorpresa: ve inmediatamente tres hombres que, al parecer van de paso **–primera lectura–**. Les ofrece una comida de hospitalidad y dialoga con ellos como de hombre con hombres. Hay momentos en los cuales la narración supone que el interlocutor del Patriarca sea uno solo, y finalmente, aquel que habla con Abraham es el Señor en persona.

Completo lo que le falta a la pasión de Cristo en mí. Pablo está en la cárcel. Su ministerio pastoral no es un desfile triunfal **–segunda lectura–**, sino una serie de luchas dolorosas en favor de los hombres, edificando de esta manera la verdadera Iglesia.

1. Antífona de entrada El Señor es mi auxilio y el único apoyo en mi vida. Te ofreceré de corazón un sacrificio y daré gracias a tu nombre, Señor, porque eres bueno (Sal 53, 6. 8).

Se dice Gloria

2. Oración colecta. Sé propicio, Señor, con tus siervos y multiplica, bondadoso, sobre ellos los dones de tu gracia, para que, fervorosos en la fe, la esperanza y la caridad, perseveren siempre fieles en el cumplimiento de tus mandatos. Por nuestro Señor Jesucristo...

3. 1ª Lectura   (Gén 18, 1-10)
Del libro de Génesis
Un día, el Señor se le apareció a Abraham en el encinar de Mambré. Abraham estaba sentado en la entrada de su tienda, a la hora del calor más fuerte. Levantando la vista, vio de pronto a tres hombres que estaban de pie ante él. Al verlos, se dirigió a ellos rápidamente desde la puerta de la tienda, y postrado en tierra, dijo: "Señor mío, si he hallado gracia a tus ojos, te ruego que no pases junto a mí sin detenerte. Haré que traigan un poco de agua para que se laven los pies y descansen a la sombra de estos árboles; traeré pan para que recobren las fuerzas y después continuarán su camino, pues sin duda para eso han pasado junto a su siervo".

Ellos le contestaron: "Está bien. Haz lo que dices". Abraham entró rápidamente en la tienda donde estaba Sara y le dijo: "Date prisa, toma tres medidas de harina, amásalas y cuece unos panes".

Luego Abraham fue corriendo al establo, escogió un ternero y se lo dio a un criado para que lo matara y lo preparara. Cuando el ternero estuvo asado, tomó requesón y leche y lo sirvió todo a los forasteros. Él permaneció de pie junto a ellos, bajo el árbol, mientras comían. Ellos le preguntaron: "¿Dónde está Sara, tu mujer?". Él respondió: "Allá, en la tienda". Uno de ellos le dijo: "Dentro de un año volveré sin falta a visitarte por estas fechas; para entonces, Sara, tu mujer, habrá tenido un hijo".

Palabra de Dios.
A. Te alabamos, Señor.

4. Salmo responsorial   (Sal 14)
R. **¿Quién será grato a tus ojos, Señor?**
L. El hombre que procede honradamente y obra con justi-cia; el que es sincero en sus palabras y con su lengua a nadie desprestigia. / R.
L. Quien no hace mal al prójimo ni difama al vecino; quien no ve con aprecio a los malvados, pero honra a quienes temen al Altísimo. / R.
L. Quien presta sin usura y quien no acepta soborno en perjuicio de inocentes. Quienes vivan así serán gratos a Dios eternamente. / R.

5. 2ª Lectura   (Col 1, 24-28)
De la carta del apóstol san Pablo a los colosenses
Hermanos: Ahora me alegro de sufrir por ustedes, porque así completo lo que falta a la pasión de Cristo en mí, por el bien de su cuerpo, que es la Iglesia.
Por disposición de Dios, yo he sido constituido minis-tro de esta Iglesia para predicarles por entero su mensaje, o sea el designio secreto que Dios ha mantenido oculto desde siglos y generaciones y que ahora ha revelado a su pueblo santo.
Dios ha querido dar a conocer a los suyos la gloria y riqueza que este designio encierra para los paganos, es decir, que Cristo vive en ustedes y es la esperanza de la gloria; ese mismo Cristo es el que nosotros predicamos cuando corre-gimos a los hombres y los instruimos con todos los recursos de la sabiduría, a fin de que todos sean cristianos perfectos.
Palabra de Dios.
A. *Te alabamos, Señor.*

6. Aclamación antes del Evangelio   (Cfr. Lc 8, 15)
R. **Aleluya, aleluya.** Dichosos los que cumplen la palabra del Señor con un corazón bueno y sincero, y perseveran hasta dar fruto.
R. **Aleluya, aleluya.**

7. Evangelio   (Lc 10, 38-42)
Del santo Evangelio según san Lucas
A. *Gloria a ti, Señor.*

En aquel tiempo, entró Jesús en un poblado, y una mujer, llamada Marta, lo recibió en su casa. Ella tenía una hermana, llamada María, la cual se sentó a los pies de Jesús y se puso a escuchar su palabra. Marta, entre tanto, se afanaba en diversos quehaceres, hasta que, acercándose a Jesús, le dijo: "Señor, ¿no te has dado cuenta de que mi hermana me ha dejado sola con todo el quehacer? Dile que me ayude".

El Señor le respondió: "Marta, Marta, muchas cosas te preocupan y te inquietan, siendo así que una sola es necesaria. María escogió la mejor parte y nadie se la quitará".

Palabra del Señor.
A. *Gloria a ti, Señor Jesús.*

Se dice Credo

8. Oración sobre las ofrendas. Dios nuestro, que con la perfección de un único sacrificio pusiste fin a la diversidad de sacrificios de la antigua ley, recibe las ofrendas de tus fieles, y santifícalas como bendijiste la ofrenda de Abel, para que aquello que cada uno te ofrece en honor de tu gloria, sea de provecho para la salvación de todos. Por Jesucristo, nuestro Señor.

9. Antífona de la comunión. Miren que estoy a la puerta y llamo, dice el Señor: Si alguien oye mi voz y me abre, entraré en su casa y cenaremos juntos (Apoc 3, 20).

10. Oración después de la comunión. Señor, muéstrate benigno con tu pueblo, y ya que te dignaste alimentarlo con los misterios celestiales, hazlo pasar de su antigua condición de pecado a una vida nueva. Por Jesucristo, nuestro Señor.

EN COMUNIÓN
CON LA TRADICIÓN VIVA DE LA IGLESIA

«Marta y María eran dos hermanas, unidas no sólo por el parentesco, sino también por sus sentimientos de piedad; ambas estaban estrechamente unidas al Señor, y ambas le servían durante su vida mortal con idéntico fervor. Marta lo hospedó, como se acostumbra hospedar a un peregrino cualquiera. Pero, en este caso, era una sirvienta que hospedaba a su Señor, una enferma al Salvador, una criatura al Creador. Le dio hospedaje para alimentar corporalmente a aquel que le había de alimentar con su Espíritu. Pero que nadie de nosotros diga: "Dichosos los que pudieron hospedar al Señor en su propia casa". No te sepa mal, no te quejes por haber nacido en un tiempo en que ya no puedes ver al Señor en carne y hueso; esto no te priva de aquel honor, ya que el mismo Señor afirma: Cada vez que lo hicisteis con uno de éstos, mis humildes hermanos, conmigo lo hicisteis. Marta, mientras disponía y preparaba la mesa del Señor, se multiplicaba para dar abasto con el servicio; su hermana María prefirió ser alimentada por el Señor. Abandonó en cierto modo a su hermana que se afanaba, ocupada en una multitud de servicios, se sentó a los pies del Señor, y escuchaba atenta su palabra. (···) Aquélla se turbaba, ésta se alimentaba; aquélla se afanaba en muchas cosas, ésta se concentraba en una sola. Interpela Marta a su huésped y pone ante el juez sus piadosas quejas. El Señor no responde, dicta la sentencia. ¿Y qué es lo que dice? Marta, Marta. La repetición del nombre es indicio de amor o también una invitación a prestar atención» (**San Agustín** [354-430]. Sermón 103).

17º DOMINGO ORDINARIO

TE DAMOS GRACIAS DE TODO CORAZÓN

Jesús estaba orando. Lucas aborda el tema de la oración. En los cuatro Evangelios, especialmente en Lucas, se subraya que Jesús se retiraba a lugares solitarios para orar. Cuando se apartaba para comunicarse con su Padre era observado por sus Discípulos, los cuales quedaban sorprendidos por la transformación que veían en Él. Al final de uno de estos momentos, uno de sus Discípulos le pidió: *«Señor, enséñanos a orar…»*.

Cuando oren, digan: Padre, santificado sea tu nombre. La oración inicia con la sencilla invocación a Dios llamándolo: *«Padre»*. El vocablo expresa una relación de cercanía; aunque también «Rey» y «Señor», son vocablos que indican relación cercana, pero, al mismo tiempo, subrayan la trascendencia y una relación de dependencia. «Padre», por el contrario, indica una relación familiar con ese Dios que nos ha revelado su Hijo. Pero Jesús, con una revolución espiritual, absolutamente inimaginable, nos exhorta a llamarlo «Abbá», *«Padre»*, *«Papá»*.

Santificado sea tu nombre. Santificar el nombre de Dios significa glorificarlo, dándole en nuestra vida el peso que esta invocación encierra. El nombre de Dios es santificado cuando conocemos su amor por nosotros, nos acogemos a Él, aceptamos su paternidad y, al mismo tiempo, aceptamos ser sus creaturas, sin miedos de nuestros límites y de nuestra muerte. El nombre de Padre será santificado cuando sobre el rostro de todos los hombres resplandecerá la belleza del Hijo.

Venga tu Reino... Jesús proclama la cercanía y la presencia del Reino en su persona y en el ejercicio de su misión; en la oración el discípulo pide a Dios la llegada del Reino, le ruega que intervenga en la historia y en su vida, que ese Reino presente y escondido en Jesús se vuelva cercano y visible. Pedir que el Reino venga significa, para los cristianos, aceptar ese proyecto de Dios, que lleva a la construcción de una sociedad e historia nuevas. El Reino de Dios no es una utopía *«está presente»* *«hoy»* en el Señor Jesús.

Danos hoy nuestro pan de cada día. El pan es la vida. El pan que pedimos no es *«mío»*. Pedimos el don del pan para todos los hijos, por lo tanto, debe ser compartido entre todos. Si el pan no se vuelve *«nuestro»* se vuelve principio de muerte. Después del pecado este pan debe ser ganado con el sudor de la frente (Gn 3, 19). De otro modo, es robado. Esta expresión –propia de san Lucas– también nos habla de la confianza incondicional de los cristianos al Padre, que destinó los bienes del mundo para todos.

Su pecado es demasiado grave. Sodoma es el lugar del encuentro entre Abraham y Dios; es definida como una ciudad que ha sido acusada, y Dios comprobará la veracidad de tal acusación. Abraham se constituye en su defensor, aprovechando la posibilidad que Dios le da **–primera lectura–**. El Patriarca es presentado en la historia como el que será el padre de un gran pueblo, principio de bendición para todas las naciones. Abraham intercede por un pueblo que no es el suyo, con su exigencia de justicia, enseña a sus descendientes a exigirla aun delante de Dios.

Los cristianos de **Colosas** se dejaron llevar por ideologías alienantes **–segunda lectura–**, que acabaron por generar en las comunidades una visión fatalista de la vida y de la religión, agravada por los adversarios de Pablo, que insistían sobre la necesidad de la Ley para salvarse.

1. Antífona de entrada. Dios habita en su santuario; él nos hace habitar juntos en su casa; es la fuerza y el poder de su pueblo (Cfr. Sal 67, 6-7. 36).

Se dice Gloria

2. Oración colecta. Señor Dios, protector de los que en ti confían, sin ti nada es fuerte, ni santo; multiplica sobre nosotros tu misericordia para que, bajo tu dirección, de tal modo nos sirvamos ahora de los bienes pasajeros, que nuestro corazón esté puesto en los bienes eternos. Por nuestro Señor Jesucristo...

3. 1ª Lectura   (Gén 18, 20-32)
Del libro del Génesis

En aquellos días, el Señor dijo a Abraham: "El clamor contra Sodoma y Gomorra es grande y su pecado es demasiado grave. Bajaré, pues, a ver si sus hechos corresponden a ese clamor; y si no, lo sabré".

Los hombres que estaban con Abraham se despidieron de él y se encaminaron hacia Sodoma. Abraham se quedó ante el Señor y le preguntó: "¿Será posible que tú destruyas al inocente junto con el culpable? Supongamos que hay cincuenta justos en la ciudad, ¿acabarás con todos ellos y no perdonarás al lugar en atención a esos cincuenta justos? Lejos de ti tal cosa: matar al inocente junto con el culpable, de manera que la suerte del justo sea como la del malvado; eso no puede ser. El juez de todo el mundo ¿no hará justicia?". El Señor le contestó: "Si encuentro en Sodoma cincuenta justos, perdonaré a toda la ciudad en atención a ellos".

Abraham insistió: "Me he atrevido a hablar a mi Señor, yo que soy polvo y ceniza. Supongamos que faltan cinco para los cincuenta justos, ¿por esos cinco que faltan, destruirás toda la ciudad?". Y le respondió el Señor: "No la destruiré, si encuentro allí cuarenta y cinco justos".

Abraham volvió a insistir: "Quizá no se encuentren allí más que cuarenta". El Señor le respondió: "En atención a los cuarenta, no lo haré".

Abraham siguió insistiendo: "Que no se enoje mi Señor, si sigo hablando, ¿y si hubiera treinta?". El Señor le dijo: "No lo haré, si hay treinta".

Abraham insistió otra vez: "Ya que me he atrevido a hablar a mi Señor, ¿y si se encuentran sólo veinte?". El Señor le respondió: "En atención a los veinte, no la destruiré".

Abraham continuó: "No se enoje mi Señor, hablaré sólo una vez más, ¿y si se encuentran sólo diez?". Contestó el Señor: "Por esos diez, no destruiré la ciudad".
Palabra de Dios.
A. Te alabamos, Señor.

4. Salmo responsorial (Sal 137)
R. Te damos gracias de todo corazón.
L. De todo corazón te damos gracias, Señor, porque escuchaste nuestros ruegos. Te cantaremos delante de tus ángeles, te adoraremos en tu templo. / R.
L. Señor, te damos gracias por tu lealtad y por tu amor: siempre que te invocamos, nos oíste y nos llenaste de valor. / R.
L. Se complace el Señor en los humildes y rechaza al engreído. En las penas, Señor, me infundes ánimo, me salvas del furor del enemigo. / R.
L. Tu mano, Señor, nos pondrá a salvo y así concluirás en nosotros tu obra. Señor, tu amor perdura eternamente; obra tuya soy, no me abandones. / R.

5. 2ª Lectura (Col 2, 12-14)
De la carta del apóstol san Pablo a los colosenses
Hermanos: Por el bautismo fueron ustedes sepultados con Cristo y también resucitaron con él, mediante la fe en el poder de Dios, que lo resucitó de entre los muertos.

Ustedes estaban muertos por sus pecados y no pertenecían al pueblo de la alianza. Pero él les dio una vida nueva con Cristo, perdonándoles todos los pecados. Él anuló el documento que nos era contrario, cuyas cláusulas nos condenaban, y lo eliminó clavándolo en la cruz de Cristo.
Palabra de Dios.
A. Te alabamos, Señor.

6. Aclamación antes del Evangelio   (Rom 8, 15)
R. **Aleluya, aleluya.** Hemos recibido un espíritu de hijos, que nos hace exclamar: ¡Padre!
R. **Aleluya, aleluya.**

7. Evangelio   (Lc 11, 1-13)
Del santo Evangelio según san Lucas
A. *Gloria a ti, Señor.*

Un día, Jesús estaba orando y cuando terminó, uno de sus discípulos le dijo: "Señor, enséñanos a orar, como Juan enseñó a sus discípulos".

Entonces Jesús les dijo: "Cuando oren, digan: 'Padre, santificado sea tu nombre, venga tu Reino, danos hoy nuestro pan de cada día y perdona nuestras ofensas, puesto que también nosotros perdonamos a todo aquel que nos ofende, y no nos dejes caer en tentación'".

También les dijo: "Supongan que alguno de ustedes tiene un amigo que viene a medianoche a decirle: 'Préstame, por favor, tres panes, pues un amigo mío ha venido de viaje y no tengo nada que ofrecerle'. Pero él le responde desde dentro: 'No me molestes. No puedo levantarme a dártelos, porque la puerta ya está cerrada y mis hijos y yo estamos acostados'. Si el otro sigue tocando, yo les aseguro que, aunque no se levante a dárselos por ser su amigo, sin embargo, por su molesta insistencia, sí se levantará y le dará cuanto necesite.

Así también les digo a ustedes: Pidan y se les dará, busquen y encontrarán, toquen y se les abrirá. Porque quien pide, recibe; quien busca, encuentra, y al que toca, se le abre. ¿Habrá entre ustedes algún padre que, cuando su hijo le pida pescado, le dé una víbora? ¿O cuando le pida huevo, le dé un alacrán? Pues, si ustedes, que son malos, saben dar cosas buenas a sus hijos, ¿cuánto más el Padre celestial dará el Espíritu Santo a quienes se lo pidan?". *Palabra del Señor.*

A. ***Gloria a ti, Señor Jesús.***

Se dice Credo

8. Oración sobre las ofrendas. Recibe, Señor, los dones que por tu generosidad te presentamos, para que, por el poder de tu gracia, estos sagrados misterios santifiquen toda nuestra vida y nos conduzcan a la felicidad eterna. Por Jesucristo, nuestro Señor.

9. Antífona de la comunión. Dichosos los misericordiosos, porque alcanzarán misericordia. Dichosos los limpios de corazón, porque verán a Dios (Mt 5, 7-8).

10. Oración después de la comunión. Habiendo recibido, Señor, el sacramento celestial, memorial perpetuo de la pasión de tu Hijo, concédenos que este don, que él mismo nos dio con tan inefable amor, nos aproveche para nuestra salvación eterna. Él, que vive y reina por los siglos de los siglos.

EN COMUNIÓN CON LA TRADICIÓN VIVA DE LA IGLESIA

«Las palabras del que ora han de ser mesuradas y llenas de sosiego y respeto. Pensemos que estamos en la presencia de Dios. Debemos agradar a Dios con la actitud corporal y con la moderación de nuestra voz. Porque, así como es propio de quien no tiene educación hablar a gritos, así, por el contrario, es propio del hombre respetuoso orar con un tono de voz moderado. El Señor, cuando nos adoctrina acerca de la oración, nos manda hacerla en secreto, en lugares escondidos y apartados, en nuestro mismo aposento, lo cual concuerda con nuestra fe, cuando nos enseña que Dios está presente en todas partes, que nos oye y nos ve a todos y que, con la plenitud de su majestad, penetra incluso los lugares más ocultos, tal como está escrito: ¿Soy yo Dios sólo de cerca, y no Dios de lejos? Porque uno se esconda en su escondrijo,

¿no lo voy a ver yo? ¿No lleno yo el cielo y la tierra? Y también: *En todo lugar los ojos de Dios están vigilando a malos y buenos. Y, cuando nos reunimos con los hermanos para celebrar los sagrados misterios, presididos por el sacerdote de Dios, no debemos olvidar este respeto y moderación ni ponernos a ventilar continuamente sin ton ni son nuestras peticiones, deshaciéndonos en un torrente de palabras, sino encomendarlas humildemente a Dios, ya que él escucha no las palabras, sino el corazón, ni hay que convencer a gritos a aquel que penetra nuestros pensamientos, como lo demuestran aquellas palabras suyas: ¿Por qué pensáis mal? Y en otro lugar: Así sabrán todas las Iglesias que yo soy el que escruta corazones y mentes»* (**San Cipriano** [200-258]. Comentario a la "Oración del Señor").

31 DE JULIO – **(VERDE)**

18º DOMINGO ORDINARIO
SEÑOR, TEN COMPASIÓN DE NOSOTROS

La vida del hombre no depende de la abundancia de los bienes que posea. La enseñanza sobre los bienes materiales es motivada por una petición hecha a Jesús: *«Un hombre»* le pide que sea juez en un litigio entre este hombre y su hermano. ¿La causa? Las herencias. Las normas precisas que regulaban las herencias ya estaban codificadas en la Ley, sobre todo en el libro de los *Números* y en el *Deuteronomio*.

El evangelista introduce la parábola con la afirmación: **Un hombre rico obtuvo una gran cosecha**. Pero inmediatamente deja el lugar al agricultor afortunado que, a través de un monólogo interior, explica sus proyectos. Esta técnica del diálogo consigo mismo permite entrar y conocer los sentimientos de una persona y comprender sus dilemas interiores, no importa que la narración sea ficticia. El programa del hombre: *«construiré otros graneros más grandes»*, parece que es una decisión prudente. En la siguiente afirmación, usando una fórmula hedonista, anticipa la modalidad con la cual pretende utilizar sus bienes: su intención está completamente centrada sobre sí mismo.

Dios le dijo: ¡insensato! La palabra con la cual Dios define al rico hace referencia a otro tema sapiencial: la utilización de los propios bienes. El problema que se expone en toda la parábola no está en la producción de las riquezas, esto es obvio, sino en el comportamiento del terrateniente. Para él, acumular bienes para sí –y al máximo para su familia– equivale a tener tranquilidad y felicidad. Pero hay una insensatez en sus cálculos; ha omitido lo que es más importante, la hora de su muerte. Ha pensado en todos los días, menos en el último.

Uso de las riquezas. La parábola nos describe al hombre que pone la propia seguridad en la acumulación de bienes. Es lo contrario del discípulo de Jesús cuya seguridad la deposita en el amor del Padre y de los hermanos. Nuestra vida no está en los bienes, sino en las manos de quien los otorga. A esta parábola del *«rico insensato»* hace de contraparte la del *«administrador sagaz»* (Lc 16, 1ss). El «administrador sagaz», se hace la misma pregunta que el terrateniente que los ve crecer: *«¿Qué haré?»*.

Todas las cosas… vana ilusión. El aparente pesimismo del Eclesiastés puede desconcertar al lector no preparado en temas bíblicos –**primera lectura**–. Es un libro crítico y realista sobre la condición del pueblo en la Palestina del siglo III a.C. El autor escribe durante ese tiempo de explotación (250 a.C.), que no dejaba ver un futuro prometedor a los judíos. En ese mundo sin futuro, el autor hace un balance sobre la condición humana, buscando una perspectiva de esperanza y de realización. ¿Cómo salir de este atolladero?

La idolatría de los bienes materiales. San Pablo escribiendo a los cristianos de Colosas les dice: *«Destruyan todo lo que hay de terrenal en su cuerpo… y la avaricia, que es una idolatría»* –**segunda lectura**–. El ansia de poseer, el apego morboso a los bienes y a las riquezas, no se refieren sólo al plano horizontal de nuestras relaciones, sino a nuestra misma relación con Dios, ya que con mucha facilidad los bienes se trasforman en ídolos, ante los cuales eludimos el poder asignar la realización de nuestra vida.

1. Antífona de entrada. Dios mío, ven en mi ayuda; Señor, date prisa en socorrerme. Tú eres mi auxilio y mi salvación; Señor, no tardes (Sal 69, 2. 6).

Se dice Gloria

2. Oración colecta. Ayuda, Señor, a tus siervos, que imploran tu continua benevolencia, y, ya que se glorían de tenerte como su creador y su guía, renueva en ellos tu obra creadora y consérvales los dones de tu redención. Por nuestro Señor Jesucristo...

3. 1ª Lectura   (Ecli 1, 2; 2, 21-23)
Del libro del Eclesiastés (Cohélet)
Todas las cosas, absolutamente todas, son vana ilusión. Hay quien se agota trabajando y pone en ello todo su talento, su ciencia y su habilidad, y tiene que dejárselo todo a otro que no lo trabajó. Esto es vana ilusión y gran desventura. En efecto, ¿qué provecho saca el hombre de todos sus trabajos y afanes bajo el sol? De día dolores, penas y fatigas; de noche no descansa. ¿No es también eso vana ilusión?
Palabra de Dios.
A. **Te alabamos, Señor.**

4. Salmo responsorial   (Sal 89)
R. **Señor, ten compasión de nosotros.**
L. Tú haces volver al polvo a los humanos, diciendo a los mortales que retornen. Mil años son para ti como un día, que ya pasó; como una breve noche. / R.
L. Nuestra vida es tan breve como un sueño; semejante a la hierba, que despunta y florece en la mañana y por la tarde se marchita y se seca. / R.
L. Enséñanos a ver lo que es la vida y seremos sensatos. ¿Hasta cuándo, Señor, vas a tener compasión de tus siervos? ¿Hasta cuándo? / R.
L. Llénanos de tu amor por la mañana y júbilo será la vida toda. Que el Señor bondadoso nos ayude y dé prosperidad a nuestras obras. / R.

5. 2ª Lectura   (Col 3, 1-5. 9-11)

De la carta del apóstol san Pablo a los colosenses

Hermanos: Puesto que han resucitado con Cristo, busquen los bienes de arriba, donde está Cristo, sentado a la derecha de Dios. Pongan todo el corazón en los bienes del cielo, no en los de la tierra, porque han muerto y su vida está escondida con Cristo en Dios. Cuando se manifieste Cristo, vida de ustedes, entonces también ustedes se manifestarán gloriosos juntamente con él.

Den muerte, pues, a todo lo malo que hay en ustedes: la fornicación, la impureza, las pasiones desordenadas, los malos deseos y la avaricia, que es una forma de idolatría. No sigan engañándose unos a otros; despójense del modo de actuar del viejo yo y revístanse del nuevo yo, el que se va renovando conforme va adquiriendo el conocimiento de Dios, que lo creó a su propia imagen.

En este orden nuevo ya no hay distinción entre judíos y no judíos, israelitas y paganos, bárbaros y extranjeros, esclavos y libres, sino que Cristo es todo en todos.

Palabra de Dios.

A. *Te alabamos, Señor.*

6. Aclamación antes del Evangelio   (Mt 5, 3)

R. **Aleluya, aleluya.** Dichosos los pobres de espíritu, porque de ellos es el Reino de los cielos.

R. **Aleluya, aleluya.**

7. Evangelio   (Lc 12, 13-21)

Del santo Evangelio según san Lucas

A. *Gloria a ti, Señor.*

En aquel tiempo, hallándose Jesús en medio de una multitud, un hombre le dijo: "Maestro, dile a mi hermano que comparta conmigo la herencia". Pero Jesús le contestó: "Amigo, ¿quién me ha puesto como juez en la distribución de herencias?".

Y dirigiéndose a la multitud, dijo: "Eviten toda clase de avaricia, porque la vida del hombre no depende de la abundancia de los bienes que posea".

Después les propuso esta parábola: "Un hombre rico obtuvo una gran cosecha y se puso a pensar: '¿Qué haré, porque no tengo ya en dónde almacenar la cosecha? Ya sé lo que voy a hacer: derribaré mis graneros y construiré otros más grandes para guardar ahí mi cosecha y todo lo que tengo. Entonces podré decirme: Ya tienes bienes acumulados para muchos años; descansa, come, bebe y date a la buena vida'. Pero Dios le dijo: '¡Insensato! Esta misma noche vas a morir. ¿Para quién serán todos tus bienes?'. Lo mismo le pasa al que amontona riquezas para sí mismo y no se hace rico de lo que vale ante Dios".

Palabra del Señor.

A. *Gloria a ti, Señor Jesús.*

Se dice Credo

8. Oración sobre las ofrendas. Santifica, Señor, por tu piedad, estos dones y, al recibir en oblación este sacrificio espiritual, conviértenos para ti en una perenne ofrenda. Por Jesucristo, nuestro Señor.

9. Antífona de la comunión. Yo soy el pan de vida, dice el Señor. Quien venga a mí no tendrá hambre, y quien crea en mí no tendrá sed (Jn 6, 35).

10. Oración después de la comunión. Acompaña, Señor, con tu permanente auxilio, a quienes renuevas con el don celestial, y a quienes no dejas de proteger, concédeles ser cada vez más dignos de la eterna redención. Por Jesucristo, nuestro Señor.

EN COMUNIÓN
CON LA TRADICIÓN VIVA DE LA IGLESIA

«*¿Qué trabajador ha podido agregar un solo día a su vida de hombre? ¿Quién ha podido rescatar sus riquezas del reino de la muerte? ¿Quién ha podido salvarse de las enfermedades gracias al dinero? La vida del hombre no depende de la abundancia de los bienes que posea (Lc 12,15). Y en otra parte: Tesoros mal adquiridos no aprovechan, mas la justicia libra de la muerte (Pr 10, 2).*

Justamente el profeta exclama: A las riquezas, si abundan, no apeguéis el corazón (Sal 62, 11). De hecho, ¿a qué cosa me sirven, si no pueden librarme de la muerte? ¿A qué me sirven, si después de la muerte no pueden estar conmigo? Aquí se acumulan y aquí se dejan. Hablamos, por lo tanto, de un sueño, no de un patrimonio. Por ello el mismo profeta dice muy bien de los ricos: Los valientes han sido despojados, durmiendo están su sueño; les fallaron los brazos a los guerreros (Salmo 76, 6). Esto quiere decir: los ricos que no han ayudado a los pobres, no han encontrado nada en sus propias acciones, no han sido de provecho a la miseria de ninguno, no han podido hallar nada para la propia utilidad» (**San Ambrosio de Milán** [340-397]. La historia de Nabot, 6).

7 DE AGOSTO — (VERDE)

19º DOMINGO ORDINARIO
DICHOSO EL PUEBLO ESCOGIDO POR DIOS

No temas, rebañito mío… Con esta metáfora se abre el texto evangélico de san Lucas propuesto para meditarlo este domingo. La metáfora del «rebaño» era común en el Antiguo Testamento para denominar al pueblo de Israel: incluye, por lo tanto, la imagen de Dios como pastor.

Donde está su tesoro, ahí estará su corazón. Jesús, en la invitación final a sus discípulos, agrega una ulterior clarificación: no basta no preocuparse por las cosas de cada día, sino que es necesario desprenderse completamente de los bienes y darlos en limosna. Aquí se establece una conexión entre la limosna dada al prójimo y el tesoro acumulado ante Dios. Jesús quiere decir que, a diferencia de los bienes terrenos que se pueden perder, los tesoros celestes no corren ningún peligro.

Estén listos, con la túnica puesta y las lámparas encendidas. Podemos decir que el hombre se convierte en lo que espera. Quien espera la muerte, se vuelve su hijo y produce muerte; en cambio, quien espera al Señor Jesús, tiene la misma vida del Hijo del Padre. La existencia cristiana se vive en espera de Aquel que debe venir: ¡el Esposo! En el evangelio de hoy Jesús va en camino hacia Jerusalén y prepara a sus discípulos a vivir su ausencia y en espera de su retorno. La enseñanza delinea la condición que debe existir en los creyentes: la vigilancia y la fidelidad responsables.

Sean semejantes a los criados... La primera situación que se cuenta es muy realista: el protagonista es el personal de la casa, obligado a vigilar en espera de que regrese su señor de una boda. En el momento de su llegada hay una inversión de roles: el patrón se viste ropas de siervo y se apresura a servirles. Este hecho es sorprendente: anticipa la acción de Jesús en la Última Cena. *«La túnica puesta...»*: describe la actitud de quien está preparado para trabajar o comenzar un viaje, por ello se ciñe el vestido a la cintura para poder moverse con más libertad.

Si un padre de familia supiera... Esta parábola nos presenta un ladrón cuya llegada es imprevista e inesperada. Dios se presenta en nuestra historia de manera inusitada y, sin vigilancia, se corre el riesgo de perder el don que se nos ha otorgado en Jesús. La pregunta de Pedro amplía el tema de la vigilancia activa: *«¿Dices esta parábola...?»*. Jesús no responde directamente a la pregunta del Apóstol. En forma de pregunta, cuenta otra parábola, «el administrador fiel y responsable». Esta parábola se mueve en la misma línea que la anterior; va dirigida, sobre todo, a los responsables de las comunidades cristianas.

Tu pueblo esperaba a la vez la salvación de los justos... El libro de la Sabiduría nos describe a grandes pinceladas lo que ha sucedido durante la fuga de los hebreos de la esclavitud de Egipto –primera lectura–. Mientras Dios destruía a los primogénitos de los egipcios, salva con prodigios a los hebreos y a sus hijos, manteniendo de esta manera las «promesas» hechas a los padres.

La fe es la forma de poseer, ya desde ahora, lo que se espera... Los versículos de la **Carta a los hebreos** pertenecen a una unidad mayor (11, 1 – 12, 13) –**segunda lectura**–, en la cual el autor saca las consecuencias para la vida cristiana, sintetizándolas en dos actitudes fundamentales: fe y perseverancia, siendo que la fe sustenta a la perseverancia.

1. Antífona de entrada. Acuérdate, Señor, de tu alianza, no olvides por más tiempo la suerte de tus pobres. Levántate, Señor, a defender tu causa, no olvides las voces de los que te buscan (Cfr. Sal 73, 20. 19. 22. 23).

Se dice Gloria

2. Oración colecta. Dios todopoderoso y eterno, a quien, enseñados por el Espíritu Santo, invocamos con el nombre de Padre, intensifica en nuestros corazones el espíritu de hijos adoptivos tuyos, para que merezcamos entrar en posesión de la herencia que nos tienes prometida. Por nuestro Señor Jesucristo...

3. 1ª Lectura   (Sab 18, 6-9)
Del libro de la Sabiduría
La noche de la liberación pascual fue anunciada con anterioridad a nuestros padres, para que se confortaran al reconocer la firmeza de las promesas en que habían creído.

Tu pueblo esperaba a la vez la salvación de los justos y el exterminio de sus enemigos. En efecto, con aquello mismo con que castigaste a nuestros adversarios nos cubriste de gloria a tus elegidos.

Por eso, los piadosos hijos de un pueblo justo celebraron la Pascua en sus casas, y de común acuerdo se impusieron esta ley sagrada, de que todos los santos participaran por igual de los bienes y de los peligros. Y ya desde entonces cantaron los himnos de nuestros padres. *Palabra de Dios.*
A. Te alabamos, Señor.

4. Salmo responsorial   (Sal 32)
R. Dichoso el pueblo escogido por Dios.
L. Que los justos aclamen al Señor; es propio de los justos alabarlo. Feliz la nación cuyo Dios es el Señor, dichoso el pueblo que eligió por suyo. / **R.**

L. Cuida el Señor de aquellos que lo temen y en su bondad confían; los salva de la muerte y en épocas de hambre les da vida. / **R.**

L. En el Señor está nuestra esperanza, pues él es nuestra ayuda y nuestro amparo. Muéstrate bondadoso con nosotros, puesto que en ti, Señor, hemos confiado. / R.

5. 2ª Lectura   (Heb 11, 1-2. 8-19)
De la carta a los hebreos
Hermanos: La fe es la forma de poseer, ya desde ahora, lo que se espera, y de conocer las realidades que no se ven. Por ella fueron alabados nuestros mayores.

Por su fe, Abraham, obediente al llamado de Dios, y sin saber a dónde iba, partió hacia la tierra que habría de recibir como herencia. Por la fe, vivió como extranjero en la tierra prometida, en tiendas de campaña, como Isaac y Jacob, coherederos de la misma promesa después de él. Porque ellos esperaban la ciudad de sólidos cimientos, cuyo arquitecto y constructor es Dios.

Por su fe, Sara, aun siendo estéril y a pesar de su avanzada edad, pudo concebir un hijo, porque creyó que Dios habría de ser fiel a la promesa; y así, de un solo hombre, ya anciano, nació una descendencia numerosa como las estrellas del cielo e incontable como las arenas del mar.

Todos ellos murieron firmes en la fe. No alcanzaron los bienes prometidos, pero los vieron y los saludaron con gozo desde lejos. Ellos reconocieron que eran extraños y peregrinos en la tierra. Quienes hablan así, dan a entender claramente que van en busca de una patria; pues si hubieran añorado la patria de donde habían salido, habrían estado a tiempo de volver a ella todavía. Pero ellos ansiaban una patria mejor: la del cielo. Por eso Dios no se avergüenza de ser llamado su Dios, pues les tenía preparada una ciudad.

Por su fe, Abraham, cuando Dios le puso una prueba, se dispuso a sacrificar a Isaac, su hijo único, garantía de la promesa, porque Dios le había dicho: *De Isaac nacerá la descendencia que ha de llevar tu nombre.* Abraham pensaba, en efecto, que Dios tiene poder hasta para resucitar a los muertos; por eso le fue devuelto Isaac, que se convirtió así en un símbolo profético.

Palabra de Dios.
A. *Te alabamos, Señor.*

6. Aclamación antes del Evangelio (Mt 24, 42. 44)
R. **Aleluya, aleluya.** Estén preparados, porque no saben a qué hora va a venir el Hijo del hombre.
R. **Aleluya, aleluya.**

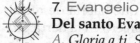 7. Evangelio (Lc 12, 32-48)
Del santo Evangelio según san Lucas
A. *Gloria a ti, Señor.*

En aquel tiempo, Jesús dijo a sus discípulos: "No temas, rebañito mío, porque tu Padre ha tenido a bien darte el Reino. Vendan sus bienes y den limosnas. Consíganse unas bolsas que no se destruyan y acumulen en el cielo un tesoro que no se acaba, allá donde no llega el ladrón, ni carcome la polilla. Porque donde está su tesoro, ahí estará su corazón.

Estén listos, con la túnica puesta y las lámparas encendidas. Sean semejantes a los criados que están esperando a que su señor regrese de la boda, para abrirle en cuanto llegue y toque. Dichosos aquellos a quienes su señor, al llegar, encuentre en vela. Yo les aseguro que se recogerá la túnica, los hará sentar a la mesa y él mismo les servirá. Y si llega a medianoche o a la madrugada y los encuentra en vela, dichosos ellos.

Fíjense en esto: Si un padre de familia supiera a qué hora va a venir el ladrón, estaría vigilando y no dejaría que se le metiera por un boquete en su casa. Pues también ustedes estén preparados, porque a la hora en que menos lo piensen vendrá el Hijo del hombre".

Entonces Pedro le preguntó a Jesús: "¿Dices esta parábola sólo por nosotros o por todos?". El Señor le respondió: "Supongan que un administrador, puesto por su amo al frente de la servidumbre, con el encargo de repartirles a su tiempo los alimentos, se porta con fidelidad y prudencia. Dichoso este siervo, si el amo, a su llegada, lo encuentra cumpliendo con su deber. Yo les aseguro que lo pondrá al frente de todo lo que tiene. Pero si este siervo piensa: 'Mi amo tardará en llegar' y empieza a maltratar a los criados y a las criadas, a comer, a beber y a embriagarse, el día menos pensado y a la hora más inesperada, llegará su amo y lo castigará severamente y le hará correr la misma suerte que a los hombres desleales.

El siervo que, conociendo la voluntad de su amo, no haya preparado ni hecho lo que debía, recibirá muchos azotes; pero el que, sin conocerla, haya hecho algo digno de castigo, recibirá pocos.

Al que mucho se le da, se le exigirá mucho, y al que mucho se le confía, se le exigirá mucho más".

Palabra del Señor.
A. *Gloria a ti, Señor Jesús.*

Se dice credo

8. Oración sobre las ofrendas. Recibe benignamente, Señor, los dones de tu Iglesia, y, al concederle en tu misericordia que te los pueda ofrecer, haces al mismo tiempo que se conviertan en sacramento de nuestra salvación. Por Jesucristo, nuestro Señor.

9. Antífona de la comunión. El pan que yo les daré, es mi carne para la vida del mundo, dice el Señor (Cfr. Jn 6, 51).

10. Oración después de la comunión. La comunión de tus sacramentos que hemos recibido, Señor, nos salven y nos confirmen en la luz de tu verdad. Por Jesucristo, nuestro Señor.

EN COMUNIÓN
CON LA TRADICIÓN VIVA DE LA IGLESIA

«Ceñir nuestras cinturas quiere decir la rapidez de la mente para trabajar firmemente en todo lo que sea digno de alabanza. Quienes se dedican a labores físicas y se enfrentan a trabajos arduos se ciñen la cintura. La lámpara parece representar la mente despierta y vivaz. Decimos que la mente humana está despierta cuando aleja cualquier tendencia a dormirse hasta la negligencia, que es frecuentemente medio para hacerla caer en todo tipo de malicia. Cuando se hunde en la pereza, la luz celestial de la mente se pone en peligro, o de hecho, se encuentra ya en peligro bajo cualquier ráfaga violenta e impetuosa de viento.

Cristo nos manda permanecer despiertos. Por esto, dice san Pablo (También a nosotros): Velemos y seamos sobrios (I Ts 5, 6). Más adelante el sabio Apóstol también dice: Despierta tú que duermes, y levántate de entre los muertos, y te iluminará Cristo (Ef 5, 14). Nosotros debemos aguardar el regreso de Cristo que viene del cielo. Vendrá en la gloria del Padre con los ángeles. Él nos ha enseñado que debemos ser como aquellos siervos que esperan a su amo que vuelve de las nupcias, para que cuando venga y llame, le abran al instante las puertas. De hecho, Cristo volverá como de una fiesta. Esto muestra simplonamente que Dios siempre permanece en festivales que le son adecuados. Arriba en el cielo, no hay tristeza de ningún tipo ya que nada puede provocar dolor. Esa naturaleza divina es impasible e incapaz de ser afectada por cualquier cosa de este tipo» (**San Agustín** [354-430]. Evangelio de Juan).

20º DOMINGO ORDINARIO

SEÑOR, DATE PRISA EN AYUDARME

Seré bautizado... El pasaje evangélico de hoy nos muestra al mismo Jesús preparándose en la espera apasionada de su «hora» definitiva, es decir el momento de su donación total en favor de los hombres: su pasión, muerte y resurrección. Dirigiéndose hacia la Ciudad Santa, corazón del Israel histórico, significa para Jesús afrontar una muerte violenta: la muerte en cruz. Este texto lucano nos da la oportunidad de entrar en el misterio interno de la Persona de Jesús, en sus actitudes y nos ayudarán a comprender que su muerte en cruz no llegó de improviso.

He venido a traer fuego a la tierra... Éste es uno de los raros textos que nos permiten entrar en el corazón de Jesús, permitiéndonos captar sus sentimientos, definidos al mismo tiempo como «*deseo*» y de «*angustia*». Aunque si evidentemente no es fácil determinar en qué consiste este «*fuego*» que Jesús quiere «*encender*». Las interpretaciones de los estudiosos son diversas. De cualquier manera no se puede excluir una referencia, aunque si está un poco oculta, a la muerte de cruz y al envío del Espíritu Santo en Pentecostés.

Jesús signo de contradicción. Toda su existencia Jesús la vivió en vistas de su muerte en cruz. Cada uno de sus actos es donación de amor. Si viviendo cada instante de su vida en esta perspectiva,

Jesús es consciente de que sus obras no portarán al mundo una paz idílica, sino la división entre los humanos. El ambiente familiar, célula de la sociedad, será el primero en portar el signo de esta división. Este aspecto de división que causaría su misión entre los hombres ya la había profetizado el anciano Simeón cuando Jesús niño fue presentado por sus padres en el Templo.

Necesidad de hacer una opción. La venida de Jesús lleva a los hombres a hacer una elección. Frente a su mensaje estamos llamados a realizar una opción: ¡o con Él o contra de Él! Puestos frente a esta alternativa, ante el misterio de su Persona, los hombres toman dos posturas: ¡creer en su mensaje, o tirarle piedras y crucificarlo! Todo el mensaje de Jesús está marcado por el escándalo, que divide y separa. Este mensaje está bajo el signo de la cruz.

Como la vida de Jesús se ha desarrollado marcada por el «signo de contradicción» y de la opción entre aceptación y rechazo, entre fe e incredulidad, de igual forma la vida de los cristianos y la historia de la Iglesia serán acompañadas por hostilidades y persecuciones.

Las cosas que dice desmoralizan a los guerreros. La vida del profeta está siempre acompañada por la hostilidad y por la persecución. La **primera lectura** nos ofrece el ejemplo más patético en la figura del profeta Jeremías. No obstante las apariencias contrarias, Jeremías continúa profetizando la próxima destrucción de Jerusalén. Los hechos darán razón al profeta. Mientras tanto, por la verdad que anunciaba Jeremías deberá pagar en carne propia el precio de la verdad proclamada. Éste es el destino doloroso de todo verdadero profeta.

Correr con perseverancia... El autor de la **Carta a los hebreos** nos invita a no perder el ánimo ante las dificultades que nos presenta la vida, sino más bien luchar contra «el pecado que nos asedia» por todas partes, el ejemplo más iluminador nos viene de Jesús –**segunda lectura**–: Él es el único y verdadero modelo de la «carrera», del ritmo y del estilo que debemos dar a nuestra vida.

1. Antífona de entrada. Dios, protector nuestro, mira el rostro de tu Ungido. Un solo día en tu casa es más valioso, que mil días en cualquier otra parte (Sal 83, 10-11).

Se dice Gloria

2. Oración colecta. Señor Dios, que has preparado bienes invisibles para los que te aman, infunde en nuestros corazones el anhelo de amarte, para que, amándote en todo y sobre todo, consigamos tus promesas, que superan todo deseo. Por nuestro Señor Jesucristo…

3. 1ª Lectura   (Jer 38, 4-6. 8-10)
Del libro del profeta Jeremías
Durante el sitio de Jerusalén, los jefes que tenían prisionero a Jeremías dijeron al rey: "Hay que matar a este hombre, porque las cosas que dice desmoralizan a los guerreros que quedan en esta ciudad y a todo el pueblo. Es evidente que no busca el bienestar del pueblo, sino su perdición".

Respondió el rey Sedecías: "Lo tienen ya en sus manos y el rey no puede nada contra ustedes". Entonces ellos tomaron a Jeremías y, descolgándolo con cuerdas, lo echaron en el pozo del príncipe Melquías, situado en el patio de la prisión. En el pozo no había agua, sino lodo, y Jeremías quedó hundido en el lodo.

Ebed-Mélek, el etíope, oficial de palacio, fue a ver al rey y le dijo: "Señor, está mal hecho lo que estos hombres hicieron con Jeremías, arrojándolo al pozo, donde va a morir de hambre".

Entonces el rey ordenó a Ebed-Mélek: "Toma treinta hombres contigo y saca del pozo a Jeremías, antes de que muera".
Palabra de Dios.
A. *Te alabamos, Señor.*

4. Salmo responsorial   (Sal 39)
R. **Señor, date prisa en ayudarme.**
L. Esperé en el Señor con gran confianza; él se inclinó hacia mí y escuchó mis plegarias. / R.

[R. Señor, date prisa en ayudarme.]
L. Del charco cenagoso y la fosa mortal me puso a salvo; puso firmes mis pies sobre la roca y aseguró mis pasos. / R.

L. Él me puso en la boca un canto nuevo, un himno a nuestro Dios. Muchos se conmovieron al ver esto y confiaron también en el Señor. / R.

L. A mí, tu siervo, pobre y desdichado, no me dejes, Señor, en el olvido. Tú eres quien me ayuda y quien me salva; no te tardes, Dios mío. / R.

5. 2ª Lectura   (Heb 12, 1-4))
De la carta a los hebreos
Hermanos: Rodeados, como estamos, por la multitud de antepasados nuestros, que dieron prueba de su fe, dejemos todo lo que nos estorba; librémonos del pecado que nos ata, para correr con perseverancia la carrera que tenemos por delante, fija la mirada en Jesús, autor y consumador de nuestra fe. Él, en vista del gozo que se le proponía, aceptó la cruz, sin temer su ignominia, y por eso está sentado a la derecha del trono de Dios.

Mediten, pues, en el ejemplo de aquel que quiso sufrir tanta oposición de parte de los pecadores, y no se cansen ni pierdan el ánimo. Porque todavía no han llegado ustedes a derramar su sangre en la lucha contra el pecado.

Palabra de Dios.
A. **Te alabamos, Señor.**

6. Aclamación antes del Evangelio   (Jn 10, 27)
R. **Aleluya, aleluya.** Mis ovejas escuchan mi voz, dice el Señor; yo las conozco y ellas me siguen.
R. **Aleluya, aleluya.**

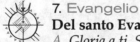

7. Evangelio   (Lc 12, 49-53)
Del santo Evangelio según san Lucas
A. *Gloria a ti, Señor.*

En aquel tiempo, Jesús dijo a sus discípulos: "He venido a traer fuego a la tierra ¡y cuánto desearía que ya estuviera ardiendo! Tengo que recibir un bautismo ¡y cómo me angustio mientras llega!

¿Piensan acaso que he venido a traer paz a la tierra? De ningún modo. No he venido a traer la paz, sino la división. De aquí en adelante, de cinco que haya en una familia, estarán divididos tres contra dos y dos contra tres. Estará dividido el padre contra el hijo, el hijo contra el padre, la madre contra la hija y la hija contra la madre, la suegra contra la nuera y la nuera contra la suegra".

Palabra del Señor.

A. Gloria a ti, Señor Jesús.

Se dice Credo

8. Oración sobre las ofrendas. Recibe, Señor, nuestros dones, con los que se realiza tan glorioso intercambio, para que, al ofrecerte lo que tú nos diste, merezcamos recibirte a ti mismo. Por Jesucristo, nuestro Señor.

9. Antífona de la comunión. Yo soy el pan vivo, que ha bajado del cielo, dice el Señor: quien coma de este pan vivirá eternamente (Jn 6, 51-52).

10. Oración después de la comunión. Unidos a Cristo por este sacramento, suplicamos humildemente, Señor, tu misericordia, para que, hechos semejantes a él aquí en la tierra, merezcamos gozar de su compañía en el cielo. Él, que vive y reina por los siglos de los siglos.

EN COMUNIÓN
CON LA TRADICIÓN VIVA DE LA IGLESIA

«Corramos –dice el Apóstol– en la carrera que nos toca. Enseguida presenta a Cristo, que es el primero y el último, como motivo de consuelo y de exhortación: Fijos los ojos, dice, en el que inició y completa nuestra fe: Jesús. Es lo que el mismo Jesús decía incansablemente a sus discípulos: Si al dueño de la casa lo han llamado Belcebú, ¡cuánto más a los criados! Y de nuevo: Un discípulo no es más que su maestro. Fijos los ojos, dice: esto es, para aprender a correr, fijémonos en Cristo. Pues así como en todas las artes y competiciones fijándonos en los maestros, se nos va grabando en la mente un arte, deduciendo de la observación algunas reglas, aquí sucede lo mismo: si queremos competir, si queremos aprender a competir diestramente, no apartemos los ojos de Cristo, que es quien inició y completa nuestra fe. Y esto, ¿qué es lo que quiere decir? Quiere decir que Cristo mismo nos infundió la fe, él la inició. Lo declaraba Cristo a sus discípulos: No sois vosotros los que

me habéis elegido, soy yo quien os he elegido. Y Pablo dice también: Entonces podré conocer como Dios me conoce. Y si Cristo es quien nos inició, también es él quien completa nuestra fe. Él, renunciando al gozo inmediato, soportó la cruz, despreciando la ignominia. Es decir, si hubiese querido, no hubiera padecido, ya que él no cometió pecado ni encontraron engaño en su boca. Lo dice él mismo en los evangelios: Se acerca el Príncipe de este mundo; no es que él tenga poder sobre mí. Le hubiera, pues, sido fácil, de haberlo querido, evitar la cruz, pues como él mismo afirmó: Tengo poder para entregar mi vida y tengo poder para recuperarla» (**San Juan Crisóstomo** [347-407]. Homilía 28 sobre la Carta a los hebreos).

ASUNCIÓN DE LA SANTÍSIMA VIRGEN (S)

LA ASUNCIÓN DE LA VIRGEN MARÍA

Celebramos hoy la solemnidad de la Asunción de la Virgen María. Las noticias que tenemos en la Biblia sobre los últimos días de la Virgen María son solamente dos: El evangelio de san Juan narra que María estuvo presente en la muerte de su hijo: "Mirando Jesús a su madre allí presente y al discípulo a quien él tanto amaba dijo a su madre: 'Mujer, ése es tu hijo.' Luego dijo al discípulo: 'Ésa es tu madre', y el discípulo se hizo cargo de ella" (Jn 19, 26-27). Los Hechos de los Apóstoles narran que María estaba con los discípulos: "Todos estaban dedicados continuamente a la oración, animados del mismo espíritu, acompañados de algunas mujeres, de María la madre de Jesús, y de los hermanos de éste" (Hch 1, 14).

Para los católicos la Asunción de la Virgen María es un dogma que establece que la virgen fue llevada al cielo. Esto ya era creído por todos los católicos mucho antes de que el Papa Pío XII declarara el día 1º. de noviembre de 1950, con la Constitución Apostólica *Munificentissimus Deus*, que se celebrara oficialmente el 15 de agosto: "Por la autoridad de nuestro Señor Jesucristo, de los bienaventurados Apóstoles Pedro y Pablo y nuestra, proclamamos, declaramos y definimos ser dogma divinamente revelado: Que la Inmaculada Madre de Dios siempre Virgen María, cumplido el curso de su vida terrestre, fue asunta en cuerpo y alma a la gloria celestial" (Dz. 2333). En aquel entonces todo el pueblo manifestó su alegría adornando las calles y los templos con los colores de la Virgen, azul y blanco.

La solemnidad de hoy: *Celebramos una verdad que no es inventada por los hombres. Por la seguridad de una fe verdaderamente católica, sentimos hoy la alegría profunda de que María realmente está en el cielo, no sólo con su espíritu, como están todos nuestros muertos, sino con su cuerpo glorificado ya en esta forma definitiva en que también nosotros vamos a ser glorificados, cuando se cumpla ese dogma de nuestro credo: creo en la resurrección de la carne, en la resurrección de los muertos.*

1. Antífona de entrada. Una gran señal apareció en el cielo: una mujer vestida de sol, con la luna bajo sus pies y una corona de doce estrellas sobre su cabeza (Cfr. Apoc 12, 1).

Se dice Gloria

2. Oración colecta. Dios todopoderoso y eterno, que elevaste a la gloria celestial en cuerpo y alma a la inmaculada Virgen María, Madre de tu Hijo, concédenos tender siempre hacia los bienes eternos, para que merezcamos participar de su misma gloria. Por nuestro Señor Jesucristo…

3. 1ª Lectura   (Apoc 11, 19; 12, 1-6. 10)
Del libro del Apocalipsis del apóstol san Juan
Se abrió el templo de Dios en el cielo y dentro de él se vio el arca de la alianza. Apareció entonces en el cielo una figura prodigiosa: una mujer envuelta por el sol, con la luna bajo sus pies y con una corona de doce estrellas en la cabeza. Estaba encinta y a punto de dar a luz y gemía con los dolores del parto.

Pero apareció también en el cielo otra figura: un enorme dragón, color de fuego, con siete cabezas y diez cuernos, y una corona en cada una de sus siete cabezas. Con su cola barrió la tercera parte de las estrellas del cielo y las arrojó sobre la tierra. Después se detuvo delante de la mujer que iba a dar a luz, para devorar a su hijo, en cuanto éste naciera. La mujer dio a luz un hijo varón, destinado a gobernar todas las naciones con cetro de hierro; y su hijo fue llevado hasta Dios y hasta su trono. Y la mujer huyó al desierto, a un lugar preparado por Dios.

Entonces oí en el cielo una voz poderosa, que decía: "Ha sonado la hora de la victoria de nuestro Dios, de su dominio y de su reinado, y del poder de su Mesías".

Palabra de Dios.
A. *Te alabamos, Señor.*

4. Salmo responsorial   (Sal 44)
R. **De pie, a tu derecha, está la reina.**
L. Hijas de reyes salen a tu encuentro. De pie, a tu derecha, está la reina, enjoyada con oro de Ofir. / R.
L. Escucha, hija, mira y pon atención: olvida a tu pueblo y la casa paterna; el rey está prendado de tu belleza; ríndele homenaje, porque él es tu señor. / R.
L. Entre alegría y regocijo van entrando en el palacio real. A cambio de tus padres, tendrás hijos, que nombrarás príncipes por toda la tierra. / R.

5. 2ª Lectura   (1 Cor 15, 20-27)
De la primera carta del apóstol san Pablo a los corintios
Hermanos: Cristo resucitó, y resucitó como la primicia de todos los muertos. Porque si por un hombre vino la muerte, también por un hombre vendrá la resurrección de los muertos.

En efecto, así como en Adán todos mueren, así en Cristo todos volverán a la vida, pero cada uno en su orden: primero Cristo, como primicia; después, a la hora de su advenimiento, los que son de Cristo.

Enseguida será la consumación, cuando, después de haber aniquilado todos los poderes del mal, Cristo entregue el Reino a su Padre. Porque él tiene que reinar hasta que el Padre ponga bajo sus pies a todos sus enemigos. El último de los enemigos en ser aniquilado, será la muerte, porque todo lo ha sometido Dios bajo los pies de Cristo.

Palabra de Dios.
A. *Te alabamos, Señor.*

6. Aclamación antes del Evangelio

R. **Aleluya, aleluya.** María fue llevada al cielo y todos los ángeles se alegran.

R. **Aleluya, aleluya.**

7. Evangelio (Lc 1, 39-56)

Del santo Evangelio según san Lucas

A. *Gloria a ti, Señor.*

En aquellos días, María se encaminó presurosa a un pueblo de las montañas de Judea, y entrando en la casa de Zacarías, saludó a Isabel. En cuanto ésta oyó el saludo de María, la criatura saltó en su seno.

Entonces Isabel quedó llena del Espíritu Santo, y levantando la voz, exclamó: "¡Bendita tú entre las mujeres y bendito el fruto de tu vientre! ¿Quién soy yo, para que la madre de mi Señor venga a verme? Apenas llegó tu saludo a mis oídos, el niño saltó de gozo en mi seno. Dichosa tú, que has creído, porque se cumplirá cuanto te fue anunciado de parte del Señor".

Entonces dijo María: "Mi alma glorifica al Señor *y mi espíritu se llena de júbilo en Dios, mi salvador*, porque *puso sus ojos en la humildad de su esclava.*

Desde ahora me llamarán dichosa todas las generaciones, porque ha hecho en mí grandes cosas el que todo lo puede. *Santo es su nombre, y su misericordia llega de generación en generación a los que lo temen.*

Él hace sentir el poder de su brazo: dispersa a los de corazón altanero, *destrona a los potentados y exalta a los humildes. A los hambrientos los colma de bienes* y a los ricos los despide sin nada.

Acordándose de su misericordia, viene en ayuda de Israel, su siervo, como lo había prometido a nuestros padres, a Abraham y a su descendencia, para siempre".

María permaneció con Isabel unos tres meses y luego regresó a su casa.

Palabra del Señor.

A. *Gloria a ti, Señor Jesús.*

Se dice Credo

8. Oración sobre las ofrendas. Suba hasta ti, Señor, nuestra ofrenda fervorosa y, por intercesión de la santísima Virgen María, elevada al cielo, haz que nuestros corazones tiendan hacia ti, inflamados en el fuego de tu amor. Por Jesucristo, nuestro Señor.

PREFACIO: La gloriosa Asunción de la Virgen

En verdad es justo y necesario, es nuestro deber y salvación darte gracias siempre y en todo lugar, Señor, Padre santo, Dios todopoderoso y eterno, por Cristo, Señor nuestro. Porque hoy ha sido elevada al cielo la Virgen Madre de Dios, anticipo e imagen de la perfección que alcanzará tu Iglesia, garantía de consuelo y esperanza para tu pueblo, todavía peregrino en la tierra. Con razón no permitiste, Señor, que conociera la corrupción del sepulcro aquella que, de un modo inefable, dio vida en su seno y carne de su carne a tu Hijo, autor de toda vida. Por eso, unidos a los ángeles, te aclamamos llenos de alegría:

Santo, Santo, Santo...

9. Antífona de la comunión. Desde ahora me llamarán dichosa todas las generaciones, porque ha hecho en mí grandes cosas el que todo lo puede (Lc 1, 48-49).

10. Oración después de la comunión. Habiendo recibido el sacramento de la salvación, te pedimos, Señor, nos concedas que, por intercesión de santa María Virgen, elevada al cielo, seamos llevados a la gloria de la resurrección. Por Jesucristo, nuestro Señor.

LA PALABRA EN TU VIDA

Una de las reliquias más apreciadas de la Virgen María que suscitó gran fervor a partir del siglo XIII se encuentra en la catedral italiana de Prato. Se trata de la faja azul que María llevaba a la cintura y que, supuestamente, dejó caer en el momento de la Asunción. Más allá de las discusiones históricas, es justo reconocer el gran afecto que nuestro pueblo le profesa a la Virgen María con estas expresiones.

21º DOMINGO ORDINARIO

VAYAN POR TODO EL MUNDO Y PREDIQUEN EL EVANGELIO

Esfuércense en entrar por la puerta, que es angosta. La perspectiva universal de la salvación, típica del Evangelio de san Lucas, hoy se hace clara y explícita en este texto evangélico. El tema central de estas frases, podemos ampliarlo a las tres lecturas bíblicas, es la salvación. La salvación se ofrece a todos, pero con criterios muy precisos, sin los cuales no podremos pasar por esta «puerta angosta», es decir, la puerta que da acceso al banquete del Reino de Dios.

Cristo: puerta de entrada al Reino de Dios. Para comprender la imagen utilizada por Jesús no debemos pensar en las puertas de una casa, sino tener en cuenta las puertas que existían en algunas ciudades antiguas amuralladas (tenemos todavía algunos ejemplos de "ciudades amuralladas"): había una puerta grande a través de la cual podían pasar muchos contemporáneamente, junto con las carretas y los rebaños de animales. Junto a ésta existía una puerta pequeña y angosta, por donde podía pasar sólo una persona a la vez; servía para los que llegaban tarde,

La salvación es universal. San Lucas coloca estas palabras de Jesús en un contexto escatológico y universal: al «banquete del *Reino de Dios*», es decir a la fiesta de la salvación en el banquete mesiánico; son invitados todos los pueblos de la tierra y de todos los tiempos, sin ninguna distinción. Fiel a su visión teológica de fondo, Lucas nos da unas coordenadas geográficas que son, sobre todo, una indicación teológica de gran relieve: Jesús «*pasaba por ciudades y comarcas, enseñando mientras estaba en camino hacia Jerusalén*». Voluntariamente y por amor se dirige a Jerusalén.

La pregunta de un anónimo interlocutor ofrece a Jesús la ocasión para su enseñanza sobre la salvación del hombre: «Señor, **¿es verdad que son pocos los que se salvan?**». Los hebreos habían restringido la salvación únicamente a los integrantes del pueblo elegido, a los descendientes, por vía sanguínea, de Abraham y de los Patriarcas. Respondiendo de una manera más amplia de lo que suponía la cuestión, Jesús recuerda ante todo las condiciones fundamentales para ser salvados, para entrar al Reino de Dios.

A quienes tocan la puerta implorando: **¡Señor, ábrenos!**, el encargado responde: «*no sé de dónde son*». A dichas personas no objeta: «*Es muy tarde, la puerta está ya cerrada*», sino «No los conozco». El problema no se refiere a la puerta, abierta o cerrada; se refiere a la relación que tienen con Él. Regresemos a la imagen de la pequeña puerta en la muralla. Cuando la puerta mayor estaba cerrada se podía pasar por la pequeña, que era abierta según la voluntad del encargado.

Yo vendré para reunir a las naciones de toda lengua... En la predicación de Jesús, confirmada por los hechos de la historia de la salvación, se actúa la dilatación universal de la salvación ya profetizada por Isaías –**primera lectura**–. Todos los hombres se convertirán al Señor y los convertidos serán enviados como misioneros en todas partes de la tierra.

Robustezcan sus manos cansadas y sus rodillas vacilantes. La invitación que nos hace la **Carta a los hebreos** se vuelve insistente sobre un tema muy amado por Lucas –**segunda lectura**–: la vida cristiana es camino incesante, para llegar a aquel lugar de paz y de reposo, en el cual podremos sentarnos en la mesa del Reino de Dios, junto a todos aquellos que vendrán de Oriente y Occidente, de todas las partes de la tierra.

1. Antífona de entrada. Inclina tu oído, Señor, y escúchame. Salva a tu siervo, que confía en ti. Ten piedad de mí, Dios mío, pues sin cesar te invoco (Cfr. Sal 85, 1-3).

Se dice Gloria

2. Oración colecta. Señor Dios, que unes en un mismo sentir los corazones de tus fieles, impulsa a tu pueblo a amar lo que mandas y a desear lo que prometes, para que, en medio de la inestabilidad del mundo, estén firmemente anclados nuestros corazones donde se halla la verdadera felicidad. Por nuestro Señor Jesucristo…

3. 1ª Lectura (Is 66, 18-21)
Del libro del profeta Isaías
Esto dice el Señor: "Yo vendré para reunir a las naciones de toda lengua. Vendrán y verán mi gloria. Pondré en medio de ellos un signo, y enviaré como mensajeros a algunos de los supervivientes hasta los países más lejanos y las islas más remotas, que no han oído hablar de mí ni han visto mi gloria, y ellos darán a conocer mi nombre a las naciones.

Así como los hijos de Israel traen ofrendas al templo del Señor en vasijas limpias, así también mis mensajeros traerán, de todos los países, como ofrenda al Señor, a los hermanos de ustedes a caballo, en carro, en literas, en mulos y camellos, hasta mi monte santo de Jerusalén. De entre ellos escogeré sacerdotes y levitas".
Palabra de Dios.
A. *Te alabamos, Señor.*

4. Salmo responsorial (Sal 116)
R. **Vayan por todo el mundo y prediquen el Evangelio.**
L. Que alaben al Señor todas las naciones, que lo aclamen todos los pueblos. / R.
L. Porque grande es su amor hacia nosotros y su fidelidad dura por siempre. / R.

5. 2ª Lectura   (Heb 12, 5-7. 11-13)
De la carta a los hebreos
Hermanos: Ya se han olvidado ustedes de la exhortación que
Dios les dirigió, como a hijos, diciendo: *Hijo mío, no desprecies la*
corrección del Señor, ni te desanimes cuando te reprenda. Porque el
Señor corrige a los que ama y da azotes a sus hijos predilectos. Sopor-
ten, pues, la corrección, porque Dios los trata como a hijos; ¿y
qué padre hay que no corrija a sus hijos?

Es cierto que de momento ninguna corrección nos causa
alegría, sino más bien tristeza. Pero después produce, en los
que la recibieron, frutos de paz y de santidad.

Por eso, robustezcan sus manos cansadas y sus rodillas
vacilantes; caminen por un camino plano, para que el cojo ya
no se tropiece, sino más bien se alivie.
Palabra de Dios.
A. *Te alabamos, Señor.*

6. Aclamación antes del Evangelio   (Jn 14, 6)
R. **Aleluya, aleluya.** Yo soy el camino, la verdad y la vida;
nadie va al Padre si no es por mí, dice el Señor.
R. **Aleluya, aleluya.**

7. Evangelio   (Lc 13, 22-30)
Del santo Evangelio según san Lucas
A. *Gloria a ti, Señor.*
En aquel tiempo, Jesús iba enseñando por ciudades y pue-
blos, mientras se encaminaba a Jerusalén. Alguien le preguntó:
"Señor, ¿es verdad que son pocos los que se salvan?".

Jesús le respondió: "Esfuércense en entrar por la puerta,
que es angosta, pues yo les aseguro que muchos tratarán de
entrar y no podrán. Cuando el dueño de la casa se levante
de la mesa y cierre la puerta, ustedes se quedarán afuera y se
pondrán a tocar la puerta, diciendo: '¡Señor, ábrenos!'. Pero él
les responderá: 'No sé quiénes son ustedes'.

Entonces le dirán con insistencia: 'Hemos comido y bebido
contigo y tú has enseñado en nuestras plazas'. Pero él replicará: 'Yo les aseguro que no sé quiénes son ustedes. Apártense

de mí todos ustedes los que hacen el mal'. Entonces llorarán ustedes y se desesperarán, cuando vean a Abraham, a Isaac, a Jacob y a todos los profetas en el Reino de Dios, y ustedes se vean echados fuera.

Vendrán muchos del oriente y del poniente, del norte y del sur, y participarán en el banquete del Reino de Dios. Pues los que ahora son los últimos, serán los primeros; y los que ahora son los primeros, serán los últimos".

Palabra del Señor.

A. **Gloria a ti, Señor Jesús.**

Se dice Credo

8. Oración sobre las ofrendas. Señor, que con un mismo y único sacrificio adquiriste para ti un pueblo de adopción, concede, propicio, a tu Iglesia, los dones de la unidad y de la paz. Por Jesucristo, nuestro Señor.

9. Antífona de la comunión. El que come mi carne y bebe mi sangre, tiene vida eterna, dice el Señor; y yo lo resucitaré en el último día (Jn 6, 54).

10. Oración después de la comunión. Te pedimos, Señor, que la obra salvadora de tu misericordia fructifique plenamente en nosotros, y haz que, con la ayuda continua de tu gracia, de tal manera tendamos a la perfección, que podamos siempre agradarte en todo. Por Jesucristo, nuestro Señor.

EN COMUNIÓN
CON LA TRADICIÓN VIVA DE LA IGLESIA

«Venid, subamos al monte del Señor, a la casa del Dios de Jacob: él nos instruirá en sus caminos y marchare-mos por sus sendas. No creo que sea necesario acudir a largas explicaciones para demostrar que todos los pue-blos fueron integrados en la Iglesia por la fe: pues los mismos acontecimientos están ahí, patentes y verí-dicos, para atestiguarlo.  La multitud de las naciones no recibió el llamado a través de la pedagogía de la ley ni por medio de los santos profetas; fue más bien congregada por una gracia divina y misteriosa, que iluminaba las inteligencias y les infundía, por medio de Cristo, el deseo de la salvación. Primero suben, después cuidan de que se les anuncie la pala-bra de Dios y prometen marchar por los caminos del Señor, es decir, por las sendas del evangelio, al cual se entra por la purificación que viene de la fe. Pues los que desean ser instruidos en los caminos del Señor, se sobreentiende que han de comenzar abju-rando de su inveterado error de profanidad. De lo con-trario no tendría sentido la apetencia de cosas mejores, si no ha precedido la abdicación del pasado. ¿Y cuál es su mistagogo? ¿Quién los condujo al conocimiento de la verdad y los llevó a la persuasión de que, calificando de ridículas las anteriores creencias, se lanzaran a abrazar la fe nueva? ¿Es que no fue Dios? Él fue quien iluminó sus inteligencias y corazones y los movió a decir y a sentir al unísono: de Sión saldrá la ley; de Jerusalén, la palabra del Señor» (**San Cirilo de Alejandría** [c.373-444]. Comentario sobre el profeta Isaías. Libro 1).

22º DOMINGO ORDINARIO

DIOS DA LIBERTAD Y RIQUEZA A LOS CAUTIVOS

Jesús fue a comer en casa de uno de los jefes de los fariseos. El Hijo de Dios que vino a llamar a la conversión a los pecadores hoy vemos que pone en práctica esa misericordia: convierte a uno de los líderes de los fariseos. Su amor a los pecadores lo mueve a aceptar una invitación a compartir los alimentos. A Jesús todo momento y circunstancia le dan la oportunidad de enseñar la verdad que salva, incluso esta simple invitación a una comida, como nos lo relata hoy este evangelista.

Un sábado... Un sábado Jesús es invitado a comer por un fariseo, autoridad del Sanedrín. Este día de reposo y de oración a Yahvé y la notoriedad del huésped hacen suponer que se trata de un banquete solemne al cual seguramente otras personas importantes también fueron invitadas. La conversación entre Cristo y los comensales se convierte en una enseñanza sobre la humildad y sucesivamente sobre la acogida de los más pobres y los marginados.

Un estilo de vida. Jesús observa a los huéspedes cómo se las ingenian para acaparar los primeros puestos. Escoger estos lugares de "honor" significa que ellos mismos se ponen al frente de todo; es querer canalizar todo a los propios intereses; es pretender ser servidos en lugar de servir; ser alabados más que estar disponibles; ser amados antes que amar, o también ponerse al final para no amar ni servir. En fin, escoger el primer puesto quiere decir ponerse siempre por delante, ser los "primeros de la fila".

Una enseñanza sobre la humildad. La enseñanza que Jesús da durante el banquete la ofrece en dos parábolas. La enseñanza no mira sólo a dar reglas de urbanidad a esa gente arribista y, en el fondo, ridícula; Jesús quiere dar en primer lugar una lección de humildad. Esta lección va dirigida ante todo a los discípulos, por lo tanto, a nosotros. El sentido de esta enseñanza es: el verdadero honor del hombre no es ese que se atribuye a sí mismo con arrogancia y con ambición; el honor verdadero es el que se recibe de Dios.

Toda la enseñanza de Jesús sobre la humildad durante esta comida encuentra su espesor ético-religioso más profundo en la luz del ejemplo del mismo Jesús. Él, siendo Dios, el Absoluto, el Infinito, se ha hecho hombre finito; de rico se hizo pobre para enriquecernos a todos.

Invita a los pobres, a los lisiados... Además de la lección de humildad que Jesús nos da, agrega otra enseñanza: acoger a los pobres y a los marginados. La composición de los comensales al banquete al cual Jesús había sido invitado, hacía ver una selección de los huéspedes muy cuidada por parte del jefe de los fariseos.

En tus asuntos procede con humildad. Después de haber explicado los deberes hacia los padres, el **Sirácide** pasa ahora a hablar de las relaciones con los otros y como presupuesto basilar recomienda la humildad –primera lectura–. El hombre que es consciente de su condición y de sus límites piensa, habla y actúa con coherencia y se gana el aprecio y el afecto de sus semejantes.

El cristiano debe tener una conciencia clara de su estado, que el autor de la **Carta a los hebreos** explica con la contraposición entre la revelación antigua –realizada en el Sinaí– y la nueva y definitiva que nos ha llegado por la mediación de Cristo –**segunda lectura**–. Se sirve de representaciones «espaciales»: simbolizando lo antiguo en el Sinaí y lo nuevo en Sión.

1. Antífona de entrada. Dios mío, ten piedad de mí, pues sin cesar te invoco: Tú eres bueno y clemente, y rico en misericordia con quien te invoca (Cfr. Sal 85, 3. 5).

Se dice Gloria

2. Oración colecta. Dios de toda virtud, de quien procede todo lo que es bueno, infunde en nuestros corazones el amor de tu nombre, y concede que, haciendo más religiosa nuestra vida, hagas crecer el bien que hay en nosotros y lo conserves con solicitud amorosa. Por nuestro Señor Jesucristo...

3. 1ª Lectura (Sir 3, 19-21. 30-31)
Del libro del Sirácide (Eclesiástico)
Hijo mío, en tus asuntos procede con humildad y te amarán más que al hombre dadivoso. Hazte tanto más pequeño cuanto más grande seas y hallarás gracia ante el Señor, porque sólo él es poderoso y sólo los humildes le dan gloria.

No hay remedio para el hombre orgulloso, porque ya está arraigado en la maldad. El hombre prudente medita en su corazón las sentencias de los otros, y su gran anhelo es saber escuchar.

Palabra de Dios.
A. *Te alabamos, Señor.*

4. Salmo responsorial (Sal 67)
R. **Dios da libertad y riqueza a los cautivos.**
L. Ante el Señor, su Dios, gocen los justos, salten de alegría. Entonen alabanzas a su nombre. En honor del Señor toquen la cítara. / R.

L. Porque el Señor, desde su templo santo, a huérfanos y viudas da su auxilio; él fue quien dio a los desvalidos casa, libertad y riqueza a los cautivos. / R.

L. A tu pueblo extenuado diste fuerzas, nos colmaste, Señor, de tus favores y habitó tu rebaño en esta tierra, que tu amor preparó para los pobres. / R.

5. 2ª Lectura   (Heb 12, 18-19. 22-24)
De la carta a los hebreos
Hermanos: Cuando ustedes se acercaron a Dios, no encontraron nada material, como en el Sinaí: ni fuego ardiente, ni oscuridad, ni tinieblas, ni huracán, ni estruendo de trompetas, ni palabras pronunciadas por aquella voz que los israelitas no querían volver a oír nunca.

Ustedes, en cambio, se han acercado a Sión, el monte y la ciudad del Dios viviente, a la Jerusalén celestial, a la reunión festiva de miles y miles de ángeles, a la asamblea de los primogénitos, cuyos nombres están escritos en el cielo. Se han acercado a Dios, que es el juez de todos los hombres, y a los espíritus de los justos que alcanzaron la perfección. Se han acercado a Jesús, el mediador de la nueva alianza.
Palabra de Dios.
A. *Te alabamos, Señor.*

6. Aclamación antes del Evangelio   (Mt 11, 29)
R. **Aleluya, aleluya.** Tomen mi yugo sobre ustedes, dice el Señor, y aprendan de mí, que soy manso y humilde de corazón.
R. **Aleluya, aleluya.**

7. Evangelio   (Lc 14, 1. 7-14)
Del santo Evangelio según san Lucas
A. *Gloria a ti, Señor.*

Un sábado, Jesús fue a comer en casa de uno de los jefes de los fariseos, y éstos estaban espiándolo. Mirando cómo los convidados escogían los primeros lugares, les dijo esta parábola:

"Cuando te inviten a un banquete de bodas, no te sientes en el lugar principal, no sea que haya algún otro invitado más importante que tú, y el que los invitó a los dos venga a decirte: 'Déjale el lugar a éste', y tengas que ir a ocupar, lleno de vergüenza, el último asiento. Por el contrario, cuando te inviten, ocupa el último lugar, para que, cuando venga el que te invitó, te diga: 'Amigo, acércate a la cabecera'. Entonces te verás honrado en presencia de todos los convidados. Porque el que se engrandece a sí mismo, será humillado; y el que se humilla, será engrandecido".

Luego dijo al que lo había invitado: "Cuando des una comida o una cena, no invites a tus amigos, ni a tus hermanos, ni a tus parientes, ni a los vecinos ricos; porque puede ser que ellos te inviten a su vez, y con eso quedarías recompensado. Al contrario, cuando des un banquete, invita a los pobres, a los lisiados, a los cojos y a los ciegos; y así serás dichoso, porque ellos no tienen con qué pagarte; pero ya se te pagará, cuando resuciten los justos".

Palabra del Señor.

A. **Gloria a ti, Señor Jesús.**

Se dice Credo

8. Oración sobre las ofrendas. Que esta ofrenda sagrada, Señor, nos traiga siempre tu bendición salvadora, para que dé fruto en nosotros lo que realiza el misterio. Por Jesucristo, nuestro Señor.

9. Antífona de la comunión. Dichosos los que trabajan por la paz, porque serán llamados hijos de Dios. Dichosos los perseguidos por causa de la justicia, porque de ellos es el reino de los cielos (Mt 5, 9-10).

10. Oración después de la comunión. Saciados con el pan de esta mesa celestial, te suplicamos, Señor, que este alimento de caridad fortalezca nuestros corazones, para que nos animemos a servirte en nuestros hermanos. Por Jesucristo, nuestro Señor.

EN COMUNIÓN
CON LA TRADICIÓN VIVA DE LA IGLESIA

«*Porque Cristo es de los humildes de corazón, no de los que se creen superiores al resto del rebaño. El Señor Jesús, que es el cetro de la majestad de Dios, no vino al mundo con ostentación de fasto y de poder, como estaba en su mano hacerlo, sino con humildad, conforme a lo que de él había dicho el Espíritu Santo. Dice, en efecto: Él soportó nuestros sufrimientos y aguantó nuestros dolores; nosotros lo*  *estimamos leproso, herido de Dios y humillado; pero él fue traspasado por nuestras rebeliones, triturado por nuestros crímenes. Nuestro castigo saludable cayó sobre él, sus cicatrices nos curaron. Ved, hermanos, qué dechado se nos propone: pues si el Señor se humilló hasta tal extremo, ¿qué no habremos de hacer nosotros, que por amor suyo hemos aceptado el yugo de su gracia? Imitemos también a aquellos que erraban por el mundo, cubiertos de pieles de ovejas o de cabras, predicando la venida de Cristo; nos referimos a los profetas Elías, Eliseo y Ezequiel y, además, a todos los que recibieron la aprobación de Dios. Abraham goza de un magnífico testimonio, pues se le llama amigo de Dios; y sin embargo, dirigiéndose a la gloria de Dios, dice con toda humildad: Yo soy polvo y ceniza. A Moisés le llama el más fiel de todos mis siervos, y por su ministerio juzgó Dios a Egipto con plagas y tormentos. Y a pesar de haber sido grandemente honrado, no habló con arrogancia, sino que al recibir el oráculo desde la zarza, dijo: ¿Quién soy yo para que me envíes?*» (**San Clemente de Roma**, [martirizado en el 99-101]. Carta a los Corintios 14-17).

CARTA A FILEMÓN

Es un breve escrito (25 versículos) considerado como la "joya" de las epístolas de Pablo y, por lo exquisito de la forma en que fue redactada, es considerado "una verdadera obra de arte de tacto y de corazón". Pablo lo dirige a Filemón (*amable*), un amigo rico y poderoso, "colaborador" en el anuncio del Evangelio, en cuya casa se reunía una comunidad de cristianos. Filemón vivía en Colosas; convertido por Pablo al cristianismo durante los tres años de su permanencia en Éfeso; fue uno de los primeros anunciadores de la nueva religión en su ciudad. Pablo le pide un favor algo sorprendente. Durante su prisión –más exacto será decir: durante su arresto domiciliario en Roma a inicios de los años 60– Pablo había encontrado y "generado" en la fe cristiana un esclavo de nombre Onésimo ("*útil*").

¿Cómo conoció Onésimo a Pablo? Escapando de la casa del patrón y escabullendo a la policía imperial, había venido a mezclarse entre la multitud cosmopolita y multicolor de Roma. Seguramente, desde que estaba en casa de Filemón, sabía de la existencia de Pablo y de su extraña predicación, en la que decía claramente que patrones y esclavos eran iguales. Ciertamente Pablo lo acoge con ternura y lo toma consigo, instruyéndolo en la nueva fe y bautizándolo. Como había escapado, según el derecho romano debía ser restituido al patrón, el cual decidiría su suerte. Como Pablo no quiere violar el derecho de otros, lo mandó a su patrón legal con esta pequeña carta que contiene una cordial recomendación que es, en sustancia, la mejor traducción práctica de la doctrina social expuesta por Pablo en sus cartas a Colosenses y Efesios.

Temas de la carta. En primer lugar, Pablo cede el paso al padre y al amigo. En su pensamiento se debía tratar de un regreso fraterno y amigable, sin puniciones por parte de Filemón. Esta carta, intensa y vibrante de afecto, ha contribuido a eliminar, sin ninguna revolución externa, la esclavitud. Como toda la comunidad cristiana primitiva, Pablo pensaba inminente la segunda venida de Cristo que inauguraría un nuevo mundo. Por ello no veía la conveniencia de revolucionar lo externo de la sociedad y las estructuras de su tiempo, ya destinadas a finalizar. Pablo, por el contrario, ha trabajado desde el interior, favoreciendo una visión humana y cristiana, capaz de poner en crisis la institución de la esclavitud, tan contraria a la dignidad humana. Y también Filemón ha entendido el proceso irreversible con el cual el Evangelio trabajaba para la eliminación de la esclavitud: su casa y sus esclavos ya formaban una sola comunidad, una pequeña fraternidad o una pequeña "Iglesia doméstica", como dejan entender las primeras palabras de la carta: "A la Iglesia que se reúne en tu casa" (1-2). Por otra parte, Pablo reclama con vigor la igualdad y la dignidad de toda persona: "Ya no hay judío ni griego; ni esclavo ni libre; ni hombre, ni mujer, ya que todos ustedes son uno en Cristo Jesús" (Gál 3, 28). La propuesta que Pablo presenta de la nueva visión que el cristianismo estaba introduciendo en las relaciones sociales es significativa, es por esto que la carta se vuelve decididamente importante.

23º DOMINGO ORDINARIO
TÚ ERES, SEÑOR, NUESTRO REFUGIO

Caminaba con Jesús una gran muchedumbre. Después de la invitación a comer en casa de un jefe de los fariseos, un día sábado, Jesús retoma su programa: seguir su *«camino a Jerusalén»*. El alternarse de caminar y detenerse es un rasgo característico del Evangelio lucano. Como sabemos, Lucas orquesta al Jesús de su Evangelio en *«camino a Jerusalén»*, una opción decidida, sabiendo que camina hacia una muerte segura. En esta ocasión lo sigue mucha gente. Él va por delante de esta caravana humana; como «Buen Pastor» precede su rebaño.

Si alguno quiere seguirme... Con estas duras palabras dirigidas a quienes lo seguían se tiene la impresión que más bien tiende a desanimarlos y no motivarlos a seguirlo. Lo vemos, por ejemplo, en las peticiones que propone inmediatamente después a los suyos y que se concluyen con una frase lacónica, repetida en tres ocasiones: *«No puede ser mi discípulo»*. Se inicia con los aspectos afectivos. San Lucas relata una de las sentencias de Jesús que más escandalizó a sus seguidores: *«Y no me prefiere a su padre...»*.

Condiciones para seguir a Jesús. Seguir a Cristo significa ponerlo al centro de nuestra existencia, tenerlo a Él y a su Evangelio como medida única y principal de nuestras acciones y de nuestros pensamientos. Con expresiones radicales Lucas expone las condiciones puestas por Jesús para quienes lo quieran seguir como discípulos. Esta decisión de seguirlo debe ser antepuesta aun a los naturales vínculos afectivos, incluso hasta la propia vida. Esta opción se vuelve más ardua cuando se trata, para el discípulo y para el cristiano, de seguir a Jesús en su camino de la cruz. Ésta es la segunda exigencia radical que nace del seguimiento: «*Quien no carga la propia cruz y no viene detrás de mí, no puede ser mi discípulo*».

Radicalidad en el seguimiento. La referencia al ejemplo de Jesús en la radicalidad de su respuesta a la voluntad del Padre es lo que ilumina las condiciones para seguirlo. No pretende hacer de sus discípulos personas miedosas, fanáticas o mediocres. Sólo quiere evitar falsas especulaciones y superficiales adhesiones. Las dos parábolas que siguen quieren poner en evidencia que la gran tarea de seguirlo y de imitarlo, incluso hasta el sacrificio supremo de dar la vida por Él y su Evangelio, debe ser afrontada con inteligencia y con reflexión.

El que no carga con su cruz y me sigue, no puede ser mi discípulo. Jesús pronuncia esta frase mientras camina hacia Jerusalén, donde lo espera la muerte en cruz. Caminar «*detrás de Jesús*» quiere decir participar de su destino, ser una sola cosa con Él. ¡No es algo sencillo! El espectro de la Cruz se extiende durante toda la vida del discípulo de Cristo, si en verdad quiere imitarlo y seguirlo no de palabra sino con hechos.

¿Quién conocerá tus designios si tú no le das la sabiduría? Se nos reporta la última parte de la oración de Salomón para obtener la «*sabiduría*» –**primera lectura**–. No equivale a la inteligencia o a la prudencia: es el «don» de poder evaluar a los hombres, las situaciones de la vida, la historia misma con sus pequeños y grandes acontecimientos, a la luz de Dios.

Quiero pedirte algo en favor de Onésimo, mi hijo. San Pablo –**segunda lectura**– escribe una brevísima carta de recomendación a **Filemón**, rogándole que reciba al esclavo fugitivo, Onésimo, y le perdone el robo y aceptarlo de nuevo a su servicio: pero ya no como «esclavo», ¡sino como hermano en Cristo! Él da sentido y «redimensiona» todos los valores humanos.

1. Antífona de entrada. Eres justo, Señor, y rectos son tus mandamientos; muéstrate bondadoso con tu siervo (Sal 118, 137. 124).

Se dice Gloria

2. Oración colecta. Señor Dios, de quien nos viene la redención y a quien debemos la filiación adoptiva, protege con bondad a los hijos que tanto amas, para que todos los que creemos en Cristo obtengamos la verdadera libertad y la herencia eterna. Por nuestro Señor Jesucristo...

3. 1ª Lectura   (Sab 9, 13-19)
Del libro de la Sabiduría
¿Quién es el hombre que puede conocer los designios de Dios? ¿Quién es el que puede saber lo que el Señor tiene dispuesto? Los pensamientos de los mortales son inseguros y sus razonamientos pueden equivocarse, porque un cuerpo corruptible hace pesada el alma y el barro de que estamos hechos entorpece el entendimiento.

Con dificultad conocemos lo que hay sobre la tierra y a duras penas encontramos lo que está a nuestro alcance. ¿Quién podrá descubrir lo que hay en el cielo? ¿Quién conocerá tus designios, si tú no le das la sabiduría, enviando tu santo espíritu desde lo alto?

Sólo con esa sabiduría lograron los hombres enderezar sus caminos y conocer lo que te agrada. Sólo con esa sabiduría se salvaron, Señor, los que te agradaron desde el principio.
Palabra de Dios.
A. **Te alabamos, Señor.**

4. Salmo responsorial   (Sal 89)
R. **Tú eres, Señor, nuestro refugio.**
L. Tú haces volver al polvo a los humanos, diciendo a los mortales que retornen. Mil años para ti son como un día que ya pasó; como una breve noche. / R.

L. Nuestra vida es tan breve como un sueño; semejante a la hierba, que despunta y florece en la mañana y por la tarde se marchita y se seca. / R.

L. Enséñanos a ver lo que es la vida y seremos sensatos. ¿Hasta cuándo, Señor, vas a tener compasión de tus siervos? ¿Hasta cuándo? / R.

L. Llénanos de tu amor por la mañana y júbilo será la vida toda. Haz, Señor, que tus siervos y sus hijos, puedan mirar tus obras y tu gloria. / R.

5. 2ª Lectura   (Fil 9-10. 12-17)
De la carta del apóstol san Pablo a Filemón
Querido hermano: Yo, Pablo, ya anciano y ahora, además, prisionero por la causa de Cristo Jesús, quiero pedirte algo en favor de Onésimo, mi hijo, a quien he engendrado para Cristo aquí, en la cárcel.

Te lo envío. Recíbelo como a mí mismo. Yo hubiera querido retenerlo conmigo, para que en tu lugar me atendiera, mientras estoy preso por la causa del Evangelio. Pero no he querido hacer nada sin tu consentimiento, para que el favor que me haces no sea como por obligación, sino por tu propia voluntad.

Tal vez él fue apartado de ti por un breve tiempo, a fin de que lo recuperaras para siempre, pero ya no como esclavo, sino como algo mejor que un esclavo, como hermano amadísimo. Él ya lo es para mí. ¡Cuánto más habrá de serlo para ti, no sólo por su calidad de hombre, sino de hermano en Cristo! Por lo tanto, si me consideras como compañero tuyo, recíbelo como a mí mismo.

Palabra de Dios.

A. *Te alabamos, Señor.*

6. Aclamación antes del Evangelio (Sal 118, 135).

R. **Aleluya, aleluya.** Señor, mira benignamente a tus siervos y enséñanos a cumplir tus mandamientos.

R. **Aleluya, aleluya.**

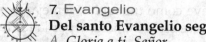

7. Evangelio (Lc 14, 25-33)
Del santo Evangelio según san Lucas
A. Gloria a ti, Señor.

En aquel tiempo, caminaba con Jesús una gran muchedumbre y él, volviéndose a sus discípulos, les dijo: "Si alguno quiere seguirme y no me prefiere a su padre y a su madre, a su esposa y a sus hijos, a sus hermanos y a sus hermanas, más aún, a sí mismo, no puede ser mi discípulo. Y el que no carga su cruz y me sigue, no puede ser mi discípulo.

Porque, ¿quién de ustedes, si quiere construir una torre, no se pone primero a calcular el costo, para ver si tiene con qué terminarla? No sea que, después de haber echado los cimientos, no pueda acabarla y todos los que se enteren comiencen a burlarse de él, diciendo: 'Este hombre comenzó a construir y no pudo terminar'.

¿O qué rey que va a combatir a otro rey, no se pone primero a considerar si será capaz de salir con diez mil soldados al encuentro del que viene contra él con veinte mil? Porque si no, cuando el otro esté aún lejos, le enviará una embajada para proponerle las condiciones de paz.

Así pues, cualquiera de ustedes que no renuncie a todos sus bienes, no puede ser mi discípulo". *Palabra del Señor.*
*A. **Gloria a ti, Señor Jesús.***

Se dice Credo

8. Oración sobre las ofrendas. Señor Dios, fuente de toda devoción sincera y de la paz, concédenos honrar de tal manera, con estos dones, tu majestad, que, al participar en estos santos misterios, todos quedemos unidos en un mismo sentir. Por Jesucristo, nuestro Señor.

9. Antífona de la comunión. Yo soy la luz del mundo, dice el Señor; el que me sigue, no camina en tinieblas, sino que tendrá la luz de la vida (Jn 8, 12).

10. Oración después de la comunión. Concede, Señor, a tus fieles, a quienes alimentas y vivificas con tu palabra y el sacramento del cielo, aprovechar de tal manera tan grandes dones de tu Hijo amado, que merezcamos ser siempre partícipes de su vida. Él, que vive y reina por los siglos de los siglos.

EN COMUNIÓN
CON LA TRADICIÓN VIVA DE LA IGLESIA

«*Carguemos con la cruz del Señor para que, crucificando nuestra carne, destruya el pecado. Quien ama los preceptos del Señor, sujeta con clavos la propia carne, sabiendo que cuando su hombre viejo esté con Cristo crucificado en la cruz, destruirá la lujuria de la carne. Sujétala, pues, con clavos y habrás destruido los incentivos del pecado. Existe un clavo espiritual capaz de sujetar esa tu carne al patíbulo de la cruz del Señor. Que el temor del Señor y de sus juicios crucifique esta carne, reduciéndola a servidumbre. Porque si esta carne*  *rechaza los clavos del temor del Señor, indudablemente tendrá que oír: Mi aliento no durará por siempre en el hombre, puesto que es carne. Por lo tanto, a menos que esta carne sea clavada a la cruz y se le sujete con los clavos del temor de nuestro Dios, el aliento de Dios no durará en el hombre. Está clavado con estos clavos, quien muere con Cristo, para resucitar con él; está clavado con estos clavos, quien lleva en su cuerpo la muerte del Señor Jesús; está clavado con estos clavos, quien merece escuchar, dicho por Jesús: Grábame como un sello en tu brazo, como un sello en tu corazón, porque es fuerte el amor como la muerte, es cruel la pasión como el abismo. Graba, pues, en tu pecho y en tu corazón este sello del Crucificado, grábalo en tu brazo, para que tus obras estén muertas al pecado. No te escandalice la dureza de los clavos, pues es la dureza de la caridad; ni te espante el poderoso rigor de los clavos, porque también el amor es fuerte como la muerte*» (**San Ambrosio** [339-397]. Comentario del salmo 118. Homilía 15, 37-40).

CARTAS PASTORALES

Las dos cartas a Timoteo y la carta a Tito son conocidas como "Cartas Pastorales". Esta denominación se remonta al siglo XVIII y expresa las características de estos textos. Se han convertido en la "regla de vida" de los pastores de la Iglesia. Ahí viene delineado el retrato del "pastor". En ellas se inspirará quien es llamado al ministerio de guía y animador de la comunidad cristiana. Estos escritos informan sobre la vida de las comunidades del tiempo y los últimos años de la vida de Pablo; no proporcionan cronologías exactas.

Autor y tiempo de redacción. Debido a que estas Cartas son tenidas por algunos como auténticas de Pablo y por otros atribuidas a diversa persona tenemos dos posibles fechas de composición. Para los primeros fueron escritas entre los años 64-68; para los otros se colocarían hacia el final del siglo I d.C. Para todos son palabra de Dios, forman parte del canon bíblico; pero la pertenencia a Pablo como a su autor es objeto de estudio. Las dudas sobre la autenticidad paulina surgen de algunos particulares: lengua y estilo son diferentes de los otros escritos del Apóstol. La situación de las comunidades aparece diversa, tanto en las desviaciones doctrinales ahí mencionadas y combatidas, como por la organización eclesiástica, claramente de tiempos posteriores. Algunos opinan que los eventos mencionados no encontrarían lugar en la vida de Pablo. Por todo esto no son pocos los que piensan que estas Cartas Pastorales sean de uno de sus discípulos. Las habría escrito después de la muerte del Apóstol, hacia los años 80-90 con la intención de actualizar en ellas sus enseñanzas. Sería un caso de pseudoepigrafía (escrito publicado por un autor con el nombre de otro). Ésta es la hipótesis sobre su origen; no es aceptada por todos. En los años 80-90 Timoteo y Tito estaban vivos y en acción.

Timoteo, verdadero hijo mío en la fe... Nació en Listra, de madre judía y padre griego (Hech 16,1-2). Pablo lo conoció en su segundo viaje misionero. Después de que lo circuncidaron, lo tomó como su colaborador. Timoteo trabajó con Pablo y Silvano en la fundación de las comunidades de Filipo, Tesalónica, Berea y Corinto. Pablo recuerda a los filipenses que Timoteo vive la misión con sentimientos de gratuidad que recuerdan los de Jesús por nosotros. Las dos cartas lo retratan como obispo de Éfeso.

Tito, verdadero hijo según la fe común. Las noticias sobre este misionero provienen sólo de las cartas paulinas. En la carta a los Gálatas Pablo recuerda que lo acompañó al Concilio de Jerusalén, y que no lo hizo circuncidar (Gál 2, 3-5) porque era de origen pagano. Interpretó el delicado papel de mediador entre Pablo y la comunidad de Corinto, debido a las ásperas relaciones, obteniendo la reconciliación. De acuerdo con Pablo organizó la colecta en Corinto para los pobres de Jerusalén (2 Cor 8, 6. 23). En 2 Cor 12, 18 el Apóstol afirma que el comportamiento de Tito es la máxima garantía de su credibilidad apostólica. Por la carta sabemos que fue obispo de Creta (1, 5).

Las dos cartas a Timoteo, como la de Tito, tienen vocabulario y contenido diferentes de las otras cartas de Pablo, pero similares entre sí. Se pone de relieve la misma situación eclesial: necesidad de una organización más precisa. En estas cartas la Iglesia aparece con grados jerárquicos definidos: obispos y diáconos. Los nuevos términos, por otra parte, típicos de estas cartas (doctrina, piedad, depósito) muestran que la fe cristiana debe confrontar las incipientes herencias doctrinales. Todas estas características sugieren que las Cartas Pastorales fueron escritas a finales del siglo I d.C., después de la muerte de Pablo, por sus colaboradores más cercanos.

¿Qué información transmiten estos autores sobre los últimos años de la vida del Apóstol? La primera carta a Timoteo y Tito sugieren que Pablo, libre de arresto domiciliario, regresó al este desde Roma y dejó a Tito en Creta. La Segunda Carta a Timoteo muestra a Pablo en prisión en Roma a la espera de juicio: "Onesíforo, que vino a Roma, me buscó con cuidado, hasta que me encontró" (2 Tm 1, 17). Estos escritos no pretenden proporcionar una cronología exacta de los últimos años de Pablo. Sin embargo, su importancia es indiscutible porque testifican acerca del vínculo entre el Apóstol y sus hijos "en la fe", quienes, después de su muerte, lo sienten vivo y, como padre y pastor, los anima a interpretar la fe cristiana en nuevas situaciones socio-eclesiales.

24º DOMINGO ORDINARIO
ME LEVANTARÉ Y VOLVERÉ A MI PADRE

Dios es misericordia. Los textos litúrgicos de este domingo nos hacen descubrir lo que nosotros somos: personas débiles y pecadoras. Y así –con san Pablo– cada uno de nosotros podemos y debemos decir: *«Cristo Jesús vino a este mundo a salvar a los pecadores, de los cuales yo soy el primero»*. De igual manera cada uno de nosotros debe decirle: *«Padre, he pecado contra el cielo y contra ti; no soy digno de ser llamado hijo tuyo»*.

Las parábolas de la misericordia. Los tres relatos son introducidos como si fueran una sola parábola: *«Jesús les dijo entonces esta parábola»*. De hecho, revelan un solo modo de ser y de actuar, o mejor un solo criterio de discernimiento y de juicio, que después se manifiesta en modos y direcciones diferentes, como lo demuestran estos tres diversos relatos. La primera parábola describe un pastor que busca la única oveja que se ha perdido. La segunda tiene por protagonista a una mujer que *«con cuidado»* busca la moneda. En la tercera, el Padre sale al encuentro de los dos hijos, tanto del menor como del mayor quien, a pesar de haber estado siempre dentro de la casa, ahora ya no quiere entrar.

Se acercaban los publicanos y los pecadores a Jesús para escucharlo. Jesús es acogedor, pero no sólo eso, es *«amigo»* de los pecadores, al punto de *«comer»* con ellos. Para estos estrictos observantes de la ley, como eran los escribas y los fariseos, «*pecadores*» eran quienes, en un modo o en otro, no observaban algunas de las numerosas prescripciones religiosas. Mientras los intérpretes oficiales de las Escrituras discriminaban a los hombres concediendo o negando la salvación en base a ciertos ritos; Jesús derriba la barrera de separación y dice, con sus palabras y actitudes, que Dios abraza a todos aquellos que están dispuestos a «escucharlo».

Jesús busca a los pecadores y a los publicanos, también a los fariseos y escribas: a todos Dios, el Padre, quiere ofrecer su misericordia y alegrarse por haber encontrado lo que se había perdido. No importa dónde, no importa el cómo. Y esta alegría desea compartirla con todos:

Un hombre tenía dos hijos. Preparada por las dos primeras ésta es la tercera parábola del capítulo 15, organizado como una sola parábola. Se le llama justamente: *"el Evangelio en el Evangelio"*: representa el culmen del mensaje de Lucas. Habla del banquete gozoso que hace el Padre para alegrarse por el hijo muerto y resucitado, perdido y encontrado. Se trata de una parábola. Es la parábola del Padre. Nos revela el amor sin condiciones para el hijo pecador, su alegría de haber sido entendido por él como padre y, finalmente, la invitación al hijo "justo" para que reconozca a su hermano.

Deja que mi ira se encienda contra ellos. Se describe la ira de Dios contra Israel después de que éstos habían violado la Alianza con la fusión y la adoración del becerro de oro –**primera lectura**–. La intercesión de Moisés logra aplacar la ira de Dios, recordándole las promesas hechas a los antiguos padres.

Doy gracias a aquel que me ha fortalecido. Tenemos en la **Primera carta a Timoteo** una exaltación conmovedora de la «misericordia» de Dios hecha a Pablo –**segunda lectura**–. El Apóstol relee su vida pasada y ahora puesta al «servicio» del Evangelio. Antes era blasfemo y perseguidor de la Iglesia. ¿Qué hizo para lograr este cambio? La única respuesta que sabe dar es: ¡por la misericordia de Dios!

1. Antífona de entrada. Concede, Señor, la paz a los que esperan en ti, y cumple así las palabras de tus profetas; escucha las plegarias de tu siervo, y de tu pueblo Israel (Cfr. Sir 36, 18).

Se dice Gloria

2. Oración colecta. Señor Dios, creador y soberano de todas las cosas, vuelve a nosotros tus ojos y concede que te sirvamos de todo corazón, para que experimentemos los efectos de tu misericordia. Por nuestro Señor Jesucristo...

3. 1ª Lectura   (Éx 32, 7-11. 13-14)
Del libro del Éxodo
En aquellos días, dijo el Señor a Moisés: "Anda, baja del monte, porque tu pueblo, el que sacaste de Egipto, se ha pervertido. No tardaron en desviarse del camino que yo les había señalado. Se han hecho un becerro de metal, se han postrado ante él y le han ofrecido sacrificios y le han dicho: 'Éste es tu dios, Israel; es el que te sacó de Egipto'".

El Señor le dijo también a Moisés: "Veo que éste es un pueblo de cabeza dura. Deja que mi ira se encienda contra ellos hasta consumirlos. De ti, en cambio, haré un gran pueblo".

Moisés trató de aplacar al Señor, su Dios, diciéndole: "¿Por qué ha de encenderse tu ira, Señor, contra este pueblo que tú sacaste de Egipto con gran poder y vigorosa mano? Acuérdate de Abraham, de Isaac y de Jacob, siervos tuyos, a quienes juraste por ti mismo, diciendo: 'Multiplicaré su descendencia como las estrellas del cielo y les daré en posesión perpetua toda la tierra que les he prometido'".

Y el Señor renunció al castigo con que había amenazado a su pueblo. *Palabra de Dios.*
A. *Te alabamos, Señor.*

4. Salmo responsorial   (Sal 50)
R. **Me levantaré y volveré a mi padre.**
L. Por tu inmensa compasión y misericordia, Señor, apiádate de mí y olvida mis ofensas. Lávame bien de todos mis delitos y purifícame de mis pecados. / R.

L. Crea en mí, Señor, un corazón puro, un espíritu nuevo para cumplir tus mandamientos. No me arrojes, Señor, lejos de ti, ni retires de mí tu santo espíritu. / R.

L. Señor, abre mis labios y cantará mi boca tu alabanza. Un corazón contrito te presento, y a un corazón contrito, tú nunca lo desprecias. / R.

5. 2ª Lectura   (1 Tim 1, 12-17)
De la primera carta del apóstol san Pablo a Timoteo
Querido hermano: Doy gracias a aquel que me ha fortalecido,
a nuestro Señor Jesucristo, por haberme considerado digno de
confianza al ponerme a su servicio, a mí, que antes fui blasfemo y perseguí a la Iglesia con violencia; pero Dios tuvo misericordia de mí, porque en mi incredulidad obré por ignorancia,
y la gracia de nuestro Señor se desbordó sobre mí, al darme la
fe y el amor que provienen de Cristo Jesús.

Puedes fiarte de lo que voy a decirte y aceptarlo sin reservas: que Cristo Jesús vino a este mundo a salvar a los pecadores, de los cuales yo soy el primero. Pero Cristo Jesús me
perdonó, para que fuera yo el primero en quien él manifestara
toda su generosidad y sirviera yo de ejemplo a los que habrían
de creer en él, para obtener la vida eterna.

Al rey eterno, inmortal, invisible, único Dios, honor y gloria
por los siglos de los siglos. Amén. *Palabra de Dios.*

A. **Te alabamos, Señor.**

6. Aclamación antes del Evangelio   (2 Cor 5, 19)
R. Aleluya, aleluya. Dios reconcilió al mundo consigo por
medio de Cristo, y a nosotros nos confió el mensaje de la reconciliación.

R. Aleluya, aleluya.

7. Evangelio   (Lc 15, 1-32)
Del santo Evangelio según san Lucas
A. *Gloria a ti, Señor.*

En aquel tiempo, se acercaban a Jesús los publicanos y los
pecadores para escucharlo; por lo cual los fariseos y los escribas murmuraban entre sí: "Éste recibe a los pecadores y
come con ellos".

Jesús les dijo entonces esta parábola: "¿Quién de ustedes,
si tiene cien ovejas y se le pierde una, no deja las noventa y
nueve en el campo y va en busca de la que se le perdió hasta
encontrarla? Y una vez que la encuentra, la carga sobre sus
hombros, lleno de alegría, y al llegar a su casa, reúne a los

amigos y vecinos y les dice: 'Alégrense conmigo, porque ya encontré la oveja que se me había perdido'. Yo les aseguro que también en el cielo habrá más alegría por un pecador que se convierte, que por noventa y nueve justos, que no necesitan convertirse.

¿Y qué mujer hay, que si tiene diez monedas de plata y pierde una, no enciende luego una lámpara y barre la casa y la busca con cuidado hasta encontrarla? Y cuando la encuentra, reúne a sus amigas y vecinas y les dice: 'Alégrense conmigo, porque ya encontré la moneda que se me había perdido'. Yo les aseguro que así también se alegran los ángeles de Dios por un solo pecador que se convierte".

También les dijo esta parábola: "Un hombre tenía dos hijos, y el menor de ellos le dijo a su padre: 'Padre, dame la parte de la herencia que me toca'. Y él les repartió los bienes.

No muchos días después, el hijo menor, juntando todo lo suyo, se fue a un país lejano y allá derrochó su fortuna, viviendo de una manera disoluta. Después de malgastarlo todo, sobrevino en aquella región una gran hambre y él empezó a pasar necesidad. Entonces fue a pedirle trabajo a un habitante de aquel país, el cual lo mandó a sus campos a cuidar cerdos. Tenía ganas de hartarse con las bellotas que comían los cerdos, pero no lo dejaban que se las comiera.

Se puso entonces a reflexionar y se dijo: '¡Cuántos trabajadores en casa de mi padre tienen pan de sobra, y yo, aquí, me estoy muriendo de hambre! Me levantaré, volveré a mi padre y le diré: Padre, he pecado contra el cielo y contra ti; ya no merezco llamarme hijo tuyo. Recíbeme como a uno de tus trabajadores'.

Enseguida se puso en camino hacia la casa de su padre. Estaba todavía lejos, cuando su padre lo vio y se enterneció profundamente. Corrió hacia él, y echándole los brazos al cuello, lo cubrió de besos. El muchacho le dijo: 'Padre, he pecado contra el cielo y contra ti; ya no merezco llamarme hijo tuyo'.

Pero el padre les dijo a sus criados: '¡Pronto!, traigan la túnica más rica y vístansela; pónganle un anillo en el dedo y sandalias en los pies; traigan el becerro gordo y mátenlo.

Comamos y hagamos una fiesta, porque este hijo mío estaba muerto y ha vuelto a la vida, estaba perdido y lo hemos encontrado". Y empezó el banquete.

El hijo mayor estaba en el campo y al volver, cuando se acercó a la casa, oyó la música y los cantos. Entonces llamó a uno de los criados y le preguntó qué pasaba. Éste le contestó: 'Tu hermano ha regresado y tu padre mandó matar el becerro gordo, por haberlo recobrado sano y salvo'. El hermano mayor se enojó y no quería entrar.

Salió entonces el padre y le rogó que entrara; pero él replicó: '¡Hace tanto tiempo que te sirvo, sin desobedecer jamás una orden tuya, y tú no me has dado nunca ni un cabrito para comérmelo con mis amigos! Pero eso sí, viene ese hijo tuyo, que despilfarró tus bienes con malas mujeres, y tú mandas matar el becerro gordo'.

El padre repuso: 'Hijo, tú siempre estás conmigo y todo lo mío es tuyo. Pero era necesario hacer fiesta y regocijarnos, porque este hermano tuyo estaba muerto y ha vuelto a la vida, estaba perdido y lo hemos encontrado'".

Palabra del Señor.
A. *Gloria a ti, Señor Jesús.*

Se dice Credo

8. Oración sobre las ofrendas. Sé propicio, Señor, a nuestras plegarias y acepta benignamente estas ofrendas de tus siervos, para que aquello que cada uno ofrece en honor de tu nombre aproveche a todos para su salvación. Por Jesucristo, nuestro Señor.

9. Antífona de la comunión. El cáliz de bendición, por el que damos gracias, es la unión de todos en la Sangre de Cristo; y el pan que partimos es la participación de todos en el Cuerpo de Cristo (Cfr. 1 Cor 10, 16).

10. Oración después de la comunión. Que el efecto de este don celestial, Señor, transforme nuestro cuerpo y nuestro espíritu, para que sea su fuerza, y no nuestro sentir, lo que siempre inspire nuestras acciones. Por Jesucristo, nuestro Señor.

EN COMUNIÓN
CON LA TRADICIÓN VIVA DE LA IGLESIA

«*El buen pastor, el pastor piadoso que en una única oveja, es decir, en Adán, había personificado toda la grey del género humano, colocó a esta oveja en el ameno jardín de Edén, la colocó en verdes praderas. Pero ella se olvidó de la voz del pastor, al dar oídos a los aullidos del lobo, perdió los apriscos de la salvación y acabó toda ella cosida de letales heridas. En busca de ella se vino Cristo al mundo, y la halló en el seno de un campo virginal. Vino en la carne de su nacimiento e izándola sobre la cruz, la cargó sobre los hombros de su Pasión y, en el colmo de la alegría de la resurrección, la llevó mediante la ascensión colocándola en lo más elevado de la mansión celestial. Reúne a los amigos y vecinos, es decir, a los ángeles, y les dice: ¡Felicítenme!, he encontrado la oveja que se me había perdido.*

Se felicitan y se congratulan los ángeles con Cristo por el retorno de la oveja del Señor, ni se indignan de verla presidirles desde el mismísimo trono de la majestad, pues la envidia fue ahuyentada del cielo con la expulsión del diablo: ni era posible que el pecado de envidia penetrara en las mansiones eternas por medio del Cordero que había quitado el pecado del mundo. Hermanos, Cristo nos buscó en la tierra: busquémosle nosotros en el cielo; él nos condujo a la gloria de su divinidad: llevémosle nosotros en nuestro cuerpo con toda santidad: Glorificad –dice el Apóstol– y llevad a Dios en vuestro cuerpo. Lleva a Dios en su cuerpo aquel que no carga con pecado alguno en las obras de su carne» (**San Pedro Crisólogo** [380-450]. Sermón 168).

25º DOMINGO ORDINARIO
QUE ALABEN AL SEÑOR TODOS SUS SIERVOS

No pueden ustedes servir a Dios y al dinero. Con esta aseveración termina la enseñanza de Jesús a sus discípulos en este texto. Ahí tenemos como la conclusión del mensaje que les dirige. Mensaje también para su Iglesia y, por ende, para cada uno de nosotros. Aunque también debemos reconocer que en estas líneas nos encontramos frente a una de las páginas más difíciles del Evangelio.

Estas dos parábolas, con acentuaciones diversas, quieren prevenirnos del «riesgo» del apego a los bienes de este mundo, para hacernos disponibles y abiertos a los valores del «Reino», ya presente y operante en medio de nosotros a través de Cristo y su Evangelio. Efectivamente las riquezas son un «riesgo» permanente, porque tienden de por sí a someter al hombre.

Jesús dijo a sus discípulos. En el texto de hoy las personas a las que se dirige Jesús son diversas a las que hablaba el domingo pasado. Aquel auditorio le era hostil. Ahora se dirige a sus discípulos. Les narra una parábola, y completa el relato con otros dichos. La parábola, probablemente sugerida por algún episodio real de esa época, es de las más difíciles de entender. Ya decíamos: desconcierta un poco a los lectores y exegetas. Jesús califica explícitamente al administrador de «*mal administrador o deshonesto*». El administrador se encuentra frente a una situación tanto más crítica en cuanto no está en grado de desarrollar trabajos manuales, por lo que está destinado a formar parte de los desocupados, tampoco tiene la intención de pedir limosna. Logra tomar una decisión que le garantiza su futuro.

¿Cuánto le debes a mi amo? El administrador llama a los deudores de su patrón y les propone una buena "rebaja" de sus deudas. El «*patrón*» que lo elogia es probablemente Jesús, no el rico propietario. Pero no significa que apruebe la falsificación de cuentas; la segunda parte de la frase dice claramente que la alabanza se refiere a la «*habilidad*» en el comportamiento, no a la deshonestidad.

Con el dinero, tan lleno de injusticias, gánense amigos... La enseñanza de la parábola viene ahora esclarecida por una segunda conclusión propuesta por Jesús. Si el administrador deshonesto ha sabido servirse de las riquezas de este mundo para ganarse amigos y proveer de esta manera su futuro, cuánto más los cristianos deben pensar en su futuro eterno repartiendo sus bienes en limosnas a los pobres; de esta manera ellos los recibirán en la ciudad de Dios: donde los pobres son de casa, así lo dicen las *Bienaventuranzas* (Lc 6, 20).

Escuchen esto los que buscan al pobre. Esta lectura nos da un cuadro desolador de la sociedad israelita del tiempo de Amós –**primera lectura**–. Como sucede siempre en estas circunstancias, los ricos trataban de aprovechar el momento favorable a costa de los pobres. El profeta hace un elenco de las típicas formas de explotación que desde siempre son usadas para oprimir a los pobres, impidiéndoles crecer y adquirir la conciencia no sólo de su dignidad, sino también de su capacidad de trasformación de la sociedad hacia horizontes más humanos y más justos.

Se hagan oraciones plegarias y súplicas. Este párrafo tiene como tema la plegaria litúrgica –**segunda lectura**–. Ésta debe tener un alcance universal ya que debe responder a la voluntad de Dios: que quiere que todos los hombres se salven, y a la mediación salvífica de Cristo. Una segunda intención de la oración de la Iglesia es por los jefes de estado.

1. Antifona de entrada. Yo soy la salvación de mi pueblo, dice el Señor. Los escucharé cuando me llamen en cualquier tribulación, y siempre seré su Dios.

Se dice Gloria

2. Oración colecta. Señor Dios, que has hecho del amor a ti y a los hermanos la plenitud de todo lo mandado en tu santa ley, concédenos que, cumpliendo tus mandamientos, merezcamos llegar a la vida eterna. Por nuestro Señor Jesucristo...

3. 1ª Lectura (Am 8, 4-7)
Del libro del profeta Amós
Escuchen esto los que buscan al pobre sólo para arruinarlo y andan diciendo: "¿Cuándo pasará el descanso del primer día del mes para vender nuestro trigo, y el descanso del sábado para reabrir nuestros graneros?". Disminuyen las medidas, aumentan los precios, alteran las balanzas, obligan a los pobres a venderse; por un par de sandalias los compran y hasta venden el salvado como trigo.

El Señor, gloria de Israel, lo ha jurado: "No olvidaré jamás ninguna de estas acciones".
Palabra de Dios.
A. *Te alabamos, Señor.*

4. Salmo responsorial (Sal 112)
R. **Que alaben al Señor todos sus siervos.**
L. Bendito sea el Señor, alábenlo sus siervos. Bendito sea el Señor, desde ahora y para siempre. / R.
L. Dios está sobre todas las naciones, su gloria por encima de los cielos. ¿Quién hay como el Señor? ¿Quién iguala al Dios nuestro? / R.
L. Él tiene en las alturas su morada y sin embargo de esto, bajar se digna su mirada para ver tierra y cielo. / R.
L. Él levanta del polvo al desvalido y saca al indigente del estiércol para hacerlo sentar entre los grandes, los jefes de su pueblo. / R.

5. 2ª Lectura (1 Tim 2, 1-8)

De la primera carta del apóstol san Pablo a Timoteo

Te ruego, hermano, que ante todo se hagan oraciones, plegarias, súplicas y acciones de gracias por todos los hombres, y en particular, por los jefes de Estado y las demás autoridades, para que podamos llevar una vida tranquila y en paz, entregada a Dios y respetable en todo sentido.

Esto es bueno y agradable a Dios, nuestro salvador, pues él quiere que todos los hombres se salven y todos lleguen al conocimiento de la verdad, porque no hay sino un solo Dios y un solo mediador entre Dios y los hombres, Cristo Jesús, hombre él también, que se entregó como rescate por todos.

Él dio testimonio de esto a su debido tiempo y de esto yo he sido constituido, digo la verdad y no miento, pregonero y apóstol para enseñar la fe y la verdad.

Quiero, pues, que los hombres, libres de odios y divisiones, hagan oración dondequiera que se encuentren, levantando al cielo sus manos puras. *Palabra de Dios.*

A. *Te alabamos, Señor.*

6. Aclamación antes del Evangelio (2 Cor 8, 9)

R. **Aleluya, aleluya.** Jesucristo, siendo rico, se hizo pobre, para enriquecernos con su pobreza.

R. **Aleluya, aleluya.**

7. Evangelio (Lc 16, 1-13)

Del santo Evangelio según san Lucas

A. *Gloria a ti, Señor.*

En aquel tiempo, Jesús dijo a sus discípulos: "Había una vez un hombre rico que tenía un administrador, el cual fue acusado ante él de haberle malgastado sus bienes. Lo llamó y le dijo: '¿Es cierto lo que me han dicho de ti? Dame cuenta de tu trabajo, porque en adelante ya no serás administrador'. Entonces el administrador se puso a pensar: '¿Qué voy a hacer ahora que me quitan el trabajo? No tengo fuerzas para trabajar la tierra y me da vergüenza pedir limosna. Ya sé lo que voy a hacer, para tener a alguien que me reciba en su casa, cuando me despidan'.

Entonces fue llamando uno por uno a los deudores de su amo. Al primero le preguntó: '¿Cuánto le debes a mi amo?'. El hombre respondió: 'Cien barriles de aceite'. El administrador le dijo: 'Toma tu recibo, date prisa y haz otro por cincuenta'. Luego preguntó al siguiente: 'Y tú, ¿cuánto debes?'. Éste respondió: 'Cien sacos de trigo'. El administrador le dijo: 'Toma tu recibo y haz otro por ochenta'.

El amo tuvo que reconocer que su mal administrador había procedido con habilidad. Pues los que pertenecen a este mundo son más hábiles en sus negocios, que los que pertenecen a la luz.

Y yo les digo: Con el dinero, tan lleno de injusticias, gánense amigos que, cuando ustedes mueran, los reciban en el cielo.

El que es fiel en las cosas pequeñas, también es fiel en las grandes; y el que es infiel en las cosas pequeñas, también es infiel en las grandes. Si ustedes no son fieles administradores del dinero, tan lleno de injusticias, ¿quién les confiará los bienes verdaderos? Y si no han sido fieles en lo que no es de ustedes, ¿quién les confiará lo que sí es de ustedes?

No hay criado que pueda servir a dos amos, pues odiará a uno y amará al otro, o se apegará al primero y despreciará al segundo. En resumen, no pueden ustedes servir a Dios y al dinero". *Palabra del Señor.*

A. **Gloria a ti, Señor Jesús.**

Se dice Credo

8. Oración sobre las ofrendas. Acepta benignamente, Señor, los dones de tu pueblo, para que recibamos, por este sacramento celestial, aquello mismo que el fervor de nuestra fe nos mueve a proclamar. Por Jesucristo, nuestro Señor.

9. Antífona de la comunión. Yo soy el buen pastor, dice el Señor; y conozco a mis ovejas, y ellas me conocen a mí (Jn 10, 14).

10. Oración después de la comunión. A quienes alimentas, Señor, con tus sacramentos, confórtanos con tu incesante ayuda, para que en estos misterios recibamos el fruto de la redención y la conversión de nuestra vida. Por Jesucristo, nuestro Señor.

EN COMUNIÓN
CON LA TRADICIÓN VIVA DE LA IGLESIA

«*Parte tu pan con el hambriento, hospeda a los pobres sin techo, y no dejes de hacerlo con jovialidad y presteza. Quien reparte la limosna -dice el Apóstol- que lo haga con agrado; pues todo lo que sea prontitud hace que se te doble la gracia del beneficio que has hecho. Porque lo que se lleva a cabo con una disposición de ánimo triste y forzada no merece gratitud ni tiene nobleza. De manera que, cuando hacemos el bien, hemos de hacerlo, no tristes,*

 *sino con alegría. Si dejas libres a los oprimidos y rompes todas las cadenas, dice la Escritura; o sea, si procuras alejar de tu prójimo sus sufrimientos, sus pruebas, la incertidumbre de su futuro, toda murmuración contra él, ¿qué piensas que va a ocurrir? Algo grande y admirable. Un espléndido premio. Escucha: Entonces romperá tu luz como la aurora, te abrirá camino la justicia. ¿Y quién no anhela la luz y la justicia? Por lo cual, si pensáis escucharme···*

visitemos a Cristo mientras nos sea posible, curémoslo, no dejemos de alimentarlo o de vestirlo; acojamos y honremos a Cristo, no en la mesa solamente, como algunos, no con ungüentos, como María, ni con el sepulcro, como José de Arimatea, ni con lo necesario para la sepultura, como aquel mediocre amigo, Nicodemo, ni, en fin, con oro, incienso y mirra, como los Magos, sino que, puesto que el Señor lo que quiere es misericordia y no sacrificios, y la compasión supera en valor a todos los rebaños imaginables, presentémosle ésta mediante la solicitud para con los pobres y humillados, de modo que, cuando nos vayamos de aquí, nos reciban en las moradas eternas» (**San Gregorio de Nacianzo** [330-390]. Sermón 14, sobre el amor a los pobres 38.40).

25 DE SEPTIEMBRE – **(VERDE)**

26º DOMINGO ORDINARIO

ALABEMOS AL SEÑOR, QUE VIENE A SALVARNOS

Este domingo tenemos la historia de un hombre rico que no supo compartir sus riquezas con un pobre que yacía a su puerta; y ahora, en el más allá, este pobre no puede hacer nada para acogerlo en el seno de Abraham. Si el rico se hubiera portado de manera diferente, hubiera encontrado en esta persona un amigo que lo habría introducido en las moradas eternas de las cuales ahora resulta irremediablemente excluido. Existe, por lo tanto, la indiferencia ante la necesidad extrema. Una distancia que ya de por sí es un abismo.

Había un hombre rico… El relato nos presenta a un hombre que hace mal uso del dinero. Este personaje tiene una sola característica: es rico y vive en la opulencia, vistiendo *«de púrpura y telas finas»*, banqueteaba todos los días espléndidamente. En cambio, el pobre está lleno de llagas y pasa hambre; al igual que el hijo pródigo (Lc 15, 16) quisiera llenarse con lo que los hombres desechan. El relato no elogia una eventual fuerza de ánimo o una hipotética piedad. La riqueza de Lázaro es sólo su pobreza, que le permitirá, a su muerte, entrar en el gozo eterno. El único punto en común entre ellos es la condición de mortales.

Murió también el rico y lo enterraron. El rico, por el contrario, viene a encontrarse en el lugar reservado a quienes por sus culpas son condenados a ser atormentados con calores tórridos y por la sed: una imagen elocuente para quien conoce los desiertos del Medio Oriente. Y él, que nunca concedió las migajas al pobre, apela a su pertenencia a la estirpe de Abraham y ahora suplica a Lázaro que le ayude con alguna gota de agua que le dé alivio a ese tormento.

Enseñanza antigua. Evidentemente, se dirá, este hombre rico no tuvo la oportunidad de escuchar la invitación de Jesús a servirse de las propias riquezas para ganarse amigos. Pero esta invitación no inició con Jesús. Ya estaba prescrita en la Ley (Dt 15, 7-11). De manera especial los profetas lo recuerdan incesantemente. Debido a que se refiere al uso prudente de las riquezas Jesús, con esta enseñanza, lleva a su perfeccionamiento la Ley y los Profetas.

Si un muerto va a decírselo, entonces sí se arrepentirán. Expresando una opinión muy extendida en ese tiempo, el rico piensa que un milagro podría obtener aquello que la Escritura no ha logrado. ¡Grave error! Un milagro, así fuera la resurrección de un muerto, no lograría la conversión de quienes se niegan a recibir en la fe el mensaje de la Ley y los Profetas. ¡Esta advertencia adquiere una particular fuerza en la Iglesia que confiesa a Jesús muerto y resucitado! Cuántas veces pensamos que, si fuéramos bendecidos con alguna "aparición del Señor", entonces sí nos empeñaríamos en cambiar de vida… ¡Mientras el Evangelio se encuentra junto a nosotros día y noche!

Se reclinan sobre divanes adornados con marfil. Las feroces denuncias de Amós, el tutor de los pobres, sobre el uso descarado de quienes se habían enriquecido en tiempos de fácil ganancia, se mueven en la línea del texto evangélico –**primera lectura**–. Los últimos versículos hacen referencia al inminente fin del reino del Norte: el asedio y capitulación de Samaria (722-721 a.C.).

Lucha en el noble combate de la fe. El centro del texto conclusivo de la **Primera carta a Timoteo** está representado por esta expresión dos veces repetida: «admirable profesión» y «admirable testimonio» –**segunda lectura**–. Testimonio dado por Cristo frente a Pilato y también proclamado por Timoteo frente a numerosos testigos en su profesión bautismal.

1. Antífona de entrada. Todo lo que hiciste con nosotros, Señor, es verdaderamente justo, porque hemos pecado contra ti y hemos desobedecido tus mandatos; pero haz honor a tu nombre y trátanos conforme a tu inmensa misericordia (Dn 3, 31. 29. 30. 43. 42).

Se dice Gloria

2. Oración colecta. Señor Dios, que manifiestas tu poder de una manera admirable sobre todo cuando perdonas y ejerces tu misericordia, multiplica tu gracia sobre nosotros, para que, apresurándonos hacia lo que nos prometes, nos hagas partícipes de los bienes celestiales. Por nuestro Señor Jesucristo...

3. 1ª Lectura   (Am 6, 1. 4-7)
Del libro del profeta Amós
Esto dice el Señor todopoderoso: "¡Ay de ustedes, los que se sienten seguros en Sión y los que ponen su confianza en el monte sagrado de Samaria! Se reclinan sobre divanes adornados con marfil, se recuestan sobre almohadones para comer los corderos del rebaño y las terneras en engorda. Canturrean al son del arpa, creyendo cantar como David. Se atiborran de vino, se ponen los perfumes más costosos, pero no se preocupan por las desgracias de sus hermanos.
Por eso irán al destierro a la cabeza de los cautivos y se acabará la orgía de los disolutos". *Palabra de Dios.*
A. Te alabamos, Señor.

4. Salmo responsorial   (Sal 145)
R. Alabemos al Señor, que viene a salvarnos.
L. El Señor siempre es fiel a su palabra, y es quien hace justicia al oprimido; él proporciona pan a los hambrientos y libera al cautivo. / **R.**
L. Abre el Señor los ojos de los ciegos y alivia al agobiado. Ama el Señor al hombre justo y toma al forastero a su cuidado. / **R.**
L. A la viuda y al huérfano sustenta y trastorna los planes del inicuo. Reina el Señor eternamente, reina tu Dios, oh Sión, reina por siglos. / **R.**

5. 2ª Lectura   (1 Tim 6, 11-16)
De la primera carta del apóstol san Pablo a Timoteo
Hermano: Tú, como hombre de Dios, lleva una vida de rectitud, piedad, fe, amor, paciencia y mansedumbre. Lucha en el noble combate de la fe, conquista la vida eterna a la que has sido llamado y de la que hiciste tan admirable profesión ante numerosos testigos.

Ahora, en presencia de Dios, que da vida a todas las cosas, y de Cristo Jesús, que dio tan admirable testimonio ante Poncio Pilato, te ordeno que cumplas fiel e irreprochablemente todo lo mandado, hasta la venida de nuestro Señor Jesucristo, la cual dará a conocer a su debido tiempo Dios, el bienaventurado y único soberano, Rey de los reyes y Señor de los señores, el único que posee la inmortalidad, el que habita en una luz inaccesible y a quien ningún hombre ha visto ni puede ver. A él todo honor y poder para siempre. *Palabra de Dios.*

A. **Te alabamos, Señor.**

6. Aclamación antes del Evangelio   (2 Cor 8, 9)
R. **Aleluya, aleluya.** Jesucristo, siendo rico, se hizo pobre, para enriquecernos con su pobreza.
R. **Aleluya, aleluya.**

7. Evangelio   (Lc 16, 19-31)
Del santo Evangelio según san Lucas
A. Gloria a ti, Señor.

En aquel tiempo, Jesús dijo a los fariseos: "Había un hombre rico, que se vestía de púrpura y telas finas y banqueteaba espléndidamente cada día. Y un mendigo, llamado Lázaro, yacía a la entrada de su casa, cubierto de llagas y ansiando llenarse con las sobras que caían de la mesa del rico. Y hasta los perros se acercaban a lamerle las llagas.

Sucedió, pues, que murió el mendigo y los ángeles lo llevaron al seno de Abraham. Murió también el rico y lo enterraron. Estaba éste en el lugar de castigo, en medio de tormentos, cuando levantó los ojos y vio a lo lejos a Abraham y a Lázaro junto a él.

Entonces gritó: 'Padre Abraham, ten piedad de mí. Manda a Lázaro que moje en agua la punta de su dedo y me refresque la lengua, porque me torturan estas llamas'. Pero Abraham le contestó: 'Hijo, recuerda que en tu vida recibiste bienes y Lázaro, en cambio, males. Por eso él goza ahora de consuelo, mientras que tú sufres tormentos. Además, entre ustedes y nosotros se abre un abismo inmenso, que nadie puede cruzar, ni hacia allá ni hacia acá'.

El rico insistió: 'Te ruego, entonces, padre Abraham, que mandes a Lázaro a mi casa, pues me quedan allá cinco hermanos, para que les advierta y no acaben también ellos en este lugar de tormentos'. Abraham le dijo: 'Tienen a Moisés y a los profetas; que los escuchen'. Pero el rico replicó: 'No, padre Abraham. Si un muerto va a decírselo, entonces sí se arrepentirán'. Abraham repuso: 'Si no escuchan a Moisés y a los profetas, no harán caso, ni aunque resucite un muerto'".

Palabra del Señor.

A. **Gloria a ti, Señor Jesús.**

Se dice Credo

8. Oración sobre las ofrendas. Concédenos, Dios misericordioso, que nuestra ofrenda te sea aceptable y que por ella quede abierta para nosotros la fuente de toda bendición. Por Jesucristo, nuestro Señor.

9. Antífona de la comunión. En esto hemos conocido lo que es el amor de Dios: en que dio su vida por nosotros. Por eso también nosotros debemos dar la vida por los hermanos (1 Jn 3, 16).

10. Oración después de la comunión. Que este misterio celestial renueve, Señor, nuestro cuerpo y nuestro espíritu, para que seamos coherederos en la gloria de aquel cuya muerte, al anunciarla, la hemos compartido. Él, que vive y reina por los siglos de los siglos.

EN COMUNIÓN
CON LA TRADICIÓN VIVA DE LA IGLESIA

«*Observad ahora a aquel pobre. Dijimos, hablando de los pensamientos del rico impío, preclaro, que se vestía de púrpura y lino y que banqueteaba espléndidamente cada día, que, al morir, perecieron todos sus planes. Al contrario, el mendigo Lázaro estaba echado en el portal del rico, cubierto de llagas, y con ganas de saciarse de lo que tiraban de la mesa del rico, pero nadie se lo daba.*

Y hasta los perros se le acercaban a lamerle las llagas. Aquí quiero verte, cristiano: se describe la muerte de estos dos hombres. Poderoso es ciertamente Dios para dar la salud en esta vida, para eliminar la pobreza, para dar al cristiano el necesario sustento. Pero supongamos que Dios nada de esto hiciera: qué elegirías: ¿ser como aquel pobre o como aquel rico? No te ilusiones. Escucha el final y observa la mala elección. A buen seguro que aquel pobre, piadoso como era, al verse inmerso en las angustias de la vida presente, pensaba que un día se acabaría aquella vida y entraría en posesión del eterno descanso. Murieron ambos, pero en ese día no perecieron los planes de aquel mendigo. Sucedió que se murió el mendigo y los ángeles lo llevaron al seno de Abrahán. En ese día se realizaron todos sus deseos. Cuando exhaló su espíritu y la carne volvió a la tierra de donde salió, no perecerán sus planes, puesto que espera en el Señor su Dios. Esto es lo que se aprende en la escuela de Cristo Maestro, esto es lo que espera el alma del fiel oyente, éste es el certísimo premio del Salvador» (**San Agustín** [354-430]. Sermón 33 A, sobre el Antiguo Testamento).

27º DOMINGO ORDINARIO

SEÑOR, QUE NO SEAMOS SORDOS A TU VOZ

Los apóstoles dijeron al Señor: "auméntanos la fe". Dos palabras en este inicio del texto merecen una atención particular. Estas palabras son: *«apóstoles»* y *«Señor»*. Serán *«enviados»* a proclamar el Evangelio más allá de los estrechos confines de Israel; lo llevarán hasta los últimos rincones de la tierra. Lo llaman *«Señor»*, título solemne que indica la autoridad divina de Jesús. La petición nace del corazón de los Apóstoles en un momento especial de sus vidas: ya están siguiendo al Maestro. Ante las exigencias para ser verdaderos seguidores de este Maestro son conscientes que su fe es débil, y se dan cuenta de que es fundamental tener una fe sólida para ir detrás de Él.

La fe: fundamento del cristianismo. Nuestro cristianismo no se puede calificar como un sistema filosófico o una manera de comportarse, tampoco es una serie de verdades abstractas, fruto de la razón humana. Gran parte de la religiosidad del Antiguo Testamento se había codificado en el culto, en el ofrecimiento de los sacrificios. No por casualidad –sobre todo a través de la voz de los profetas que predicaban una espiritualidad más elevada, más interior– Dios amonesta, con palabras fuertes y, en repetidas ocasiones, manifiesta que está en contra de este tipo de religión basada casi exclusivamente en ofrecer acciones externas. El cristianismo está solitario en la otra orilla de este mundo de religiones. Uno de los fundamentos de su unicidad lo tiene justamente en la fe.

Don de Dios. La fe, don sobrenatural de Dios a todo hombre, es la apertura de nuestro corazón, de nuestra inteligencia y de nuestra vida a la omnipotencia de Dios; la fe es la disponibilidad a aceptar a Dios en cuanto Dios, dejando que Él, el Absoluto, el Creador, el Salvador, hable y se revele en su divinidad al hombre. La fe lleva al cristiano a buscar y encontrar sólo en Dios su punto de apoyo. Es propio del cristianismo haber puesto énfasis en la dignidad de la persona humana, en dar el justo valor a las realidades terrenas y a los acontecimientos de este mundo, revelando que únicamente Dios es el fin absoluto y principio originario del hombre.

¿Quién de ustedes, si tiene un siervo...? La parábola del agricultor ilustra el verdadero sentido de la fe y muestra cómo no es fácil poseer la fe, como ya lo pensaban los Apóstoles, para quienes el único problema era *«aumentar la fe»*. La imagen de ese patrón parece más que motivadora hiriente para nuestra sensibilidad moderna, pero Jesús la toma de la vida social del tiempo, cuando no regían contratos de trabajo que marcaran los límites de horarios o se reconocieran y se pagaran "tiempos extras".

¿Hasta cuándo, Señor, pediré auxilio...? El profeta Habacuc, más o menos contemporáneo del profeta Jeremías (siglo VI a.C.), se atreve casi a poner a Dios en el "banquillo de los acusados" porque no interviene a restablecer la justicia entre los hombres −**primera lectura**−. El cuadro descrito podría referirse a los desórdenes y desequilibrios de una sociedad en decadencia por motivos de desórdenes morales, como seguramente era la situación que se vivía en el reino de Judá.

Te recomiendo que reavives el don de Dios que recibiste. Pablo recuerda a Timoteo que un día le impusieron las manos −**segunda lectura**−. Este rito había sido realizado *«por el colegio de los presbíteros»*, entre los cuales se encontraba Pablo. Y esta imposición de manos transmitía a Timoteo *«un don de Dios»* que ahora es necesario reavivar.

1. Antífona de entrada. En tu voluntad, Señor, está puesto el universo, y no hay quien pueda resistirse a ella. Tú hiciste todo, el cielo y la tierra, y todo lo que está bajo el firmamento; tú eres Señor del universo (Cfr. Est 4, 17).

Se dice Gloria

2. Oración colecta. Dios todopoderoso y eterno, que en la superabundancia de tu amor sobrepasas los méritos y aun los deseos de los que te suplican, derrama sobre nosotros tu misericordia para que libres nuestra conciencia de toda inquietud y nos concedas aun aquello que no nos atrevemos a pedir. Por nuestro Señor Jesucristo...

3. 1ª Lectura (Hab 1, 2-3; 2, 2-4)
Del libro del profeta Habacuc
¿Hasta cuándo, Señor, pediré auxilio, sin que me escuches, y denunciaré a gritos la violencia que reina, sin que vengas a salvarme? ¿Por qué me dejas ver la injusticia y te quedas mirando la opresión? Ante mí no hay más que asaltos y violencias, y surgen rebeliones y desórdenes.

El Señor me respondió y me dijo: "Escribe la visión que te he manifestado, ponla clara en tablillas para que se pueda leer de corrido. Es todavía una visión de algo lejano, pero que viene corriendo y no fallará; si se tarda, espéralo, pues llegará sin falta. El malvado sucumbirá sin remedio; el justo, en cambio, vivirá por su fe".
Palabra de Dios.
A. **Te alabamos, Señor.**

4. Salmo responsorial (Sal 94)
R. **Señor, que no seamos sordos a tu voz.**
L. Vengan, lancemos vivas al Señor, aclamemos al Dios que nos salva. Acerquémonos a él, llenos de júbilo, y démosle gracias. / R.
L. Vengan, y puestos de rodillas, adoremos y bendigamos al Señor, que nos hizo, pues él es nuestro Dios y nosotros, su pueblo; él es nuestro pastor y nosotros, sus ovejas. / R.

L. Hagámosle caso al Señor, que nos dice: "No endurezcan su corazón, como el día de la rebelión en el desierto, cuando sus padres dudaron de mí, aunque habían visto mis obras". / **R.**

5. 2ª Lectura (2 Tim 1, 6-8. 13-14)
De la segunda carta del apóstol san Pablo a Timoteo
Querido hermano: Te recomiendo que reavives el don de Dios que recibiste cuando te impuse las manos. Porque el Señor no nos ha dado un espíritu de temor, sino de fortaleza, de amor y de moderación.

No te avergüences, pues, de dar testimonio de nuestro Señor, ni te avergüences de mí, que estoy preso por su causa. Al contrario, comparte conmigo los sufrimientos por la predicación del Evangelio, sostenido por la fuerza de Dios. Conforma tu predicación a la sólida doctrina que recibiste de mí acerca de la fe y el amor que tienen su fundamento en Cristo Jesús. Guarda este tesoro con la ayuda del Espíritu Santo, que habita en nosotros.
Palabra de Dios.
A. **Te alabamos, Señor.**

6. Aclamación antes del Evangelio (1 Pe 1, 25)
R. Aleluya, aleluya. La palabra de Dios permanece para siempre. Y ésa es la palabra que se les ha anunciado.
R. Aleluya, aleluya.

7. Evangelio (Lc 17, 5-10)
Del santo Evangelio según san Lucas
A. Gloria a ti, Señor.
En aquel tiempo, los apóstoles dijeron al Señor: "Auméntanos la fe". El Señor les contestó: "Si tuvieran fe, aunque fuera tan pequeña como una semilla de mostaza, podrían decir a ese árbol frondoso: 'Arráncate de raíz y plántate en el mar', y los obedecería.

¿Quién de ustedes, si tiene un siervo que labra la tierra o pastorea los rebaños, le dice cuando éste regresa del campo: 'Entra enseguida y ponte a comer'? ¿No le dirá más bien: 'Prepárame de comer y disponte a servirme, para que yo coma y beba; después comerás y beberás tú'? ¿Tendrá acaso que mostrarse agradecido con el siervo, porque éste cumplió con su obligación?

Así también ustedes, cuando hayan cumplido todo lo que se les mandó, digan: 'No somos más que siervos; sólo hemos hecho lo que teníamos que hacer'".

Palabra del Señor.

A. *Gloria a ti, Señor Jesús.*

Se dice Credo

8. Oración sobre las ofrendas. Acepta, Señor, el sacrificio que tú mismo nos mandaste ofrecer, y, por estos sagrados misterios, que celebramos en cumplimiento de nuestro servicio, dígnate llevar a cabo en nosotros la santificación que proviene de tu redención. Por Jesucristo, nuestro Señor.

9. Antífona de la comunión. El pan es uno, y así nosotros, aunque somos muchos, formamos un solo cuerpo, porque todos participamos de un mismo pan y de un mismo cáliz (Cfr. 1 Cor 10, 17).

10. Oración después de la comunión. Dios omnipotente, saciados con este alimento y bebida celestiales, concédenos ser transformados en aquel a quien hemos recibido en este sacramento. Por Jesucristo, nuestro Señor.

EN COMUNIÓN
CON LA TRADICIÓN VIVA DE LA IGLESIA

«La otra clase de fe es aquella que Cristo concede a algunos como don gratuito: Uno recibe del Espíritu el hablar con sabiduría... Hay quien, por el mismo Espíritu, recibe el don de la fe. Esta gracia de fe que da el Espíritu no consiste sólo en una fe dogmática, sino también en aquella otra fe capaz de realizar obras que superan toda posibilidad humana; quien tiene esta fe podría decir a una montaña que viniera aquí, y vendría. Cuando uno, guiado por esta fe, dice esto y cree sin dudar en su corazón que lo que dice se realizará, entonces esta persona ha recibido el don de esta fe. Es de esta fe de la que se afirma: Si fuera vuestra fe como un grano de mostaza. Porque así como el grano de mostaza, aunque pequeño en tamaño, está dotado de una fuerza parecida a la del fuego y, plantado aunque sea en un lugar exiguo, produce grandes ramas al punto que pueden cobijarse en él las aves del cielo, así también la fe, cuando arraiga en el alma, en pocos momentos realiza grandes maravillas. El alma, en efecto, iluminada por esta fe, alcanza a concebir en su mente una imagen de Dios, y llega incluso hasta contemplar al mismo Dios en la medida en que ello es posible; le es dado recorrer los límites del universo y ver, antes del fin del mundo, el juicio futuro y la realización de los bienes prometidos. Procura, pues, llegar a aquella fe que de ti depende y que conduce al Señor a quien la posee, y así el Señor te dará también aquella otra que actúa por encima de las fuerzas humanas» (**San Cirilo de Jerusalén** [c. 313-386]. Catequesis 5, sobre la fe y el símbolo 10-11).

28º DOMINGO ORDINARIO
EL SEÑOR NOS HA MOSTRADO SU AMOR Y SU LEALTAD

¡Jesús, maestro, ten compasión de nosotros! Jesús se encuentra en un territorio entre Galilea y Samaria. El relato de la curación es breve y muy semejante al que Lucas había narrado anteriormente (Lc 5, 12-16), donde Jesús había encontrado por primera vez a uno de estos "parias" excluidos de la comunidad. Estos leprosos no se echan a los pies de Jesús, pero sí lo saludan como *«maestro»*: título con el cual lo llaman sus discípulos.

Dios visita a su pueblo. Los milagros, que acompañan la historia de la salvación, y presentes también en la historia de la Iglesia, constituyen el signo de la presencia y misericordia de Dios ante el hombre pecador. Lo vemos claramente en el texto de hoy: diez seres humanos, sólo por haber contraído la enfermedad de la lepra, son condenados por las leyes, religiosas y civiles, a la soledad y a la marginación. Gracias a la intervención prodigiosa y omnipotente de Jesús, estos infelices no sólo vuelven a formar parte de la sociedad humana, sino que retornan a la comunión con Dios.

Los diez leprosos. Mientras Jesús está entrando en un poblado, le salen al encuentro este grupo de leprosos. Todo esto no es por casualidad. Tiene un significado. El milagro de la curación no es un hecho prodigioso que acontece de manera circunstancial o como una acción mágica. Podemos comparar la primera parte de la escena evangélica a los primeros pasos de toda conversión. La conversión nace siempre de un grito, de una súplica, de una plegaria, como la de estos leprosos: *«¡Ten compasión de nosotros!»*. Su actitud es calificada de gran fe en Jesús.

Ésta es la orden que les da Jesús: **Vayan a presentarse a los sacerdotes**. Los samaritanos, al igual que los judíos, reconocen la autoridad de la Ley de Moisés y, por lo tanto, acatan las prescripciones del Levítico referentes a la lepra. Los sacerdotes tenían la tarea, entre otras, la de verificar la curación. Uno de éstos, al encaminarse con los sacerdotes y al verse curado, no llegó al Templo, por lo tanto, no obedece la orden de Jesús ni la ley del Levítico: *«Regresa alabando a Dios en voz alta»*, viene a postrarse a los pies de Jesús y, sobre todo, a agradecerle la curación. ¡Y es aquí cuando tenemos una sorpresa! Por san Lucas nos damos cuenta que éste no era un judío, sino un samaritano.

Naamán, el general de los ejércitos de Siria... Era un extranjero y pagano y, sobre todo, pertenecía a uno de los pueblos enemigos históricos de Israel. También es curado "a distancia" y regresa a agradecer al *«hombre de Dios»* –**primera lectura**–. Lo que más cuenta es que la historia de Naamán es narrada por Jesús en la sinagoga de su pueblo, Nazaret, y justamente durante la predicación inaugural de su ministerio (Lc 4, 27). El camino espiritual de Naamán es emblemático: de una ausencia total de fe y de marginación espiritual y física, este pagano llega al punto más elevado al que puede llegar el corazón del hombre: reconocer a Dios como tal y adorarlo y agradecerle.

Si le somos infieles, él permanece fiel. Como afirma Pablo en su Segunda carta a Timoteo: aunque si somos infieles, o no regresamos a agradecerle porque no reconocemos en Jesús el rostro del Salvador, Él permanece fiel –**segunda lectura**–. Al igual que Pablo, el creyente no sólo agradece, sino que regresa con Jesús para permanecer con Él, compartir su Pascua y perseverar en su seguimiento.

1. Antífona de entrada. Si conservaras el recuerdo de nuestras faltas, Señor, ¿quién podría resistir? Pero tú, Dios de Israel, eres Dios de perdón (Cfr. Sal 129, 3-4).

Se dice Gloria

2. Oración colecta. Te pedimos, Señor, que tu gracia continuamente nos disponga y nos acompañe, de manera que estemos siempre dispuestos a obrar el bien. Por nuestro Señor Jesucristo…

3. 1ª Lectura   (2 Re 5, 14-17)
Del segundo libro de los Reyes
En aquellos días, Naamán, el general del ejército de Siria, que estaba leproso, se bañó siete veces en el Jordán, como le había dicho Eliseo, el hombre de Dios, y su carne quedó limpia como la de un niño.

Volvió con su comitiva a donde estaba el hombre de Dios y se le presentó diciendo: "Ahora sé que no hay más Dios que el de Israel. Te pido que aceptes estos regalos de parte de tu siervo". Pero Eliseo contestó: "Juro por el Señor, en cuya presencia estoy, que no aceptaré nada". Y por más que Naamán insistía, Eliseo no aceptó nada.

Entonces Naamán le dijo: "Ya que te niegas, concédeme al menos que me den unos sacos con tierra de este lugar, los que puedan llevar un par de mulas. La usaré para construir un altar al Señor, tu Dios, pues a ningún otro dios volveré a ofrecer más sacrificios".
Palabra de Dios.
A. *Te alabamos, Señor.*

4. Salmo responsorial   (Sal 97)
R. **El Señor nos ha mostrado su amor y su lealtad.**
L. Cantemos al Señor un canto nuevo, pues ha hecho maravillas. Su diestra y su santo brazo le han dado la victoria. / R.
L. El Señor ha dado a conocer su victoria y ha revelado a las naciones su justicia. Una vez más ha demostrado Dios su amor y su lealtad hacia Israel. / R.
L. La tierra entera ha contemplado la victoria de nuestro Dios. Que todos los pueblos y naciones aclamen con júbilo al Señor. / R.

5. 2ª Lectura (2 Tim 2, 8-13)

De la segunda carta del apóstol san Pablo a Timoteo

Querido hermano: Recuerda siempre que Jesucristo, descendiente de David, resucitó de entre los muertos, conforme al Evangelio que yo predico. Por este Evangelio sufro hasta llevar cadenas, como un malhechor; pero la palabra de Dios no está encadenada. Por eso lo sobrellevo todo por amor a los elegidos, para que ellos también alcancen en Cristo Jesús la salvación, y con ella, la gloria eterna.

Es verdad lo que decimos: "Si morimos con él, viviremos con él; si nos mantenemos firmes, reinaremos con él; si lo negamos, él también nos negará; si le somos infieles, él permanece fiel, porque no puede contradecirse a sí mismo".

Palabra de Dios.

A. Te alabamos, Señor.

6. Aclamación antes del Evangelio (1 Tes 5, 18)

R. Aleluya, aleluya. Den gracias siempre, unidos a Cristo Jesús, pues esto es lo que Dios quiere que ustedes hagan.

R. Aleluya, aleluya.

7. Evangelio (Lc 17, 11-19)

Del santo Evangelio según san Lucas

A. Gloria a ti, Señor.

En aquel tiempo, cuando Jesús iba de camino a Jerusalén, pasó entre Samaria y Galilea. Estaba cerca de un pueblo, cuando le salieron al encuentro diez leprosos, los cuales se detuvieron a lo lejos y a gritos le decían: "¡Jesús, maestro, ten compasión de nosotros!".

Al verlos, Jesús les dijo: "Vayan a presentarse a los sacerdotes". Mientras iban de camino, quedaron limpios de la lepra.

Uno de ellos, al ver que estaba curado, regresó, alabando a Dios en voz alta, se postró a los pies de Jesús y le dio las gracias. Ése era un samaritano. Entonces dijo Jesús: "¿No eran diez los que quedaron limpios? ¿Dónde están los otros nueve? ¿No ha habido nadie, fuera de este extranjero, que volviera para dar gloria a Dios?". Después le dijo al samaritano: "Levántate y vete. Tu fe te ha salvado". *Palabra del Señor.*

A. *Gloria a ti, Señor Jesús.*

Se dice Credo

8. Oración sobre las ofrendas. Recibe, Señor, las súplicas de tus fieles junto con estas ofrendas que te presentamos, para que, lo que celebramos con devoción, nos lleve a alcanzar la gloria del cielo. Por Jesucristo, nuestro Señor.

9. Antífona de la comunión. Cuando el Señor se manifieste, seremos semejantes a él, porque lo veremos tal cual es (1 Jn 3, 2).

10. Oración después de la comunión. Dios nuestro, te pedimos que así como nos nutres con el sagrado alimento del Cuerpo y de la Sangre de tu Hijo, nos hagas participar de tu naturaleza divina. Por Jesucristo, nuestro Señor.

EN COMUNIÓN
CON LA TRADICIÓN VIVA DE LA IGLESIA

«*Agradecer los beneficios recibidos. También ahora el Señor Jesús reprende a los que celebran la Pascua del Señor Jesús como los judíos, lo mismo que reprendió a los leprosos que había sanado. En cambio, el Señor alabó la actitud de agradecimiento de uno de ellos, pero no vio bien la actitud de los malagradecidos, ya que no reconocieron al autor del beneficio, porque pensaron más en la curación de su lepra que en la persona que los había curado··· Seguramente el que fue curado de su lepra escuchó del Señor: "Levántate, tu fe te ha salvado". Quien agradece y quien alaba, los dos prueban los mismos sentimientos, por el hecho que bendicen al bienhechor por los beneficios que han recibido. Así también exhortaba el Apóstol a cada uno de ellos a esta actitud cuando decía: "Glorifiquen, por lo tanto, a Dios en su cuerpo" (1 Cor 6, 29); y el profeta ordena y dice: "Den gloria a Dios" (Is 42, 12)*» (**San Atanasio de Alejandría** [c. 296-373]. Carta festal [Pascua del año 334], 6, 3).

29º DOMINGO ORDINARIO
EL AUXILIO ME VIENE DEL SEÑOR

Necesidad de orar siempre. En el texto evangélico de este domingo, san Lucas nos expone uno de sus temas preferidos: la oración. Lo hace con el fin de hacernos revivir por medio de algunos dichos del Señor las enseñanzas dirigidas a sus discípulos.

En cierta ciudad había un juez que no temía a Dios... La oración no constituye un adorno en nuestra vida del cual podemos prescindir. Es una necesidad; lo entendemos a partir del ejemplo de esta viuda insistente que protagoniza el relato evangélico de hoy. El texto lucano describe una situación típica, no sólo en la época de Jesús, también en los tiempos que estamos viviendo. El magistrado personifica el derecho, el respeto de la ley; la viuda, por el contrario –como sucedía muy a menudo en la antigüedad– era el símbolo de los abandonados y marginados, cuyos derechos eran impunemente pisoteados por los demás.

Hazme justicia contra mi adversario. Por esto entendemos más fácilmente cómo la repetida invocación de la viuda al juez inicuo, haya permanecido tanto tiempo desatendida. Pero al final vence la constancia: gracias a su petición insistente obtiene justicia de ese juez, que a pesar de no temer a Dios y no respetar a nadie atiende a la viuda. La enseñanza de Jesús es clara; si *un hombre* así de duro y severo, es más, es definido como «injusto», es capaz de interesarse por las presiones y por las súplicas insistentes de una pobre viuda, ¿cuánto más Dios, que es infinitamente bueno, no escuchará nuestras peticiones? Jesús precisa y subraya que su Padre es Dios de justicia.

Orar sin cansarse. Otro aspecto importante sobre la oración muy subrayado en esta parábola es la *«insistencia»*, aunque ésta cause fatiga. ¡Ay de nosotros si nos «cansamos» de orar! La necesidad de *«orar siempre»* deriva no tanto del mandamiento que hoy da el Señor, sino de la innata necesidad en la cual se encuentra constantemente el cristiano. La viuda del relato se dirige incansablemente al juez hasta lograr que le hagan justicia contra su adversario.

Pero, cuando venga el Hijo del hombre... Evidentemente estas dos enseñanzas no agotan el sentido de la parábola, la cual se delinea en un trasfondo de necesidad permanente para los cristianos de hacer presentes al Señor sus angustias y tristezas, sus sufrimientos y dificultades. Con estas características se encontraban sobre todo los primeros cristianos que, por un lado esperaban el regreso del Señor de un momento a otro, según la más obvia interpretación de ciertas expresiones de Jesús, de las cuales el mismo san Lucas se hace portavoz en el breve discurso escatológico.

Cuando Moisés tenía las manos en alto, dominaba Israel. El libro del Éxodo nos transmite una tradición antigua según la cual la victoria contra los amalecitas fue debido a la «oración» de intercesión solitaria, pero insistente, de Moisés en la montaña **–primera lectura–**. Podemos decir que el párrafo pone en evidencia la fundamental «necesidad» de la oración para actuar el designio de Dios: Josué pudo combatir y vencer, sólo a condición de ser sostenido y apoyado por la oración de Moisés.

Permanece firme en lo que has aprendido. Con estas palabras Pablo exhorta a Timoteo a nutrirse de la fuente de la cual se alimenta la fe y la vida del cristiano: la Sagrada Escritura **–segunda lectura–**. Es de este texto que deriva dignidad, grandeza y significado de la Escritura tanto para la vida personal como para la vida de la Iglesia.

1. Antífona de entrada. Te invoco, Dios mío, porque tú me respondes; inclina tu oído y escucha mis palabras. Cuídame, Señor, como a la niña de tus ojos y cúbreme bajo la sombra de tus alas (Cfr. Sal 16, 6. 8).

Se dice Gloria

2. Oración colecta. Dios todopoderoso y eterno, haz que nuestra voluntad sea siempre dócil a la tuya y que te sirvamos con un corazón sincero. Por nuestro Señor Jesucristo…

3. 1ª Lectura   (Éx 17, 8-13)
Del libro del Éxodo
Cuando el pueblo de Israel caminaba a través del desierto, llegaron los amalecitas y lo atacaron en Refidim. Moisés dijo entonces a Josué: "Elige algunos hombres y sal a combatir a los amalecitas. Mañana, yo me colocaré en lo alto del monte con la vara de Dios en mi mano".

Josué cumplió las órdenes de Moisés y salió a pelear contra los amalecitas. Moisés, Aarón y Jur subieron a la cumbre del monte, y sucedió que, cuando Moisés tenía las manos en alto, dominaba Israel, pero cuando las bajaba, Amalec dominaba.

Como Moisés se cansó, Aarón y Jur lo hicieron sentar sobre una piedra, y colocándose a su lado, le sostenían los brazos. Así, Moisés pudo mantener en alto las manos hasta la puesta del sol. Josué derrotó a los amalecitas y acabó con ellos.
Palabra de Dios.
A. *Te alabamos, Señor.*

4. Salmo responsorial   (Sal 120)
R. **El auxilio me viene del Señor.**
L. La mirada dirijo hacia la altura de donde ha de venirme todo auxilio. El auxilio me viene del Señor, que hizo el cielo y la tierra. / R.

L. No dejará que des un paso en falso, pues es tu guardián y nunca duerme. No, jamás se dormirá o descuidará el guardián de Israel. / R.

[R. El auxilio me viene del Señor.]

L. El Señor te protege y te da sombra, está siempre a tu lado. No te hará daño el sol durante el día ni la luna, de noche. / R.

L. Te guardará el Señor en los peligros y cuidará tu vida; protegerá tus ires y venires, ahora y para siempre. / R.

5. 2ª Lectura   (2 Tim 3, 14-4, 2)
De la segunda carta del apóstol san Pablo a Timoteo
Querido hermano: Permanece firme en lo que has aprendido y se te ha confiado, pues bien sabes de quiénes lo aprendiste y desde tu infancia estás familiarizado con la Sagrada Escritura, la cual puede darte la sabiduría que, por la fe en Cristo Jesús, conduce a la salvación.

Toda la Sagrada Escritura está inspirada por Dios y es útil para enseñar, para reprender, para corregir y para educar en la virtud, a fin de que el hombre de Dios sea perfecto y esté enteramente preparado para toda obra buena.

En presencia de Dios y de Cristo Jesús, que ha de venir a juzgar a los vivos y a los muertos, te pido encarecidamente, por su advenimiento y por su Reino, que anuncies la palabra; insiste a tiempo y a destiempo; convence, reprende y exhorta con toda paciencia y sabiduría.

Palabra de Dios.
A. *Te alabamos, Señor.*

6. Aclamación antes del Evangelio   (Heb 4, 12).
R. **Aleluya, aleluya.** La palabra de Dios es viva y eficaz y descubre los pensamientos e intenciones del corazón.
R. **Aleluya, aleluya.**

7. Evangelio   (Lc 18, 1-8)
Del santo Evangelio según san Lucas
A. *Gloria a ti, Señor.*
En aquel tiempo, para enseñar a sus discípulos la necesidad de orar siempre y sin desfallecer, Jesús les propuso esta parábola:

"En cierta ciudad había un juez que no temía a Dios ni respetaba a los hombres. Vivía en aquella misma ciudad una viuda que acudía a él con frecuencia para decirle: 'Hazme justicia contra mi adversario'.

Por mucho tiempo, el juez no le hizo caso, pero después se dijo: 'Aunque no temo a Dios ni respeto a los hombres, sin embargo, por la insistencia de esta viuda, voy a hacerle justicia para que no me siga molestando'".

Dicho esto, Jesús comentó: "Si así pensaba el juez injusto, ¿creen acaso que Dios no hará justicia a sus elegidos, que claman a él día y noche, y que los hará esperar? Yo les digo que les hará justicia sin tardar. Pero, cuando venga el Hijo del hombre, ¿creen que encontrará fe sobre la tierra?".

Palabra del Señor.

A. *Gloria a ti, Señor Jesús.*

Se dice Credo

8. Oración sobre las ofrendas. Concédenos, Señor, el don de poderte servir con libertad de espíritu, para que, por la acción purificadora de tu gracia, los mismos misterios que celebramos nos limpien de toda culpa. Por Jesucristo, nuestro Señor.

9. Antífona de la comunión. El Hijo del hombre ha venido a dar su vida como rescate por la humanidad, dice el Señor (Mc 10, 45).

10. Oración después de la comunión. Te rogarnos, Señor, que la frecuente recepción de estos dones celestiales, produzca fruto en nosotros y nos ayude a aprovechar los bienes temporales y alcanzar con sabiduría los eternos. Por Jesucristo, nuestro Señor.

EN COMUNIÓN
CON LA TRADICIÓN VIVA DE LA IGLESIA

«En la actualidad, carísimos hermanos, y al margen de las horas antiguamente observadas, han aumentado los espacios de oración al ritmo de los sacramentos. De hecho, hemos de orar también por la mañana, para celebrar con la oración matutina la resurrección del Señor. Y es necesario orar además a la puesta del sol y al caer el día. En efecto, como Cristo es el verdadero sol y el verdadero día, cuando a la puesta del sol y al caer del día natural oramos pidiendo que salga sobre nosotros nuevamente la luz, en realidad imploramos la venida del Señor portador de la gracia de la eterna luz. En los salmos, el Espíritu Santo llama a Cristo «día». Ahora bien, si en las Escrituras santas Cristo es el sol verdadero, no queda hora alguna en que los cristianos no deban adorar a Dios frecuentemente y siempre, de modo que los que estamos en Cristo, esto es, en el sol y en el día verdaderos, debemos perseverar todo el día en la oración. Y cuando según la alternativa rotación de los astros, la noche sucede al día, ningún daño puede sobrevenir a los orantes de las tinieblas nocturnas, porque para los hijos de la luz, las noches se convierten en días. ¿Cuándo, en efecto, está sin luz quien lleva la luz en el corazón? O ¿Cuándo no hay sol y día para quien Cristo es sol y día?» (**San Cipriano de Cartago** [c. 200–258]. Tratado sobre el Padrenuestro, 34-35).

30º DOMINGO ORDINARIO – O BIEN: DOMINGO MUNDIAL DE LAS MISIONES

EL SEÑOR NO ESTÁ LEJOS DE SUS FIELES

Jesús dijo esta parábola sobre algunos que se tenían por justos. El evangelista nos dice a quién va dirigida la parábola. El lector es invitado a ver en el comportamiento del publicano un ejemplo a seguir y en la actitud del fariseo un ejemplo a no imitar. El tema de la oración –que en el relato se desarrolla en el Templo– hace de puente de unión con la parábola precedente. Los dos personajes son completamente contrapuestos.

Dios mío, te doy gracias porque no soy como los demás. El fariseo dirige a Dios su agradecimiento en que presenta un elenco de las propias virtudes: los pecados que no comete, después dos prescripciones que observa, cumpliendo más de lo que ordena la ley. Este justo conoce su superioridad y desprecia a los otros hombres; además, no hace ninguna petición al Altísimo. Consciente de su situación de pecador, el publicano ni siquiera se atreve a levantar sus ojos al cielo y su oración es una invocación de ayuda: él se reconoce pecador e invoca la misericordia de Dios.

Lo único que hacía era golpearse el pecho. La figura del fariseo se vuelve más incómoda si se pone en contraposición con la del publicano, que no sabe ni siquiera asumir la actitud del hebreo orante: estar de pie y levantar los brazos al cielo. «*Dios mío, apiádate de mí, que* *soy un pecador»*: esta sencilla confesión de culpa, que se inspira seguramente en el inicio del Salmo 50 (*Miserere*). Es cuanto Jesús afirma solemnemente, concluyendo: *«Yo les aseguro que éste bajó a su casa justificado y aquél no»*. En la actitud del publicano Dios manifiesta la expresión máxima del amor y del perdón.

El juicio de Dios. Jesús, hablando con autoridad, saca una enseñanza de esta situación, pero desde el punto de vista de Dios. Dios ha reconocido justo a uno de ellos, ha escuchado su oración y lo ha perdonado; pero no al otro, que no había pedido nada. Las situaciones son completamente invertidas; uno subió al Templo como un pecador público, uno de los dos regresa a casa *«justificado»*, reconocido justo en su interior por Dios, mientras el que había subido justo regresa a casa sin darse cuenta que su rectitud no ha sido reconocida por el Altísimo.

Todo el significado de la parábola se resume en la frase final del texto, que constituye la sentencia directa de Jesús sobre las acciones opuestas de estos *«dos hombres»*. Para motivar el juicio que pronuncia, Jesús recurre a esta sentencia: **Todo el que se enaltece será humillado y el que se humilla será enaltecido**. Dios humillará a quien se enaltece y enaltecerá a quien se humilla. Estas palabras de Jesús tienen un sabor netamente cristológico y encuentran la plenitud de significado en toda su existencia.

El Señor no se deja impresionar por apariencias. El autor del Sirácide (II siglo a.C.) invita a los lectores a no dejarse engañar por un cierto ritualismo litúrgico, como si lo importante fuera ofrecer a Dios sacrificios suntuosos, adquiridos tal vez con injusticias y opresiones cometidas, y que estos ritos los haga justos delante de Él –**primera lectura**–. ¡Todo lo contrario! Él se inclina de preferencia sobre la oración del pobre, de la viuda y del oprimido.

La **Segunda carta a Timoteo**, tal vez es el último escrito de Pablo y por ello constituye como su «testamento espiritual» –**segunda lectura**–. Hoy nos dice cuál debe ser la actitud del cristiano que se siente salvado por Dios y al mismo tiempo empeñado a "colaborar" en su salvación.

1. Antífona de entrada. Alégrese el corazón de los que buscan al Señor. Busquen al Señor y serán fuertes; busquen su rostro sin descanso (Cfr. Sal 104, 3-4).

Se dice Gloria

2. Oración colecta. Dios todopoderoso y eterno, aumenta en nosotros la fe, la esperanza y la caridad, y para que merezcamos alcanzar lo que nos prometes, concédenos amar lo que nos mandas. Por nuestro Señor Jesucristo...

3. 1ª Lectura   (Sir 35, 15-17. 20-22)
Del libro del Sirácide (Eclesiástico)
El Señor es un juez que no se deja impresionar por apariencias. No menosprecia a nadie por ser pobre y escucha las súplicas del oprimido. No desoye los gritos angustiosos del huérfano ni las quejas insistentes de la viuda.

Quien sirve a Dios con todo su corazón es oído y su plegaria llega hasta el cielo. La oración del humilde atraviesa las nubes, y mientras él no obtiene lo que pide, permanece sin descanso y no desiste, hasta que el Altísimo lo atiende y el justo juez le hace justicia. *Palabra de Dios.*

A. *Te alabamos, Señor.*

4. Salmo responsorial   (Sal 33)
R. El Señor no está lejos de sus fieles.
L. Bendeciré al Señor a todas horas, no cesará mi boca de alabarlo. Yo me siento orgulloso del Señor, que se alegre su pueblo al escucharlo. / **R.**

L. En contra del malvado está el Señor, para borrar de la tierra su recuerdo. Escucha, en cambio, al hombre justo y lo libra de todas sus congojas. / **R.**

L. El Señor no está lejos de sus fieles y levanta a las almas abatidas. Salva el Señor la vida de sus siervos. No morirán quienes en él esperan. / **R.**

5. 2ª Lectura   (2 Tim 4, 6-8. 16-18)
De la segunda carta del apóstol san Pablo a Timoteo
Querido hermano: Para mí ha llegado la hora del sacrificio y se acerca el momento de mi partida. He luchado bien en el combate, he corrido hasta la meta, he perseverado en la fe. Ahora sólo espero la corona merecida, con la que el Señor, justo juez, me premiará en aquel día, y no solamente a mí, sino a todos aquellos que esperan con amor su glorioso advenimiento.

La primera vez que me defendí ante el tribunal, nadie me ayudó. Todos me abandonaron. Que no se les tome en cuenta. Pero el Señor estuvo a mi lado y me dio fuerzas para que, por mi medio, se proclamara claramente el mensaje de salvación y lo oyeran todos los paganos. Y fui librado de las fauces del león. El Señor me seguirá librando de todos los peligros y me llevará salvo a su Reino celestial. A él la gloria por los siglos de los siglos. Amén.

Palabra de Dios.

A. Te alabamos, Señor.

O bien, cuando se celebra el Domingo Mundial de las Misiones:

2ª Lectura   (Rom 10, 9-18)

De la carta del apóstol san Pablo a los romanos

Hermanos: Basta que cada uno declare con su boca que Jesús es el Señor y que crea en su corazón que Dios lo resucitó de entre los muertos, para que pueda salvarse.

En efecto, hay que creer con el corazón para alcanzar la santidad y declarar con la boca para alcanzar la salvación. Por eso dice la Escritura: *Ninguno que crea en él quedará defraudado*, porque no existe diferencia entre judío y no judío, ya que uno mismo es el Señor de todos, espléndido con todos los que lo invocan, pues *todo el que invoque al Señor como a su Dios, será salvado por él.*

Ahora bien, ¿cómo van a invocar al Señor, si no creen en él? ¿Y cómo van a creer en él, si no han oído hablar de él? ¿Y cómo van a oír hablar de él, si no hay nadie que se lo anuncie? ¿Y cómo va a haber quienes lo anuncien, si no son enviados? Por eso dice la Escritura: *¡Qué hermoso es ver correr sobre los montes al mensajero que trae buenas noticias!*

Sin embargo, no todos han creído en el Evangelio. Ya lo dijo Isaías: *Señor, ¿quién ha creído en nuestra predicación?* Por lo tanto, la fe viene de la predicación y la predicación consiste en anunciar la palabra de Cristo.

Entonces, yo pregunto: ¿Acaso no habrán oído la predicación? ¡Claro que la han oído!, pues la Escritura dice: *La voz de*

los mensajeros ha resonado en todo el mundo y sus palabras han llegado hasta el último rincón de la tierra.
Palabra de Dios.
A. **Te alabamos, Señor.**

6. Aclamación antes del Evangelio   (2 Cor 5, 19)
R. **Aleluya, aleluya.** Dios reconcilió al mundo consigo, por medio de Cristo, y a nosotros nos confió el mensaje de la reconciliación.
R. **Aleluya, aleluya.**

7. Evangelio   (Lc 18, 9-14)
Del santo Evangelio según san Lucas
A. *Gloria a ti, Señor.*

En aquel tiempo, Jesús dijo esta parábola sobre algunos que se tenían por justos y despreciaban a los demás:

"Dos hombres subieron al templo para orar: uno era fariseo y el otro, publicano. El fariseo, erguido, oraba así en su interior: 'Dios mío, te doy gracias porque no soy como los demás hombres: ladrones, injustos y adúlteros; tampoco soy como ese publicano. Ayuno dos veces por semana y pago el diezmo de todas mis ganancias'.

El publicano, en cambio, se quedó lejos y no se atrevía a levantar los ojos al cielo. Lo único que hacía era golpearse el pecho, diciendo: 'Dios mío, apiádate de mí, que soy un pecador'.

Pues bien, yo les aseguro que éste bajó a su casa justificado y aquél no; porque todo el que se enaltece será humillado y el que se humilla será enaltecido".
Palabra del Señor.
A. ***Gloria a ti, Señor Jesús.***

Se dice Credo

8. Oración sobre las ofrendas. Mira, Señor, los dones que presentamos a tu majestad, para que lo que hacemos en tu servicio esté siempre ordenado a tu mayor gloria. Por Jesucristo, nuestro Señor.

9. Antífona de la comunión. Cristo nos amó y se entregó a sí mismo por nosotros, como ofrenda agradable a Dios (Ef 5, 2).

10. Oración después de la comunión. Que tus sacramentos, Señor, produzcan en nosotros todo lo que significan, para que lo que ahora celebramos en figura lo alcancemos en su plena realidad. Por Jesucristo, nuestro Señor.

EN COMUNIÓN
CON LA TRADICIÓN VIVA DE LA IGLESIA

«Porque, ¿hay cosa peor que un publicano? Buscaba sacar provecho de las desgracias del prójimo, aprovechándose de los sudores ajenos; y sin el menor respeto a las penalidades de los demás, sólo estaba atento a redondear sus ganancias. Enorme era, en consecuencia, el pecado del publicano. Ahora bien, si el publicano, con todo y ser un pecador, al dar muestras de humildad, se granjeó un don tan grande, ¿cuánto mayor no lo conseguirá el que está adornado de virtudes y se comporta con humildad? Por lo tanto, si confiesas tus pecados y eres humilde, quedas justificado. ¿Quieres saber quién es verdaderamente humilde? Fíjate en Pablo, que era verdaderamente humilde: él el maestro universal, predicador espiritual, instrumento elegido, puerto tranquilo que, no obstante su físico modesto, recorrió el mundo entero como si tuviera alas en los pies. Mira con qué humildad y modestia se define a sí mismo como inexperto y amante de la sabiduría, como indigente y rico. Humilde era cuando decía: Yo soy el menor de los apóstoles y no soy digno de llamarme apóstol. Esto es ser verdaderamente humilde: rebajarse en todo y declararse el menor de todos. Piensa en quién era el que pronunciaba estas palabras: Pablo, ciudadano del cielo, aunque todavía revestido del cuerpo, columna de las Iglesias, hombre celeste. Es tal, en efecto, la potencia de la virtud, que transforma al hombre en ángel y hace que el alma, cual si estuviera dotada de alas, se eleve al cielo» (**San Juan Crisóstomo** [c.350-407]. Homilía 2 sobre la penitencia, 4-5).

SEGUNDA CARTA
A LOS TESALONICENSES

Este segundo escrito dirigido a los cristianos de la ciudad de Tesalónica, situada en la región de Macedonia, debido a variaciones de estilo y de pensamiento respecto a temas tratados en la primera Carta dirigida a ellos, ha hecho pensar que no es de Pablo sino de un discípulo suyo. Ciertamente la situación eclesial ahí presentada es diferente a la registrada en la precedente. Aunque si al final de la carta se insiste sobre la autenticidad paulina del escrito: "El saludo va de mi mano, Pablo. Ésta es la firma en todas mis cartas; así escribo" (3, 17). La fecha de su composición también es incierta, algunos piensan en el año 51, otros la acomodan después de la muerte de Pablo. La carta contiene tres capítulos.

El "día del Señor". Es uno de los temas principales. Es el día que indica la venida definitiva del Señor. Él vino históricamente en el tiempo que va de los años 6-37 d.C., y vendrá nuevamente en la gloria a concluir el tiempo y la historia universal. Las primeras comunidades cristianas se disponían a esta espera sobre todo con la celebración eucarística, que aparecía en su dimensión de sacrificio, de memorial, de la venida gloriosa del Señor y como encuentro del creyente con él. Pero existían diversas formas, vinculadas a su originaria tradición cultural, para representarse esta segunda venida del Señor glorioso. Los temas tratados en esta carta son: en el capítulo 2 se afirma que el día del Señor no es inminente, antes tienen que verificarse una serie de acontecimientos que tienen origen en el mal y que pondrán a prueba a los creyentes, para ver si se mantienen firmes en la fe o la traicionarán. Después de esta catequesis, la Carta contiene, en el capítulo 3, algunas indicaciones prácticas para orientar a los tesalonicenses a las responsabilidades diarias, a la fidelidad al trabajo, a la familia, a huir del ocio y de todo lo que impide al cristiano ser ejemplo en su condición de bautizado. Es por ello que la carta mantiene grande actualidad para un discernimiento acerca del fin del tiempo y del mundo y no dejarnos llevar por interpretaciones distorsionadas hechas por algunas sectas cristianas, sobre este tema. Tiene actualidad para nosotros cristianos de hoy, llamados a preparar la venida del Señor y de acogerlo prontos y vigilantes.

31º DOMINGO ORDINARIO

BENDECIRÉ AL SEÑOR ETERNAMENTE

Jesús entró en Jericó. San Lucas indica con precisión el ambiente geográfico y social donde se desarrolla y continúa la revelación de la misericordia de Dios expresada a través de su Hijo. Toda la escena está ambientada en Jericó, una de las ciudades más antiguas del mundo. Jesús entra en esta ciudad, pero no va de "turista". Lo hace como revelador de la misericordia de Dios y como Salvador. Ahí encontrará a un hombre llamado Zaqueo, persona no común, pues era rico y jefe de publicanos.

Zaqueo trataba de conocer a Jesús. La escena se desarrolla cuando Jesús atravesaba esta ciudad. En esta ocasión no se trata de un anónimo; la persona se caracteriza, ante todo, por dos aspectos de su posición social que hacen titubear al lector sobre cuál será la conclusión del episodio. El primero, Zaqueo pertenece a la categoría de los pecadores públicos y de los publicanos (es nada menos que el *«¡jefe de publicanos!»*), un grupo que Jesús frecuentaba y con los cuales compartía los alimentos; esta persona es uno de esos hombres que Lucas presenta como prototipo del pecador arrepentido. La otra característica: Zaqueo es rico. El primer obstáculo que encuentra Zaqueo es: *«la gente se lo impedía»*. El jefe de los publicanos, como un niño, corre a subirse a un sicómoro: sabe tomar a tiempo las medidas necesarias, aunque si éstas no están a la altura de su posición y dignidad social. Es Jesús quien toma la iniciativa, *«Levantó los ojos y le dijo...»*. Sigue otra: el Maestro se autoinvita a casa de Zaqueo.

Hoy tengo que hospedarme en tu casa. Que Jesús coma y pase la noche en casa del jefe de publicanos entra en el plan de salvación de Dios. El *«Hoy»* de esta visita –subrayado por la repetición de las dos referencias temporales: *«Bájate pronto»*– deja entrever otro *«Hoy»*, seguramente se refiere al *Hoy* de la salvación. ¡Se dan todos los elementos para provocar la alegría de Zaqueo! Pero, llega el momento en que se presenta otro obstáculo. El hecho que Jesús haya *«entrado a hospedarse a casa de un pecador»* provoca una reacción: todos murmuraban contra el comportamiento de Jesús, renovando así la actitud de los fariseos y de los escribas frente a dos idénticas situaciones descritas anteriormente (Lc 5, 30; 15, 2).

Mira, Señor, voy a dar a los pobres... Por segunda vez Zaqueo adopta, con decisión y sin dudarlo, las medidas necesarias. Éstas se refieren a su relación con las riquezas, lo hace en dos niveles. Primero, se dirige a Jesús llamándolo *«Señor»*, es decir, lo reconoce como tal. Segundo, decide *«dar a los pobres la mitad de mis bienes»*. No sigue el consejo de dar todo, pero se esforzará rigurosamente a compartir, como pedía el Bautista (Lc 3, 11-12); en efecto, él debe también restituir el cuádruplo, sobre la otra parte que le queda, a todos aquellos que ha dañado.

Jesús vino a salvar lo que estaba perdido. Zaqueo parecía ser un marginado de la salvación, detrás de la barrera de la gente que estaba "en primera fila". Sólo en las alturas, guardando el equilibrio entre las ramas del árbol; lo que ha decidido hacer de sus bienes demuestra que pertenece verdaderamente al pueblo de Dios. Jesús con esta acción nos demuestra cuál es la misión que vino a cumplir en esta tierra por voluntad del Padre. Ciertamente, Jesús utiliza palabras semejantes a las que había dicho anteriormente: *«No he venido a llamar a la conversión a los justos, sino a pecadores»* (Lc 5, 32).

1. **Antífona de entrada.** No me abandones, Señor, Dios mío, no te alejes de mí. Ven de prisa a socorrerme, Señor mío, mi salvador (Cfr. Sal 37, 22-23).

Se dice Gloria

2. Oración colecta. Dios omnipotente y misericordioso, a cuya gracia se debe el que tus fieles puedan servirte digna y laudablemente, concédenos caminar sin tropiezos hacia los bienes que nos tienes prometidos. Por nuestro Señor Jesucristo…

3. 1ª Lectura   (Sab 11, 22-12, 2)
Del libro de la Sabiduría

Señor, delante de ti, el mundo entero es como un grano de arena en la balanza, como gota de rocío mañanero, que cae sobre la tierra.

Te compadeces de todos, y aunque puedes destruirlo todo, aparentas no ver los pecados de los hombres, para darles ocasión de arrepentirse. Porque tú amas todo cuanto existe y no aborreces nada de lo que has hecho; pues si hubieras aborrecido alguna cosa, no la habrías creado.

¿Y cómo podrían seguir existiendo las cosas, si tú no lo quisieras? ¿Cómo habría podido conservarse algo hasta ahora, si tú no lo hubieras llamado a la existencia?

Tú perdonas a todos, porque todos son tuyos, Señor, que amas la vida, porque tu espíritu inmortal, está en todos los seres.

Por eso a los que caen, los vas corrigiendo poco a poco, los reprendes y les traes a la memoria sus pecados, para que se arrepientan de sus maldades y crean en ti, Señor.

Palabra de Dios.

A. *Te alabamos, Señor.*

4. Salmo responsorial   (Sal 144)

R. Bendeciré al Señor eternamente.

L. Dios y rey mío, yo te alabaré, bendeciré tu nombre siempre y para siempre. Un día tras otro bendeciré tu nombre y no cesará mi boca de alabarte. / **R.**

L. El Señor es compasivo y misericordioso, lento para enojarse y generoso para perdonar. Bueno es el Señor para con todos y su amor se extiende a todas sus creaturas. / **R.**

[R. **Bendeciré al Señor eternamente.**]

L. Que te alaben, Señor, todas tus obras y que todos tus fieles te bendigan. Que proclamen la gloria de tu reino y narren tus proezas a los hombres. / R.

L. El Señor es siempre fiel a sus palabras y lleno de bondad en sus acciones. Da su apoyo el Señor al que tropieza y al agobiado alivia. / R.

5. 2ª Lectura   (2 Tes 1, 11-2, 2)

De la segunda carta del apóstol san Pablo a los tesalonicenses
Hermanos: Oramos siempre por ustedes, para que Dios los haga dignos de la vocación a la que los ha llamado, y con su poder, lleve a efecto tanto los buenos propósitos que ustedes han formado, como lo que ya han emprendido por la fe. Así glorificarán a nuestro Señor Jesús y él los glorificará a ustedes, en la medida en que actúe en ustedes la gracia de nuestro Dios y de Jesucristo, el Señor.

Por lo que toca a la venida de nuestro Señor Jesucristo y a nuestro encuentro con él, les rogamos que no se dejen perturbar tan fácilmente. No se alarmen ni por supuestas revelaciones, ni por palabras o cartas atribuidas a nosotros, que los induzcan a pensar que el día del Señor es inminente.

Palabra de Dios.

A. *Te alabamos, Señor.*

6. Aclamación antes del Evangelio   (Jn 3, 16)

R. **Aleluya, aleluya.** Tanto amó Dios al mundo, que le entregó a su Hijo único, para que todo el que crea en él, tenga vida eterna.

R. **Aleluya, aleluya.**

7. Evangelio   (Lc 19, 1-10)

Del santo Evangelio según san Lucas

A. *Gloria a ti, Señor.*

En aquel tiempo, Jesús entró en Jericó, y al ir atravesando la ciudad, sucedió que un hombre llamado Zaqueo, jefe de publicanos y rico, trataba de conocer a Jesús; pero la gente se lo impedía, porque Zaqueo era de baja estatura. Entonces corrió y se subió a un árbol para verlo cuando pasara por ahí. Al llegar a ese lugar, Jesús levantó los ojos y le dijo: "Zaqueo, bájate pronto, porque hoy tengo que hospedarme en tu casa".

Él bajó enseguida y lo recibió muy contento. Al ver esto, comenzaron todos a murmurar diciendo: "Ha entrado a hospedarse en casa de un pecador".

Zaqueo, poniéndose de pie, dijo a Jesús: "Mira, Señor, voy a dar a los pobres la mitad de mis bienes, y si he defraudado a alguien, le restituiré cuatro veces más". Jesús le dijo: "Hoy ha llegado la salvación a esta casa, porque también él es hijo de Abraham, y el Hijo del hombre ha venido a buscar y a salvar lo que se había perdido".

Palabra del Señor.
A. *Gloria a ti, Señor Jesús.*

Se dice Credo

8. Oración sobre las ofrendas. Señor, que este sacrificio sea para ti una ofrenda pura, y nos obtenga la plenitud de tu misericordia. Por Jesucristo, nuestro Señor.

9. Antífona de la comunión. Como el Padre, que me ha enviado, posee la vida y yo vivo por él, dice el Señor, así también el que me come vivirá por mí (Jn 6, 57).

10. Oración después de la comunión. Te rogamos, Señor, que aumente en nosotros la acción de tu poder y que, alimentados con estos sacramentos celestiales, tu favor nos disponga para alcanzar las promesas que contienen. Por Jesucristo, nuestro Señor.

EN COMUNIÓN
CON LA TRADICIÓN VIVA DE LA IGLESIA

«*Después de tantos y tan grandes delitos de la humana temeridad, iniciados en Adán, el cabeza de serie del género humano; después de la condena del hombre y del mundo, su lote; después de ser expulsado del paraíso y sometido a la muerte, habiendo Dios llevado nuevamente a sazón su misericordia, consagró en sí mismo la penitencia: rasgada la sentencia de la antigua condena, determinó perdonar a su obra y su imagen. Más aún: se escogió un pueblo y lo colmó de innumerables muestras de su bondad; y habiendo comprobado repetidas veces su obstinada ingratitud, no cesó de exhortarlo a penitencia mediante la predicación de todos los profetas. Por último, habiendo prometido la gracia con la que, al final de los tiempos, habría de iluminar el*

mundo entero por medio de su Espíritu, dispuso que esta gracia fuera precedida por el bautismo de penitencia, para de este modo disponer previamente mediante la confirmación de la penitencia, a los que gratuitamente pensaba llamar a tomar posesión de la promesa destinada a la estirpe de Abrahán. Juan no se cansa de repetir: Convertíos. Y es que se acercaba la salvación de las naciones, es decir, se acercaba el Señor trayendo la salvación, de acuerdo con la promesa de Dios. El cual le había asignado como colaboradora la penitencia, con la misión de purificar las almas, de modo que todo lo que el antiguo error había manchado, todo lo que la ignorancia había contaminado en el corazón del hombre, todo esto fuera barrido, erradicado y arrojado fuera por la penitencia, disponiendo así en el corazón humano una morada limpia para el Espíritu Santo que estaba para llegar, en la que él se instale a gusto con todo el séquito de sus dones celestiales*» (**Tertuliano** [muerto hacia el 220].Tratado sobre la penitencia 2, 3-7; 4,1-3).

MARTES: TODOS LOS SANTOS (S)
EL CAMINO A LA FELICIDAD O SANTIDAD

Nuestro pueblo ha unido la fiesta de Todos los Santos a la fiesta de los fieles difuntos. Aunque unos y otros han dejado esta tierra, de los santos tenemos la certeza de que ya están en la gloria de Dios; en cambio, muchos otros difuntos, necesitan de nuestras oraciones y sufragios para terminar de purificarse y llegar al cielo. Ambos grupos están vivos ante Dios, e interceden por nosotros.

En nuestro peregrinar terreno, el camino hacia la vida eterna nos lo presenta el evangelio con las ocho bienaventuranzas. Las más importantes son la primera y la última, que prácticamente se identifican: "Dichosos los pobres de espíritu, porque de ellos es el reino de los cielos… Dichosos los perseguidos por causa de la justicia, porque de ellos es el reino de los cielos", y están dichas en tiempo presente, no en futuro como las demás; ya desde ahora, a los pobres y perseguidos por causa de la justicia les pertenece el reino de los cielos. Cuando Jesús pronunció estas bienaventuranzas, se dirigía al pueblo pobre, al que veía sufrir oprimido por muy pesados impuestos, con hambre material, pero también con hambre y sed de justicia; estas gentes, dentro de su pobreza, eran capaces de compartir y de comenzar a construir una nueva sociedad más solidaria y fraterna. En cambio, las clases superiores los explotaban y los perseguían por tratar de cambiar la sociedad injusta; por eso persiguieron y condenaron a Jesús. La capacidad de compartir, unida a la lucha por la justicia, acarrea persecuciones, pero es el camino a la santidad y a la vida eterna.

La solemnidad de hoy: *Esta solemnidad nos representa visualmente a toda la multitud de los redimidos, para descubrirnos el destino que nos espera también a nosotros, peregrinos. Es, además, un motivo para hacernos conscientes de nuestra solidaridad con todos aquellos que nos han precedido en el mundo del espíritu. Todos ellos, que viven frente a Dios, son nuestros intercesores, que dan impulso a nuestra vida.*

1. Antífona de entrada. Alegrémonos en el Señor y alabemos al Hijo de Dios, junto con los ángeles, al celebrar hoy esta solemnidad de Todos los Santos.

Se dice Gloria

2. Oración colecta. Dios todopoderoso y eterno, que nos concedes venerar los méritos de todos tus santos en una sola fiesta, te rogamos, por las súplicas de tan numerosos intercesores, que en tu generosidad nos concedas la deseada abundancia de tu gracia. Por nuestro Señor Jesucristo...

3. 1ª Lectura   (Apoc 7, 2-4. 9-14)
Del libro del Apocalipsis del apóstol san Juan
Yo, Juan, vi a un ángel que venía del oriente. Traía consigo el sello del Dios vivo y gritaba con voz poderosa a los cuatro ángeles encargados de hacer daño a la tierra y al mar. Les dijo: "¡No hagan daño a la tierra, ni al mar, ni a los árboles, hasta que terminemos de marcar con el sello la frente de los servidores de nuestro Dios!". Y pude oír el número de los que habían sido marcados: eran ciento cuarenta y cuatro mil, procedentes de todas las tribus de Israel.

Vi luego una muchedumbre tan grande, que nadie podía contarla. Eran individuos de todas las naciones y razas, de todos los pueblos y lenguas. Todos estaban de pie, delante del trono y del Cordero; iban vestidos con una túnica blanca; llevaban palmas en las manos y exclamaban con voz poderosa: "La salvación viene de nuestro Dios, que está sentado en el trono, y del Cordero".

Y todos los ángeles que estaban alrededor del trono, de los ancianos y de los cuatro seres vivientes, cayeron rostro en tierra delante del trono y adoraron a Dios, diciendo: "Amén. La alabanza, la gloria, la sabiduría, la acción de gracias, el honor, el poder y la fuerza, se le deben para siempre a nuestro Dios".

Entonces uno de los ancianos me preguntó: "¿Quiénes son y de dónde han venido los que llevan la túnica blanca?". Yo le respondí: "Señor mío, tú eres quien lo sabe". Entonces él me dijo: "Son los que han pasado por la gran tribulación y han lavado y blanqueado su túnica con la sangre del Cordero".

Palabra de Dios.

A. Te alabamos, Señor.

4. Salmo responsorial   (Sal 23)

R. Ésta es la clase de hombres que te buscan, Señor.

L. Del Señor es la tierra y lo que ella tiene, el orbe todo y los que en él habitan, pues él lo edificó sobre los mares, él fue quien lo asentó sobre los ríos. / R.

L. ¿Quién subirá hasta el monte del Señor? ¿Quién podrá entrar en su recinto santo? El de corazón limpio y manos puras y que no jura en falso. / R.

L. Ése obtendrá la bendición de Dios, y Dios, su salvador, le hará justicia. Ésta es la clase de hombres que te buscan y vienen ante ti, Dios de Jacob. / R.

5. 2ª Lectura   (1 Jn 3, 1-3)

De la primera carta del apóstol san Juan

Queridos hijos: Miren cuánto amor nos ha tenido el Padre, pues no sólo nos llamamos hijos de Dios, sino que lo somos. Si el mundo no nos reconoce, es porque tampoco lo ha reconocido a él.

Hermanos míos, ahora somos hijos de Dios, pero aún no se ha manifestado cómo seremos al fin. Y ya sabemos que, cuando él se manifieste, vamos a ser semejantes a él, porque lo veremos tal cual es.

Todo el que tenga puesta en Dios esta esperanza, se purifica a sí mismo para ser tan puro como él. *Palabra de Dios.*

A. **Te alabamos, Señor.**

6. Aclamación antes del Evangelio   (Mt 11, 28)

R. **Aleluya, aleluya.** Vengan a mí, todos los que están fatigados y agobiados por la carga, y yo les daré alivio, dice el Señor.

R. **Aleluya, aleluya.**

 7. Evangelio   (Mt 5, 1-12)
Del santo Evangelio según san Mateo
A. *Gloria a ti, Señor.*

En aquel tiempo, cuando Jesús vio a la muchedumbre, subió al monte y se sentó. Entonces se le acercaron sus discípulos. Enseguida comenzó a enseñarles, y les dijo:

"Dichosos los pobres de espíritu, porque de ellos es el Reino de los cielos. Dichosos los que lloran, porque serán consolados. Dichosos los sufridos, porque heredarán la tierra. Dichosos los que tienen hambre y sed de justicia, porque serán saciados. Dichosos los misericordiosos, porque obtendrán misericordia. Dichosos los limpios de corazón, porque verán a Dios. Dichosos los que trabajan por la paz, porque se les llamará hijos de Dios. Dichosos los perseguidos por causa de la justicia, porque de ellos es el Reino de los cielos.

Dichosos serán ustedes cuando los injurien, los persigan y digan cosas falsas de ustedes por causa mía. Alégrense y salten de contento, porque su premio será grande en los cielos".

Palabra del Señor.

A. *Gloria a ti, Señor Jesús.*

Se dice Credo

8. Oración sobre las ofrendas. Que te sean gratos, Señor, los dones que ofrecemos en honor de todos los santos, y concédenos experimentar la ayuda para obtener nuestra salvación, de aquellos que ya alcanzaron con certeza la felicidad eterna. Por Jesucristo, nuestro Señor.

PREFACIO: *La gloria de nuestra madre, la Jerusalén celeste*

En verdad es justo y necesario, es nuestro deber y salvación darte gracias siempre y en todo lugar, Señor, Padre santo, Dios todopoderoso y eterno. Porque hoy nos concedes celebrar a tu familia, que es nuestra madre, la Jerusalén del cielo, en donde nuestros hermanos ya glorificados te alaban eternamente. Hacia ella, peregrinos, caminando por la fe, nos apresuramos ardorosos, regocijándonos por los más ilustres miembros de la Iglesia, en cuya gloria nos das al mismo tiempo ejemplo y ayuda para nuestra fragilidad. Por eso, unidos a ellos y a todos los ángeles, a una voz te alabamos y glorificamos, diciendo:

Santo, Santo, Santo...

9. Antífona de la comunión. Dichosos los limpios de corazón, porque verán a Dios. Dichosos los que trabajan por la paz, porque se les llamará hijos de Dios. Dichosos los perseguidos por causa de la justicia, porque de ellos es el Reino de los cielos (Mt 5, 8-10).

10. Oración después de la comunión. Dios nuestro, a quien adoramos, admirable y único Santo entre todos tus santos, imploramos tu gracia para que, al consumar nuestra santificación en la plenitud de tu amor, podamos pasar de esta mesa de la Iglesia peregrina, al banquete de la patria celestial. Por Jesucristo, nuestro Señor.

LA PALABRA EN TU VIDA

El evangelio de hoy nos anuncia dicha: bienaventurados, felices··· aunque el camino no es fácil, sino que implica renunciar a los bienes materiales por algo mejor. Estas bienaventuranzas nos llevan a vivir como Cristo, "porque él nos provoca con esa sed de radicalidad que no nos permite dejarnos llevar por el conformismo; es él quien nos empuja a dejar las máscaras que falsean la vida; es Jesús el que suscita en nosotros el deseo de hacer de nuestra vida algo grande" (Papa San Juan Pablo II).

TODOS LOS FIELES DIFUNTOS

IGLESIA MILITANTE, PURGANTE Y TRIUNFANTE

El Catecismo nos enseña que fuimos creados para conocer y amar a Dios en esta vida y después disfrutar de su visión y compañía en la eternidad.

Todos los bautizados vivos formamos la llamada "Iglesia militante", que enfrenta las pruebas a su fe y obediencia a Dios en esta vida. El apego a su santa Palabra nos conducirá a la "visión beatífica", que es la contemplación feliz en plenitud del Creador y Padre amoroso. Este grupo, al que todos estamos llamados, se denomina "Iglesia triunfante". Pero si hubo incumplimiento generalizado de la voluntad de Dios, entonces se pierde la oportunidad de contemplar y gozar de la compañía de Dios; en algunos casos esa pérdida será definitiva y en otros sólo se retardará el encuentro con Dios hasta después de un estadio de purificación en una espera angustiosa caracterizada por el sufrimiento de una espera que pareciera no llegar. "La Iglesia llama purgatorio a esta purificación final de los elegidos, que es completamente distinta del castigo de los condenados. La Iglesia ha formulado la doctrina de la fe relativa al Purgatorio sobre todo en los Concilios de Florencia y de Trento" (*Directorio de Piedad Popular y Liturgia;* "sentido de los sufragios" en el capítulo VII, número 251). A este sector de la Iglesia se le denomina popularmente "Iglesia purgante" o simplemente purgatorio. "Santo y saludable es el pensamiento de orar por los difuntos para que queden libres de sus pecados", nos dice el libro de los Macabeos (2 Mac 12, 46). Estos sufragios son en primer lugar la celebración del sacrificio eucarístico, y después, otras expresiones de piedad como oraciones, limosnas, obras de misericordia e indulgencias aplicadas a favor de las almas del purgatorio.

La conmemoración de hoy: *Orar por los difuntos es una de las tradiciones cristianas más antiguas. Es muy explicable que, al día siguiente de celebrar a todos aquellos que han llegado ya a la intimidad con Dios, nos preocupemos por todos nuestros hermanos difuntos, que han muerto con la esperanza de resucitar y con una fe tan sólo conocida por Dios.*

PRIMERA MISA

1. Antífona de entrada. Así como Jesús murió y resucitó, de igual manera debemos creer que a los que mueren en Jesús, Dios los llevará con él. Y así como en Adán todos mueren, así en Cristo todos volverán a la vida (Cfr. 1 Tes 4, 14; 1 Cor 15, 22).

2. Oración colecta. Escucha, Señor, benignamente nuestras súplicas, y concédenos que al proclamar nuestra fe en la resurrección de tu Hijo de entre los muertos, se afiance también nuestra esperanza en la resurrección de tus hijos difuntos. Por nuestro Señor Jesucristo…

3. 1ª Lectura (Dn 12, 1-3)
Del libro del profeta Daniel
En aquel tiempo, se levantará Miguel, el gran príncipe que defiende a tu pueblo.

Será aquél un tiempo de angustia, como no lo hubo desde el principio del mundo. Entonces se salvará tu pueblo; todos aquellos que están escritos en el libro. Muchos de los que duermen en el polvo, despertarán: unos para la vida eterna, otros para el eterno castigo.

Los guías sabios brillarán como el esplendor del firmamento, y los que enseñan a muchos la justicia, resplandecerán como estrellas por toda la eternidad.

Palabra de Dios.
A. Te alabamos, Señor.

4. Salmo responsorial   (Sal 121)

R. **Vayamos con alegría al encuentro del Señor.**

L. ¡Qué alegría sentí, cuando me dijeron: "Vayamos a la casa del Señor"! Y hoy estamos aquí, Jerusalén, jubilosos, delante de tus puertas. / R.

L. A ti, Jerusalén, suben las tribus, las tribus del Señor, según lo que a Israel se le ha ordenado, para alabar el nombre del Señor. / R.

L. Digan de todo corazón: "Jerusalén, que haya paz entre aquellos que te aman, que haya paz dentro de tus murallas y que reine la paz en cada casa". / R.

L. Por el amor que tengo a mis hermanos, voy a decir: "La paz esté contigo". Y por la casa del Señor, mi Dios, pediré para ti todos los bienes. / R.

5. 2ª Lectura   (2 Cor 5, 1. 6-10)

De la segunda carta del apóstol san Pablo a los corintios

Hermanos: Sabemos que, aunque se desmorone esta morada terrena, que nos sirve de habitación, Dios nos tiene preparada en el cielo una morada eterna, no construida por manos humanas. Por eso siempre tenemos confianza, aunque sabemos que, mientras vivimos en el cuerpo, estamos desterrados, lejos del Señor. Caminamos guiados por la fe, sin ver todavía. Estamos, pues, llenos de confianza y preferimos salir de este cuerpo para vivir con el Señor.

Por eso procuramos agradarle, en el destierro o en la patria. Porque todos tendremos que comparecer ante el tribunal de Cristo, para recibir el premio o el castigo por lo que hayamos hecho en esta vida.

Palabra de Dios.

A. *Te alabamos, Señor.*

6. Aclamación antes del Evangelio (Apoc 14, 13)

R. **Aleluya, aleluya.** Dichosos los que mueren en el Señor; que descansen ya de sus fatigas, pues sus obras los acompañan.

R. **Aleluya, aleluya.**

7. Evangelio (Jn 12, 23-28)
Del santo Evangelio según san Juan
A. Gloria a ti, Señor.

En aquel tiempo, Jesús dijo a sus discípulos: "Ha llegado la hora de que el Hijo del hombre sea glorificado. Yo les aseguro que si el grano de trigo sembrado en la tierra no muere, queda infecundo; pero si muere, producirá mucho fruto. El que se ama a sí mismo, se pierde; el que se aborrece a sí mismo en este mundo, se asegura para la vida eterna.

El que quiera servirme, que me siga, para que donde yo esté, también esté mi servidor. El que me sirve será honrado por mi Padre.

Ahora que tengo miedo, ¿le voy a decir a mi Padre: 'Padre, líbrame de esta hora'? No, pues precisamente para esta hora he venido. Padre, dale gloria a tu nombre". Se oyó entonces una voz que decía: "Lo he glorificado y volveré a glorificarlo".

Palabra del Señor.
A. ***Gloria a ti, Señor Jesús.***

8. Oración sobre las ofrendas. Que te sean gratas, Señor, nuestras ofrendas, para que tus fieles difuntos sean recibidos en la gloria con tu Hijo, a quien nos unimos por este sacramento de su amor. Él, que vive y reina por los siglos de los siglos.

9. Antífona de la comunión. Yo soy la resurrección y la vida, dice el Señor. El que cree en mí, aunque haya muerto, vivirá; y todo aquel que está vivo y cree en mí, no morirá para siempre (Jn 11, 25-26).

10. Oración después de la comunión. Te rogamos, Señor, que tus fieles difuntos, por quienes hemos celebrado este sacrificio pascual, lleguen a la morada de la luz y de la paz. Por Jesucristo, nuestro Señor.

SEGUNDA MISA

1. Antífona de entrada. Dales, Señor, el descanso eterno y brille para ellos la luz perpetua (Cfr. 4 Esd 2, 34-35).

2. Oración colecta. Señor Dios, gloria de los fieles y vida de los justos, que nos has redimido por la muerte y resurrección de tu Hijo, acoge con bondad a tus fieles difuntos, que creyeron en el misterio de nuestra resurrección, y concédeles alcanzar los gozos de la eterna bienaventuranza. Por nuestro Señor Jesucristo...

3. 1ª Lectura   (Sab 3, 1-9)
Del libro de la Sabiduría
Las almas de los justos están en las manos de Dios y no los alcanzará ningún tormento. Los insensatos pensaban que los justos habían muerto, que su salida de este mundo era una desgracia y su salida de entre nosotros, una completa destrucción. Pero los justos están en paz.

La gente pensaba que sus sufrimientos eran un castigo, pero ellos esperaban confiadamente la inmortalidad. Después de breves sufrimientos recibirán una abundante recompensa, pues Dios los puso a prueba y los halló dignos de sí. Los probó como oro en el crisol y los aceptó como un holocausto agradable.

En el día del juicio brillarán los justos como chispas que se propagan en un cañaveral. Juzgarán a las naciones y dominarán a los pueblos, y el Señor reinará eternamente sobre ellos.

Los que confían en el Señor comprenderán la verdad y los que son fieles a su amor permanecerán a su lado, porque Dios ama a sus elegidos y cuida de ellos. *Palabra de Dios.*
    A. *Te alabamos, Señor.*

4. Salmo responsorial   (Sal 26)
    R. **Espero ver la bondad del Señor.**
    L. El Señor es mi luz y mi salvación, ¿a quién voy a tenerle miedo? El Señor es la defensa de mi vida, ¿quién podrá hacerme temblar? / R.

L. Lo único que pido, lo único que busco es vivir en la casa del Señor toda mi vida, para disfrutar de las bondades del Señor y estar continuamente en su presencia. / R.

L. Oye, Señor, mi voz y mis clamores y tenme compasión. El corazón me dice que te busque y buscándote estoy. No rechaces con cólera a tu siervo. / R.

L. La bondad del Señor espero ver en esta misma vida. Ármate de valor y fortaleza y en el Señor confía. / R.

5. 2ª Lectura   (1 Jn 3, 14-16)
De la primera carta del apóstol san Juan
Hermanos: Nosotros estamos seguros de haber pasado de la muerte a la vida, porque amamos a nuestros hermanos. El que no ama permanece en la muerte. El que odia a su hermano es un homicida y bien saben ustedes que ningún homicida tiene la vida eterna.

Conocemos lo que es el amor, en que Cristo dio su vida por nosotros. Así también debemos nosotros dar la vida por nuestros hermanos.

Palabra de Dios.
A. *Te alabamos, Señor.*

6. Aclamación antes del Evangelio   (Mt 25, 34)
R. **Aleluya, aleluya.** Vengan benditos de mi Padre, dice el Señor; tomen posesión del Reino preparado para ustedes desde la creación del mundo.

R. **Aleluya, aleluya.**

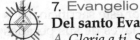 **7.** Evangelio   (Mt 25, 31-46)
Del santo Evangelio según san Mateo
A. *Gloria a ti, Señor.*

En aquel tiempo, Jesús dijo a sus discípulos: "Cuando venga el Hijo del hombre, rodeado de su gloria, acompañado de todos sus ángeles, se sentará en su trono de gloria. Entonces serán congregadas ante él todas las naciones, y él apartará a los unos de los otros, como aparta el pastor a las ovejas de los cabritos, y pondrá a las ovejas a su derecha y a los cabritos a su izquierda.

TODOS LOS FIELES DIFUNTOS

Entonces dirá el rey a los de su derecha: 'Vengan, benditos de mi Padre; tomen posesión del Reino preparado para ustedes desde la creación del mundo; porque estuve hambriento y me dieron de comer, sediento y me dieron de beber, era forastero y me hospedaron, estuve desnudo y me vistieron, enfermo y me visitaron, encarcelado y fueron a verme'. Los justos le contestarán entonces: 'Señor, ¿cuándo te vimos hambriento y te dimos de comer, sediento y te dimos de beber? ¿Cuándo te vimos de forastero y te hospedamos, o desnudo y te vestimos? ¿Cuándo te vimos enfermo o encarcelado y fuimos a ver?'. Y el rey les dirá: 'Yo les aseguro que, cuando lo hicieron con el más insignificante de mis hermanos, conmigo lo hicieron'.

Entonces dirá también a los de la izquierda: 'Apártense de mí, malditos; vayan al fuego eterno, preparado para el diablo y sus ángeles; porque estuve hambriento y no me dieron de comer, sediento y no me dieron de beber, era forastero y no me hospedaron, estuve desnudo y no me vistieron, enfermo y encarcelado y no me visitaron'.

Entonces ellos le responderán: 'Señor, ¿cuándo te vimos hambriento o sediento, de forastero o desnudo, enfermo o encarcelado y no te asistimos?'. Y él les replicará: 'Yo les aseguro que, cuando no lo hicieron con uno de aquellos más insignificantes, tampoco lo hicieron conmigo'. Entonces irán éstos al castigo eterno y los justos a la vida eterna".

Palabra del Señor.

A. *Gloria a ti, Señor Jesús.*

8. Oración sobre las ofrendas. Por este sacrificio, Dios todopoderoso y eterno, te rogamos que laves de sus pecados en la sangre de Cristo a tus fieles difuntos, para que, a los que purificaste en el agua del bautismo, no dejes de purificarlos con la misericordia de tu amor. Por Jesucristo, nuestro Señor.

9. Antífona de la comunión. Brille, Señor, para nuestros hermanos difuntos la luz perpetua y vivan para siempre en compañía de tus santos, ya que eres misericordioso (Cfr. 4 Esd 2, 35. 34).

10. Oración después de la comunión. Habiendo recibido el sacramento de tu Unigénito, que se inmoló por nosotros y resucitó glorioso, te pedimos humildemente, Señor, por tus fieles difuntos, para que, ya purificados por este sacrificio pascual, alcancen la gloria de la futura resurrección. Por Jesucristo, nuestro Señor.

TERCERA MISA

1. Antífona de entrada. El Padre, que resucitó a Jesús de entre los muertos, también dará vida a nuestros cuerpos mortales, por obra de su Espíritu, que habita en nosotros (Cfr. Rom 8, 11).

2. Oración colecta. Dios nuestro, tú que quisiste que tu Hijo único venciera la muerte y entrara victorioso en el cielo, concede a tus fieles difuntos que, venciendo también la muerte, puedan contemplarte a ti, creador y redentor, por toda la eternidad. Por nuestro Señor Jesucristo...

3. 1ª Lectura   (Is 25, 6. 7-9)
Del libro del profeta Isaías
En aquel día, el Señor del universo preparará sobre este monte un festín con platillos suculentos para todos los pueblos.

Él arrancará en este monte el velo que cubre el rostro de todos los pueblos, el paño que oscurece a todas las naciones. Destruirá la muerte para siempre; el Señor Dios enjugará las lágrimas de todos los rostros y borrará de toda la tierra la afrenta de su pueblo. Así lo ha dicho el Señor.

En aquel día se dirá: "Aquí está nuestro Dios, de quien esperábamos que nos salvara; alegrémonos y gocemos con la salvación que nos trae". *Palabra de Dios.*

A. *Te alabamos, Señor.*

4. Salmo responsorial   (Sal 129)
R. Señor, escucha mi oración.

L. Desde el abismo de mis pecados clamo a ti; Señor, escucha mi clamor; que estén atentos tus oídos a mi voz suplicante. / **R.**

[R. Señor, escucha mi oración.]

L. Si conservaras el recuerdo de las culpas, ¿quién habría, Señor, que se salvara? Pero de ti procede el perdón, por eso con amor te veneramos. / R.

L. Confío en el Señor, mi alma espera y confía en su palabra; mi alma aguarda al Señor, mucho más que a la aurora el centinela. / R.

L. Como aguarda a la aurora el centinela, aguarda Israel al Señor, porque del Señor viene la misericordia y la abundancia de la redención, y él redimirá a su pueblo de todas sus iniquidades. / R.

5. 2ª Lectura   (1 Tes 4, 13-14. 17-18)

**De la primera carta del apóstol san Pablo
a los tesalonicenses**

Hermanos: No queremos que ignoren lo que pasa con los difuntos, para que no vivan tristes, como los que no tienen esperanza. Pues, si creemos que Jesús murió y resucitó, de igual manera debemos creer que, a los que murieron en Jesús, Dios los llevará con él, y así estaremos siempre con el Señor.

Consuélense, pues, unos a otros, con estas palabras.

Palabra de Dios.

A. *Te alabamos, Señor.*

6. Aclamación antes del Evangelio   (Jn 3, 16)

R. **Aleluya, aleluya.** Tanto amó Dios al mundo, que le entregó a su Hijo único, para que todo el que crea en él tenga vida eterna.

R. **Aleluya, aleluya.**

 7. Evangelio   (Jn 6, 51-58)

Del santo Evangelio según san Juan

A. *Gloria a ti, Señor.*

En aquel tiempo, Jesús dijo a los judíos: "Yo soy el pan vivo que ha bajado del cielo; el que coma de este pan vivirá para siempre. Y el pan que yo les voy a dar es mi carne, para que el mundo tenga vida".

Entonces los judíos se pusieron a discutir entre sí: "¿Cómo puede éste darnos a comer su carne?".

Jesús les dijo: "Yo les aseguro: Si no comen la carne del Hijo del hombre y no beben su sangre, no podrán tener vida en ustedes. El que come mi carne y bebe mi sangre, tiene vida eterna y yo lo resucitaré el último día.

Mi carne es verdadera comida y mi sangre es verdadera bebida. El que come mi carne y bebe mi sangre, permanece en mí y yo en él. Como el Padre, que me ha enviado, posee la vida y yo vivo por él, así también el que me come vivirá por mí.

Éste es el pan que ha bajado del cielo; no es como el maná que comieron sus padres, pues murieron. El que come de este pan, vivirá para siempre". *Palabra del Señor.*

A. *Gloria a ti, Señor Jesús.*

8. Oración sobre las ofrendas. Recibe, Señor, con bondad la ofrenda que te presentamos por todos tus siervos que descansan en Cristo, para que, por este admirable sacrificio, libres de los lazos de la muerte, alcancen la vida eterna. Por Jesucristo, nuestro Señor.

9. Antífona de la comunión. Esperamos como Salvador a nuestro Señor Jesucristo, el cual transformará nuestro cuerpo frágil en cuerpo glorioso como el suyo (Cfr. Flp 3, 20-21).

10. Oración después de la comunión. Habiendo recibido este santo sacrificio, te pedimos, Señor, que derrames con abundancia tu misericordia sobre tus siervos difuntos, y a quienes diste la gracia del bautismo, concédeles la plenitud de los gozos eternos. Por Jesucristo, nuestro Señor.

LA PALABRA EN TU VIDA

No es tan fácil "volar" derechito al cielo al morir; cuántos pasaremos por la fase purgante para, por fin, llegar a la visión y gloria de Dios. Ignoramos cuántos de nuestros difuntos puedan necesitar el apoyo de nuestra oración y sacrificio por ellos, por eso no dejemos de orar.

32º DOMINGO ORDINARIO

AL DESPERTAR, SEÑOR, CONTEMPLARÉ TU ROSTRO

Creo en la resurrección de la carne y la vida eterna. La liturgia pone hoy a nuestra atención la realidad de la muerte, pero sobre todo, la segura esperanza que tiene el cristiano de superar las inquietantes barreras de ese momento final de la existencia terrena. Por esta razón, hace muy bien la Iglesia en recordarnos que meditemos sobre esta realidad, no para infundirnos terror, sino para darnos la esperanza de segura victoria.

Se acercaron a Jesús algunos saduceos. La pregunta que se le plantea a Jesús es de algunos saduceos. Fundamentalmente son conservadores, hacen una lectura literal de la Ley. Sólo privilegian el Pentateuco, en detrimento de los Profetas y de los otros escritos sagrados. Argumentaban que la fe en la resurrección de los muertos no está fundamentada en la Ley, la rechazaban como algo inventado: ésta aparece hacia el año 165 a.C. en el contexto de la insurrección de los Macabeos, cuando los israelitas fieles a Dios sufrieron el martirio. Para demostrar lo absurdo de esta fe, algunos de ellos proponen un caso teórico focalizado para mostrar las aberraciones a las cuales ésta conduce.

La ley del levirato. Aun cuando los saduceos la presentaban como una "norma" que había que cumplir, ya había caído en desuso. Esta ley autorizaba a un hombre tomar como esposa a su cuñada, si ésta permanecía viuda y no tenía hijos, con la finalidad de dar posteridad a su hermano difunto; *«el primogénito que generará le será dado el nombre del hermano difunto»* (Dt 25, 6) y será considerado jurídicamente como hijo del difuntito. Éste es el caso. Sobre esta línea, algunos fariseos afirmaban que la humanidad después de la resurrección gozaría de una fecundidad extraordinaria.

Pero en la vida futura... Tal vez nosotros, junto con Jesús y los saduceos, rechazamos sonriendo este concepto de resurrección. La respuesta de Jesús es articulada en dos momentos. Dice, hay una diferencia radical entre la vida terrena y la nueva vida que se hereda con la resurrección. En «este mundo», los hombres procrean y mueren; la sexualidad asegura la supervivencia de la especie. Los que Dios, el día del juicio, juzgue dignos de entrar en el *«mundo futuro»*, y que Él resucitará, no experimentarán ya la muerte, por lo tanto, la inmortalidad elimina la procreación.

Serán como los ángeles. Esta expresión es muy instructiva. Según la concepción expuesta aquí por Jesús –y que será la de san Pablo en su primera Carta a los corintios (15, 35-44)– la resurrección es consecuente al juicio, y se refiere a los justos y procura la bienaventuranza. Sobre el futuro de los impíos, el silencio es total, todo viene como si Dios no los considerara dignos de ser sacados del abismo de la muerte, de ser «re-creados».

Y que los muertos resucitan, el mismo Moisés lo indica... En un segundo momento, Jesús afirma la realidad de la resurrección. El Maestro recurre a un argumento que se encuentra casi idéntico en los ambientes rabínicos: la promesa se debe realizar también para quienes se había hecho; por consiguiente, ellos deben resucitar. La relación que Dios ha establecido con los miembros de su pueblo no puede ser interrumpida mucho tiempo. Jesús cita el libro del Éxodo (3, 6) en donde el Señor es llamado *«Dios de Abraham, Dios de Isaac y Dios de Jacob»*; este versículo es mencionado refiriéndose al episodio de la zarza. La expresión envía al acto decisivo de la alianza con la cual Dios se ha comprometido a actuar incesantemente por la salvación de Israel.

1. Antífona de entrada. Que llegue hasta ti mi súplica, Señor, inclina tu oído a mi clamor (Cfr. Sal 87, 3).

Se dice Gloria

2. Oración colecta. Dios omnipotente y misericordioso, aparta de nosotros todos los males, para que, con el alma y el cuerpo bien dispuestos, podamos con libertad de espíritu cumplir lo que es de tu agrado. Por nuestro Señor Jesucristo...

3. 1ª Lectura   (2 Mac 7, 1-2. 9-14)
Del segundo libro de los Macabeos
En aquellos días, arrestaron a siete hermanos junto con su madre. El rey Antíoco Epifanes los hizo azotar para obligarlos a comer carne de puerco, prohibida por la ley. Uno de ellos, hablando en nombre de todos, dijo: "¿Qué quieres saber de nosotros? Estamos dispuestos a morir antes que quebrantar la ley de nuestros padres".

El rey se enfureció y lo mandó matar. Cuando el segundo de ellos estaba para morir, le dijo al rey: "Asesino, tú nos arrancas la vida presente, pero el rey del universo nos resucitará a una vida eterna, puesto que morimos por fidelidad a sus leyes".

Después comenzaron a burlarse del tercero. Presentó la lengua como se lo exigieron, extendió las manos con firmeza y declaró confiadamente: "De Dios recibí estos miembros y por amor a su ley los desprecio, y de él espero recobrarlos". El rey y sus acompañantes quedaron impresionados por el valor con que aquel muchacho despreciaba los tormentos.

Una vez muerto éste, sometieron al cuarto a torturas semejantes. Estando ya para expirar, dijo: "Vale la pena morir a manos de los hombres, cuando se tiene la firme esperanza de que Dios nos resucitará. Tú, en cambio, no resucitarás para la vida".
Palabra de Dios.
A. *Te alabamos, Señor.*

4. Salmo responsorial   (Sal 16)
R. **Al despertar, Señor, contemplaré tu rostro.**
L. Señor, hazme justicia y a mi clamor atiende; presta oído a mi súplica, pues mis labios no mienten. / R.

L. Mis pies en tus caminos se mantuvieron firmes, no tembló mi pisada. A ti mi voz elevo, pues sé que me respondes. Atiéndeme, Dios mío, y escucha mis palabras. / **R.**

L. Protégeme, Señor, como a las niñas de tus ojos, bajo la sombra de tus alas escóndeme, pues yo, por serte fiel, contemplaré tu rostro y al despertarme, espero saciarme de tu vista. / **R.**

5. 2ª Lectura (2 Tes 2,. 16–3, 5)
De la segunda carta del apóstol san Pablo
a los tesalonicenses
Hermanos: Que el mismo Señor nuestro, Jesucristo, y nuestro Padre Dios, que nos ha amado y nos ha dado gratuitamente un consuelo eterno y una feliz esperanza, conforten los corazones de ustedes y los dispongan a toda clase de obras buenas y de buenas palabras.

Por lo demás, hermanos, oren por nosotros para que la palabra del Señor se propague con rapidez y sea recibida con honor, como aconteció entre ustedes. Oren también para que Dios nos libre de los hombres perversos y malvados que nos acosan, porque no todos aceptan la fe.

Pero el Señor, que es fiel, les dará fuerza a ustedes y los librará del maligno. Tengo confianza en el Señor de que ya hacen ustedes y continuarán haciendo cuanto les he mandado. Que el Señor dirija su corazón para que amen a Dios y esperen pacientemente la venida de Cristo. *Palabra de Dios.*

A. Te alabamos, Señor.

6. Aclamación antes del Evangelio (Apoc 1, 5. 6)
R. Aleluya, aleluya. Jesucristo es el primogénito de los muertos; a él sea dada la gloria y el poder por siempre.
R. Aleluya, aleluya.

7. Evangelio (Lc 20, 27-38)
Del santo Evangelio según san Lucas
A. Gloria a ti, Señor.
En aquel tiempo, se acercaron a Jesús algunos saduceos. Como los saduceos niegan la resurrección de los muertos, le preguntaron: "Maestro, Moisés nos dejó escrito que si alguno tiene

un hermano casado que muere sin haber tenido hijos, se case con la viuda para dar descendencia a su hermano. Hubo una vez siete hermanos, el mayor de los cuales se casó y murió sin dejar hijos. El segundo, el tercero y los demás, hasta el séptimo, tomaron por esposa a la viuda y todos murieron sin dejar sucesión. Por fin murió también la viuda. Ahora bien, cuando llegue la resurrección, ¿de cuál de ellos será esposa la mujer, pues los siete estuvieron casados con ella?".

Jesús les dijo: "En esta vida, hombres y mujeres se casan, pero en la vida futura, los que sean juzgados dignos de ella y de la resurrección de los muertos, no se casarán ni podrán ya morir, porque serán como los ángeles e hijos de Dios, pues él los habrá resucitado.

Y que los muertos resucitan, el mismo Moisés lo indica en el episodio de la zarza, cuando llama al Señor, *Dios de Abraham, Dios de Isaac, Dios de Jacob*. Porque Dios no es Dios de muertos, sino de vivos, pues para él todos viven".

Palabra del Señor.
A. **Gloria a ti, Señor Jesús.**

Se dice Credo

8. Oración sobre las ofrendas. Señor, mira con bondad este sacrificio, y concédenos alcanzar los frutos de la pasión de tu Hijo, que ahora celebramos sacramentalmente. Él, que vive y reina por los siglos de los siglos.

9. Antífona de la comunión. Los discípulos reconocieron al Señor Jesús, al partir el pan (Lc 24, 35).

10. Oración después de la comunión. Alimentados con estos sagrados dones, te damos gracias, Señor, e imploramos tu misericordia, para que, por la efusión de tu Espíritu, cuya eficacia celestial recibimos, nos concedas perseverar en la gracia de la verdad. Por Jesucristo, nuestro Señor.

EN COMUNIÓN
CON LA TRADICIÓN VIVA DE LA IGLESIA

«¿Qué significa resucitar con Cristo? Lo que se colige de las palabras del Apóstol, a través de un conocimiento más elevado, es esto: que así como ningún vivo puede ser enterrado con un muerto, así ninguno que todavía vive para el pecado puede ser sepultado, en el bautismo, con Cristo que murió al pecado. Por eso, los que se preparan para el bautismo, deben procurar morir antes al pecado, para poder así ser sepultados con

Cristo por el bautismo, de modo que también ellos puedan decir: *Continuamente nos están entregando a la muerte, por causa de Jesús, para que también la vida de Jesús se manifieste en nuestra carne mortal.* Cómo la vida de Jesucristo pueda manifestarse en nuestra carne, nos lo aclara Pablo cuando dice: *Vivo yo, pero no soy yo, es Cristo quien vive en mí.* Es lo mismo que el apóstol Juan escribe en su carta, diciendo: *Todo espíritu que confiesa a Jesucristo venido en carne es de Dios.* Naturalmente que no es quien se limita a pronunciar estas sílabas con sus labios y a hacer pública confesión el que dará muestras de ser conducido por el Espíritu de Dios, sino el que de tal manera ha conformado su vida y ha dado en la práctica tales frutos, que manifiesta con la misma santidad de sus acciones y sentimientos que Cristo ha venido en carne y que él está muerto al pecado y vive para Dios. Veamos nuevamente qué es lo que dice: *Para que, así como Cristo fue resucitado de entre los muertos por la gloria del Padre, así también nosotros andemos en una vida nueva*» (**Orígenes** [c. 185-254]. Comentario de la carta a los Romanos, 5).

33º DOMINGO ORDINARIO
TODA LA TIERRA HA VISTO AL SALVADOR

Maestro, ¿cuándo va a ocurrir esto...? Las tres lecturas bíblicas de este domingo nos invitan a meditar otra vez sobre estas mismas verdades, comúnmente llamadas *«realidades últimas»*. Esa invitación a la vigilancia y a la oración es sostenida por las palabras de Cristo que nos promete: *«sin embargo, ni un cabello de su cabeza perecerá. Si se mantienen firmes, conseguirán la vida»*.

Lenguaje apocalíptico. Este texto evangélico subraya el tema del *«final de los tiempos»*. El lenguaje utilizado, denominado "género escatológico", no tiene la finalidad de indicarnos literalmente la caída de los edificios y el final de la tierra, sino más bien que todo momento de la vida y de la historia son importantes y decisivos si son impregnados por la fe de los creyentes. El texto nos reporta sólo una parte del llamado «discurso escatológico» de Jesús.

No quedará piedra sobre piedra... El motivo de esta enseñanza de Jesús fue la observación de algunos discípulos a propósito del Templo, completamente restaurado por Herodes a partir del año 20 a.C. Edificio de extraordinaria riqueza y belleza, según el historiador romano Tácito. Prediciendo su destrucción, Jesús preanuncia ¡el final de un lugar y de un modo de encontrar a Dios! Pero no abandonará a sus fieles: a un templo de piedras, destruido por los soldados romanos, Dios hará llegar un templo más hermoso: la Iglesia.

San Lucas, hábil historiador, interpreta los acontecimientos en clave teológica; toma la "historia del pasado" para hacerla "historia del presente". La hace historia de la Iglesia que vive su experiencia de fe a distancia de siglos; su misión escatológica no debe dejarla adormecer.

Pero antes de todo esto los perseguirán y los apresarán. Las persecuciones, según les anuncia el Señor, son las primeras en cumplirse. Es por este motivo que Jesús se preocupa por alentar a los cristianos a resistir este trauma. De la realidad de las persecuciones nace un elemento a subrayar: Lucas no las considera como una necesidad ineludible de sufrirlas pasivamente, sino que trata de defender a la Iglesia creando una forma de hacerlo: los cristianos pueden adoptar un lenguaje al que nadie podrá resistir ni rebatir.

Los traicionarán hasta sus propios padres... Después de delinear un cuadro oscuro a los cristianos se propone un segundo motivo para tener confianza. Extendiendo su enseñanza sobre la división familiar, Jesús revela que los perseguidores no serán sólo externos, sino que incluso se encontrarán en el círculo de la propia familia; y que a la prisión podrá agregarse la pena capital. Para animarlos, les asegura que Dios no cesará de proteger a quienes serán víctimas de las venganzas de los hombres, por ser discípulos de Cristo.

Para ustedes los que temen al Señor, brillará el sol de justicia. Palabras conclusivas del profeta Malaquías (siglo V a.C.) que preanuncian el triunfo final de los justos –**primera lectura**–. La imagen del «fuego» está íntimamente vinculada, en el mensaje profético, al «*día del Señor*» en cuanto que el fuego purifica y discrimina al mismo tiempo: la «paja», símbolo de la inconsistencia y de la vaciedad de los malvados, será quemada y reducida a cenizas.

Quien no trabaja, que no coma. Palabras que recuerda Pablo a los **Tesalonicenses** –**segunda lectura**– quienes, con el pretexto de la inminente venida del Señor, trataban de vivir a "costa de los demás", no preocupándose por las cosas terrenas y en continua agitación.

1. Antífona de entrada. Yo tengo designios de paz, no de aflicción, dice el Señor. Ustedes me invocarán y yo los escucharé y los libraré de la esclavitud dondequiera que se encuentren (Jer 29, 11. 12. 14).

Se dice Gloria

2. Oración colecta. Concédenos, Señor, Dios nuestro, alegrarnos siempre en tu servicio, porque la profunda y verdadera alegría está en servirte siempre a ti, autor de todo bien. Por nuestro Señor Jesucristo...

3. 1ª Lectura (Mal 3, 19-20)
Del libro del profeta Malaquías
"Ya viene el día del Señor, ardiente como un horno, y todos los soberbios y malvados serán como la paja. El día que viene los consumirá, dice el Señor de los ejércitos, hasta no dejarles ni raíz ni rama. Pero para ustedes, los que temen al Señor, brillará el sol de justicia, que les traerá la salvación en sus rayos".
Palabra de Dios.
A. *Te alabamos, Señor.*

4. Salmo responsorial (Sal 97)
R. **Toda la tierra ha visto al Salvador.**
L. Cantemos al Señor al son del arpa, aclamemos al son de los clarines al Señor, nuestro Rey. / R.
L. Alégrese el mar y el mundo submarino, el orbe y todos los que en él habitan. Que los ríos estallen en aplausos y las montañas salten de alegría. / R.
L. Regocíjese todo ante el Señor, porque ya viene a gobernar el orbe. Justicia y rectitud serán las normas con las que rija a todas las naciones. / R.

5. 2ª Lectura (2 Tes 3, 7-12)
De la segunda carta del apóstol san Pablo a los tesalonicenses
Hermanos: Ya saben cómo deben vivir para imitar mi ejemplo, puesto que, cuando estuve entre ustedes, supe ganarme la vida y no dependí de nadie para comer; antes bien, de día y de noche

trabajé hasta agotarme, para no serles gravoso. Y no porque no tuviera yo derecho a pedirles el sustento, sino para darles un ejemplo que imitar. Así, cuando estaba entre ustedes, les decía una y otra vez: "El que no quiera trabajar, que no coma".

Y ahora vengo a saber que algunos de ustedes viven como holgazanes, sin hacer nada, y además, entrometiéndose en todo. Les suplicamos a esos tales y les ordenamos, de parte del Señor Jesús, que se pongan a trabajar en paz para ganarse con sus propias manos la comida.

Palabra de Dios.
A. Te alabamos, Señor.

6. Aclamación antes del Evangelio   (Lc 21, 28)
R. Aleluya, aleluya. Estén atentos y levanten la cabeza, porque se acerca la hora de su liberación, dice el Señor.
R. Aleluya, aleluya.

7. Evangelio   (Lc 21, 5-19)
Del santo Evangelio según san Lucas
A. Gloria a ti, Señor.

En aquel tiempo, como algunos ponderaban la solidez de la construcción del templo y la belleza de las ofrendas votivas que lo adornaban, Jesús dijo: "Días vendrán en que no quedará piedra sobre piedra de todo esto que están admirando; todo será destruido".

Entonces le preguntaron: "Maestro, ¿cuándo va a ocurrir esto y cuál será la señal de que ya está a punto de suceder?".

Él les respondió: "Cuídense de que nadie los engañe, porque muchos vendrán usurpando mi nombre y dirán: 'Yo soy el Mesías. El tiempo ha llegado'. Pero no les hagan caso. Cuando oigan hablar de guerras y revoluciones, que no los domine el pánico, porque eso tiene que acontecer, pero todavía no es el fin".

Luego les dijo: "Se levantará una nación contra otra y un reino contra otro. En diferentes lugares habrá grandes terremotos, epidemias y hambre, y aparecerán en el cielo señales prodigiosas y terribles.

Pero antes de todo esto los perseguirán y los apresarán; los llevarán a los tribunales y a la cárcel, y los harán comparecer ante reyes y gobernadores, por causa mía. Con esto darán testimonio de mí.

Grábense bien que no tienen que preparar de antemano su defensa, porque yo les daré palabras sabias, a las que no podrá resistir ni contradecir ningún adversario de ustedes.

Los traicionarán hasta sus propios padres, hermanos, parientes y amigos. Matarán a algunos de ustedes, y todos los odiarán por causa mía. Sin embargo, ni un cabello de su cabeza perecerá. Si se mantienen firmes, conseguirán la vida".

Palabra del Señor.
A. **Gloria a ti, Señor Jesús.**

Se dice Credo

8. Oración sobre las ofrendas. Concédenos, Señor, que estas ofrendas que ponemos bajo tu mirada, nos obtengan la gracia de vivir entregados a tu servicio y nos alcancen, en recompensa, la felicidad eterna. Por Jesucristo, nuestro Señor.

9. Antífona de la comunión. Cualquier cosa que pidan en la oración, crean ustedes que ya se la han concedido, y la obtendrán, dice el Señor (Mc 11, 23-24).

10. Oración después de la comunión. Al recibir, Señor, el don de estos sagrados misterios, te suplicamos humildemente que lo que tu Hijo nos mandó celebrar en memoria suya nos aproveche para crecer en nuestra caridad fraterna. Por Jesucristo, nuestro Señor.

EN COMUNIÓN
CON LA TRADICIÓN VIVA DE LA IGLESIA

«*Odiemos el pecado, y amemos al que ha de venir a castigar el pecado. Él vendrá, lo queramos o no; el hecho de que no venga ahora no significa que no haya de venir más tarde. Vendrá, y no sabemos cuándo; pero, si nos halla preparados, en nada nos perjudica esta ignorancia. Vino la primera vez, y vendrá de nuevo a juzgar a la tierra; hallará aclamándolo con gozo, porque ya llega, a los que creyeron en su primera venida. Regirá el orbe con justi-*  *cia y los pueblos con fidelidad. ¿Qué significan esta justicia y esta fidelidad? En el momento de juzgar reunirá junto a sí a sus elegidos y apartará de sí a los demás, ya que pondrá a unos a la derecha y a otros a la izquierda. ¿Qué más justo y equitativo que no esperen misericordia del juez aquellos que no quisieron practicar la misericordia antes de la venida del juez? En cambio, los que se esforzaron en practicar la misericordia serán juzgados con misericordia. Dirá, en efecto, a los de su derecha: Venid, ustedes, benditos de mi Padre; heredad el reino preparado para vosotros desde la creación del mundo. Y les tendrá en cuenta sus obras de misericordia: Porque tuve hambre, y me disteis de comer; tuve sed, y me disteis de beber, y lo que sigue. Y a los de su izquierda ¿qué es lo que les tendrá en cuenta? Que no quisieron practicar la misericordia. ¿Y a dónde irán? Id al fuego eterno. Esta mala noticia provocará en ellos grandes gemidos. Pero, ¿qué dice otro salmo? El recuerdo del justo será perpetuo. No temerá las malas noticias. ¿Cuál es la mala noticia? Id al fuego eterno preparado para el diablo y sus ángeles. Los que se alegrarán por la buena noticia no temerán la mala*» (**San Agustín** [354-430]. Comentario sobre el Salmo 95, 14.15).

NUESTRO SEÑOR JESUCRISTO, REY DEL UNIVERSO (S)

VAYAMOS CON ALEGRÍA AL ENCUENTRO DEL SEÑOR

Sálvate a ti mismo. En el texto de la crucifixión san Lucas no ofrece una crónica detallada de cómo acontecieron los hechos; por ejemplo, no describe el procedimiento de la fijación del condenado sobre la cruz; tampoco dice nada del hecho del vino mezclado con mirra que le dan a beber a Jesús: sí diferencia a los malhechores, poniendo en labios del llamado «buen ladrón» palabras de confianza y de esperanza. Más bien ilustra el aspecto teológico y salvífico de todo lo sucedido.

Un Rey crucificado. En el Evangelio tenemos una paradoja: el Mesías es contado entre los pecadores e intercede en favor de ellos; es rechazado por los suyos y se convierte en su Salvador. El tema de la realeza de Cristo domina toda la escena; lo hace con aspectos contradictorios. Para los jefes del pueblo y para los soldados presentes en la ejecución, Jesús es motivo de burlas. Éstas nacen de un doble motivo: primero, un verdadero rey, como los judíos lo imaginaban y esperaban evidentemente no podía terminar crucificado; ¡eso era ilógico!; segundo, en todo caso Dios, al que llamaba su Padre, podía salvarlo, ¡aunque si esto fuera sólo al último minuto!

Éste es el rey de los judíos. El *"titulus"* que es puesto sobre su cabeza, más que expresar la verdadera causa de la condena a muerte, es en su ambigüedad un acto de extrema burla. Y, a pesar de todo, hay algo en toda esta tragedia, que permite entrever luces insospechadas de auténtica y grandiosa realeza: la realeza del amor, de la oferta gratuita de sí mismo por los otros, de la salvación y del rescate de un asesino que se arrepiente.

Yo te aseguro que hoy estarás conmigo en el paraíso. Lucas pone en escena un encuentro que señala un proceso de conversión y el relativo ofrecimiento de salvación. El primer malhechor continúa insultando a Jesús: sus palabras son una mezcla de burla y de irreverencia. A este malhechor se contrapone el segundo: si el insulto reflejaba las burlas de los que pasan, de los sacerdotes y de los escribas; el buen ladrón admite que Jesús no ha hecho nada inconveniente, como incluso lo habían reconocido Pilato (Lc 23, 4. 14. 16) y Herodes (Lc 23, 15).

La respuesta de Jesús es lapidaria y no se hace esperar. Es introducida con un «Amén»: *en verdad, en verdad*, que demuestra toda la autoridad de Jesús. La petición es superada por la promesa: el malhechor estará con Jesús en el lugar definitivo que Dios prepara a sus elegidos, ese «paraíso» que recuerda el jardín del Edén.

Somos de tu misma sangre. El segundo libro de Samuel nos describe uno de los eventos fundamentales de la historia hebrea: reconocer a David como rey de todo Israel y no sólo de la tribu de Judá –**primera lectura**–. Ciertamente la realeza de David no nos ayuda a entender gran cosa de la realeza de Cristo, ya que estamos frente a dos realidades de significado y de contenidos diversos: la de David, a pesar de entrar en los planes salvíficos, se queda en realidad terrena; la de Cristo es de orden divino y trascendente.

En Cristo tienen su fundamento todas las cosas creadas... Tal vez la predicación del discípulo de Pablo, Epafras, no había logrado presentar a los colosenses toda la grandiosidad del "evangelio" de su maestro. Por ello el Apóstol se esfuerza a fondo para presentar un cuadro –maduro y reflexivo– de Cristo salvador –**segunda lectura**– en el marco impresionante de todo el contexto cósmico y de toda la historia de la creación.

1. Antífona de entrada. Digno es el Cordero que fue inmolado, de recibir el poder y la riqueza, la sabiduría, la fuerza y el honor. A él la gloria y el imperio por los siglos de los siglos (Apoc 5, 12; 1, 6).

Se dice Gloria

2. Oración colecta. Dios todopoderoso y eterno, que quisiste fundamentar todas las cosas en tu Hijo muy amado, Rey del universo, concede, benigno, que toda la creación, liberada de la esclavitud del pecado, sirva a tu majestad y te alabe eternamente. Por nuestro Señor Jesucristo…

3. 1ª Lectura   (2 Sam 5, 1-3)
Del segundo libro de Samuel
En aquellos días, todas las tribus de Israel fueron a Hebrón a ver a David, de la tribu de Judá, y le dijeron: "Somos de tu misma sangre. Ya desde antes, aunque Saúl reinaba sobre nosotros, tú eras el que conducía a Israel, pues ya el Señor te había dicho: 'Tú serás el pastor de Israel, mi pueblo; tú serás su guía'".

Así pues, los ancianos de Israel fueron a Hebrón a ver a David, rey de Judá. David hizo con ellos un pacto en presencia del Señor y ellos lo ungieron como rey de todas las tribus de Israel.

Palabra de Dios.
A. *Te alabamos, Señor.*

4. Salmo responsorial   (Sal 121)
R. **Vayamos con alegría al encuentro del Señor.**
L. ¡Qué alegría sentí cuando me dijeron: "Vayamos a la casa del Señor"! Y hoy estamos aquí, Jerusalén, jubilosos, delante de tus puertas. / R.

L. A ti, Jerusalén, suben las tribus, las tribus del Señor, según lo que a Israel se le ha ordenado, para alabar el nombre del Señor. / R.

L. Por el amor que tengo a mis hermanos, voy a decir: "La paz sea contigo". Y por la casa del Señor, mi Dios, pediré para ti todos los bienes. / R.

5. 2ª Lectura   (Col 1, 12-20)
De la carta del apóstol san Pablo a los colosenses
Hermanos: Demos gracias a Dios Padre, el cual nos ha hecho capaces de participar en la herencia de su pueblo santo, en el reino de la luz.

Él nos ha liberado del poder de las tinieblas y nos ha trasladado al Reino de su Hijo amado, por cuya sangre recibimos la redención, esto es, el perdón de los pecados.

Cristo es la imagen de Dios invisible, el primogénito de toda la creación, porque en él tienen su fundamento todas las cosas creadas, del cielo y de la tierra, las visibles y las invisibles, sin excluir a los tronos y dominaciones, a los principados y potestades. Todo fue creado por medio de él y para él.

Él existe antes que todas las cosas, y todas tienen su consistencia en él. Él es también la cabeza del cuerpo, que es la Iglesia. Él es el principio, el primogénito de entre los muertos, para que sea el primero en todo.

Porque Dios quiso que en Cristo habitara toda plenitud y por él quiso reconciliar consigo todas las cosas, del cielo y de la tierra, y darles la paz por medio de su sangre, derramada en la cruz. *Palabra de Dios.*

A. *Te alabamos, Señor.*

6. Aclamación antes del Evangelio   (Mc 11, 9. 10)

R. Aleluya, aleluya. ¡Bendito el que viene en el nombre del Señor! ¡Bendito el reino que llega, el reino de nuestro padre David!

R. Aleluya, aleluya.

7. Evangelio   (Lc 23, 35-43)
Del santo Evangelio según san Lucas
A. Gloria a ti, Señor.

Cuando Jesús estaba ya crucificado, las autoridades le hacían muecas, diciendo: "A otros ha salvado; que se salve a sí mismo, si él es el Mesías de Dios, el elegido".

También los soldados se burlaban de Jesús, y acercándose a él, le ofrecían vinagre y le decían: "Si tú eres el rey de los judíos, sálvate a ti mismo". Había, en efecto, sobre la cruz, un letrero en griego, latín y hebreo, que decía: "Éste es el rey de los judíos".

Uno de los malhechores crucificados insultaba a Jesús, diciéndole: "Si tú eres el Mesías, sálvate a ti mismo y a nosotros". Pero el otro le reclamaba, indignado: "¿Ni siquiera temes

tú a Dios, estando en el mismo suplicio? Nosotros justamente recibimos el pago de lo que hicimos. Pero éste ningún mal ha hecho". Y le decía a Jesús: "Señor, cuando llegues a tu Reino, acuérdate de mí". Jesús le respondió: "Yo te aseguro que hoy estarás conmigo en el paraíso".
Palabra del Señor.
A. *Gloria a ti, Señor Jesús.*

Se dice Credo

8. Oración sobre las ofrendas. Al ofrecerte, Señor, el sacrificio de la reconciliación humana, te suplicamos humildemente que tu Hijo conceda a todos los pueblos los dones de la unidad y de la paz. Él, que vive y reina por los siglos de los siglos.

PREFACIO Cristo, Rey del universo
En verdad es justo y necesario, es nuestro deber y salvación darte gracias siempre y en todo lugar, Señor, Padre santo, Dios todopoderoso y eterno. Porque has ungido con el óleo de la alegría, a tu Hijo único, nuestro Señor Jesucristo, como Sacerdote eterno y Rey del universo, para que, ofreciéndose a sí mismo como víctima perfecta y pacificadora en el altar de la cruz, consumara el misterio de la redención humana; y, sometiendo a su poder la creación entera, entregara a tu majestad infinita un Reino eterno y universal: Reino de la verdad y de la vida, Reino de la santidad y de la gracia, Reino de la justicia, del amor y de la paz. Por eso, con los ángeles y los arcángeles y con todos los coros celestiales, cantamos sin cesar el himno de tu gloria:
Santo, Santo, Santo...

9. Antífona de la comunión. En su trono reinará el Señor para siempre y le dará a su pueblo la bendición de la paz (Sal 28, 10-11).

10. Oración después de la comunión. Habiendo recibido, Señor, el alimento de vida eterna, te rogamos que quienes nos gloriamos de obedecer los mandamientos de Jesucristo, Rey del universo, podamos vivir eternamente con él en el reino de los cielos. Él, que vive y reina por los siglos de los siglos.

EN COMUNIÓN
CON LA TRADICIÓN VIVA DE LA IGLESIA

«*Señor, acuérdate de mí cuando llegues a tu reino. No tuvo la audacia de decir: Acuérdate de mí cuando llegues a tu reino antes de haber depuesto por la confesión la carga de sus pecados. ¿Te das cuenta de lo importante que es la confesión? Se confesó y abrió el paraíso. Se confesó y le entró tal confianza que, de ladrón, pasó a pedir el reino. ¿Ves cuántos beneficios nos reporta la cruz? ¿Pides el reino? Y, ¿qué es lo que ves que te lo sugiera? Ante ti tienes los clavos y la cruz. Sí, pero esa misma cruz, dice, es el símbolo del reino.*

Por eso lo llamo rey, porque lo veo crucificado: ya que es propio de un rey morir por sus súbditos. Lo dijo él mismo: El buen pastor da la vida por las ovejas: luego el buen rey da la vida por sus súbditos. Y como quiera que realmente dio su vida, por eso lo llamo rey: Señor, acuérdate de mí cuando llegues a tu reino. ¿Ves cómo la cruz es el símbolo del reino? ¿Quieres otra confirmación de esta verdad? No la dejó en la tierra, sino que la tomó y se la llevó consigo al cielo. Y ¿cómo me lo demuestras? Muy sencillo: porque en aquella su gloriosa y segunda venida aparecerá con ella, para que aprendas que la cruz es algo honorable. Por eso la llamó su «gloria». Pero veamos cómo vendrá con la cruz, pues en este tema conviene poner las cosas en claro. Dice el evangelio: Si os insisten: "Mira, que Cristo está en el sótano", no os lo creáis; "mira, que está en el desierto", no vayáis. Hablaba de este modo de su segunda venida en gloria, previniéndonos contra los falsos cristos y contra el anticristo, para que nadie, seducido, cayera en sus lazos» (**San Juan Crisóstomo** [c. 345-407]. Homilía sobre la cruz y el ladrón 1, 3-4).

ADVIENTO Y NAVIDAD

En el siglo IV, al difundirse también con la celebración de la Pascua, se fueron desarrollando otras festividades litúrgicas que seguían el calendario solar y por ello tenían fecha fija. Estas celebraciones surgieron como fiestas independientes entre sí y sin vinculación directa con la Pascua. En las Iglesias occidentales algunas se unificaron más tarde formando el Tiempo de Navidad, precedido del Adviento. Son festividades cuyo origen y desarrollo son complejos. Para los primeros cristianos el centro de atención estaba constituido no por el Nacimiento de Jesús, sino por su pasión, muerte y resurrección, ascensión al cielo y el don del Espíritu Santo. El desarrollo gradual de la celebración del Nacimiento ha comportado para estas generaciones un camino "inverso": del final –muerte, resurrección, ascensión– al inicio en Belén. El mismo recorrido lo hicieron los evangelistas: escribir la vida de Jesús partiendo de la Pascua.

Adviento. Los orígenes del Adviento, ya decíamos, son inciertos y las noticias escasas. Debemos distinguir un Adviento como preparación a la Navidad y un Adviento que celebra la segunda venida gloriosa de Cristo. Este tiempo litúrgico de preparación al Nacimiento de Jesús es típico de la Iglesia de Occidente; en Oriente se observa sólo una preparación de pocos días. Del Adviento se tienen noticias sólo en el siglo IV, y éste se caracteriza tanto en sentido escatológico (segunda venida de Cristo) como en sentido de preparación a la Navidad. Sobre el significado originario del Adviento se ha discutido demasiado, hay quien opta por el Adviento natalicio, otros por el Adviento escatológico. El Concilio Vaticano II intencionalmente ha querido conservar las dos opciones.

El Adviento consta de cuatro semanas. Este período litúrgico, aun conservando su unidad, está formado por dos momentos: del primer domingo de Adviento hasta el 16 de diciembre se pone en evidencia el aspecto escatológico y orienta a la espera de la segunda venida de Cristo; del 17 al 24 de diciembre los textos van dirigidos a la preparación del Nacimiento de Jesús. En el tiempo de Adviento sobresalen tres figuras: Isaías, Juan Bautista, María.

Navidad. Sólo desde el año 336 tenemos noticias de una fiesta de Navidad en Roma; se celebraba el 25 de diciembre. Por san Agustín sabemos que en África, aproximadamente al mismo tiempo, se celebraba también la Navidad. Esta festividad desde su inicio encontró gran aceptación en el pueblo cristiano. La piedad antigua ha subrayado con vigor el aspecto teológico, es decir la encarnación de la Palabra en el seno de María como inicio de nuestra salvación y participación de nuestra naturaleza en la vida divina. Esto se pone en evidencia en las oraciones y lecturas bíblicas. Sobre la humanidad del

Salvador se desarrolló una espiritualidad en la Edad Media, deteniéndose sobre episodios particulares en un marco de piadosos sentimientos. La liturgia, sobre todo después de la reforma del Vaticano II, ayuda a reencontrar el equilibro entre los dos aspectos.

Un solo acontecimiento. El Nacimiento del Hijo de Dios implica el reconocimiento de su misterio y la respuesta de los hombres mediante la aceptación por la fe. Del misterio central del nacimiento del Hijo se pasa a considerar su manifestación al mundo con la llamada a las naciones (Epifanía), la proclamación en el Jordán de ser el Hijo de Dios y su investidura mesiánica (fiesta del Bautismo), su vida en familia (la Sagrada Familia de Nazaret). Después del Nacimiento del Señor se celebra a su Madre (con el título de Madre de Dios: el 1° de enero). No obstante la variedad de las celebraciones litúrgicas, sólo uno es el misterio salvífico conmemorado en sus varios aspectos y momentos: la encarnación del Hijo de Dios y su manifestación a la humanidad. El período que va de la Navidad al Bautismo del Señor se llama tiempo de Navidad.

1ᵉʳ DOMINGO DE ADVIENTO
VAYAMOS CON ALEGRÍA AL ENCUENTRO DEL SEÑOR

Esperar al Hijo de Dios. Hoy comenzamos el tiempo de Adviento. Con este domingo también damos inicio a un nuevo Año Litúrgico, el año A. El tiempo del Adviento es la preparación litúrgica a la venida del Hijo de Dios. Es este espíritu que debe animar nuestro corazón en este tiempo litúrgico. Es el tiempo en que se debe llenar de alegría nuestro corazón porque preparamos el Nacimiento de Jesús.

El Señor vendrá de nuevo. Estamos ante una de las páginas del Evangelio más difíciles de interpretar. El mensaje de la palabra de Dios, proclamado por Jesús, se expresa en un estilo apocalíptico, que ya no utilizamos y del cual algunas frases no entendemos. Es una manera de hablar de eventos futuros (*escatología*) de una manera escondida, velada. Podríamos preguntarnos: con este lenguaje ¿cuál es el mensaje específico de la palabra de Dios? Después que san Mateo ha hablado del destino trágico de la Ciudad Santa (su asedio y destrucción), toda su preocupación está en presentar la segunda venida del Señor, aquella que con palabras teológicas se dice *Parusía* (el Señor vendrá de nuevo).

Esta primera venida de Jesús se realizó en la humildad y sencillez; estuvo marcada por el sufrimiento. Por ello la figura que simboliza y resume todo el primer Adviento del Señor es la cruz. Pero al mismo tiempo, el período de Adviento nos hace dirigir nuestra mirada a un acontecimiento futuro del que no sabemos el día ni la hora: la segunda venida del Señor. Esta segunda venida es la que sucederá al final de los tiempos.

Estén preparados. Durante todos los domingos de este año nos acompañará el Evangelio de Mateo. Este Evangelio ya se conocía en la segunda mitad del siglo I. Se le denomina «el Evangelio del Emmanuel, *Dios con nosotros*», según el nombre que el ángel anuncia a José (Mt 1, 23). Palabras que resonarán al final de todo el libro: «*Y sepan que yo estoy con ustedes todos los días hasta el fin del mundo*» (Mt 28, 20).

En tiempos de Noé. El Adviento es un tiempo formidable porque despierta en nosotros el deseo del Señor, revelándonos cuál es la voluntad de Dios: Él desea entrar en comunión con nosotros. Aunque si viene a nuestra vida como un "ladrón": cuando menos lo esperamos; nos sorprende siempre. Si no tenemos un deseo que tenga despierto nuestro corazón, pasa y nosotros no reconoceremos los signos de su proximidad. Jesús nos invita a la vigilancia con el ejemplo de los contemporáneos de Noé que «*Cuando menos lo esperaban*» vino el diluvio.

Hacia él confluirán todas las naciones. En un lenguaje metafórico, Isaías habla del «*monte de la casa del Señor*». Estará firmemente establecido en la cima de la montaña, como símbolo de poder, visibilidad y estabilidad, y sobre todo de seguridad –**primera lectura–**. Frente a un mundo con tantas inseguridades y miedos, recibir el anuncio de un tiempo y de un lugar de seguridad y de paz es lo que todos anhelamos.

San Pablo, en la **Carta a los romanos**, trata el mismo tema del Evangelio, evidentemente con otras palabras **segunda lectura**. Él va más adelante dando algunos ejemplos concretos: dejar actitudes que no ayudan a prepararnos a la venida del Hijo de Dios: «*Nada de comilonas ni borracheras, nada de lujurias… nada de pleitos y envidias*». Acciones que debemos desterrar para que llegue el tiempo del Señor.

1. Antífona de entrada. A ti, Señor, levanto mi alma; Dios mío, en ti confío, no quede yo defraudado, que no triunfen de mí mis enemigos; pues los que esperan en ti no quedan defraudados (Cfr. Sal 24, 1-3).

No se dice Gloria

2. Oración colecta. Concede a tus fieles, Dios todopoderoso, el deseo de salir al encuentro de Cristo, que viene a nosotros, para que, mediante la práctica de las buenas obras, colocados un día a su derecha, merezcamos poseer el reino celestial. Por nuestro Señor Jesucristo...

3. 1ª **Lectura**   (Is 2, 1-5)
Del libro del profeta Isaías
Visión de Isaías, hijo de Amós, acerca de Judá y Jerusalén: En días futuros, el monte de la casa del Señor será elevado en la cima de los montes, encumbrado sobre las montañas, y hacia él confluirán todas las naciones.

Acudirán pueblos numerosos, que dirán: "Vengan, subamos al monte del Señor, a la casa del Dios de Jacob, para que él nos instruya en sus caminos y podamos marchar por sus sendas. Porque de Sión saldrá la ley, de Jerusalén, la palabra del Señor".

Él será el árbitro de las naciones y el juez de pueblos numerosos. De las espadas forjarán arados y de las lanzas, podaderas; ya no alzará la espada pueblo contra pueblo, ya no se adiestrarán para la guerra.

¡Casa de Jacob, en marcha! Caminemos a la luz del Señor.
Palabra de Dios.
A. *Te alabamos, Señor.*

4. Salmo responsorial   (Sal 121)
R. Vayamos con alegría al encuentro del Señor.
L. ¡Qué alegría sentí, cuando me dijeron: "Vayamos a la casa del Señor"! Y hoy estamos aquí, Jerusalén, jubilosos, delante de tus puertas. / **R.**

[R. Vayamos con alegría al encuentro del Señor.]

L. A ti, Jerusalén, suben las tribus, las tribus del Señor, según lo que a Israel se le ha ordenado, para alabar el nombre del Señor. En ella están los tribunales de justicia, en el palacio de David. / R.

L. Digan de todo corazón: "Jerusalén, que haya paz entre aquellos que te aman, que haya paz dentro de tus murallas y que reine la paz en cada casa". / R.

L. Por el amor que tengo a mis hermanos, voy a decir: "La paz esté contigo". Y por la casa del Señor, mi Dios, pediré para ti todos los bienes. / R.

5. 2ª Lectura (Rom 13, 11-14)

De la carta del apóstol san Pablo a los romanos

Hermanos: Tomen en cuenta el momento en que vivimos. Ya es hora de que se despierten del sueño, porque ahora nuestra salvación está más cerca que cuando empezamos a creer. La noche está avanzada y se acerca el día. Desechemos, pues, las obras de las tinieblas y revistámonos con las armas de la luz.

Comportémonos honestamente, como se hace en pleno día. Nada de comilonas ni borracheras, nada de lujurias ni desenfrenos, nada de pleitos ni envidias. Revístanse, más bien, de nuestro Señor Jesucristo y que el cuidado de su cuerpo no dé ocasión a los malos deseos. *Palabra de Dios.*

A. *Te alabamos, Señor.*

6. Aclamación antes del Evangelio (Sal 84, 8)

R. **Aleluya, aleluya.** Muéstranos, Señor, tu misericordia y danos tu salvación.

R. **Aleluya, aleluya.**

7. Evangelio (Mt 24, 37-44)

Del santo Evangelio según san Mateo

A. *Gloria a ti, Señor.*

En aquel tiempo, Jesús dijo a sus discípulos: "Así como sucedió en tiempos de Noé, así también sucederá cuando venga el Hijo del hombre. Antes del diluvio, la gente comía, bebía y se casaba, hasta el día en que Noé entró en el arca. Y cuando menos lo esperaban, sobrevino el diluvio y se llevó a todos. Lo mismo sucederá cuando venga el Hijo del hombre. Entonces, de dos hombres que estén en el campo, uno será llevado y el otro será dejado; de dos mujeres que estén juntas moliendo trigo, una será tomada y la otra dejada.

Velen, pues, y estén preparados, porque no saben qué día va a venir su Señor. Tengan por cierto que si un padre de familia supiera a qué hora va a venir el ladrón, estaría vigilando y no dejaría que se le metiera por un boquete en su casa. También ustedes estén preparados, porque a la hora que menos lo piensen, vendrá el Hijo del hombre".

Palabra del Señor.
A. *Gloria a ti, Señor Jesús.*

Se dice Credo

8. Oración sobre las ofrendas. Recibe, Señor, estos dones que te ofrecemos, tomados de los mismos bienes que nos has dado, y haz que lo que nos das en el tiempo presente para aumento de nuestra fe, se convierta para nosotros en prenda de tu redención eterna. Por Jesucristo, nuestro Señor.

9. Antífona de la comunión. El Señor nos mostrará su misericordia y nuestra tierra producirá su fruto (Sal 84, 13).

10. Oración después de la comunión. Te pedimos, Señor, que nos aprovechen los misterios en que hemos participado, mediante los cuales, mientras caminamos en medio de las cosas pasajeras, nos inclinas ya desde ahora a anhelar las realidades celestiales y a poner nuestro corazón en las que han de durar para siempre. Por Jesucristo, nuestro Señor.

EN COMUNIÓN
CON LA TRADICIÓN VIVA DE LA IGLESIA

«*Es saludable el aviso del Señor, nuestro Maestro, que "el que persevere hasta el final se salvará". Y también este otro: "Si os mantenéis en mi palabra, seréis de verdad discípulos míos; conoceréis la verdad, y la verdad os hará libres". Hemos de tener paciencia, y perseverar para que, después de haber sido admitidos a la esperanza de la verdad y de la libertad, podamos alcanzar la verdad y la libertad mismas. Porque el que seamos cristianos es por la fe y la esperanza; pero es necesaria la paciencia, para que esta fe y esta esperanza lleguen a dar su fruto. Pues no vamos en pos de una gloria presente; buscamos la futura, conforme a la advertencia del apóstol Pablo cuando dice: "En esperanza fuimos salvados". Y una esperanza que se ve ya no es esperanza. ¿Cómo seguirá esperando uno aquello que se ve? Cuando esperamos lo que no vemos, aguardamos con perseverancia. Así pues, la esperanza y la paciencia nos son necesarias para completar en nosotros lo que hemos empezado a ser, y para conseguir, por concesión de Dios, lo que creemos y esperamos. En otra ocasión, el mismo Apóstol recomienda a los justos que obren el bien y guarden sus tesoros en el cielo, para obtener el ciento por uno, que tengan paciencia, diciendo: Mientras tenemos ocasión, trabajemos por el bien de todos, especialmente por el de la familia de la fe. No nos cansemos de hacer el bien, que, si no desmayamos, a su tiempo cosecharemos. Estas palabras exhortan a que nadie, por impaciencia, decaiga en el bien obrar o, solicitado y vencido por la tentación, renuncie en medio de su brillante carrera, echando así a perder el fruto de lo ganado, por dejar sin terminar lo que empezó*» (**San Cipriano** [c. 200-258]. Sobre los bienes de la paciencia 13.15).

4 DE DICIEMBRE – **(MORADO)**

2º DOMINGO DE ADVIENTO
VEN, SEÑOR, REY DE JUSTICIA Y DE PAZ

Comenzó Juan el Bautista a predicar en el desierto. San Mateo lo presenta en plena actividad; relata los rasgos sobresalientes de su persona, el lugar de su predicación, el tema y el tenor de sus palabras, como también el rito del bautismo que practicaba. El sobrenombre de «Bautista», no es sólo para distinguirlo del otro Juan, el «Evangelista», discípulo de Jesús, sino que hace referencia a un cierto número de movimientos que existían en Israel en ese tiempo y eran cobijados con la bandera de un despertar del profetismo.

Una voz clama en el desierto. San Mateo subraya que es justamente de Juan de quien profetizaba Isaías cuando decía estas palabras. Sabemos que cada uno de los cuatro Evangelistas dirigía su escrito a una determinada Iglesia particular. Esto nos hace comprender la preocupación o los problemas que existían en la comunidad de Mateo: dar una señal a aquella parte de Israel que aún espera al Mesías y a su Precursor.

Juan usaba una túnica de pelo de camello... se alimentaba de saltamontes y de miel silvestre. El modo de vestir de Juan recuerda al de los antiguos profetas, en particular a Elías, según la descripción de 2 Reyes (1, 8). Jesús mismo identifica a Juan con Elías. Es el profeta que debería preceder al Mesías. De Elías se esperaba el retorno, así lo pensaba la tradición judía (Malaquías 3, 23) y anunciaría la intervención divina. Se alimentaba con saltamontes y miel silvestre.

Desierto de Judea. Es la región pedregosa que, al este del altiplano de Judea, baja hacia el valle del Jordán y del Mar Muerto. Debido a que en la misma zona de este desierto, en la orilla noroccidental de este Mar, el descubrimiento de los manuscritos de Qumrán ha sacado a la luz el movimiento de los Esenios (vivieron en ese mismo tiempo) viene espontáneo pensar en una similitud de la predicación sobre la «penitencia» del Bautista con la vida y doctrina de aquellos "monjes" hebreos del desierto. *Conviértanse…*: El llamado a la conversión en vistas del Reino que ya está «cerca» lo encontraremos también en labios de Jesús al inicio de su ministerio.

Él los bautizaba en el río. Este bautismo de Juan tenía la finalidad de expresar la voluntad de conversión. La inmersión en las aguas del Jordán simbolizaba una purificación interior, espiritual, y esto en armonía con la predicación profética que ordenaba: *«Lávense, purifíquense, aparten sus fechorías de mi vista, desistan de hacer el mal»* (Is 1, 16).

En aquel día… El profeta Isaías se limita a dar la buena noticia de aquel día tan esperado y deseado. El día que de un tronco, aparentemente seco, surgirá un retoño. Ese vástago se convertirá en un grande árbol porque sobre él se posará el Espíritu de Dios **–primera lectura–**. ¿A qué tronco y retoño se refiere el profeta? Es una referencia a la descendencia de David, a Jesús. Este vástago nacerá en un lugar insignificante, donde nadie ponía sus ojos, pero promovería grandes cambios porque tendrá cualidades inusitadas que romperán con costumbres.

San Pablo en la **Carta a los romanos** afirma que todo lo que en el pasado fue escrito para nuestra instrucción, para orientarnos, para mostrar cómo podemos hacer que ese tiempo nuevo, tan anhelado, efectivamente acontezca **–segunda lectura–**. Lo que el profeta Isaías anuncia es para que mantengamos firme la esperanza. Sin una firme esperanza, no habrá empeño en la promoción de ese mundo armónico que ya anunciaba el Profeta.

1. Antífona de entrada. Pueblo de Sión, mira que el Señor va a venir para salvar a todas las naciones y dejará oír la majestad de su voz para alegría de tu corazón (Cfr. Is 30, 19. 30).

No se dice Gloria

2. Oración colecta. Dios omnipotente y misericordioso, haz que ninguna ocupación terrena sirva de obstáculo a quienes van presurosos al encuentro de tu Hijo, antes bien, que el aprendizaje de la sabiduría celestial, nos lleve a gozar de su presencia. Él, que vive y reina contigo…

3. 1ª Lectura   (Is 11, 1-10)
Del libro del profeta Isaías
En aquel día, brotará un renuevo del tronco de Jesé, un vástago florecerá de su raíz. Sobre él se posará el espíritu del Señor, espíritu de sabiduría e inteligencia, espíritu de consejo y fortaleza, espíritu de piedad y temor de Dios.

No juzgará por apariencias, ni sentenciará de oídas; defenderá con justicia al desamparado y con equidad dará sentencia al pobre; herirá al violento con el látigo de su boca, con el soplo de sus labios matará al impío. Será la justicia su ceñidor, la fidelidad apretará su cintura.

Habitará el lobo con el cordero, la pantera se echará con el cabrito, el novillo y el león pacerán juntos y un muchachito los apacentará. La vaca pastará con la osa y sus crías vivirán juntas. El león comerá paja con el buey.

El niño jugará sobre el agujero de la víbora; la criatura meterá la mano en el escondrijo de la serpiente. No harán daño ni estrago por todo mi monte santo, porque así como las aguas colman el mar, así está lleno el país de la ciencia del Señor. Aquel día la raíz de Jesé se alzará como bandera de los pueblos, la buscarán todas las naciones y será gloriosa su morada.
Palabra de Dios.
A. Te alabamos, Señor.

4. Salmo responsorial   (Sal 71)
R. **Ven, Señor, rey de justicia y de paz.**
L. Comunica, Señor, al rey tu juicio, y tu justicia al que es hijo de reyes; así tu siervo saldrá en defensa de tus pobres y regirá a tu pueblo justamente. / R.

[R. Ven, Señor, rey de justicia y de paz.]

L. Florecerá en sus días la justicia y reinará la paz, era tras era. De mar a mar se extenderá su reino y de un extremo al otro de la tierra. / R.

L. Al débil librará del poderoso y ayudará al que se encuentra sin amparo; se apiadará del desvalido y pobre y salvará la vida al desdichado. / R.

L. Que bendigan al Señor eternamente, y tanto como el sol, viva su nombre. Que él sea la bendición del mundo entero y lo aclamen dichoso las naciones. / R.

5. 2ª Lectura   (Rom 15, 4-9)
De la carta del apóstol san Pablo a los romanos
Hermanos: Todo lo que en el pasado ha sido escrito en los libros santos, se escribió para instrucción nuestra, a fin de que, por la paciencia y el consuelo que dan las Escrituras, mantengamos la esperanza.

Que Dios, fuente de toda paciencia y consuelo, les conceda a ustedes vivir en perfecta armonía unos con otros, conforme al espíritu de Cristo Jesús, para que, con un solo corazón y una sola voz alaben a Dios, Padre de nuestro Señor Jesucristo.

Por lo tanto, acójanse los unos a los otros como Cristo los acogió a ustedes, para gloria de Dios. Quiero decir con esto, que Cristo se puso al servicio del pueblo judío, para demostrar la fidelidad de Dios, cumpliendo las promesas hechas a los patriarcas y que por su misericordia los paganos alaban a Dios, según aquello que dice la Escritura: *Por eso te alabaré y cantaré himnos a tu nombre.*
Palabra de Dios.
A. **Te alabamos, Señor.**

6. Aclamación antes del Evangelio   (Lc 3, 4. 6)
R. **Aleluya, aleluya.** Preparen el camino del Señor, hagan rectos sus senderos, y todos los hombres verán la salvación de Dios.
R. **Aleluya, aleluya.**

7. Evangelio (Mt 3, 1-12)
Del santo Evangelio según san Mateo
A. *Gloria a ti, Señor.*

En aquel tiempo, comenzó Juan el Bautista a predicar en el desierto de Judea, diciendo: "Conviértanse, porque ya está cerca el Reino de los cielos". Juan es aquel de quien el profeta Isaías hablaba, cuando dijo: *Una voz clama en el desierto: Preparen el camino del Señor, enderecen sus senderos.*

Juan usaba una túnica de pelo de camello, ceñida con un cinturón de cuero, y se alimentaba de saltamontes y de miel silvestre. Acudían a oírlo los habitantes de Jerusalén, de toda Judea y de toda la región cercana al Jordán; confesaban sus pecados y él los bautizaba en el río.

Al ver que muchos fariseos y saduceos iban a que los bautizara, les dijo: "Raza de víboras, ¿quién les ha dicho que podrán escapar al castigo que les aguarda? Hagan ver con obras su conversión y no se hagan ilusiones pensando que tienen por padre a Abraham, porque yo les aseguro que hasta de estas piedras puede Dios sacar hijos de Abraham. Ya el hacha está puesta a la raíz de los árboles, y todo árbol que no dé fruto, será cortado y arrojado al fuego.

Yo los bautizo con agua, en señal de que ustedes se han convertido; pero el que viene después de mí, es más fuerte que yo, y yo ni siquiera soy digno de quitarle las sandalias. Él los bautizará en el Espíritu Santo y su fuego. Él tiene el bieldo en su mano para separar el trigo de la paja. Guardará el trigo en su granero y quemará la paja en un fuego que no se extingue".
Palabra del Señor.
A. **Gloria a ti, Señor Jesús.**

Se dice Credo

8. Oración sobre las ofrendas. Que te sean agradables, Señor, nuestras humildes súplicas y ofrendas, y puesto que no tenemos méritos en qué apoyarnos, nos socorra el poderoso auxilio de tu benevolencia. Por Jesucristo, nuestro Señor.

9. Antífona de la comunión. Levántate, Jerusalén, sube a lo alto, para que contemples la alegría que te viene de Dios (Bar 5, 5; 4, 36).

10. Oración después de la comunión. Saciados por el alimento que nutre nuestro espíritu, te rogamos, Señor, que, por nuestra participación en estos misterios, nos enseñes a valorar sabiamente las cosas de la tierra y a poner nuestro corazón en las del cielo. Por Jesucristo, nuestro Señor.

EN COMUNIÓN
CON LA TRADICIÓN VIVA DE LA IGLESIA

«Habiendo cantado el profeta la liberación de Israel y el perdón de los pecados de Jerusalén; habiendo solicitado para ella el consuelo, un consuelo ya próximo y como quien dice, pisando los talones a lo ya dicho, añadió: viene nuestro salvador. Le precede como precursor enviado por Dios el Bautista, que en el desierto de Judá grita y dice: Preparad el camino del Señor, allanad los senderos de nuestro Dios. (···) De él dijo el mismo Salvador a los judíos: Juan

era la lámpara que ardía y brillaba, y vosotros quisisteis gozar un instante de su luz. Pues el sol de justicia y la luz verdadera es Cristo. La Sagrada Escritura compara al Bautista con una lámpara. Pues si contemplas la luz divina e inefable, si te fijas en aquel inmenso y misterioso esplendor, con razón la medida de la mente humana puede ser comparada a una lamparita, aunque esté colmada de luz y sabiduría. Qué signifique: Preparad el camino del Señor, allanad sus senderos, lo explica cuando dice: Elévense los valles, desciendan los montes y colinas: que lo torcido se enderece, lo escabroso se iguale. Pues hay vías públicas y senderos casi impracticables, escarpados e inaccesibles, que obligan unas veces a subir montes y colinas y otras a bajar de ellos, ora te ponen al borde de precipicios, ora te hacen escalar altísimas montañas. Pero si estos lugares señeros y abruptos se abajan y se rellenan las cavidades profundas, entonces sí, entonces lo torcido se endereza totalmente, los campos se allanan y los caminos, antes escarpados y tortuosos, se hacen transitables» (**San Cirilo de Alejandría** [375-444]. Comentario a Isaías 3, t 4).

INMACULADA CONCEPCIÓN DE LA SAN-TÍSIMA VIRGEN MARÍA (S)

"¡ALÉGRATE MARÍA!"

Contrario a lo que acostumbramos nosotros, el saludo del Ángel Gabriel a María fue "¡alégrate María!", no "Dios te salve María". Ignoramos las razones por las que se dio este cambio en la Iglesia. Pero vale la pena poner en consideración ambas expresiones y tomar conciencia de lo que decimos al rezar el Rosario, porque tienen profundas diferencias. Resulta ser que con la expresión "Dios te salve María" nos quedamos con una simple alabanza a María, haciendo a un lado el elemento más importante del saludo que era invitar a María a experimentar el primer efecto de la presencia de Dios entre nosotros, es decir, el júbilo, el gozo y la alegría, donde María resulta ser la primera beneficiada porque en su ser va a comenzar a gestarse la presencia de Dios entre nosotros. La recuperación de esta expresión cobra relevancia en nuestros días, en que la alegría no resulta ser una característica que identifique a los creyentes y a los santos.

La expresión "llena de Gracia" significa que María ha gozado y sigue gozando del favor de Dios, y uno de los efectos más importantes de este favor se relaciona con la fiesta de la "Inmaculada Concepción de María", que celebramos el día de hoy, que significa que la Virgen María fue concebida y dada a luz preservada del pecado original por un privilegio muy singular: porque sería la Madre del Salvador.

La solemnidad de hoy: *Desde el primer instante de su vida, la santísima Virgen María, por una gracia derivada anticipadamente de la muerte de su Hijo, es preservada de todo pecado. Así pues, la concepción inmaculada se funda en su maternidad divina. La asunción y la concepción inmaculada de María santísima son la imagen anticipada de la Iglesia, la cual "no tiene mancha, ni arruga, sino que es santa e inmaculada", por voluntad de Dios.*

1. Antífona de entrada. Me alegro en el Señor con toda el alma y me lleno de júbilo en mi Dios, porque me revistió con vestiduras de salvación y me cubrió con un manto de justicia, como la novia que se adorna con sus joyas (Is 61, 10).

Se dice Gloria

2. Oración colecta. Dios nuestro, que por la Inmaculada Concepción de la Virgen María preparaste una digna morada para tu Hijo y, en previsión de la muerte redentora de Cristo, la preservaste de toda mancha de pecado, concédenos que, por su intercesión, nosotros también, purificados de todas nuestras culpas, lleguemos hasta ti. Por nuestro Señor Jesucristo…

3. 1ª Lectura   (Gén 3, 9-15. 20)
Del libro del Génesis
Después de que el hombre y la mujer comieron del fruto del árbol prohibido, el Señor Dios llamó al hombre y le preguntó: "¿Dónde estás?". Éste le respondió: "Oí tus pasos en el jardín y tuve miedo, porque estoy desnudo, y me escondí". Entonces le dijo Dios: "¿Y quién te ha dicho que estabas desnudo? ¿Has comido acaso del árbol del que te prohibí comer?".
Respondió Adán: "La mujer que me diste por compañera me ofreció del fruto del árbol y comí". El Señor Dios dijo a la mujer: "¿Por qué has hecho esto?". Repuso la mujer: "La serpiente me engañó y comí".

Entonces dijo el Señor Dios a la serpiente: "Porque has hecho esto, serás maldita entre todos los animales y entre todas las bestias salvajes. Te arrastrarás sobre tu vientre y comerás polvo todos los días de tu vida. Pondré enemistad entre ti y la mujer, entre tu descendencia y la suya; y su descendencia te aplastará la cabeza, mientras tú tratarás de morder su talón".

El hombre le puso a su mujer el nombre de "Eva", porque ella fue la madre de todos los vivientes. *Palabra de Dios.*

A. *Te alabamos, Señor.*

4. Salmo responsorial   (Sal 97)

R. **Cantemos al Señor un canto nuevo,
pues ha hecho maravillas.**

L. Cantemos al Señor un canto nuevo, pues ha hecho maravillas. Su diestra y su santo brazo le han dado la victoria. / R.

L. El Señor ha dado a conocer su victoria y ha revelado a las naciones su justicia. Una vez más ha demostrado Dios su amor y su lealtad hacia Israel. / R.

L. La tierra entera ha contemplado la victoria de nuestro Dios. Que todos los pueblos y naciones aclamen con júbilo al Señor. / R.

5. 2ª Lectura   (Ef 1, 3-6. 11-12)

De la carta del apóstol san Pablo a los efesios

Bendito sea Dios, Padre de nuestro Señor Jesucristo, que nos ha bendecido en él con toda clase de bienes espirituales y celestiales. Él nos eligió en Cristo, antes de crear el mundo, para que fuéramos santos e irreprochables a sus ojos, por el amor, y determinó, porque así lo quiso, que, por medio de Jesucristo, fuéramos sus hijos, para que alabemos y glorifiquemos la gracia con que nos ha favorecido por medio de su Hijo amado.

Con Cristo somos herederos también nosotros. Para esto estábamos destinados, por decisión del que lo hace todo según su voluntad: para que fuéramos una alabanza continua de su gloria, nosotros, los que ya antes esperábamos en Cristo.

Palabra de Dios.

A. *Te alabamos, Señor.*

6. Aclamación antes del Evangelio   (Cfr. Lc 1, 28)
R. Aleluya, aleluya. Dios te salve, María, llena de gracia, el Señor está contigo, bendita tú entre las mujeres.
R. Aleluya, aleluya.

 7. Evangelio   (Lc 1, 26-38)
Del santo Evangelio según san Lucas
A. *Gloria a ti, Señor.*

En aquel tiempo, el ángel Gabriel fue enviado por Dios a una ciudad de Galilea, llamada Nazaret, a una virgen desposada con un varón de la estirpe de David, llamado José. La virgen se llamaba María.

Entró el ángel a donde ella estaba y le dijo: "Alégrate, llena de gracia, el Señor está contigo". Al oír estas palabras, ella se preocupó mucho y se preguntaba qué querría decir semejante saludo.

El ángel le dijo: "No temas, María, porque has hallado gracia ante Dios. Vas a concebir y a dar a luz un hijo y le pondrás por nombre Jesús. Él será grande y será llamado Hijo del Altísimo; el Señor Dios le dará el trono de David, su padre, y él reinará sobre la casa de Jacob por los siglos y su reinado no tendrá fin".

María le dijo entonces al ángel: "¿Cómo podrá ser esto, puesto que yo permanezco virgen?". El ángel le contestó: "El Espíritu Santo descenderá sobre ti y el poder del Altísimo te cubrirá con su sombra. Por eso, el Santo, que va a nacer de ti, será llamado Hijo de Dios. Ahí tienes a tu parienta Isabel, que a pesar de su vejez, ha concebido un hijo y ya va en el sexto mes la que llamaban estéril, porque no hay nada imposible para Dios". María contestó: "Yo soy la esclava del Señor; cúmplase en mí lo que me has dicho". Y el ángel se retiró de su presencia.
Palabra del Señor.
A. *Gloria a ti, Señor Jesús.*

Se dice Credo

8. Oración sobre las ofrendas. Recibe favorablemente, Señor, la ofrenda que te presentamos en la solemnidad de la Inmaculada Concepción de la santísima Virgen María, y con-

cédenos que, así como profesamos que tu gracia la preservó de toda mancha de pecado, así también nosotros, por su intercesión, quedemos libres de toda culpa. Por Jesucristo, nuestro Señor.

PREFACIO El misterio de María y la Iglesia

En verdad es justo y necesario, es nuestro deber y salvación darte gracias siempre y en todo lugar, Señor, Padre santo, Dios todopoderoso y eterno. Porque preservaste a la santísima Virgen María de toda mancha de pecado original, para preparar en ella, enriquecida con la plenitud de tu gracia, una digna Madre para tu Hijo y significar el nacimiento de su Esposa, la Iglesia, toda hermosa y sin mancha ni arruga. Pues purísima debía ser la Virgen que diera a luz a tu Hijo, el Cordero inocente que quita el pecado del mundo, y así a ella misma, para bien de todos, la preparabas como abogada para tu pueblo, modelo de gracia y de santidad.

Por eso, unidos a los coros angélicos, te alabamos, proclamando con alegría:

Santo, Santo, Santo...

9. Antífona de la comunión. Grandes cosas se cantan de ti, María, porque de ti ha nacido el sol de justicia, Cristo nuestro Dios.

10. Oración después de la comunión. Que el sacramento que acabamos de recibir, Señor Dios nuestro, repare en nosotros las consecuencias de aquella culpa de la cual preservaste singularmente a la Virgen María en su Inmaculada Concepción. Por Jesucristo, nuestro Señor.

LA PALABRA EN TU VIDA

"María, al aceptar el mensaje del Ángel, concibió 'fe y alegría'. En la Madre de Jesús, la fe ha dado su mejor fruto, y cuando nuestra vida espiritual da fruto, nos llenamos de alegría, que es el signo más evidente de la grandeza de la fe" (Papa Francisco, Lumen fidei 58).

3er DOMINGO DE ADVIENTO
VEN, SEÑOR, A SALVARNOS

Regocíjense de júbilo. Este tercer domingo de Adviento, es llamado "Domingo de la alegría", por el hecho que ya desde el inicio de la Eucaristía la *"Antífona de entrada"* nos dice: *Estén siempre alegres en el Señor.*

Le mandó preguntar por medio de dos discípulos... El Bautista ha sido hecho prisionero, y después será condenado a muerte por Herodes. Juan, con la fuerza que caracterizaba su predicación, había reprochado al rey lo inapropiado de hacer vida matrimonial con la cuñada. Es en este momento cuando envía a dos discípulos suyos a entrevistar a Jesús. La pregunta de Juan, como san Mateo lo precisa muy bien, está motivada no por haber *«visto»* algo, sino por haber *«escuchado»*, probablemente porque el Evangelista quiere subrayar de esta manera la situación en que se encuentra el Bautista: encarcelado, y por esto no ha podido ver todo lo que Jesús hace; Juan ciertamente ha escuchado la relación de sus *«obras»*.

Las dudas del profeta. Es evidente que las dudas sobre la identidad de Jesús involucran su misma identidad de profeta. Muy bien podemos imaginar lo que en su interior se estaba preguntando: ¿de quién he preparado el camino? ¿A quién he anunciado como «el otro» que debía venir? ¿De quién estaba hablando cuando dije que *«no era ni siquiera digno de desatarle las correas de sus sandalias»*?

Vayan a contar a Juan lo que están viendo y oyendo... A través de los enviados Jesús responde al Precursor, veladamente, pero seguro: le transmite un mensaje capaz de eliminar todas sus dudas al profeta que concluye el Antiguo Testamento y abre el Nuevo. Juan puede estar seguro de no haberse equivocado. Esta respuesta de Jesús se funda sobre el plan de las acciones, es respuesta abierta. En ella no encontramos un «sí» o un «no», ya que se deja el espacio al interlocutor para que éste se responda.

Cuando se fueron los discípulos... No sabemos cómo reaccionó el profeta ante la respuesta del Señor, y si pudo ver en Jesús al que había anunciado y esperado. El aprecio que Jesús tiene hacia su Precursor es muy elocuente y lo entendemos por la descripción que hace de él. En conclusión, tenemos una identificación entre el Bautista y un ángel, donde se dice que Juan es aquel que preside al Mesías y del cual habla el último libro del Antiguo Testamento. Inmediatamente después de esto Jesús hará otra identificación de su Precursor: Juan Bautista es el más grande profeta de la historia de la salvación que preside a Cristo, pero desde el punto de vista humano.

Regocíjate, yermo sediento. El Segundo Isaías, un poeta anónimo del siglo VI a.C., pinta con colores naturales y muy vivos la tierra de Judá y de Israel, trasformada en la más bella de las huertas y en un hermoso paraíso –**primera lectura**–. Es la expresión plástica de la esperanza y la confianza total en Dios de un pueblo exiliado y privado de todo aquello que había constituido la delicia de su corazón.

Sean pacientes hasta la venida del Señor. En medio de las injusticias y atropellos, los cristianos deben alzar los ojos al cielo hasta que Dios ponga un remedio a la situación cuando comparecerá como juez –**segunda lectura**–. La exhortación del **apóstol Santiago** a la paciencia nace de la convicción según la cual la segunda venida de Cristo traerá el cambio esperado, eliminando todas las injusticias a las cuales estaban sujetos los cristianos.

1. Antífona de entrada. Estén siempre alegres en el Señor, les repito, estén alegres. El Señor está cerca (Cfr. Flp 4, 4. 5).

No se dice Gloria

2. Oración colecta. Dios nuestro, que contemplas a tu pueblo esperando fervorosamente la fiesta del nacimiento de tu Hijo, concédenos poder alcanzar la dicha que nos trae la salvación y celebrarla siempre, con la solemnidad de nuestras ofrendas y con vivísima alegría. Por nuestro Señor Jesucristo...

3. 1ª Lectura (Is 35, 1-6. 10)
Del libro del profeta Isaías
Esto dice el Señor: "Regocíjate, yermo sediento. Que se alegre el desierto y se cubra de flores, que florezca como un campo de lirios, que se alegre y dé gritos de júbilo, porque le será dada la gloria del Líbano, el esplendor del Carmelo y del Sarón.

Ellos verán la gloria del Señor, el esplendor de nuestro Dios. Fortalezcan las manos cansadas, afiancen las rodillas vacilantes. Digan a los de corazón apocado: '¡Ánimo! No teman. He aquí que su Dios, vengador y justiciero, viene ya para salvarlos'.

Se iluminarán entonces los ojos de los ciegos y los oídos de los sordos se abrirán. Saltará como un venado el cojo y la lengua del mudo cantará.

Volverán a casa los rescatados por el Señor, vendrán a Sión con cánticos de júbilo, coronados de perpetua alegría; serán su escolta el gozo y la dicha, porque la pena y la aflicción habrán terminado".

Palabra de Dios.
A. Te alabamos, Señor.

4. Salmo responsorial (Sal 145)
R. Ven, Señor, a salvarnos .
L. El Señor siempre es fiel a su palabra, y es quien hace justicia al oprimido; él proporciona pan a los hambrientos y libera al cautivo. / **R.**

L. Abre el Señor los ojos de los ciegos y alivia al agobiado. Ama el Señor al hombre justo y toma al forastero a su cuidado. / **R.**

L. A la viuda y al huérfano sustenta y trastorna los planes del inicuo. Reina el Señor eternamente, reina tu Dios, oh Sión, reina por siglos. / **R.**

5. 2ª Lectura (Sant 5, 7-10)
De la carta del apóstol Santiago

Hermanos: Sean pacientes hasta la venida del Señor. Vean cómo el labrador, con la esperanza de los frutos preciosos de la tierra, aguarda pacientemente las lluvias tempraneras y las tardías. Aguarden también ustedes con paciencia y mantengan firme el ánimo, porque la venida del Señor está cerca.

No murmuren, hermanos, los unos de los otros, para que el día del juicio no sean condenados. Miren que el juez ya está a la puerta. Tomen como ejemplo de paciencia en el sufrimiento a los profetas, los cuales hablaron en nombre del Señor.

Palabra de Dios.

A. ***Te alabamos, Señor.***

6. Aclamación antes del Evangelio
(Is 61, 1 [cit. en Lc 4, 18])

R. **Aleluya, aleluya.** El Espíritu del Señor está sobre mí. Me ha enviado para anunciar la buena nueva a los pobres.

R. **Aleluya, aleluya.**

 7. Evangelio (Mt 11, 2-11)
Del santo Evangelio según san Mateo
A. Gloria a ti, Señor.

En aquel tiempo, Juan se encontraba en la cárcel, y habiendo oído hablar de las obras de Cristo, le mandó preguntar por medio de dos discípulos: "¿Eres tú el que ha de venir o tenemos que esperar a otro?".

Jesús les respondió: "Vayan a contar a Juan lo que están viendo y oyendo: los ciegos ven, los cojos andan, los leprosos quedan limpios de la lepra, los sordos oyen, los muertos resucitan y a los pobres se les anuncia el Evangelio. Dichoso aquel que no se sienta defraudado por mí".

Cuando se fueron los discípulos, Jesús se puso a hablar a la gente acerca de Juan: "¿Qué fueron ustedes a ver en el desierto? ¿Una caña sacudida por el viento? No. Pues entonces, ¿qué fueron a ver? ¿A un hombre lujosamente vestido? No, ya que los que visten con lujo habitan en los palacios. ¿A qué fueron, pues? ¿A ver a un profeta? Sí, yo se lo aseguro; y a uno que es todavía más que profeta. Porque de él está escrito: *He aquí que yo envío a mi mensajero para que vaya delante de ti y te prepare el camino.* Yo les aseguro que no ha surgido entre los hijos de una mujer ninguno más grande que Juan el Bautista. Sin embargo, el más pequeño en el Reino de los cielos, es todavía más grande que él".

Palabra del Señor.

A. **Gloria a ti, Señor Jesús.**

Se dice Credo

8. Oración sobre las ofrendas. Que este sacrificio, Señor, que te ofrecemos con devoción, nunca deje de realizarse, para que cumpla el designio que encierra tan santo misterio y obre eficazmente en nosotros tu salvación. Por Jesucristo, nuestro Señor.

9. Antífona de la comunión. Digan a los cobardes: "¡Ánimo, no teman!; miren a su Dios: viene en persona a salvarlos" (Cfr. Is 35, 4).

10. Oración después de la comunión. Imploramos, Señor, tu misericordia, para que estos divinos auxilios nos preparen, purificados de nuestros pecados, para celebrar las fiestas venideras. Por Jesucristo, nuestro Señor.

EN COMUNIÓN
CON LA TRADICIÓN VIVA DE LA IGLESIA

«*El período de las promesas se extiende desde los profetas hasta Juan Bautista. El del cumplimiento, desde éste hasta el fin de los tiempos. Fiel es Dios, que se ha constituido en deudor nuestro, no porque haya recibido nada de nosotros, sino por lo mucho que nos ha prometido. La promesa le pareció poco, incluso; por eso, quiso obligarse mediante Escritura, haciéndonos, por decirlo así, un documento de sus promesas para que, cuando empezara a cumplir lo que prometió, viésemos en el escrito el orden sucesivo de su cumplimiento. El tiempo profético era el del anuncio de las promesas. Prometió la salvación eterna, la vida bienaventurada en la compañía eterna de los Ángeles, la herencia inmarcesible, la gloria eterna, la dulzura de su rostro, la casa de su santidad en los cielos y la liberación del miedo a la muerte, gracias a la resurrección de los muertos. Esta última es como su promesa final, a la cual se enderezan todos nuestros esfuerzos y que, una vez alcanzada, hará que no deseemos ni busquemos ya cosa alguna. Pero tampoco silenció en qué orden va a suceder todo lo relativo al final, sino que lo ha anunciado y prometido. Prometió a los hombres la divinidad, a los mortales la inmortalidad, a los pecadores la justificación, a los miserables la glorificación. Sin embargo, hermanos, como a los hombres les parecía increíble lo prometido, a saber, que los hombres habían de igualarse a los Ángeles de Dios, saliendo de esta mortalidad, corrupción, polvo y ceniza, no sólo entregó la Escritura a los hombres para que creyesen, sino que también puso un mediador de su fidelidad. Y no a cualquier príncipe, o a un Ángel, sino a su Hijo. Por medio de éste había de mostrarnos el camino por donde nos llevaría al fin prometido*» (**San Agustín** [354-430]. Comentario al Salmo 109, 1-3).

NUESTRA SEÑORA DE GUADALUPE (S)
EL PEREGRINAR DE MARÍA

En el evangelio del día de hoy escuchamos que "María se encaminó presurosa a un pueblo de las montañas de Judea" en ayuda de su parienta Isabel que aguardaba el nacimiento de su hijo Juan Bautista. Con esta actitud peregrinante, María se manifiesta como fiel imitadora de Dios que se hizo un peregrino acompañando al pueblo de Israel en su caminar, siempre solícito a sus necesidades. Con esta actitud peregrinante, María pone a disposición de su hijo sus pies y su cuerpo, para que desde su vientre inicie su misión y peregrinación llevando la gracia a Juan Bautista.

Pero este peregrinar de María no terminará ahí, sino que se prolongará a lo largo de la vida de Jesús, la llevará a Egipto para salvarlo de las manos de Herodes, la mantendrá al pendiente de su Hijo durante toda su predicación sin importarle que lo trataran de loco, la ayudará a perseverar a su lado, incluso al pie de la cruz, y a acoger a sus discípulos como hijos, alentándolos y acompañándolos en su misión.

Esta actitud de María es la misma que, en uno de los momentos cruciales de nuestra historia, la hizo encaminar sus pasos a nuestro país para traernos a Dios, sin importarle asumir nuestros rasgos y adoptar el nombre de Guadalupe.

La solemnidad de hoy: *En el mes de diciembre de 1531, diez años solamente después de conquistada Tenochtitlan por los españoles, cuando la santísima Virgen se apareció al indito Juan Diego en el cerro del Tepeyac. Lo nombró su embajador ante el obispo, fray Juan de Zumárraga, para que le construyera un templo. La prueba de que las palabras de Juan Diego eran ciertas fueron las rosas que llevó en su tilma y la preciosa imagen que apareció dibujada en ella. La santísima Virgen es nuestra Madre. Toda la historia de Juan Diego y de las apariciones de la Virgen están fundadas en una constante y sólida tradición.*

1. Antífona de entrada. Una gran señal apareció en el cielo: una mujer vestida de sol, con la luna bajo sus pies y una corona de doce estrellas sobre su cabeza (Cfr. Apoc 12, 1).

Se dice Gloria

2. Oración colecta. Dios, Padre de misericordia, que has puesto a este pueblo tuyo bajo la especial protección de la siempre Virgen María de Guadalupe, Madre de tu Hijo, concédenos, por su intercesión, profundizar en nuestra fe y buscar el progreso de nuestra patria por caminos de justicia y de paz. Por nuestro Señor Jesucristo…

3. 1ª Lectura   (Is 7, 10-14)
Del libro del profeta Isaías
En aquellos tiempos, el Señor le habló a Ajaz diciendo: "Pide al Señor, tu Dios, una señal de abajo, en lo profundo, o de arriba, en lo alto". Contestó Ajaz: "No la pediré. No tentaré al Señor".

Entonces dijo Isaías: "Oye, pues, casa de David: ¿No satisfechos con cansar a los hombres, quieren cansar también a mi Dios? Pues bien, el Señor mismo les dará por eso una señal: He aquí que la virgen concebirá y dará a luz un hijo y le pondrán el nombre de Emmanuel, que quiere decir Dios-con-nosotros".
Palabra de Dios.
A. Te alabamos, Señor.

O bien:

(Sir 24, 23-31)
Del libro del Sirácide (Eclesiástico)
Yo soy como una vid de fragantes hojas y mis flores son producto de gloria y de riqueza. Yo soy la madre del amor, del temor, del conocimiento y de la santa esperanza. En mí está toda la gracia del camino y de la verdad, toda esperanza de vida y de virtud.

Vengan a mí, ustedes, los que me aman y aliméntense de mis frutos. Porque mis palabras son más dulces que la miel y mi heredad, mejor que los panales.

Los que me coman seguirán teniendo hambre de mí, los que me beban seguirán teniendo sed de mí; los que me escuchan no tendrán de qué avergonzarse y los que se dejan guiar por mí no pecarán. Los que me honran tendrán una vida eterna.
Palabra de Dios.
A. Te alabamos, Señor.

4. Salmo responsorial   (Sal 66)
R. **Que te alaben, Señor, todos los pueblos.**
L. Ten piedad de nosotros y bendícenos; vuelve, Señor, tus ojos a nosotros. Que conozca la tierra tu bondad y los pueblos tu obra salvadora. / R.

L. Las naciones con júbilo te canten, porque juzgas al mundo con justicia; con equidad tú juzgas a los pueblos y riges en la tierra a las naciones. / R.

L. Que te alaben, Señor, todos los pueblos, que los pueblos te aclamen todos juntos. Que nos bendiga Dios y que le rinda honor el mundo entero. / R.

5. 2ª Lectura   (Gál 4, 4-7)
De la carta del apóstol san Pablo a los gálatas
Hermanos: Al llegar la plenitud de los tiempos, envió Dios a su Hijo, nacido de una mujer, nacido bajo la ley, para rescatar a los que estábamos bajo la ley, a fin de hacernos hijos suyos.

Puesto que ya son ustedes hijos, Dios envió a sus corazones el Espíritu de su Hijo, que clama: "¡Abbá!", es decir, ¡Padre! Así que ya no eres siervo, sino hijo; y siendo hijo, eres también heredero por voluntad de Dios. *Palabra de Dios.*
A. *Te alabamos, Señor.*

6. Aclamación antes del Evangelio (Lc 1, 47)
R. **Aleluya, aleluya.** Mi alma glorifica al Señor y mi espíritu se llena de júbilo en Dios, mi salvador.
R. **Aleluya, aleluya.**

7. Evangelio (Lc 1, 39-48)
Del santo Evangelio según san Lucas
A. *Gloria a ti, Señor.*

En aquellos días, María se encaminó presurosa a un pueblo de las montañas de Judea, y entrando en la casa de Zacarías, saludó a Isabel. En cuanto ésta oyó el saludo de María, la criatura saltó en su seno.

Entonces Isabel quedó llena del Espíritu Santo, y levantando la voz, exclamó: "¡Bendita tú entre las mujeres y bendito el fruto de tu vientre! ¿Quién soy yo, para que la madre de mi Señor venga a verme? Apenas llegó tu saludo a mis oídos, el niño saltó de gozo en mi seno. Dichosa tú, que has creído, porque se cumplirá cuanto te fue anunciado de parte del Señor".

Entonces dijo María: "Mi alma glorifica al Señor *y mi espíritu se llena de júbilo en Dios, mi salvador,* porque *puso sus ojos en la humildad de su esclava".*
Palabra del Señor.
A. *Gloria a ti, Señor Jesús.*

Se dice Credo

8. Oración sobre las ofrendas. Acepta, Señor, los dones que te presentamos en esta solemnidad de nuestra Señora de Guadalupe, y haz que este sacrificio nos dé fuerza para cumplir tus mandamientos, como verdaderos hijos de la Virgen María. Por Jesucristo, nuestro Señor.

PREFACIO

La Virgen María, signo materno del amor de Dios

En verdad es justo y necesario, es nuestro deber y salvación darte gracias siempre y en todo lugar, Señor, Padre santo, Dios todopoderoso y eterno, por Cristo, Señor nuestro. Porque en tu inmensa bondad has querido que la Madre de tu Hijo, bajo el título de Guadalupe, fuera especial Madre nuestra, refugio y Señora, presencia viva en la historia de este pueblo tuyo. Ella, mensajera de tu verdad y signo materno de tu amor, nos brindó compasión, auxilio y defensa, y hoy nos invita a reconciliarnos contigo y entre nosotros, y a proclamar el Evangelio de tu Hijo, para hacer que florezcan en nuestras tierras la fraternidad y la paz.

Por eso, con todos los ángeles y los santos, te alabamos, proclamando sin cesar:

Santo, Santo, Santo...

9. Antífona de la comunión. No ha hecho nada semejante con ningún otro pueblo; a ninguno le ha manifestado tan claramente su amor (Cfr. Sal 147, 20).

10. Oración después de la comunión. Que el Cuerpo y la Sangre de tu Hijo, que acabamos de recibir en este sacramento, nos ayuden, Señor, por intercesión de santa María de Guadalupe, a reconocernos y amarnos todos como verdaderos hermanos. Por Jesucristo, nuestro Señor.

LA PALABRA EN TU VIDA

"¡Madre, ayuda nuestra fe! Abre nuestro oído a la Palabra, para que reconozcamos la voz de Dios y su llamada. Aviva en nosotros el deseo de seguir sus pasos, saliendo de nuestra tierra, confiando en su promesa" (Papa Francisco, Lumen fidei).

18 DE DICIEMBRE – **(MORADO)**

4º DOMINGO DE ADVIENTO
YA LLEGA EL SEÑOR, EL REY DE LA GLORIA

Cuando José despertó de aquel sueño... Con este último domingo de Adviento nos acercamos a la víspera de la celebración de la Navidad, y se hace más intensa nuestra espera y nuestros ojos dejan de lado al Bautista para concentrarse en el Emmanuel, el *«Dios-con-nosotros»*, anunciado proféticamente a Ajaz y, ahora, a José. La liturgia nos hace vacilar sobre el que debe venir, pero desde una perspectiva toda particular, la de José, el esposo de María. Diversamente de Ajaz, incapaz de interpretar los signos de Dios en la historia de la salvación, José es el «hombre justo», dispuesto a asumir en la propia vida el sueño mismo de Dios.

Estando María, su madre, desposada con José... El texto de Mateo que hoy meditamos tiene como tema central la crisis espiritual de José frente al inexplicable embarazo de su prometida y, al mismo tiempo, nos presenta al esposo de María como el testigo más autorizado de la concepción virginal del Mesías, el Hijo de Dios. En el antiguo judaísmo este compromiso en realidad ya formaba parte del matrimonio, se hacía frente a dos testigos, el contrato matrimonial se daba ya por hecho, de manera que un hijo nacido durante este tiempo era considerado, sin ninguna duda, hijo legítimo; es precisamente durante este tiempo que María se encuentra encinta.

No queriendo dejarla en evidencia, pensó dejarla en secreto... Estas palabras del Evangelista crean una cierta dificultad. Desde el punto de vista de la Ley de Moisés el *«repudio»* es un acto oficial y no puede hacerse *«en secreto»*. Digamos que José quiere retirarse sin hacer ruido; y es considerado *«justo»*. Conocemos sólo el punto de vista del Evangelista: para él, José es justo, primero, porque rechaza asumir una paternidad que no es suya y, segundo, porque obedece a Dios que le pide asumir esta paternidad.

La situación: María está encinta *«por obra del Espíritu Santo»*. Éste no sustituye, de ninguna manera, el elemento masculino en el acto generativo: sólo se quiere decir que Dios interviene directamente y que el proceso biológico es sustituido con un acto de creación. Y cuando Dios crea, esto sucede según la tradición bíblica, lo hace por medio de su Espíritu. Por otra parte, José ignora la iniciativa divina y su sentido de la «justicia» podría hacer fracasar el proyecto de Dios, que es el de insertar al Mesías en la línea de David.

Tú le pondrás el nombre de Jesús... José es llamado *«hijo de David»* y es invitado a ponerle el nombre que ha sido destinado al Niño: dándole el nombre, tarea reservada al padre, lo adoptará. En hebreo este nombre significa: *«Dios salva»*. Aquí la salvación es leída por Mateo ante todo para el pueblo de la Alianza, Israel, y en relación al *perdón* de sus pecados. En el mundo antiguo cada paternidad es un acto de adopción y cada adopción confiere a quien la recibe todos los derechos de hijo. Así, la auténtica filiación davídica del Niño depende de la obediencia de José, pero el nombre de «Jesús» contiene en sí más de esta filiación, por lo que significa *«el Señor salva»*.

El anuncio del Ángel a José es una síntesis completa del Nuevo Testamento: Jesús salvará a su pueblo de sus pecados. Tanto en el Antiguo como en el Nuevo Testamento, la expresión *«perdón de los pecados»* significa el resumen de toda la acción salvífica de Dios. Esto quiere decir que con la venida de Jesús ha sido superada la separación entre Dios y el hombre. De hecho, Él es *«el Dios-con-nosotros»* para nuestra salvación.

1. Antífona de entrada. Cielos, destilen el rocío; nubes, lluevan la salvación; que la tierra se abra, y germine el Salvador (Cfr. Is 45, 8).

No se dice Gloria

2. Oración colecta. Te pedimos, Señor, que infundas tu gracia en nuestros corazones, para que, habiendo conocido, por el anuncio del ángel, la encarnación de tu Hijo, lleguemos, por medio de su pasión y de su cruz, a la gloria de la resurrección. Por nuestro Señor Jesucristo...

3. 1ª Lectura   (Is 7, 10-14)
Del libro del profeta Isaías
En aquellos tiempos, el Señor le habló a Ajaz diciendo: "Pide al Señor, tu Dios, una señal de abajo, en lo profundo, o de arriba, en lo alto". Contestó Ajaz: "No la pediré. No tentaré al Señor".

Entonces dijo Isaías: "Oye, pues, casa de David: ¿No satisfechos con cansar a los hombres, quieren cansar también a mi Dios? Pues bien, el Señor mismo les dará por eso una señal: He aquí que la virgen concebirá y dará a luz un hijo y le pondrán el nombre de Emmanuel, que quiere decir Dios-con-nosotros".
Palabra de Dios.
A. *Te alabamos, Señor.*

4. Salmo responsorial   (Sal 23)
R. **Ya llega el Señor, el rey de la gloria.**

L. Del Señor es la tierra y lo que ella tiene, el orbe todo y los que en él habitan, pues él lo edificó sobre los mares, él fue quien lo asentó sobre los ríos. / **R.**

L. ¿Quién subirá hasta el monte del Señor? ¿Quién podrá entrar en su recinto santo? El de corazón limpio y manos puras y que no jura en falso. / **R.**

L. Ése obtendrá la bendición de Dios, y Dios, su salvador, le hará justicia. Ésta es la clase de hombres que te buscan y vienen ante ti, Dios de Jacob. / **R.**

5. 2ª Lectura   (Rom 1, 1-7)

De la carta del apóstol san Pablo a los romanos

Yo, Pablo, siervo de Cristo Jesús, he sido llamado por Dios para ser apóstol y elegido por él para proclamar su Evangelio. Ese Evangelio, que, anunciado de antemano por los profetas en las Sagradas Escrituras, se refiere a su Hijo, Jesucristo, nuestro Señor, que nació, en cuanto a su condición de hombre, del linaje de David, y en cuanto a su condición de espíritu santificador, se manifestó con todo su poder como Hijo de Dios, a partir de su resurrección de entre los muertos.

Por medio de Jesucristo, Dios me concedió la gracia del apostolado, a fin de llevar a los pueblos paganos a la aceptación de la fe, para gloria de su nombre. Entre ellos, también se cuentan ustedes, llamados a pertenecer a Cristo Jesús.

A todos ustedes, los que viven en Roma, a quienes Dios ama y ha llamado a formar parte de su pueblo santo, les deseo la gracia y la paz de Dios, nuestro Padre, y de Jesucristo, el Señor.

Palabra de Dios.

A. *Te alabamos, Señor.*

6. Aclamación antes del Evangelio   (Mt 1, 23)

R. **Aleluya, aleluya.** He aquí que la virgen concebirá y dará a luz un hijo, a quien pondrán el nombre de Emmanuel, que quiere decir Dios-con-nosotros.

R. **Aleluya, aleluya.**

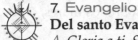

7. Evangelio   (Mt 1, 18-24)

Del santo Evangelio según san Mateo

A. *Gloria a ti, Señor*

Cristo vino al mundo de la siguiente manera: Estando María, su madre, desposada con José, y antes de que vivieran juntos, sucedió que ella, por obra del Espíritu Santo, estaba esperando un hijo. José, su esposo, que era hombre justo, no queriendo ponerla en evidencia, pensó dejarla en secreto.

Mientras pensaba en estas cosas, un ángel del Señor le dijo en sueños: "José, hijo de David, no dudes en recibir en tu casa a María, tu esposa, porque ella ha concebido por obra del Espíritu Santo. Dará a luz un hijo y tú le pondrás el nombre de Jesús, porque él salvará a su pueblo de sus pecados".

Todo esto sucedió para que se cumpliera lo que había dicho el Señor por boca del profeta Isaías: *He aquí que la virgen concebirá y dará a luz un hijo, a quien pondrán el nombre de Emmanuel*, que quiere decir *Dios-con-nosotros*.

Cuando José despertó de aquel sueño, hizo lo que le había mandado el ángel del Señor y recibió a su esposa.

Palabra del Señor.

A. *Gloria a ti, Señor Jesús.*

Se dice Credo

8. Oración sobre las ofrendas. Que santifique, Señor, estos dones, colocados en tu altar, el mismo Espíritu Santo que fecundó con su poder el seno de la bienaventurada Virgen María. Por Jesucristo, nuestro Señor.

9. Antífona de la comunión. Miren: la Virgen concebirá y dará a luz un hijo, a quien le pondrá el nombre de Emmanuel (Is 7, 14).

10. Oración después de la comunión. Habiendo recibido esta prenda de redención eterna, te rogamos, Dios todopoderoso, que, cuanto más se acerca el día de la festividad que nos trae la salvación, con tanto mayor fervor nos apresuremos a celebrar dignamente el misterio del nacimiento de tu Hijo. Él, que vive y reina por los siglos de los siglos.

EN COMUNIÓN
CON LA TRADICIÓN VIVA DE LA IGLESIA

«De pronto entrará en el santuario el Señor a quien vosotros buscáis, el mensajero de la alianza que vosotros deseáis. Fíjate cómo Cristo vino de improviso después de su Precursor: se mantuvo oculto a todos los judíos, apareciendo entre ellos de un modo repentino e inesperado. Decimos que al Bautista se le llama "ángel": no por naturaleza, ya que Juan nació de una mujer, hombre como nosotros, sino porque se le confió la misión de predicarnos y anunciarnos a Cristo, misión típicamente angélica. Juan es

"ángel" por su oficio, no por su condición de ángel. Se dice que entrará en el santuario, bien porque la Palabra se hizo carne y en ella habitó como en un santuario, santuario que asumió del castísimo cuerpo de la santísima Virgen; bien en cuanto hombre perfecto, alma y cuerpo, que según la fe fue formado sin intermediario, por la divina providencia; o sencillamente por santuario se entiende Jerusalén, como ciudad santa y consagrada a Dios; o también la Iglesia de la que Jerusalén era figura. Por lo demás, su venida o presencia Cristo la promulgó mediante muchas y estupendas obras: Proclamando el Evangelio del reino, curando las enfermedades, como está escrito. Entrará, pues, el Señor, dice, a quien vosotros buscáis, los que decís en vuestro apocamiento: ¿Dónde está el Dios de la justicia? Vendrá, pues, y su doctrina superará a la ley, a los símbolos y a las figuras. Y será el mensajero de la alianza, otrora anunciado por boca de Dios Padre. En cierto pasaje de los libros santos se le dice al doctor Moisés: Suscitaré un profeta de entre sus hermanos, como tú. Pondré mis palabras en su boca y les dirá lo que yo le mande» (**San Cirilo de Alejandría** [375-444]. Comentario al profeta Malaquías, 3, 32).

LA NATIVIDAD DEL SEÑOR (S)

TODA LA TIERRA HA VISTO AL SALVADOR

En el principio ya existía aquel que es la Palabra. El prólogo del Evangelio de san Juan (1, 1-18), escrito en un lenguaje poético, es un texto muy particular en este Evangelio. Ahí encontramos un vocabulario que no lo veremos en otra parte. Algunas palabras como: *plenitud*, *Palabra*, *gracia* se encuentran sólo en esta introducción. El himno era usado en las comunidades del «Discípulo amado», en especial en la comunidad de Éfeso. Siguiendo con este lenguaje musical diríamos que este himno es como una sinfonía del misterio total de Cristo.

Aquel que es la Palabra estaba con Dios y era Dios. Jesús es la Palabra que preexistía en el principio, cuya identidad con Dios es tal que el poeta afirma que «era Dios». Su encarnación marca la entrada histórica de la Palabra, su encuentro decisivo con los hombres, con el pueblo elegido. El aspecto más original del párrafo es el uso de la palabra griega *Logos* para indicar a Cristo y cuyo significado no lo agota la palabra latina *Verbum* (en castellano *Palabra*). Pero en este prólogo el término «Palabra» se emplea sin complemento, como para indicar un ser personificado. Jesús nunca se atribuyó este título, tampoco Juan lo pone en labios del Maestro.

El genio del teólogo-poeta, autor del prólogo, ha sido el de recoger todas estas tradiciones y adaptarlas a la figura de Jesús en el cual todas estas imágenes encuentran su realización final. La palabra de Dios presente en los profetas se ha vuelto persona en Jesús, revelación de Dios. Jesús es la sabiduría personificada y la Toráh (Ley) que da la vida. Como para cerrar el arco de la entera revelación, Juan comienza con una referencia al «principio», es decir antes de que Dios diera vida al mundo, para afirmar que entonces la Palabra ya «era» en posesión de una existencia eterna y estaba «con» Dios.

Y aquel que es la Palabra se hizo hombre y habitó entre nosotros. El texto habla claramente de la encarnación del Logos, de su asumir la condición humana, es decir, una humanidad frágil y perecedera. Sin dejar de ser Palabra entra en la historia humana. Aquel que existía desde toda la eternidad ha entrado en el tiempo y en las vicisitudes de los hombres. La presencia de la Palabra se describe con la imagen bíblica de la tienda: *«Ha puesto su tienda en medio de nuestro campamento»*. El vocablo evoca la tienda del desierto (Éx 25, 8-9) construida para que Dios pudiese «habitar en medio de ellos». Esta habitación en medio de los hombres no es apariencia. La comunidad de Juan afirma que en el hombre Jesús supo ver la gloria de Dios, o sea un esplendor que deriva de Dios.

¡Qué hermoso es ver correr sobre los montes...! El pueblo elegido está exiliado, Jerusalén, abandonada y en ruinas. Llega para ellos el gozoso anuncio: Dios ha consolado a su pueblo. El profeta ve al mensajero que anuncia paz, felicidad, salvación –**primera lectura**–. En el origen de esta paz está el Señor que reina, o mejor: que regresa a Jerusalén a levantarla de las ruinas. La consolación de Israel suscitará la maravilla de todos los pueblos: *de un confín a otro de la tierra se sabrá que Dios salva a su pueblo*.

Ahora... nos ha hablado por medio de su Hijo. Es el principio de la **Carta a los hebreos**, una rápida síntesis del misterio de Cristo –**segunda lectura**–. Es presentado en relación a Dios. Es el Hijo que habla en su nombre. Su venida al mundo inaugura los últimos tiempos.

MISA DE LA NOCHE

1. Antífona de entrada. El Señor me dijo: Tú eres mi Hijo, yo te he engendrado hoy (Sal 2, 7).

Se dice Gloria

2. Oración colecta. Señor Dios, que hiciste resplandecer esta noche santísima con la claridad de Cristo, luz verdadera, concede, a quienes hemos conocido los misterios de esa luz en la tierra, que podamos disfrutar también de su gloria en el cielo. Por nuestro Señor Jesucristo…

3. 1ª Lectura   (Is 9, 1-3. 5-6)
Del libro del profeta Isaías
El pueblo que caminaba en tinieblas vio una gran luz; sobre los que vivían en tierra de sombras, una luz resplandeció.

Engrandeciste a tu pueblo e hiciste grande su alegría. Se gozan en tu presencia como gozan al cosechar, como se alegran al repartirse el botín. Porque tú quebrantaste su pesado yugo, la barra que oprimía sus hombros y el cetro de su tirano, como en el día de Madián.

Porque un niño nos ha nacido, un hijo se nos ha dado; lleva sobre sus hombros el signo del imperio y su nombre será: "Consejero admirable", "Dios poderoso", "Padre sempiterno", "Príncipe de la paz"; para extender el principado con una paz sin límites sobre el trono de David y sobre su reino; para establecerlo y consolidarlo con la justicia y el derecho, desde ahora y para siempre. El celo del Señor lo realizará.
Palabra de Dios.
A. *Te alabamos, Señor.*

4. Salmo responsorial   (Sal 95)
R. **Hoy nos ha nacido el Salvador.**
L. Cantemos al Señor un canto nuevo, que le cante al Señor toda la tierra; cantemos al Señor y bendigámoslo. / R.

L. Proclamemos su amor día tras día, su grandeza anunciemos a los pueblos; de nación en nación, sus maravillas. / R.

[R. Hoy nos ha nacido el Salvador.]

L. Alégrense los cielos y la tierra, retumbe el mar y el mundo submarino. Salten de gozo el campo y cuanto encierra, manifiesten los bosques regocijo. / R.

L. Regocíjese todo ante el Señor, porque ya viene a gobernar el orbe. Justicia y rectitud serán las normas con las que rija a todas las naciones. / R.

5. 2ª Lectura   (Tit 2, 11-14)
De la carta del apóstol san Pablo a Tito

Querido hermano: La gracia de Dios se ha manifestado para salvar a todos los hombres y nos ha enseñado a renunciar a la vida sin religión y a los deseos mundanos, para que vivamos, ya desde ahora, de una manera sobria, justa y fiel a Dios, en espera de la gloriosa venida del gran Dios y Salvador, Cristo Jesús, nuestra esperanza. Él se entregó por nosotros para redimirnos de todo pecado y purificarnos, a fin de convertirnos en pueblo suyo, fervorosamente entregado a practicar el bien.

Palabra de Dios.
A. *Te alabamos, Señor.*

6. Aclamación antes del Evangelio
(Cfr. Lc 2, 10-11)

R. **Aleluya, aleluya.** Les anuncio una gran alegría: Hoy nos ha nacido el Salvador, que es Cristo, el Señor.

R. **Aleluya, aleluya.**

7. Evangelio   (Lc 2, 1-14)
Del santo Evangelio según san Lucas
A. *Gloria a ti, Señor.*

Por aquellos días, se promulgó un edicto de César Augusto, que ordenaba un censo de todo el imperio. Este primer censo se hizo cuando Quirino era gobernador de Siria. Todos iban a empadronarse, cada uno en su propia ciudad; así es que también José, perteneciente a la casa y familia de David, se dirigió desde la ciudad de Nazaret, en Galilea, a la ciudad de David, llamada Belén, para empadronarse, juntamente con María, su esposa, que estaba encinta.

Mientras estaban ahí, le llegó a María el tiempo de dar a luz y tuvo a su hijo primogénito; lo envolvió en pañales y lo recostó en un pesebre, porque no hubo lugar para ellos en la posada.

En aquella región había unos pastores que pasaban la noche en el campo, vigilando por turno sus rebaños. Un ángel del Señor se les apareció y la gloria de Dios los envolvió con su luz y se llenaron de temor. El ángel les dijo: "No teman. Les traigo una buena noticia, que causará gran alegría a todo el pueblo: hoy les ha nacido, en la ciudad de David, un salvador, que es el Mesías, el Señor. Esto les servirá de señal: encontrarán al niño envuelto en pañales y recostado en un pesebre".

De pronto se le unió al ángel una multitud del ejército celestial, que alababa a Dios, diciendo: "¡Gloria a Dios en el cielo, y en la tierra paz a los hombres de buena voluntad!". *Palabra del Señor.*

A. *Gloria a ti, Señor Jesús.*

Se dice Credo. A las palabras: Y por obra..., todos se arrodillan.

8. Oración sobre las ofrendas. Te rogamos, Señor, que la ofrenda de esta festividad sea de tu agrado, para que, mediante este sagrado intercambio, lleguemos a ser semejantes a aquel por quien nuestra naturaleza quedó unida a la tuya. Él, que vive y reina por los siglos de los siglos.

9. Antífona de la comunión. El Verbo se hizo hombre y hemos visto su gloria (Jn 1, 14).

10. Oración después de la comunión. Señor, Dios nuestro, que nos has concedido el gozo de celebrar el nacimiento de nuestro Redentor, haz que después de una vida santa, merezcamos alcanzar la perfecta comunión con él. Que vive y reina por los siglos de los siglos.

MISA DEL DÍA

1. Antífona de entrada. Un niño nos ha nacido, un hijo se nos ha dado; lleva sobre sus hombros el imperio y su nombre será Ángel del gran consejo (Cfr. Is 9, 5).

Se dice Gloria

2. Oración colecta. Señor Dios, que de manera admirable creaste la naturaleza humana y, de modo aún más admirable, la restauraste, concédenos compartir la divinidad de aquel que se dignó compartir nuestra humanidad. Él, que vive y reina contigo...

3. 1ª Lectura   (Is 52, 7-10)
Del libro del profeta Isaías
¡Qué hermoso es ver correr sobre los montes al mensajero que anuncia la paz, al mensajero que trae la buena nueva, que pregona la salvación, que dice a Sión: "Tu Dios es rey"!

Escucha: Tus centinelas alzan la voz y todos a una gritan alborozados, porque ven con sus propios ojos al Señor, que retorna a Sión.

Prorrumpan en gritos de alegría, ruinas de Jerusalén, porque el Señor rescata a su pueblo, consuela a Jerusalén. Descubre el Señor su santo brazo a la vista de todas las naciones. Verá la tierra entera la salvación que viene de nuestro Dios.
Palabra de Dios.
A. *Te alabamos, Señor.*

4. Salmo responsorial   (Sal 97)
R. Toda la tierra ha visto al Salvador.
L. Cantemos al Señor un canto nuevo, pues ha hecho maravillas. Su diestra y su santo brazo le han dado la victoria. / **R.**

L. El Señor ha dado a conocer su victoria y ha revelado a las naciones su justicia. Una vez más ha demostrado Dios su amor y su lealtad hacia Israel. / **R.**

L. La tierra entera ha contemplado la victoria de nuestro Dios. Que todos los pueblos y naciones aclamen con júbilo al Señor. / **R.**

L. Cantemos al Señor al son del arpa, suenen los instrumentos. Aclamemos al son de los clarines al Señor, nuestro rey. / **R.**

5. 2ª Lectura   (Heb 1, 1-6)
De la carta a los hebreos

En distintas ocasiones y de muchas maneras habló Dios en el pasado a nuestros padres, por boca de los profetas. Ahora, en estos tiempos, que son los últimos, nos ha hablado por medio de su Hijo, a quien constituyó heredero de todas las cosas y por medio del cual hizo el universo.

El Hijo es el resplandor de la gloria de Dios, la imagen fiel de su ser y el sostén de todas las cosas con su palabra poderosa. Él mismo, después de efectuar la purificación de los pecados, se sentó a la diestra de la majestad de Dios, en las alturas, tanto más encumbrado sobre los ángeles, cuanto más excelso es el nombre que, como herencia, le corresponde.

Porque ¿a cuál de los ángeles le dijo Dios: *Tú eres mi Hijo; yo te he engendrado hoy?* ¿O de qué ángel dijo Dios: *Yo seré para él un padre y él será para mí un hijo?* Además, en otro pasaje, cuando introduce en el mundo a su primogénito, dice: *Adórenlo todos los ángeles de Dios.* Palabra de Dios.

A. *Te alabamos, Señor.*

6. Aclamación antes del Evangelio

R. **Aleluya, aleluya.** Un día sagrado ha brillado para nosotros. Vengan, naciones, y adoren al Señor, porque hoy ha descendido una gran luz sobre la tierra.

R. **Aleluya, aleluya.**

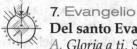 **7.** Evangelio   (Jn 1, 1-18)
Del santo Evangelio según san Juan

A. *Gloria a ti, Señor.*

En el principio ya existía aquel que es la Palabra, y aquel que es la Palabra estaba con Dios y era Dios. Ya en el principio él estaba con Dios. Todas las cosas vinieron a la existencia por él y sin él nada empezó de cuanto existe. Él era la vida, y la vida era la luz de los hombres. La luz brilla en las tinieblas y las tinieblas no la recibieron.

Hubo un hombre enviado por Dios, que se llamaba Juan. Éste vino como testigo, para dar testimonio de la luz, para que todos creyeran por medio de él. Él no era la luz, sino testigo de la luz.

Aquel que es la Palabra era la luz verdadera, que ilumina a todo hombre que viene a este mundo. En el mundo estaba; el mundo había sido hecho por él y, sin embargo, el mundo no lo conoció.

Vino a los suyos y los suyos no lo recibieron; pero a todos los que lo recibieron les concedió poder llegar a ser hijos de Dios, a los que creen en su nombre, los cuales no nacieron de la sangre, ni del deseo de la carne, ni por voluntad del hombre, sino que nacieron de Dios.

Y aquel que es la Palabra se hizo hombre y habitó entre nosotros. Hemos visto su gloria, gloria que le corresponde como a Unigénito del Padre, lleno de gracia y de verdad.

Juan el Bautista dio testimonio de él, clamando: "A éste me refería cuando dije: 'El que viene después de mí, tiene precedencia sobre mí, porque ya existía antes que yo'".

De su plenitud hemos recibido todos gracia sobre gracia. Porque la ley fue dada por medio de Moisés, mientras que la gracia y la verdad vinieron por Jesucristo. A Dios nadie lo ha visto jamás. El Hijo unigénito, que está en el seno del Padre, es quien lo ha revelado. *Palabra del Señor.*

A. *Gloria a ti, Señor Jesús.*

Se dice Credo. A las palabras: Y por obra..., todos se arrodillan.

8. Oración sobre las ofrendas. Que sea aceptable ante ti, Señor, la oblación de la presente solemnidad, por la que llegó a nosotros tu benevolencia para nuestra perfecta reconciliación y nos fue concedido participar en plenitud del culto divino. Por Jesucristo, nuestro Señor.

9. Antífona de la comunión. Los confines de la tierra han contemplado la salvación que nos viene de Dios (Cfr. Sal 97, 3).

10. Oración después de la comunión. Concédenos, Dios misericordioso, que el Salvador del mundo, que hoy nos ha nacido, puesto que es el autor de nuestro nacimiento a la vida, también nos haga partícipes de su inmortalidad. Él, que vive y reina por los siglos de los siglos.

EN COMUNIÓN
CON LA TRADICIÓN VIVA DE LA IGLESIA

«Entre todos los milagros y prodigios que de él cono-
cemos, hay uno que sobrepasa de manera muy particu-
lar toda la capacidad de admiración de la inteligencia
humana: la fragilidad de la inteligencia mortal no llega
a comprender, tampoco a intuir qué tan inmenso es el
poder de la divina majestad, el mismo Logos del Padre
y la propia Sabiduría de Dios, por medio de la cual
fueron creadas todas las cosas, visibles e invisibles,
creamos que estaba circunscrita dentro de los límites

de aquel hombre que apareció en Judea. Aún
más, esa fe nos invita a aceptar que la Sabi-
duría de Dios entró en el seno de una mujer,
que nació hecho niño, que prorrumpió en llo-
riqueos como cualquier otro niño. Y, por fin,
lo que se nos narra: que se angustió ante la
muerte, como él mismo confesó: "Muero de
angustia"; y para colmo, que fue conducido
a una muerte, considerada por los hombres
como la más ignominiosa, aunque resucitara
al tercer día. Ahora bien: cuando observa-
mos en él rasgos tan profundamente humanos, que en
nada parece diferenciarse del común de los mortales y,
por el contrario, otros tan típicamente divinos que no
riman con ningún otro sino con aquella primera e inefa-
ble naturaleza de la deidad, la inteligencia humana se
angustia y, presa de inmenso estupor, no sabe a qué
atenerse, a qué aferrarse, ni qué dirección tomar. Si lo
siente Dios, lo ve mortal, si lo considera hombre lo ve
regresar de entre los muertos cargado del botín, des-
pués de haber destruido el dominio de la muerte. Por
lo cual hemos de contemplarlo con el mayor temor y
reverencia» (Orígenes [200-254]. Sobre los principios).

LA SAGRADA FAMILIA DE JESÚS, MARÍA Y JOSÉ (F)

"PERO SOBRE TODA VIRTUD, TÉNGANSE AMOR, VÍNCULO DE LA PERFECTA UNIÓN"

Toda familia sigue un prototipo. Para una familia cristiana el molde es la sagrada Familia de Nazaret: un padre responsable a carta cabal; Dios se dirige a José para que proteja a María y al Niño de las actitudes genocidas de Herodes, temeroso de que su poder viniera a menos o de ser destronado.

Rumbo al destierro, el Niño va en brazos de una madre cariñosa y celosa de su criatura. Jesús, apenas nacido ya se ve amenazado por algunos seres humanos que quieren eliminarlo de raíz, pero Dios, el verdadero padre del Niño Jesús, vela sobre aquella familia.

San Pablo completa el modelo familiar cristiano aconsejando a las mujeres que respeten la autoridad de su marido y a los maridos, que amen a su esposa y no sean rudos con ella. Y a los hijos también se dirige la Palabra de Dios por medio de san Pablo quien les dice que obedezcan en todo a sus padres, porque eso es lo que agrada al Señor. Y a los padres les recuerda que no exijan demasiado a sus hijos para que no se depriman.

Cuántas familias de calidad tendríamos si, además, hiciéramos nuestros otros consejos de Pablo: "Sean compasivos, magnánimos, humildes, afables y pacientes. Sopórtense mutuamente y perdónense cuando tengan quejas contra otro, como el Señor los ha perdonado a ustedes. Pero sobre todas estas virtudes, tengan amor, que es el vínculo de la perfecta unión".

1. Antífona de entrada. Llegaron los pastores a toda prisa y encontraron a María y a José, y al niño recostado en un pesebre (Lc 2, 16).

Se dice Gloria

2. Oración colecta. Señor Dios, que te dignaste dejarnos el más perfecto ejemplo en la Sagrada Familia de tu Hijo, concédenos benignamente que, imitando sus virtudes domésticas y los lazos de caridad que la unió, podamos gozar de la eterna recompensa en la alegría de tu casa. Por nuestro Señor Jesucristo...

3. 1ª Lectura (Col 3, 12-21)

De la carta del apóstol san Pablo a los colosenses

Hermanos: Puesto que Dios los ha elegido a ustedes, los ha consagrado a él y les ha dado su amor, sean compasivos, magnánimos, humildes, afables y pacientes. Sopórtense mutuamente y perdónense cuando tengan quejas contra otro, como el Señor los ha perdonado a ustedes. Y sobre todas estas virtudes, tengan amor, que es el vínculo de la perfecta unión.

Que en sus corazones reine la paz de Cristo, esa paz a la que han sido llamados, como miembros de un solo cuerpo. Finalmente, sean agradecidos.

Que la palabra de Cristo habite en ustedes con toda su riqueza. Enséñense y aconséjense unos a otros lo mejor que sepan. Con el corazón lleno de gratitud, alaben a Dios con salmos, himnos y cánticos espirituales; y todo lo que digan y todo lo que hagan, háganlo en el nombre del Señor Jesús, dándole gracias a Dios Padre, por medio de Cristo.

Mujeres, respeten la autoridad de sus maridos, como lo quiere el Señor. Maridos, amen a sus esposas y no sean rudos con ellas. Hijos, obedezcan en todo a sus padres, porque eso es agradable al Señor. Padres, no exijan demasiado a sus hijos, para que no se depriman.

Palabra de Dios.

A. Te alabamos, Señor.

4. Salmo responsorial   (Sal 127)

R. Dichoso el que teme al Señor.

L. Dichoso el que teme al Señor y sigue sus caminos: comerá del fruto de su trabajo, será dichoso, le irá bien. / **R.**

L. Su mujer, como vid fecunda, en medio de su casa; sus hijos, como renuevos de olivo, alrededor de su mesa. / **R.**

L. Ésta es la bendición del hombre que teme al Señor: "Que el Señor te bendiga desde Sión, que veas la prosperidad de Jerusalén todos los días de tu vida". / **R.**

5. Aclamación antes del Evangelio (Col 3, 15. 16)

R. Aleluya, aleluya. Que en sus corazones reine la paz de Cristo; que la palabra de Cristo habite en ustedes con toda su riqueza.

R. Aleluya, aleluya.

 6. Evangelio   (Mt 2, 13-15. 19-23)
Del santo Evangelio según san Mateo
A. Gloria a ti, Señor.

Después de que los magos partieron de Belén, el ángel del Señor se le apareció en sueños a José y le dijo: "Levántate, toma al niño y a su madre, y huye a Egipto. Quédate allá hasta que yo te avise, porque Herodes va a buscar al niño para matarlo".

José se levantó y esa misma noche tomó al niño y a su madre y partió para Egipto, donde permaneció hasta la muerte de Herodes. Así se cumplió lo que dijo el Señor por medio del profeta: *De Egipto llamé a mi Hijo.*

Después de muerto Herodes, el ángel del Señor se le apareció en sueños a José y le dijo: "Levántate, toma al niño y a su madre y regresa a la tierra de Israel, porque ya murieron los que intentaban quitarle la vida al niño".

Se levantó José, tomó al niño y a su madre y regresó a tierra de Israel. Pero, habiendo oído decir que Arquelao reinaba en Judea en lugar de su padre, Herodes, tuvo miedo de ir allá, y advertido en sueños, se retiró a Galilea y se fue a vivir en una población llamada Nazaret. Así se cumplió lo que habían dicho los profetas: *Se le llamará nazareno.*

Palabra del Señor.

A. *Gloria a ti, Señor Jesús.*

7. Oración sobre las ofrendas. Te ofrecemos, Señor, este sacrificio de reconciliación, y te pedimos humildemente que, por la intercesión de la Virgen Madre de Dios y de san José, fortalezcas nuestras familias en tu gracia y en tu paz. Por Jesucristo, nuestro Señor.

8. Antífona de la comunión. Nuestro Dios apareció en el mundo y convivió con los hombres (Bar 3, 38).

9. Oración después de la comunión. Padre misericordioso, haz que, reanimados con este sacramento celestial, imitemos constantemente los ejemplos de la Sagrada Familia, para que, superadas las aflicciones de esta vida, consigamos gozar eternamente de su compañía. Por Jesucristo, nuestro Señor.

LA PALABRA EN TU VIDA

Repasa la primera lectura y responde: ¿cuál de todos los consejos que da san Pablo es el más importante? ¿Cuál es el que más necesitas en tu familia y qué piensas hacer para conseguirlo?

EL SANTO ROSARIO

ORACIONES INTRODUCTORIAS

Guía: Por la señal, de la Santa Cruz, de nuestros enemigos líbranos, Señor Dios nuestro, en el nombre del Padre, y del Hijo y del Espíritu Santo. Amén.

Yo me arrepiento de todo corazón de haberte ofendido. Pésame por el infierno que merecí y por el cielo que perdí; pero mucho más me pesa porque pecando ofendí a un Dios tan bueno y tan grande como Tú. Antes debería haber muerto que haberte ofendido; propongo firmemente no pecar más y evitar las ocasiones próximas de pecado. Amén.

Se anuncia qué misterios toca meditar: gozosos (lunes y sábado), luminosos (jueves), dolorosos (martes y viernes), o gloriosos (miércoles y domingo). Luego, antes de cada decena, se va anunciando el misterio.

Guía: Padre nuestro que estás en el cielo, santificado sea tu Nombre, venga a nosotros tu Reino, hágase tu voluntad, en la tierra como en cielo.

Todos: Danos hoy nuestro pan de cada día; perdona nuestras ofensas, como también nosotros perdonamos a los que nos ofenden; no nos dejes caer en tentación y líbranos del mal.

Guía: Dios te salve, María, llena eres de gracia, el Señor es contigo, bendita tú entre todas las mujeres, y bendito es el fruto de tu vientre, Jesús.

Todos: Santa María Madre de Dios, ruega por nosotros los pecadores, ahora y en la hora de nuestra muerte. Amén.

Al final de cada decena se dice:

Guía: Gloria al Padre y al Hijo y al Espíritu Santo.

Todos: Como era en el principio, ahora y siempre, por los siglos de los siglos. Amén.

Guía: María, Madre de gracia, Madre de Misericordia.

Todos: ¡En la vida y en la muerte, ampáranos, gran Señora!

MISTERIOS GOZOSOS
(Se rezan Lunes y Sábado)

Primer Misterio

El arcángel Gabriel le anuncia a María que será ella la madre del Salvador

"El ángel Gabriel fue enviado por Dios... a una virgen desposada con un hombre de la casa de David... y le dijo: 'Te saludo, llena de gracia, el Señor está contigo... No temas, María, porque has hallado gracia ante Dios. Sábete que vas a concebir y darás a luz a un hijo a quien pondrás por nombre Jesús... El Espíritu Santo descenderá sobre ti... Por tanto, aquel que nacerá de ti será santo y será llamado Hijo de Dios'. ...María respondió: *'Yo soy la esclava del Señor, que se haga en mí conforme a tu palabra'"* (Lc 1, 26-38).

Segundo Misterio

María visita a su prima santa Isabel

"María se puso en camino hacia una ciudad en las montañas de Judea. Llegada a la casa de Zacarías, saludó a Isabel. Cuando Isabel oyó el saludo de María, el niño saltó en su seno y ella quedó llena del Espíritu Santo y exclamó: '¡Bendita eres entre las mujeres y bendito es el fruto de tu vientre!... Dichosa tú que has creído, porque se cumplirán las palabras que el Señor te ha dicho". Entonces María exclamó: 'Mi alma glorifica al Señor...'" (Lc 1, 39-45).

Tercer Misterio

El nacimiento del niño Jesús

"Mientras se hallaban en Belén, se cumplieron para María los días del parto. Ella dio a luz a un niño, lo envolvió entre pañales y lo recostó en un pesebre, porque no hubo para ellos lugar en la posada" (Lc 2, 6-8).

Cuarto Misterio

La presentación del niño Jesús en el templo

"Cuando se cumplió el tiempo de la purificación mandada por la ley de Moisés, llevaron a Jesús a Jerusalén para ofrecerlo al Señor como está establecido por la misma ley del Señor… Simeón dijo a María: 'Este niño será causa de caída y de elevación, y a ti una espada te atravesará el corazón'" (Lc 2, 22-40).

Quinto Misterio

El niño Jesús es perdido y hallado en el templo

"Los padres de Jesús iban todos los años a Jerusalén para la fiesta de Pascua. Cuando el niño cumplió doce años, subieron a Jerusalén, según la usanza. Transcurridos los días de la fiesta, el niño Jesús se quedó en Jerusalén, sin darse cuenta de ello sus padres… Al cabo de tres días lo hallaron en el templo, sentado en medio de los doctores mientras los escuchaba y los interrogaba… Su madre le dijo: 'Hijo, ¿por qué nos has hecho esto?...'. Y él respondió: '¿No sabían que yo debo ocuparme de los asuntos de mi Padre?'" (Lc 2, 41-52).

MISTERIOS LUMINOSOS
(Se rezan los jueves)

PRIMER MISTERIO

El bautismo de Jesús en el Jordán

"Vino entonces Jesús de Galilea al Jordán a ver a Juan para que éste lo bautizara... Apenas bautizado, se abrieron los cielos y vio al Espíritu de Dios descender como una paloma y posarse sobre él. Y se oyó una voz del cielo que dijo: 'Éste es mi Hijo muy amado en quien tengo mis complacencias'" (Mt 3, 13-17).

SEGUNDO MISTERIO

Las Bodas de Caná

"Se celebraron unas bodas en Caná de Galilea y ahí estaba la madre de Jesús. A estas bodas también fue invitado Jesús con sus discípulos. Como llegara a faltar el vino, la madre le dijo: 'Ya no tienen vino...'. Después dijo a los servidores: 'Hagan lo que él les diga...'. Jesús transformó el agua en vino y ordenó que fuera llevado a la mesa. Así dio inicio a sus milagros y sus discípulos creyeron en él" (Jn 2, 1-12).

TERCER MISTERIO

Jesús anuncia el Reino de Dios invitando a la conversión

"Viendo aquel gentío, subió Jesús al monte; y, cuando se hubo sentado, se le unieron sus discípulos. Enseguida comenzó a hablarles, enseñándoles así: 'Bienaventurados los pobres de espíritu porque suyo es el Reino de los cielos... Busquen primero el Reino de Dios y su justicia...'" (Mt 5, 1ss; 6, 33).

Cuarto Misterio

La transfiguración de Jesús

"Llevándose a Pedro, a Santiago y a Juan, Jesús subió al monte a hacer oración. Mientras rezaba, cambió el aspecto de su rostro y su vestido se puso blanco y resplandeciente. Y he aquí que dos hombres conversaban con él, los cuales eran Moisés y Elías, quienes aparecieron gloriosos y hablaban de su muerte, la cual iba a verificarse en Jerusalén... Pedro dijo: 'Maestro, es bueno quedarnos aquí...'. Llegó una nube que los cubrió con su sombra... Y de la nube salió una voz que dijo: 'Éste es mi Hijo muy amado, escúchenlo'" (Lc 9, 28-35).

Quinto Misterio

Jesús instituye la Eucaristía

"Antes de la fiesta de la Pascua, sabiendo Jesús que había llegado la hora de irse de este mundo adonde está el Padre, siguió amando hasta el fin a los suyos en este mundo..." (Jn 13, 1). "Yo recibí del Señor esta enseñanza que, a mi vez, les he transmitido: que la noche en que iba a ser entregado el Señor Jesús, tomó pan y después de dar gracias lo partió y dijo: 'Este es mi cuerpo, el que será entregado por ustedes; hagan esto en memoria mía'. De la misma manera... tomó el cáliz diciendo: 'Este cáliz es la nueva alianza con mi sangre; hagan esto en memoria mía siempre que lo beban'" (1 Cor 11, 23-26).

MISTERIOS DOLOROSOS
(Se rezan martes y viernes)

Primer Misterio

La oración de Jesús en el huerto

"Saliendo de allí, Jesús se fue, según su costumbre, al Monte de los Olivos… Y dijo a sus discípulos: 'Recen para que no caigan en tentación'. Luego se alejó y, poniéndose de rodillas rezaba: 'Padre, si quieres, aparta de mí este cáliz; pero que no se haga mi voluntad, sino la tuya'" (Lc 22, 39-41).

Segundo Misterio

Pilato entrega a Jesús y lo hace azotar

"Entonces Pilato se llevó a Jesús y lo mandó azotar" (Jn 19, 1). "Él era quien llevaba nuestros males, quien se había echado a cuestas nuestras dolencias; ¡y nosotros lo mirábamos como a un hombre que sufre un castigo, como a un hombre que Dios castiga y humilla! Mas él, por causa de nuestros pecados fue traspasado; por causa de nuestras iniquidades fue triturado; sobre él cayó el castigo que nos trajo la paz, fueron nuestra curación sus moretones" (Is 53, 4-5).

Tercer Misterio

Jesús es coronado de espinas

"Los soldados se llevaron a Jesús al interior del palacio, esto es, al pretorio. Allí juntaron todo el batallón; luego lo vistieron de púrpura y, entretejiendo una corona de espinas, le ciñeron con ella la cabeza. Enseguida comenzaron a burlarse, diciendo: 'Viva el rey de los judíos'" (Mc 15, 16-20).

Cuarto Misterio

Jesús lleva la cruz a cuestas

"Los soldados, luego que acabaron de burlarse de él… lo sacaron para crucificarlo. Por el camino obligaron a un transeúnte que venía del campo, a un tal Simón de Cirene, a que le ayudara a llevar la cruz. Así lo llevaron hasta arriba del Gólgota, que traducido significa lugar de la Calavera…" (Mc 15, 20-23).

Quinto Misterio

Jesús muere en la cruz

"Lo crucificaron y se repartieron sus vestiduras… El letrero con la causa de su condena decía: 'El Rey de los judíos'. Crucificaron juntamente con él a dos ladrones, uno a su derecha y otro a su izquierda…" (Mc 15, 24-27). "Junto a la cruz estaban su madre y María la de Cleofás, hermana de su madre, y María Magdalena. Mirando Jesús a su madre ahí presente y al discípulo a quien él tanto amaba, dijo a su madre: 'Mujer, ése es tu hijo'. Luego dijo al discípulo: 'Ésa es tu madre'. Y desde aquel momento el discípulo se hizo cargo de ella…" (Jn 19, 25-27).

MISTERIOS GLORIOSOS
(Se rezan miércoles y domingo)

PRIMER MISTERIO

La resurrección del Señor

"Y he aquí que hubo un gran temblor de tierra... Del terror que les causó se pusieron los guardias a temblar, y se quedaron como muertos. Luego, rompiendo el ángel el silencio, les dijo a las mujeres:

'No teman ustedes, pues ya sé que andan buscando a Jesús, el que fue crucificado. No está aquí, pues resucitó, como Él lo había dicho'" (Mt 28, 2. 4-6).

SEGUNDO MISTERIO

La ascensión del Señor

"Los once apóstoles se encaminaron a Galilea, hacia el monte donde Jesús los había citado y, cuando lo vieron, se postraron... Y Jesús les dijo: 'Se me ha dado todo poder en el cielo y en la tierra. Vayan y enseñen a todas las naciones y bautícenlas en el nombre del Padre, y del Hijo y del Espíritu Santo... Y sepan que Yo estaré con ustedes hasta el fin del mundo" (Mt 28, 16-20). "Dicho esto se fue elevando hacia lo alto a la vista de ellos, hasta que una nube lo ocultó a sus ojos" (Hch 1, 9).

Tercer Misterio

La venida del Espíritu Santo
sobre los apóstoles

"Cuando llegó el día de Pentecostés, estando todos reunidos en el mismo lugar, vino repentinamente del cielo un estruendo como de un huracán desencadenado, el cual llenó toda la casa donde asistían. Entonces vieron como unas lenguas de fuego que se repartieron, yendo a parar sobre cada uno de ellos. Todos quedaron llenos del Espíritu Santo y empezaron a hablar otras lenguas" (Hch 2, 1-4).

Cuarto Misterio

La asunción de la Virgen al cielo

La Virgen inmaculada, preservada de toda mancha de pecado original, cuando terminó su vida terrena, fue elevada a la gloria celeste en cuerpo y alma y fue exaltada por el Señor como reina del universo, para estar plenamente conforme a su Hijo, Rey de reyes y vencedor del pecado y de la muerte (*Lumen Gentium, 59*).

Quinto Misterio

Coronación de la Virgen como reina
del cielo y de la tierra

"Apareció en el cielo un gran prodigio: una mujer vestida de sol, tenía la luna bajo sus pies y en la cabeza llevaba una corona de doce estrellas… La mujer dio a luz a un niño varón que ha de gobernar a todas las naciones… Enseguida oí un rumor como la voz de una multitud inmensa que proclamaba: '¡Aleluya! Porque reina el Señor Dios nuestro. Alegrémonos y llenémonos de júbilo, porque ya llegaron las bodas del Cordero, ya se arregló su esposa de lino fino, reluciente y blanquísimo'" (Ap 12, 1-5; 19, 6-7).

LETANÍAS

Señor, ten piedad de nosotros.
Señor, ten piedad de nosotros.

Cristo, ten piedad de nosotros.
Cristo, ten piedad de nosotros.

Señor, ten piedad de nosotros.
Señor, ten piedad de nosotros.

Cristo, óyenos.
Cristo, óyenos.

Cristo, escúchanos.
Cristo, escúchanos.

Padre celestial, que eres Dios. Ten piedad de nosotros.
Hijo Redentor del mundo, que eres Dios. "
Espíritu Santo que eres Dios. "
Santísima Trinidad, que eres un solo Dios. "

Santa María. Ruega por nosotros
Santa Madre de Dios. "
Santa Virgen de las vírgenes. "
Madre de Jesucristo. "
Madre de la divina gracia. "
Madre purísima. "
Madre castísima. "
Madre intacta. "
Madre sin mancha. "
Madre amable. "
Madre admirable. "
Madre del buen consejo. "
Madre del Creador. "
Madre del Salvador. "
Madre de la Iglesia. "

Virgen prudentísima.   *Ruega por nosotros*
Virgen venerable.   "
Virgen digna de alabanza.   "
Virgen poderosa.   "
Virgen misericordiosa.   "
Virgen fiel.   "
Espejo de justicia.   "
Trono de Sabiduría.   "
Causa de nuestra alegría.   "
Vaso espiritual.   "
Vaso honorable.   "
Vaso insigne de devoción.   "
Rosa mística.   "
Torre de David.   "
Torre de marfil.   "
Casa de Oro.   "
Arca de la alianza.   "
Puerta del cielo.   "
Estrella de la mañana.   "
Salud de los enfermos.   "
Refugio de los pecadores.   "
Consoladora de los afligidos.   "
Auxilio de los cristianos.   "
Reina de los ángeles.   "
Reina de los patriarcas.   "
Reina de los profetas.   "
Reina de los ápóstoles.   "
Reina de los mártires.   "
Reina de los confesores.   "
Reina de las vírgenes.   "
Reina de todos los santos.   "
Reina concebida sin pecado original.   "
Reina subida al cielo en cuerpo y alma.   "
Reina del Santísimo Rosario.   "
Reina de la paz.   "

Cordero de Dios que quitas los pecados del mundo.
Óyenos, Señor.
Cordero de Dios que quitas los pecados del mundo.
Perdónanos, Señor.
Cordero de Dios que quitas los pecados del mundo.
Ten piedad y misericordia de nosotros.

ORACIÓN

Bajo tu amparo nos acogemos, santa Madre de Dios. No desprecies las súplicas que te dirigimos en nuestras necesidades: antes bien, líbranos de todos los peligros, ¡oh Virgen gloriosa y bendita! Ruega por nosotros, Santa Madre de Dios, para que seamos dignos de alcanzar las promesas de nuestro Señor Jesucristo. Amén.

Oh Dios, cuyo Unigénito Hijo, con su vida, muerte y resurrección, nos obtuvo el premio de la salud eterna: danos a los que recordamos estos misterios del Santo Rosario, imitar lo que contienen y alcanzar lo que prometen. Por el mismo Jesucristo, nuestro Señor.

En el nombre del Padre, y del Hijo, y del Espíritu Santo.

MIS ORACIONES

Oración para antes de la Comunión

Señor Jesucristo, la comunión de tu Cuerpo y de tu Sangre no sea para mí un motivo de juicio y condenación, sino que, por tu piedad, me aproveche para defensa de alma y cuerpo y como remedio saludable.

Oración de San Ignacio de Loyola

Alma de Cristo, *santifícame.*
Cuerpo de Cristo, *sálvame.*
Sangre de Cristo, *embriágame.*
Agua del costado de Cristo, *lávame.*
Pasión de Cristo, *confórtame.*

Oh buen Jesús, *óyeme.*
Dentro de tus llagas, *escóndeme.*
No permitas *que me aparte de ti.*
Del maligno enemigo, *defiéndeme.*
En la hora de mi muerte, *llámame.*
Y mándame ir a ti, *para que con tus santos te alabe, por los siglos de los siglos. Amén.*

Oración a la Virgen de Guadalupe

Virgen de Guadalupe, que a la tierra de México le has querido dar especiales muestras de benevolencia y has prometido consuelo y ayuda a los que te aman y siguen, mira benignamente a todos tus hijos: ellos te invocan con confianza. Conserva en nuestras almas el don precioso de la gracia divina.

Haz que seamos dóciles a la voluntad del Señor, de tal manera que cada vez más se extienda su reino en los corazones, en las familias y en nuestra nación.

Virgen Santísima, acompáñame en las fatigas del trabajo cotidiano, en las plegarias, en las penas y dificultades de la vida, de modo que nuestro espíritu inmortal pueda elevarse, libre y puro, a Dios, y servirlo gozosamente, con generosidad y fervor.

Defiéndenos de todo mal, Reina y Madre de México; y haz que seamos fieles imitadores de Jesús, que es Camino, Verdad y Vida, a fin de que un día podamos alcanzar en el cielo el premio de la visión beatífica. Amén.

(Juan XXIII)

Oración a san Judas Tadeo por el trabajo y la familia

San Judas Tadeo, intercesor en todo problema difícil, siento en mi interior la tentación y la tristeza de no ser fiel al Señor. Hasta he defraudado a mi familia y he fallado a la ilusión de otras personas. Alcánzame, te lo ruego, la gracia de cambiar eficazmente y a fondo mi vida.

Consígueme el trabajo en que me realice humanamente, y que así, tenga lo suficiente, en todos los aspectos, para mi familia. Que lo conserve a pesar de las circunstancias y personas adversas. Que en él progrese, que me rinda el tiempo y el dinero. Y que día a día trate de desempeñarme como un servicio a los demás.

Alcánzame la presencia y fortaleza de Dios, en medio de mi familia, para que como familia lo amemos, lo alabemos y recemos, le agradezcamos y ofrezcamos el diario cumplimiento del deber. Únenos estrechamente como familia humana y de Dios; protégenos en toda circunstancia. En especial, concédenos (Hágase aquí la petición).

Asocia tu intercesión a la Sagrada Familia, de la cual eres pariente. El promover tu auténtica devoción, que sea una expresión de mi gratitud. Amén.

Oración de los esposos

Señor, haz que nuestro hogar sea un sitio de tu Amor.
Que no haya injuria, porque tú nos das comprensión.
Que no haya amargura, porque tú nos bendices.
Que no haya egoísmos, porque tú nos alientas.
Que no haya rencor, porque tú nos das el perdón.
Que no haya abandono, porque tú estás con nosotros.
Que sepamos marchar hacia ti en nuestro diario vivir.
Que cada mañana amanezca un día
    más de entrega y sacrificio.
Que cada noche nos encuentre con más amor de esposos.
Haz, Señor, de nuestras vidas que quisiste unir,
    unas páginas llenas de ti.
Haz, Señor, de nuestros hijos, lo que tú anhelas:
    ayúdanos a educarlos, a orientarlos por tu camino.
Que nos esforcemos en el consuelo mutuo.
Que hagamos del amor un motivo para amarte más.
Que demos lo mejor de nosotros para ser felices en el hogar.
Que cuando amanezca el gran día de ir a tu encuentro, nos
    concedas el hallarnos unidos para siempre en ti. Amén.

Oración para pedir la salud

Padre nuestro, que estás en los cielos, al igual que el sol ilumina la tierra y le da calor y vida, él nos recuerda tu amor. Porque es en ti en quien vivimos, nos movemos y existimos.

De la misma manera que has estado entre nosotros muchas veces a la hora de la dificultad, en el pasado, continúa bendiciéndonos ahora con tu ayuda.

Mira, Señor, con bondad lo que se está haciendo en provecho mío. Guía con sabiduría al médico y a todos los que cuidan de mis necesidades. Préstales tu fuerza curativa, para que me sea devuelta la salud y la fortaleza. Y te daré gracias por tu generoso y solícito cuidado. Por Cristo nuestro Señor. Amén.

Oración por un enfermo

Señor Jesús, aquel (aquella) a quien amas está enfermo (a). Tú lo puedes todo; te pido humildemente que le devuelvas la salud.

Pero, si son otros tus designios, te pido le concedas la gracia de sobrellevar cristianamente su enfermedad.

En los caminos de Palestina tratabas a los enfermos con tal delicadeza que todos venían a ti; dame esa misma dulzura, ese tacto que es tan difícil de tener cuando se está sano.

Que yo sepa dominar mi nerviosismo para no agobiarle; que sepa sacrificar una parte de mis ocupaciones para acompañarle, si es su deseo.

Yo estoy lleno de vida, Señor, y te doy gracias por ello.

Pero haz que el sufrimiento de los demás me santifique, formándome en la abnegación y en la caridad. Amén.

Oración por un difunto

Dios nuestro, ante quien los muertos viven y en quien los santos encuentran la felicidad eterna, escucha nuestras súplicas por nuestro(a) hermano(a) N., que ha sido privado(a) de la luz de este mundo, y concédele gozar eternamente de la claridad de tu presencia. Por Cristo nuestro Señor. Amén.

Oración en las dificultades económicas

Señor, que has creado todo el universo y has dotado a la tierra de riquezas suficientes para alimentar a todos los hombres que habitan, ven en nuestra ayuda.

Señor, que cuidas de los lirios del campo y de las aves del cielo, los vistes, los nutres y los haces prosperar, manifiesta sobre nosotros tu providencia paterna.

Ayúdanos, Señor: ya que nuestra salvación sólo puede venir de hombres honestos y buenos, infunde en el corazón de nuestros prójimos el sentido de la justicia, de la honestidad, y de la caridad.

Cuida de nuestra familia, que confiadamente espera de ti el pan de cada día.

Fortalece nuestros cuerpos.

Da serenidad a nuestra vida, a fin de que podamos corresponder más fácilmente a tu gracia divina, y sentir que sobre nosotros, sobre nuestras preocupaciones y angustias, vela tu amor de Padre. Amén.

Oración para antes de leer la Sagrada Escritura

Señor Jesús, abre mis ojos y mis oídos a tu Palabra. Que lea y escuche yo tu voz y medite tus enseñanzas.

Despierta mi alma y mi inteligencia, para que tu Palabra penetre en mi corazón y pueda yo saborearla y comprenderla.

Dame una gran fe en ti, para que tus palabras sean para mí otras tantas luces que me guíen hacia ti por los caminos de la justicia y de la verdad.

Habla, Señor, que yo te escucho y deseo poner en práctica tu doctrina, porque tus palabras son para mí, vida, gozo, paz y felicidad.

Habla, Señor, tú eres mi Señor y mi Maestro y no escucharé a nadie sino a ti. Amén.

(P. Chevrier)

CENTROS DE DIFUSIÓN SAN PABLO
www.sanpablo.com.mx

AGUASCALIENTES
Aguascalientes
Pedro Parga 101, Esq. Morelos
Col. Centro 20000
Aguascalientes, Ags.
Tel. (449) 916-6311 y 915-7638
Fax (449) 916-6313

JALISCO
Guadalajara, Jal.
Centro Multimedial
Donato Guerra 177, Esq. Madero
Col. Centro 44100
Guadalajara, Jal.
Tel. (33) 3614-5367,
3345-6016 y 6017 y (33) 3613 8736
ventasgdl@sanpablo.com.mx

Guadalajara, Jal.
Calle Independencia 378
a un costado de la Catedral
Col. Centro, CP 44100,
Tel. (33) 3614 9864

Zapopan, Jal.
Emiliano Zapata 108-C
Col. Centro, 45100,
Zapopan, Jalisco
Tel. 33 3165 7453

CIUDAD DE MÉXICO
Catedral
Guatemala 10 Pasaje Catedral
Col. Centro 06000
Ciudad de México
Tel. (55) 5521-2251
Fax (55) 5512-7590

Motolinía
Motolinía 36, Col. Centro
06000 - Ciudad de México
Tels. / Fax: (55) 5510-3699,
5510-4086

Taxqueña
Calz. Taxqueña 1792
Col. Paseos de Taxqueña 04250
Ciudad de México
Tel. (55) 5646-1052; 53 y 56,
Fax: (55) 5581-4669

Universidad Pontificia de México
Victoria 98
Col. Tlalpan 14000
Ciudad de México
Tel. y Fax (55) 5485-0462

Pino Suárez - Zócalo
Pasaje metro Pino Suárez - Zócalo
Local 14, Col. Centro
Ciudad de México
Tel. 5522-3919

NUEVO LEÓN
Monterrey
Francisco I. Madero 424
Esq. Cuauhtémoc
Col. Centro 64000
Monterrey, N.L.
Tel. y Fax (81) 8374-5529

QUERÉTARO
Querétaro
Allende Sur # 1
Col. Centro 76000
Querétaro, Qro.
Tel. y Fax (442) 224-1414

VERACRUZ
Coatzacoalcos
Av. Juárez 424,
Col. Centro 96400
Coatzacoalcos, Ver.
Tel. (921) 212-7127,
Fax (921) 212-1310

Tuxpan
Escuela médico militar 8-A
Col. Centro C.P. 92800
Tel. (783) 102 - 2188

YUCATÁN
Mérida
Calle 61 # 514 x 62 y 64
Col. Centro 97000
Mérida, Yuc.
Tel. y Fax (999) 923-3066

MICHOACÁN
Morelia
Santiago Tapia 202,
Col. Centro 58000
Morelia, Mich.
Tel. y Fax (443) 312-7272

CUBA
Centro
"Padre Santiago Alberione"
Calle Compostela 12 Plaza del Ángel
Habana Vieja, 10100,
La Habana, Cuba.
Tels 53 (7) 862-40 00 (ó 08 ó 09)
Ext: 210.

ESTADOS UNIDOS

TEXAS
Plaza del Rey Shopping Center
5716 Bellaire Blvd. Suite c
Houston, Harris County,
Texas 77081
Tels. (713) 4898 - 241 y 4895 - 874

CALIFORNIA
Los Ángeles
First 3852 E. First St.
Los Ángeles, CA. 90063
Tels. (323) 268-5010
(323) 268-5455
Fax (323) 268-4583
together@sspusa.org
www.sanpablolax.com

Los Ángeles
Whittier 5003 Whittier Blvd.
Los Ángeles, CA 90022
Tels. (323) 262-7861
(323) 262-1748
Fax (323) 262-1578
sobicain@pacbell.net
www.sanpablolax.com

FLORIDA
Miami
5800 SW 8th St.
Miami, FL. 33144
Toll Free 1(888) 677-2256
Tel. (305) 269-9585
Fax (305) 269-9586
distributioncenter@sanpablomia.com
www.sanpablomia.com

CHICAGO
St. Pauls Catholic Biblical Center
5525 W. Belmont Ave.
Chicago, IL. 60641
Tel.(773) 993-0857 Fax (773) 697-8089
stpaulschicago@stpauls.us

CENTROS
DE DISTRIBUCIÓN

EDICIONES
PAULINAS, S.A. DE C.V.
Calz. Taxqueña 1792
Col. Paseos de Taxqueña 04250
Ciudad de México
Tels. (55) 5512-1451 y 5510-4057
01-800-552-1451
Fax: (55) 5521-5862
ventas@sanpablo.com.mx
distribuidora@sanpablo.com.mx

EDITORIAL
ALBA, S.A. DE C.V.
Calle Alba 1914,
Col. San Pedrito 45500
Tlaquepaque, Jal.
(Apdo. 180)
Tel. (33) 3600-1527
Fax: (33) 3600-1973
editorialalba@sanpablo.com.mx
ventasalba@sanpablo.com.mx